ЭРИХ МАРИЯ РЕМАРК

ТРИ ТОВАРИЩА

ИЗДАТЕЛЬСТВО АСТ
МОСКВА

УДК 821.112.2-31
ББК 84(4Гем)-44
Р37

Серия «Эксклюзивная классика»

Erich Maria Remarque
DREI KAMERADEN

Перевод с немецкого *Ю. Архипова*

Серийное оформление *Е. Ферез*

Печатается с разрешения The Estate of the Late Paulette
Remarque и литературных агентств Mohrbooks AG Literary
Agency и Synopsis

Ремарк, Эрих Мария.
Р37   Три товарища : [роман] / Эрих Мария Ремарк ; [пер. с нем. Ю.И. Архипова]. — Москва : Издательство АСТ, 2020. — 480 с. — (Эксклюзивная классика).

ISBN 978-5-17-111569-2

Самый красивый в двадцатом столетии роман о любви...
Самый увлекательный в двадцатом столетии роман о дружбе...
Самый трагический и пронзительный роман о человеческих отношениях за всю историю двадцатого столетия.

УДК 821.112.2-31
ББК 84(4Гем)-44

ISBN 978-5-17-111569-2

I

Небо, еще не закопченное дымом печных труб, отливало латунной желтизной. Над крышами фабрики оно светилось сильнее. Солнце вот-вот должно было взойти. Я взглянул на часы. Восьми еще нет. Без четверти.

Я открыл ворота и подготовил насос бензоколонки. В это время обычно подъезжают первые машины на заправку. Неожиданно позади меня послышалось какое-то хриплое поскрипывание — будто под землей прокручивали ржавый ворот. Я остановился, прислушался. Потом прошел через двор в мастерскую и тихонько приоткрыл дверь. Там в полутьме маячила какая-то призрачная фигура. Грязноватая белая косынка, синий фартук, толстые шлепанцы, шаркающая метла, килограммов девяносто весу — не иначе как наша уборщица Матильда Штосс.

На какое-то время я застыл, наблюдая. Она двигалась меж радиаторов с грацией бегемота и глухим голосом распевала песенку о верном гусаре. На столе у окна стояли две бутылки коньяка. В одной из них осталось на донышке. Накануне вечером бутылка была полной. Я забыл запереть ее в шкаф.

— Ай-ай-ай, фрау Штосс, — сказал я.

Пение оборвалось. Метла упала на пол. Блаженная ухмылка потухла.

— Господи Иисусе, — пролепетала Матильда, уставившись на меня красноватыми глазами. — Вот уж не ожидала...

— Понятно. Ну и как коньячок? Понравился?

— Да уж что говорить... но мне как-то не по себе. — Она вытерла губы. — Прямо языка лишилась...

— Ну, это уж слишком. Вы просто пьяны. Пьяны в стельку.

Она с трудом удерживала равновесие. Усики над ее верхней губой подрагивали, а веки хлопали, как у старой совы. Но вот наконец ей удалось совладать с собой, и она решительно шагнула ко мне.

— Слаб человек-то, господин Локамп, сначала я только понюхала, потом отхлебнула чуток — для пищеварения, а тут, тут уж черт меня и попутал. Да и то сказать — гоже ли так вводить бедную женщину в соблазн? Пузырек-то ведь на самом виду...

Я не впервые заставал ее в таком виде. Она приходила каждое утро часа на два, убирать мастерскую; деньги, в любом количестве, можно было не запирать — она их не трогала, а вот спиртное действовало на нее, как сало на крысу. Я посмотрел бутылку на свет.

— Ну разумеется — коньяк для клиентов вы не тронули. Налегли на тот, что получше, который господин Кестер держит для себя.

Помрачневший было лик Матильды опять озарила ухмылка.

— Что верно — то верно, в таких вещах толк я знаю. Но ведь вы не выдадите меня, господин Локамп? Вдову горемычную?

Я покачал головой:

— Сегодня не выдам.

Она выпростала подоткнутые юбки.

— Ну, тогда мне лучше скрыться. А то придет господин Кестер — такое начнется!..

Я подошел к шкафу и открыл его.

— Матильда!

Она, переваливаясь, поспешила ко мне. Я поднял коричневую четырехгранную бутылку.

Она протестующе замахала руками.

— Это не я! Честное слово! К этой я и не прикасалась!

Эрих Мария Ремарк

— Знаю, знаю, — сказал я и налил ей полную стопку. — А пробовали когда-нибудь?

— Еще бы! — облизнулась она. — Ром! Старинный, ямайский!

— Отлично! Вот и выпейте стаканчик!

— Я?! — Она даже отпрянула. — Ну уж это слишком, господин Локамп! Все равно что пустить человека босиком по углям! Старуха Штосс втихаря дует ваш коньячок, а вы ее еще ромом потчуете за это. Да вы просто святой, ей-богу! Нет уж, лучше помереть, чем пойти на такое!

— Ну как знаете, — сказал я и сделал вид, будто собираюсь поставить стаканчик на место.

— Эх, была не была! — Она чуть не вырвала его у меня из рук. — Дают — бери! Даже если незнамо за что дают. Ваше здоровье! А может, у вас день рождения?

— Да, Матильда. Угадали.

— Неужто правда? — Она схватила мою руку и стала трясти ее. — От души поздравляю! Дай вам Бог всего, а главное — тити-мити! — Она вытерла губы. — Нет, вы так растрогали меня, господин Локамп! За это не грех бы и еще одну пропустить. Раз такое дело. Ведь я люблю вас как сына.

— Вот и чудесно.

Я налил ей еще стопку. Она выпила ее залпом и тут же покинула мастерскую, изливая потоки восторгов.

Я убрал бутылку и сел к столу. Сквозь окно на мои руки падал бледный луч солнца. Странная это все же вещь — день рождения, даже если не придаешь ему никакого значения. Тридцать лет... А ведь было время, когда я думал, что и до двадцати-то не доживу — уж слишком далеким это казалось. А потом...

Я вынул из ящика лист почтовой бумаги и занялся арифметикой. Детские годы, школа — где ж это было, когда, да и было ли вообще? Настоящая жизнь началась только в 1916-м. Меня как раз призвали на военную службу; тощий, долговязый, восемнадцатилетний, я бросался наземь и вскакивал по команде усатого фельдфебеля, гонявшего нас по вспаханному полю позади казарм. В один из первых же вечеров в казарму навестить меня приехала моя мать, но ей пришлось прождать больше часа. Я нарушил предписание, укладывая ранец, и должен был в наказание драить толчки в свободное время. Мать хотела помочь мне, но ее не пустили. Она все плакала, а я так устал, что заснул во время свидания.

1917 год. Фландрия. Мы с Миддендорфом купили в буфете бутылочку красного. Собирались отметить. Но не тут-то было. Уже на рассвете англичане накрыли нас ураганным огнем. Днем ранило Кестера. Майер и Детерс погибли под вечер. А к ночи, когда мы решили, что все худшее уже позади, и откупорили бутылку, по траншеям пополз газ. Мы, правда, вовремя напялили противогазы, но у Миддендорфа он оказался дырявый. Когда он это заметил, было уже поздно. Пока срывали с него маску и отыскивали новую, он уже наглотался газа и харкал кровью. Под утро он умер. Лицо его было черно-зеленым, а горло изодрано, он пытался разорвать его ногтями, чтобы глотнуть воздуха.

1918 год. Я в госпитале. Несколько дней как прибыла новая партия раненых. Бумага вместо марли. Ранения тяжелые. Столы. Весь день то въезжали, то выезжали плоские операционные тележки. Нередко они возвращались пустыми. Рядом со мной лежал Йозеф Штолль. У него не было ног, но он еще об этом не знал. Увидеть их было нельзя, потому что на месте ног под одеялом торчал каркас из проволоки. Да он и не поверил бы, потому что чувствовал боль в ногах. Ночью в нашей палате умерли двое. Один из них умирал мучительно долго.

1919 год. Снова дома. Революция. Голод. Непрекращающийся треск пулеметов на улице. Солдаты против солдат. Товарищи против товарищей.

1920 год. Путч. Расстрелян Карл Брегер. Арестованы Кестер и Ленц. Моя мать в больнице. Рак в последней стадии.

Эрих Мария Ремарк

1921 год...

Я задумался. И ничего не мог вспомнить. Год будто выпал из памяти. В 1922 году я работал на строительстве дороги в Тюрингии, в 1923-м — заведовал рекламой на фабрике резиновых изделий. Это было во время инфляции. В месяц я получал двести биллионов марок. Деньги выдавали по два раза в день и тут же устраивали на полчаса перерыв — чтобы успеть пробежаться по магазинам и хоть что-нибудь купить до того, как объявят новый курс доллара, после чего деньги обесценивались наполовину.

А что было потом? В последующие годы? Я отложил карандаш. Что толку в этих перечислениях? Все равно всего не упомнить. И перепуталось все давно. В последний раз я отмечал день рождения в кафе «Интернациональ». Я там целый год играл на пианино для поднятия настроения у клиентов. А потом снова встретил Кестера и Ленца. И вот теперь я здесь, в АРМ, то бишь в «Авторемонтной мастерской Кестера и Кº». «Кº» — это мы с Ленцем, хотя на самом-то деле мастерская принадлежит одному Кестеру. Когда-то он был нашим школьным товарищем, потом командиром нашей роты, позже пилотом, затем какое-то время студентом, потом автогонщиком — пока не купил наконец эту сараюшку. Сперва к нему прибился Ленц, мотавшийся до того несколько лет по Южной Америке, а там и я.

Я вынул из кармана сигарету. Собственно говоря, жаловаться не на что. Живется мне неплохо, работа есть, сил хватает. Пока держусь, нахожусь, как говорится, в добром здравии, только вот лучше поменьше думать обо всем этом. Особенно когда остаешься один. Вечерами. Не то вдруг накатывает прошлое и таращит на тебя мертвые зенки. Впрочем, на то ведь и существует на свете шнапс.

Заскрипели ворота. Я порвал листок с датами своей жизни и бросил его в корзину. Дверь распахнулась. В проеме обозначилась долговязая, тощая фигура Готфрида Ленца; соломенная грива и нос, явно предназначавшийся кому-то другому.

— Эй, Робби, — завопил он, — кончай жир накапливать! Встань-ка по струнке, твое начальство желает говорить с тобой!

Я поднялся.

— Бог мой, а я-то надеялся, что вы об этом не вспомните. Сжальтесь надо мной, братцы!

— Как бы не так! — Готфрид положил на стол пакет, в котором что-то основательно звякнуло. Вслед за ним вошел Кестер.

Ленц вытянулся передо мной.

— Итак, Робби, ответствуй: кого первого ты встретил сегодня утром?

Я стал припоминать.

— Старуху, которая танцевала.

— Святые угодники! Дурной знак! Однако ж подходит к твоему гороскопу. Я вчера составил. Ты сын Стрельца, следовательно, человек ненадежный, колеблешься, как тростник на ветру, особенно в этом году — из-за подозрительного отклонения Сатурна да еще ущербного Юпитера. А поскольку мы с Отто тебе за отца с матерью, я хочу тебе вручить кое-что для душевной охраны. Итак, прими сей амулет! Он достался мне в незапамятные времена от одной наследницы инков. У нее была голубая кровь, плоскостопие, вши, а также дар провидения. «Белокожий чужестранец, — сказала она мне, — этот амулет носили цари, в нем сила Солнца, Луны и Земли, не говоря уже о малых планетах, дай мне серебряный доллар на выпивку и можешь владеть им». И вот, чтобы не прерывалась цепь счастья, я вручаю его тебе. Он оградит тебя от беды и обратит в бегство немилостивого к тебе Юпитера.

С этими словами Ленц повесил мне на шею небольшую черную фигурку на тонкой цепочке.

— Вот. Это тебе против несчастий, угрожающих свыше. А против несчастий земных — шесть бутылок рома, подарок Отто! Ром, кстати, в два раза старше, чем ты!

Эрих Мария Ремарк

Он раскрыл пакет и одну за другой вынул бутылки. В лучах утреннего солнца они светились, как янтарь.

— Зрелище великолепное, — сказал я. — Отто, где ты их раздобыл?

Кестер рассмеялся.

— Было одно хитрое дельце. Долго рассказывать. Лучше признавайся, как ты себя чувствуешь? На все тридцать?

Я отмахнулся.

— На шестнадцать и пятьдесят одновременно. Ничего особенного.

— И это называется ничего особенного? — вскинулся Ленц. — А что может быть лучше? Ведь ты, стало быть, покорил время и живешь за двоих.

Кестер посмотрел на меня.

— Оставь его, Готфрид, — сказал он. — День рождения — такая штука, что жутко угнетает чувство собственного достоинства. Особенно с утра пораньше. Дай ему оклематься.

Ленц прищурился.

— Чем меньше у человека чувства собственного достоинства, тем большего он стоит, Робби. Это тебя утешает хоть немного?

— Нет, — сказал я, — ничуть. Если человек полагает, что чего-то стоит, он уже только памятник самому себе. А это, на мой взгляд, и тяжко, и скучно.

— Он философствует, Отто, — сказал Ленц, — стало быть, он спасен. Роковая минута миновала! Та роковая минута собственного рождения, когда смотришь себе в глаза и понимаешь, какой же ты все-таки жалкий цыпленок. Что ж, теперь мы можем со спокойной душой заняться делами, например, смазать потроха старой развалине «кадиллаку»...

Мы работали, пока не стемнело. Потом умылись, переоделись. Ленц жадно поглядывал на шеренгу бутылок.

— А не свернуть ли нам шею одной из них?

— Пусть решает Робби, — сказал Кестер. — Неприлично, Готфрид, зариться на чужие подарки.

— А заставлять дарителей умирать от жажды прилично? — возразил Ленц, откупоривая бутылку.

Аромат тотчас разлился по всей мастерской.

— Святые угодники, — сказал Готфрид.

Мы все повели носами.

— Фантастика, Отто! В какие поэтические эмпиреи надо вознестись, чтобы подыскать подобающее в таком случае сравнение?

— М-да, даже слишком шикарно для такого сарая! — нашел Ленц. — Знаете что? Давайте махнем куда-нибудь за город и прихватим с собой бутылку на ужин. Выдуем ее на дивном лоне божьей природы!

Блеск!

Мы откатили в сторону «кадиллак», над которым корпели каждый день после обеда. Позади него стояла странная штуковина на колесах. То была гоночная машина Отто Кестера — гордость мастерской.

Этот старый рыдван с высоким кузовом Кестер приобрел как-то на аукционе, и стоил он не больше одного бутерброда. Специалисты, видевшие его тогда, дружно сошлись на том, что это занятный экспонат для музея истории транспорта. Владелец модного магазина и фабрики дамской верхней одежды Больвиз, гонщик-любитель, советовал Отто сделать из него швейную машину. Но Кестер и в ус не дул. Он разобрал машину, как карманные часы, и несколько месяцев подряд пыхтел над ней до глубокой ночи. И вот однажды вечером он появился в своем автомобиле перед баром, в котором мы обычно сидели. Больвиз чуть не свалился со стула от смеха, как только увидел машину, вид у нее действительно был потешный. Шутки ради он предложил Отто пари. Он ставил двести марок против двадцати, если Отто на своем драндулете согласится состязаться с его новой гоночной машиной: вся дистанция — десять километров, один километр — фора для Отто. Кестер принял пари. Все хохотали, предвкушая немалое удовольствие. Но Отто пошел дальше — он отклонил фору и с невозмутимым видом предложил повысить ставки до тысячи против тысячи. Ошарашенный Больвиз спросил, не отвезти ли его в психушку. Вместо ответа Отто завел мотор. Они тут же и стартовали, чтобы не откладывать дела в долгий ящик. Больвиз вернулся через полчаса такой обескураженный, будто встретил на дороге морского гада. Ни слова не говоря, он выписал чек, а за ним и второй. Он хотел тут же купить эту машину. Однако Кестер поднял его на смех. Он не отдал бы ее теперь за все золото мира. Но как ни безупречны были скрытые свойства машины, внешний вид ее был ужасен. Для повседневного пользования мы приделали машине самый старомодный кузов, какой только можно было найти; лак на нем потускнел, крылья были в трещинах, а верху было никак не меньше десяти лет. Нам бы, конечно, не составило никакого труда привести машину в божеский вид, но у нас был свой резон не делать этого.

Звали машину «Карл». «Карл», призрак шоссейных дорог.

«Карл» тащился по шоссе.

— Отто, — сказал я, — приближается жертва.

Позади нас нетерпеливо сигналил тяжелый «бьюик». Он быстро нагонял нас. Вот уже поравнялись радиаторы. Мужчина за рулем небрежно посмотрел на нас и скользнул взглядом по обшарпанному «Карлу». Потом он отвернулся и тут же забыл о нас.

Однако через несколько секунд он обнаружил, что «Карл» все еще идет с ним вровень. Он несколько подобрался, весело взглянул на нас и прибавил газ. Но «Карл» не отставал. Точно маленький юркий терьер рядом с догом, бежал он рядом с похожей на локомотив громадиной, сверкающей никелем и лаком.

Мужчина уже крепче стиснул руль. Он был в полном неведении и насмешливо кривил губы. Сейчас он нам покажет, на что способна карета. Он нажал на акселератор так, что глушитель запел, будто стая жаворонков в летний полдень. Но все напрасно, оторваться ему не удалось. Невзрачный, убогий «Карл» прилепился к нему, словно заколдованный. Мужчина взирал на нас с удивлением. Он не мог понять, как это он, развив скорость свыше ста километров, не в состоянии обогнать допотопный драндулет. Недоверчиво взглянув на спидометр, словно подозревая его в обмане, он дал полный газ.

Теперь обе машины мчались точнехонько рядом по длинному прямому шоссе. Через несколько сот метров показался грузовик, который с грохотом летел нам навстречу. «Бьюик» вынужден был уступить дорогу и пристроиться нам в хвост. Едва он снова поравнялся с «Карлом», как впереди объявился автокатафалк с развевающимися лентами венков, и «бьюику» снова пришлось отступить. Затем горизонт очистился.

Тем временем человек за рулем утратил былое свое высокомерие. Им овладело раздражение, губы были сжаты, корпус подался вперед — гоночная лихорадка делала свое дело, казалось, на карту поставлена его честь, и чтобы спасти ее, нужно было во что бы то ни стало взять верх над этой моськой.

Мы же, напротив, развалились на своих сиденьях с видимым равнодушием. «Бьюик» вовсе не существовал для нас. Кестер как ни в чем не бывало смотрел на дорогу, я поглядывал со скучающим видом по сторонам, а Ленц, хоть и был комок нервов, вынул газету и делал вид, будто читать ее — для него сейчас самое важное дело на свете...

Через несколько минут Кестер подмигнул нам. «Карл» незаметно убавил скорость, и «бьюик» постепенно выдвинулся вперед. Его широкие сверкающие крылья проплыли мимо, а выхлопная труба чихнула нам в лицо голубым дымом. Вот уже «бьюик» вырвался вперед метров на двадцать — и тут, как мы и ожидали, из окна показалось лицо водителя; он ухмылялся, не скрывая триумфа. Он полагал, что уже выиграл.

Но он не ограничился этим. Он решил сполна насладиться реваншем. Он стал жестами приглашать нас догнать его — и делал это с небрежностью человека, не сомневающегося в победе.

— Отто! — взмолился Ленц.

Но его реплика запоздала. «Карл» уже рванулся вперед. Компрессор засвистел. Махавшая нам рука скрылась в окошке — ибо «Карл» следовал приглашению, он приближался. Приближался неудержимо. Вот он нагнал чужую машину, которая лишь теперь привлекла наше внимание. Теперь мы уставились на человека за рулем с немым и невинным вопросом: мы хотели знать, почему он нам махал. Но тот напряженно смотрел в другую сторону. И тогда «Карл», дав наконец полный газ, легко умчался вперед — грязный, хлопающий крыльями, победоносный навозный жук.

— Отлично сработано, Отто, — сказал Ленц Кестеру. — По крайней мере ужин мы ему отравили.

Из-за таких гонок мы и не меняли кузов «Карла». Стоило ему появиться на дороге, как его стремились немедленно обогнать. Для других машин он был что подбитая ворона для стаи голодных кошек. Самые смирные семейные экипажи становились задирами, и даже бородатых толстяков охватывал неудержимый гоночный зуд, когда они видели перед собой его разболтанный, вихляющий кузов. Кто ж мог подозревать, что в такой страхолюдине бьется мощное сердце гоночного мотора!

Ленц утверждал, что «Карл» воспитывает людей. Он их учит почтительному отношению к творческому началу, всегда скрывающемуся за невзрачной оболочкой. Так говорил Ленц, называвший себя последним романтиком.

Мы остановились у небольшого ресторанчика и выбрались из машины. Вечер был прекрасен и тих. Свежие борозды пашни подернулись лиловатой рябью. Края поля утопали в золотисто-коричневой дымке. Огромными фламинго передвигались по яблочно-зеленому небу облака, бережно окутывая узкий серп молодого месяца. Куст орешника держал в своих объятиях сумерки и тайну; он был трогательно наг, но уже полон надежды, зреющей в почках. Из тесного зала донесся запах жареной печенки и лука. Наши сердца забились бодрее.

Ленц, принюхиваясь к запаху, устремился к дому. Вернулся, сияя.

— Жареная картошка — загляденье! Двигайтесь поживее, не то достанутся нам рожки да ножки!

В этот момент с шумом подъехала еще одна машина. Мы остановились как вкопанные. То был «бьюик». Он резко затормозил рядом с «Карлом».

— Гопля! — сказал Ленц. В подобных случаях дело не раз оборачивалось потасовкой.

Мужчина вылез из машины. Он был рослый, массивный, в широком коричневом пальто реглан из верблюжьей шерсти. Неприязненно покосившись на «Карла», он снял большие желтые перчатки и подошел к нам.

— Это что за модель такая? — обратился он с уксусной гримасой к стоявшему ближе всех к нему Кестеру.

Мы какое-то время молча разглядывали его. Наверняка он принял нас за механиков, выехавших пофорсить в воскресных костюмах на чужой машине.

— Вы, кажется, что-то сказали? — спросил его наконец Отто, давая понять, что можно было бы быть и повежливее.

Мужчина покраснел.

— Я спросил, что это за машина, — заявил он в прежнем ворчливом тоне.

Ленц выпрямился. Большой нос его дрогнул. В вопросах вежливости он был щепетилен. Но прежде чем он успел открыть рот, словно по волшебному мановению распахнулась другая дверца «бьюика», из нее выскользнула узкая нога, за ней последовало тонкое колено, и вот из машины вышла девушка и медленно направилась к нам.

Мы переглянулись от изумления. Как же мы не заметили, что в машине был еще кто-то? Ленц мгновенно преобразился. Его осыпанное веснушками лицо расплылось в улыбке. Да и все мы вдруг заулыбались бог весть почему.

Толстяк ошалело смотрел на нас. Он почувствовал себя неуверенно и явно не знал, что же делать дальше. Наконец он решил представиться и произнес с полупоклоном: «Биндинг», цепляясь за собственную фамилию как за палочку-выручалочку.

Девушка подошла к нам. Мы стали сама любезность.

— Так покажи им машину, Отто, — сказал Ленц, бросив быстрый взгляд на Кестера.

— Отчего ж не показать, — ответил Отто, улыбаясь одними глазами.

— Я бы и в самом деле охотно взглянул, — сказал Биндинг уже более примирительным тоном. — Дьявольская, видать, скорость. Запросто обставили меня.

Они вдвоем отправились на стоянку, и Кестер поднял капот «Карла».

Девушка не пошла с ними. Стройная и молчаливая, она стояла в сумерках рядом со мной и Ленцем. Я ожидал, что Готфрид воспользуется случаем и затрещит как пулемет. Ведь он был мастер на эти штучки. Но тут он, похоже, разучился говорить. Обычно токует, как тетерев, а тут застыл и рта разинуть не может, как монах-кармелит на побывке.

— Вы нас, пожалуйста, простите, — сказал я наконец. — Мы не заметили вас в машине. Иначе мы бы не стали так озорничать.

Девушка повернулась ко мне.

— Но почему? — спокойно возразила она неожиданно низким, глуховатым голосом. — Что же в этом было дурного?

— Дурного-то ничего, но и уместной такую игру не назовешь. Ведь наша машина дает километров двести в час.

Три товарища

Она слегка наклонилась вперед и засунула руки в карманы пальто.

— Двести километров?

— Точнее, сто восемьдесят девять и две десятых, по официальному хронометражу, — с гордостью выпалил Ленц.

Она засмеялась.

— А мы думали, шестьдесят — семьдесят, не больше.

— Вот видите, — сказал я. — Вы ведь не могли этого знать.

— Нет, — ответила она. — Этого мы действительно не могли знать. Мы были уверены, что «бьюик» вдвое быстрее вашей машины.

— В том-то и дело. — Я откинул ногой сломанную ветку. — У нас было слишком большое преимущество. Представляю себе, как разозлился на нас господин Биндинг.

Она рассмеялась.

— На какое-то время, что верно, то верно. Но ведь нужно уметь и проигрывать, иначе нельзя было бы жить.

— Это уж точно...

Возникла пауза. Я посмотрел на Ленца. Однако последний романтик только склабился да подергивал носом; помощи от него ждать было нечего. Шумели березы. За домом кудахтала курица.

— Чудесная погода сегодня, — сказал я наконец, чтобы прервать молчание.

— Да, великолепная, — согласилась девушка.

— И такая мягкая, — добавил Ленц.

— Просто на редкость, — продолжил я.

И снова разговор зашел в тупик. Девушка, должно быть, считала нас изрядными болванами, но мне при всем желании больше ничего не приходило в голову. Ленц стал принюхиваться.

— Печеные яблоки, — сказал он с чувством. — Кажется, тут подают к печенке еще и печеные яблоки. Вот уж поистине деликатес.

— Несомненно, — подтвердил я, мысленно проклиная нас обоих.

Эрих Мария Ремарк

Кестер и Биндинг вернулись. За эти несколько минут Биндинг стал совершенно другим человеком. Он был, вероятно, одним из тех автомобильных маньяков, которые испытывают истинное блаженство, когда встречают специалиста и могут с ним поговорить.

— А не поужинать ли нам вместе? — спросил он.

— Ну разумеется, — ответил Ленц.

Мы вошли в ресторанчик. В дверях Ленц подмигнул мне и показал глазами на девушку.

— Слышь, такая вот с лихвой окупит не только одну твою танцующую старуху, но и все десять.

Я пожал плечами:

— Может быть. Но что ж это ты предоставил мне одному заикаться?

Он засмеялся.

— Надо же и тебе когда-то научиться, детка...

— Нет уж, учиться у меня больше нет ни малейшей охоты, — сказал я.

Мы последовали за остальными. Они уже сидели за столиком. Хозяйка как раз подавала печенку и жареную картошку. Для начала она принесла также большую бутылку пшеничной водки.

Биндинг, как выяснилось, за словом в карман не лез. Просто поразительно, сколько всего он знал про автомобили. А уж когда он услышал, что Отто принимал участие в гонках, его расположение к собеседнику перешло все границы.

Я пригляделся к Биндингу внимательнее. Это был тяжеловатый, крупный мужчина с густыми бровями на красном лице, немного хвастлив, немного шумен и, по-видимому, добродушен, как человек, которому везет в жизни. Нетрудно было себе представить, как вечерами, прежде чем лечь спать, он чинно, с серьезным достоинством разглядывает свою физиономию в зеркале.

Девушка сидела между Ленцем и мной. Она сняла пальто и оказалась в сером английском костюме. На шее у нее был повязан белый платок на манер любительницы верховой езды. В свете лампы ее шелковистые каштановые волосы отливали янтарем. Плечи очень прямые, но чуть выпирающие вперед, руки тонкие, длинные, скорее костлявые, чем мягкие. Лицо узкое и бледное, однако большие глаза придавали ему выражение силы и страстности. На мой вкус, она была очень хороша, однако дальше этого мысли мои не шли.

А вот Ленц полностью преобразился. Теперь он был огонь и пламень. Его желтый чуб сверкал, как хохолок удода. Благодаря фейерверку острот он вместе с Биндингом царил за столом. Я же был вроде пустого места и напоминал о своем существовании, лишь передавая тарелку или предлагая сигарету. Или чокаясь с Биндингом, что приходилось делать довольно часто. Внезапно Ленц ударил себя по лбу.

— А ром?! Робби, тащи-ка сюда наш ром, ром ко дню рождения!

— Ко дню рождения? А что, у кого-нибудь из вас день рождения? — спросила девушка.

— У меня, — ответил я. — Меня уже целый день этим донимают.

— Донимают? Стало быть, вам не хочется, чтобы вас поздравляли?

— Отчего же? Поздравления — дело совсем другое.

— В таком случае желаю вам всего самого доброго.

На один миг ее рука оказалась в моей, и я почувствовал ее теплое и сухое пожатие. Потом я вышел за ромом. Ночь над маленьким домом стояла огромная, молчаливая. Кожаные сиденья нашей машины покрылись влагой. Я остановился, глядя на горизонт и любуясь багровым заревом над городом. Я бы с радостью постоял и еще, но Ленц уже звал меня.

Биндинга ром подкосил. Это выяснилось уже после второй рюмки. Шатаясь, он вышел в сад. Мы с Ленцем встали и подошли к стойке. Ленц потребовал бутылку джина.

— Великолепная девочка, а? — сказал он.

— Не знаю, Готфрид, — ответил я. — Не рассмотрел толком.

Некоторое время он пристально изучал меня голубыми, в цветных крапинках, глазами, а потом тряхнул своей огненной гривой.

— На кой хрен ты вообще живешь, детка, а?

— Я и сам давно желал бы знать, — ответил я.

Он рассмеялся.

— Еще бы! Да не тут-то было! Легко это знание никому не дается. Но сперва я хочу докопаться, в каких отношениях она с этим толстым автомобильным справочником.

И он отправился за Биндингом в сад. Через какое-то время они вместе вернулись к стойке. Вероятно, добытые сведения были благоприятными, так как Готфрид, на радостях от того, что дорога свободна, чуть не лобызался с Биндингом. Они взяли себе еще бутылку джина и час спустя уже были на ты. Ленц, когда был в ударе, мог так обворожить, что устоять перед ним было невозможно. Да он и сам тогда не мог остановиться. Теперь он полностью завладел Биндингом, и вскоре они уже сидели в садовой беседке и распевали солдатские песни. За этим занятием последний романтик напрочь забыл о девушке.

Мы остались втроем во всем зале. Стало вдруг очень тихо. Мирно тикали настенные шварцвальдские часы. Хозяйка убирала посуду, по-матерински поглядывая на нас. У печки растянулась гончая бурого цвета. Время от времени она тявкала со сна — тихо, жалобно и визгливо. За окном трепал ставни ветер. Он доносил до нас обрывки солдатских песен; и у меня было такое чувство, будто это тесное помещение поднимается вместе с нами куда-то ввысь и, покачиваясь, плывет сквозь ночь, сквозь годы, оставляя далеко позади воспоминания.

Это было удивительное состояние. Время словно остановилось: оно уже не было потоком, вытекающим из мрака и впадающим во мрак, оно стало безмолвным океаном, в зеркале которого отражается жизнь. Я держал в руке рюмку с мерцающим ромом. Вспомнилось, как утром в мастерской я сидел над листком бумаги. Тогда мне было немного грустно, теперь это прошло. Живи, пока живется, чего там. Я посмотрел на Кестера. Он разговаривал с девушкой. О чем? Я не прислушивался, не различал слов. Я был в мягкой власти первого, согревающего кровь опьянения, которое любил потому, что все неизведанное оно облекало покровом приключения и тайны. В саду Ленц с Биндингом пели песню о битве в Аргоннском лесу. Рядом со мной звучал голос незнакомой девушки — низкий, волнующий, чуть хриплый, говоривший медленно, тихо. Я допил рюмку до дна.

Вернулась наша дружная парочка. На свежем воздухе они несколько протрезвели. Мы стали собираться в дорогу. Помогая девушке надеть пальто, я оказался совсем близко от нее. Она плавно повела плечами, откинула голову назад и улыбнулась чему-то своему, глядя на потолок. На какой-то миг я даже опустил пальто. Куда же я смотрел все это время? Спал, что ли? Восторг Ленца стал мне вдруг так понятен.

Она с некоторым недоумением повернулась ко мне. Я поспешно снова подал ей пальто и посмотрел на Биндинга, который с остекленевшими глазами стоял у стола, все еще красный, как кирпич.

— Вы полагаете, он сможет вести машину? — спросил я.

— Думаю, да.

Я не отрываясь смотрел на нее.

— Если вы в нем не уверены, кто-то из нас мог бы поехать с вами.

Она достала пудреницу и щелкнула ее крышкой.

— Ничего, как-нибудь обойдется. Да он даже лучше водит, когда выпьет.

— Лучше и, вероятно, более лихо, — возразил я.

Она посмотрела на меня поверх своего зеркальца.

— Что ж, будем надеяться, что все обойдется, — сказал я.

Опасения мои были явно преувеличены. Биндинг держался вполне сносно. Но так не хотелось отпускать ее ни с чем.

— Вы разрешите мне позвонить вам завтра, чтобы узнать, как вы доехали? — спросил я.

Она ответила не сразу.

— Ведь и мы несем известную ответственность за вас — как зачинщики этой попойки. Особенно я с моим ромом в честь дня рождения.

Она засмеялась.

— Ну хорошо, если вы так настаиваете. Вестен, 27-96.

Как только мы вышли, я сразу же записал номер. Мы посмотрели, как Биндинг отъехал, и выпили еще по последней, на дорожку. Потом запустили на всю катушку мотор нашего «Карла». Он понесся, разметая легкий мартовский туман; дышалось легко, город летел нам навстречу мириадами пляшущих огоньков; вот, как ярко освещенный корабль, из тумана вдруг выплыл бар Фредди. Мы поставили «Карла» на якорь. Жидким золотом тек коньяк, джин сверкал, как аквамарин, а ром был воплощением самой жизни. С железной несокрушимостью восседали мы за стойкой бара, музыка плескалась, жизнь светлела и наливалась силой, мощными волнами теснила нам грудь, унося прочь и самую память о безнадежности пустых меблирашек, которые нас ожидали, о безотрадности существования. Стойка бара была капитанским мостиком на корабле жизни, и мы смело правили в пучину будущего...

II

На другой день было воскресенье. Спал я долго и проснулся, только когда солнце добралось до моей постели. Я вскочил и распахнул окно. День выдался свежий и ясный. Я поставил спиртовку на табурет и пустился на поиски банки с кофе. Хозяйка моя, фрау Залевски, разрешала мне варить кофе у себя в комнате. Ее кофе был слишком жидок. Особенно после вчерашней попойки.

Вот уже два года, как я жил в пансионе фрау Залевски. Мне нравился этот район. Здесь всегда что-нибудь происходило, так как на тесном пятачке расположились Дом профсоюзов, кафе «Интернациональ» и зал собраний Армии спасения. К тому же перед домом находилось старое кладбище, на котором давно уже не хоронили. Деревья там были как в парке, и ночью, в тихую погоду, можно было подумать, что живешь за городом. Тишина, однако, наступала здесь поздно — рядом с кладбищем раскинулась шумная площадь с каруселью, качелями, балаганом.

Кладбище означало верный гешефт для фрау Залевски. Ссылаясь на свежий воздух и приятный вид из окна, она могла брать за комнаты подороже. А когда жильцы выражали свое недовольство, она всякий раз говорила:

— Но, господа, вы только подумайте, какое местоположение!

Одевался я очень медленно. Только так можно ощутить выходной день. Умылся, побродил по комнате, просмотрел газеты, сварил себе кофе, постоял у окна, поглазел на то, как поливают улицу, послушал, как поют птицы на высоких кладбищенских деревьях, — а пели они будто маленькие серебряные дудочки самого Господа Бога, сопровождающие тихую, сладостную мелодию меланхолической шарманки на площади, — порылся потом в своих носках и рубашках, выбирая из двух-трех так, будто у меня было их двадцать; насвистывая, выгреб все из карманов — мелочь, перочинный ножик, ключи, сигареты, — и тут вдруг на глаза мне попалась вчерашняя бумажка с именем девушки и ее телефоном. Патриция Хольман. Странное имя — Патриция. Я положил бумажку на стол. Неужели это было только вчера? А как далеко отодвинулось — почти забылось в жемчужно-сером чаду алкоголя... В этом и чудо опьянения — оно быстро стягивает в один узел всю твою жизнь, зато между вечером и утром оставляет зазоры, в которых умещаются целые годы.

Я сунул бумажку под стопку книг. Позвонить? Быть может, да. А может, и нет. Днем такие вещи всегда выглядят иначе, чем вечером. Кроме того, я так радовался своему покою. Ведь шума в последние годы хватало. Только не принимать ничего слишком близко к сердцу, как говорил Кестер. Ведь то, что принимаешь слишком близко к сердцу, хочется удержать. А удержать ничего нельзя...

В эту минуту в соседней комнате начался привычный воскресный скандал. Я поневоле прислушался, потому что никак не мог найти шляпу, которую, видимо, забыл где-то вчера вечером. Сцепились супруги Хассе, жившие уже лет пять в тесной комнатушке; жена сделалась истеричкой, а мужа просто задавил страх потерять свою должность. Для него это был бы конец. Ему ведь было сорок пять лет, и никто бы не нанял его больше, если б он стал безработным. В том-то и был весь ужас: раньше люди опускались постепенно и всегда еще оставалась возможность снова выкарабкаться наверх, теперь же любое увольнение сразу ставило на край пропасти, именуемой вечной безработицей.

Я уже хотел было потихоньку улизнуть, как в дверь постучали и ввалился Хассе. Он упал на стул.

— Я этого больше не вынесу.

Человек он был, в сущности, кроткий, мягкий, с обвислыми плечами и маленькими усиками. Скромный, исправный служащий. Но именно таким-то теперь приходилось всего труднее. Впрочем, таким всегда приходится труднее всех. Скромность, а также исправное служение долгу вознаграждаются только в романах. В жизни их сначала используют, а потом затирают. Хассе воздел руки:

— Вы только представьте, опять у нас уволили двоих! Очередь за мной, вот увидите!

В таком страхе он жил от первого числа одного месяца до первого числа другого. Я налил ему рюмку шнапса. Он дрожал всем телом. В один прекрасный день сковырнется — это было ясно как день. Ни о чем другом говорить он не мог.

— А тут еще эти вечные попреки! — прошептал он.

Вероятно, жена упрекала его в том, что он испортил ей жизнь. Это была женщина сорока двух лет, несколько рыхлая и отцветшая, но, разумеется, еще не такая изнуренная, как ее муж. Главным ее страданием была надвигающаяся старость.

Вмешиваться было бесполезно.

— Послушайте, Хассе, — сказал я. — Оставайтесь у меня сколько хотите. А мне нужно идти. Коньяк в платяном шкафу, если вы его предпочитаете. Вот — ром. А вот — газеты. И потом — не сходить ли вам куда-нибудь с женой сегодня после обеда? Ну хоть в кино. Денег потратите столько же, сколько просидите за два часа в кафе, зато удовольствия больше. Забыться — вот сегодня главный девиз! И не ломать себе голову! — И я похлопал его по плечу, испытывая некоторые угрызения совести. Хотя кино и впрямь штука хорошая. Там каждый может о чем-нибудь помечтать.

Дверь в соседнюю комнату была отворена. Из нее доносились громкие рыдания жены Хассе. Я двинулся дальше по коридору. Следующая дверь была слегка приоткрыта. Там подслушивали. Сквозь щель пробивался густой запах косметики. В этой комнате жила Эрна Бениг, личная секретарша какого-то босса. Она носила слишком шикарные для ее жалованья туалеты; однако один раз в неделю шеф диктовал ей до утра. И тогда на другой день она бывала в дурном настроении. Зато каждый вечер она ходила на танцы. Она говорила, что не захочет и жить, если нельзя будет танцевать. У нее было два дружка. Один любил ее и приносил ей цветы, другого любила она и давала ему деньги.

Рядом с ней жил ротмистр граф Орлов — русский эмигрант, наемный партнер для танцев, кельнер, статист, жиголо с седыми висками. Он превосходно играл на гитаре. Молился на ночь Казанской Божьей Матери, испрашивая должность метрдотеля в гостинице средней руки. Лил обильные слезы, когда бывал пьян.

Следующая дверь. Фрау Бендер, медсестра из детских яслей. Пятидесяти лет. Муж погиб на войне. Оба ребенка умерли от голода в 1918 году. Пятнистая кошка — единственное, что у нее осталось.

Рядом — Мюллер, бухгалтер-пенсионер. Секретарь общества филателистов. Ходячая коллекция марок, и ничего больше. Счастливейший человек.

В последнюю дверь я постучал.

— Ну как, Георг, — спросил я, — по-прежнему ничего?

Георг Блок молча помотал головой. Он был студентом четвертого семестра. Чтобы продержаться четыре семестра, он два года работал на шахте. И вот накопления его почти иссякли, оставалось месяца на два. На шахту он вернуться не мог — там и так уже многие сидели без работы. Что он только не предпринимал, чтобы добыть себе место где-нибудь поблизости! Был с неделю расфасовщиком на маргариновой фабрике, но владелец ее разорился, и фабрику закрыли. Вскоре затем он получил место разносчика газет и вздохнул было с облегчением. Но уже на третий день, на рассвете, его остановили двое в форменных фуражках, отняли и разорвали газеты и заявили ему, чтобы он не совался в чужое дело, к которому не имеет никакого отношения. У них де и без того безработных хватает. Тем не менее он вышел с газетами и на следующее утро, хотя должен был заплатить за разорванные газеты. И был сбит каким-то велосипедистом. Газеты разлетелись и упали в грязь. Это обошлось ему в две марки. Он вышел и в третий раз и вернулся с разорванным костюмом и разбитой физиономией. Тогда он сдался. И теперь он в полном отчаянии сидел в своей комнате и все зубрил, зубрил как одержимый, будто это имело хоть какой-то смысл. Ел он один раз в день. При этом было все равно: одолеет он оставшиеся семестры или нет — ведь даже получив диплом, он мог рассчитывать на работу по специальности не раньше чем через десять лет.

Я сунул ему пачку сигарет.

— Наплюй ты на это дело, Георгий. Как я в свое время. Потом наверстаешь, когда сможешь.

Он покачал головой:

— Нет, после шахты я убедился: если не заниматься каждый день, то быстро выбиваешься из колеи. А второй раз я за это не возьмусь.

Бледное личико с торчащими ушами и близорукими глазами, тщедушная фигура с впалой грудью — эхма!..

— Ну бывай, Георгий. — Да, и родителей у него тоже не было.

Кухня. Чучело кабаньей головы на стене. Память об усопшем господине Залевски. Телефон. Полумрак. Пахнет газом и дешевым жиром. Входная дверь с гирляндой визитных карточек у звонка. Среди них и моя — «Роберт Локамп, студ.-фил., два длинных звонка». Карточка пожелтела и загрязнилась. Студ.-фил. Тоже мне гусь! Давненько это было.

Я спустился по лестнице и отправился в кафе «Интернациональ».

То был темный, прокуренный, длинный, как кишка, зал со множеством боковых комнат. Впереди, рядом со стойкой, стояло пианино. Оно было расстроено, несколько струн лопнуло, на многих клавишах недоставало костяшек, но я любил этого славного, послужившего свое трудягу. Он целый год был спутником моей жизни, когда я подвизался здесь тапером.

В задних комнатах кафе устраивали свои собрания торговцы скотом; иной раз и владельцы каруселей и балаганов. У самого входа располагались проститутки.

В кафе было пусто. Один лишь плоскостопый кельнер Алоис стоял за стойкой.

— Как всегда? — спросил он.

Я кивнул. Он принес мне стакан портвейна пополам с ромом. Я сел за столик и, ни о чем не думая, уставился в пространство перед собой. Окно косо отбрасыва-

Эрих Мария Ремарк

ло серенький сноп солнечного света. Он дотягивал до полок с бутылками. Шерри-бренди пылал, как рубин.

Алоис полоскал стаканы. Хозяйская кошка мурлыкала, усевшись на пианино. Я медленно выкурил сигарету. Воздух здесь нагонял сонливость. Какой необычный голос был вчера у той девушки! Низкий, слегка грубоватый, почти хриплый — и в то же время мягкий.

— Дай-ка мне парочку журналов, Алоис, — попросил я.

Со скрипом отворилась дверь, и вошла Роза, кладбищенская проститутка по кличке Железный Конь. Это прозвище она заслужила своей неутомимостью. Роза заказала чашку шоколада. Она позволяла ее себе утром по воскресеньям, после чего ехала в Бургдорф, к своему ребенку.

— Роберт, привет.

— Привет, Роза. Ну, как твоя малышка?

— Поеду посмотрю. Вот что я ей везу.

Она вынула из пакета краснощекую куклу и надавила ей на живот. «Ма-ма», — пропищала кукла. Роза сияла.

— Фантастика! — сказал я.

— Глянь-ка. — Она положила куклу на спину. Та захлопнула глаза.

— Невероятно, Роза.

Она была удовлетворена и снова упаковала куклу.

— Ты-то знаешь толк в подобных вещах, Роберт. Будешь когда-нибудь хорошим отцом.

— Как же, как же, — проговорил я с сомнением.

Роза была очень привязана к своему ребенку. Несколько месяцев назад, когда девочка еще не ходила, она держала ее при себе, в своей комнате. Это ей удавалось, несмотря на ее ремесло, потому что к комнате примыкал небольшой чулан. Являясь вечером с кавалером, она под каким-нибудь предлогом просила его подождать перед дверями, сама быстро проходила вперед, задвигала коляску с ребенком в чулан, запирала ее там и впускала кавалера. Но случилось так, что в декабре малышке пришлось слишком часто перемещаться из теплой комнаты в нетопленый чулан. Она простудилась и часто плакала при гостях. И Розе пришлось с ней расстаться, как ей это было ни тяжело. Она отдала ее в дорогой пансионат, выдав себя за вдову почтенного человека. Иначе ребенка не приняли бы.

Роза поднялась.

— Так ты придешь в пятницу?

Я кивнул.

Она посмотрела на меня.

— Ты ведь знаешь, в чем дело?

— Конечно.

Я не имел никакого понятия о том, в чем было дело, но у меня не было и ни малейшего желания расспрашивать. Эту привычку я усвоил себе за тот год, что стучал здесь по клавишам. Так было удобнее всего. Так же, как обращаться ко всем девицам на ты. Иначе было просто нельзя.

— Привет, Роберт.

— Привет, Роза.

Я посидел еще немного. Что-то на сей раз в душе моей не водворялся тот сонливо-безмятежный покой, ради которого я и ходил сюда по воскресеньям. Я выпил еще стаканчик рома, погладил кошку и ушел.

Весь день я слонялся без всякой цели. Я не знал, чем заняться, и нигде не задерживался подолгу. Под вечер я пошел в нашу мастерскую. Кестер был на месте. Он трудился над «кадиллаком». Мы купили его недавно по дешевке, как старье. Теперь его было не узнать, и вот Кестер наводил последний глянец. Афера была рискованной, но мы надеялись заработать. Я, правда, сомневался, что дело выгорит. В трудные времена люди предпочитают покупать маленькие машины, а не такие дилижансы.

— Нет, Отто, нам не сбыть его с рук, — сказал я.

Но Кестер был уверен в успехе.

— Это средние машины трудно сбыть с рук, Робби, — возразил он. — А вот дешевые идут неплохо и самые дорогие тоже. Всегда есть люди, у которых водятся деньги. Или есть охота производить такое впечатление.

— А где Готфрид? — спросил я.

— На каком-то политическом собрании...

— С ума сойти! Что он там забыл?

Кестер засмеялся.

— Этого он и сам не знает. Да ведь весна на дворе. По весне он всегда становится шалым и жаждет новенького.

— Возможно, и так, — сказал я. — Давай-ка я тебе помогу.

Мы провозились до темноты.

— Хватит на сегодня, — сказал Кестер.

Мы умылись.

— Знаешь, что у меня здесь? — спросил Кестер, похлопывая по бумажнику.

— Интересно...

— Билеты на бокс сегодня вечером. Два. Ты ведь пойдешь со мной, а?

Я колебался. Он посмотрел на меня с удивлением.

— Штиллинг выступает. Против Уокера, — сказал он. — Бой будет что надо.

— Возьми лучше Готфрида с собой, — предложил я. Вообще-то смешно было отказываться, но идти мне не хотелось, сам не знаю почему.

— А ты что — чем-нибудь занят?

— Нет.

Он посмотрел на меня.

— Домой пойду, — сказал я. — Письма напишу и все такое прочее. Надо ведь когда-нибудь...

— Ты не болен? — спросил он с тревогой.

— Ничуть, что ты. Разве что тоже слегка ошалел от весны.

— Ну ладно. Делай как знаешь.

Я побрел домой. Но и сидя в своей комнате, все никак не мог решить, чем же заняться. Потоптался в разных углах как потерянный. Теперь я не мог понять, что меня сюда так тянуло. Наконец я надумал навестить Георга и вышел в коридор. Тут я натолкнулся на фрау Залевски.

— Как, вы здесь? — спросила она, изумившись.

— Трудно было бы отрицать, — ответил я слегка раздраженно.

Она покачала головой в седых буклях.

— Не гуляете? Чудеса воистину.

У Георга я пробыл недолго, вернулся минут через пятнадцать. Стал раздумывать — не выпить ли? Но пить не хотелось. Сел к окну и уставился на улицу.

Сумерки летучей мышью парили над кладбищем. Небо над Домом профсоюзов было бледно-зеленым, как недозрелое яблоко. Уже зажгли фонари, но было еще недостаточно темно, и казалось, что они зябнут. Я порылся в книгах в поисках той бумажки с телефоном. В конце концов, позвонить-то можно. Я ведь даже почти обещал. К тому же скорее всего ее нет дома.

Я вышел в прихожую к телефону, снял трубку и назвал номер. И пока ждал ответа, ощущал, как из черной трубки мягкой волной поднимается легкое нетерпение. Девушка оказалась дома. И когда ее низкий, хрипловатый голос, словно по волшебству, зазвучал вдруг во владениях фрау Залевски, среди кабаньих голов, запахов жира и звякающей посуды, — зазвучал медленно, тихо, так, будто она раздумывала над каждым словом, мое недовольство жизнью сняло как рукой. И я не только справился о том, как она доехала, но повесил трубку лишь после того, как договорился о свидании на послезавтра. И жизнь сразу перестала казаться мне такой пресной. «С ума сойти», — подумал я, тряхнув головой. Потом я снова поднял трубку и позвонил Кестеру.

— Билеты еще у тебя, Отто?

— Да.

— Ну и отлично. Тогда я тоже пойду на бокс.

После бокса мы еще побродили по ночному городу. Улицы были светлы и пустынны. Рекламные вывески сияли. В витринах бессмысленно горел свет. В одной из них стояли голые восковые куклы с раскрашенными лицами. Они выглядели таинственно и развратно. Рядом сверкали драгоценности. Дальше был универмаг, залитый светом, как собор. Витрины пенились пе-

　　　　　　　　　　　Эрих Мария Ремарк

стрым, сверкающим шелком. У входа в кино сидели на корточках бледные, изможденные люди. А рядом красовалась витрина продовольственного магазина. В ней громоздились башни из консервных коробок, вяли окутанные ватой яблоки, тушки жирных гусей висели, как белье, на веревке, коричневые круглые караваи лежали между грудами твердых копченых колбас, и переливались розовыми и нежно-желтыми цветами тонкие ломтики лососины, семги и разных сортов печеночного паштета.

Мы присели на скамью на краю сквера. Было прохладно. Над домами электрическим фонарем зависла луна. Было уже далеко за полночь. Прямо на проезжей части улицы рабочие разбили палатку. Они ремонтировали трамвайные пути. Шипела сварка, тучи искр осыпали озабоченно склоненные темные фигурки. Тут же, словно полевые кухни, дымились котлы с горячим асфальтом.

Мы думали о своем.

— Странная штука все-таки воскресенье, а, Отто?

Кестер кивнул.

— Ведь мы даже рады, когда оно проходит, — задумчиво сказал я.

Кестер пожал плечами:

— Наверное, мы так привыкаем к своему ярму, что без него нам сразу делается не по себе.

Я поднял воротник.

— А что, собственно, мешает нам радоваться жизни, Отто?

Он взглянул на меня с улыбкой.

— Ну, нам с тобой кое-что другое помешало, Робби.

— Что правда, то правда, — согласился я. — И все-таки...

Резкое пламя автогена зеленым язычком лизнуло асфальт. Освещенная изнутри палатка казалась островком тепла и уюта.

— Как ты думаешь, во вторник мы покончим с «кадиллаком»? — спросил я.

— Возможно, — сказал Кестер. — А почему ты спрашиваешь?

— Да так просто.

Мы встали и пошли домой.

— Что-то я сегодня не в своей тарелке, — сказал я.

— Со всяким бывает, — сказал Кестер. — Спокойной ночи, Робби.

— И тебе также, Отто.

Дома я лег не сразу. Конура моя мне вдруг разонравилась. Люстра была отвратительной, свет слишком ярким, кресла потертыми, линолеум скучным до безнадежности, а чего стоил умывальный столик и эта картина с изображением битвы при Ватерлоо, — нет, сюда нельзя пригласить порядочного человека. А тем более женщину. Разве что какую-нибудь девицу из «Националя», подумал я.

III

Во вторник утром мы завтракали во дворе мастерской. «Кадиллак» был готов. Ленц держал в руках лист бумаги и взирал на нас с видом триумфатора. Он ведал у нас рекламой и только что огласил нам с Кестером текст составленного им объявления о продаже автомобиля. Начиналось оно словами: «Домчит вас в отпуск в южные края шикарный лимузин», и было чем-то средним между одой и гимном.

Мы с Кестером молчали, опешив под натиском бурного потока цветистой фантазии. Ленц же полагал, что мы сражены.

— Тут вам и поэзия, и эффект, не так ли? — с гордостью спросил он. — В век деловитости нужно быть романтичным, в этом весь фокус. Контраст притягателен.

— Но не тогда, когда речь идет о деньгах, — вставил я.

— Автомобили, мой мальчик, покупают не для того, чтобы вложить деньги, — отмахнулся Готфрид. — Их покупают, чтобы деньги выложить. А уж тут начинается романтика, особенно у делового человека. У большинства она этим и кончается. А ты что думаешь, Отто?

— Видишь ли... — с осторожностью начал Кестер.

— Ну о чем тут толковать, — прервал я его, — такая реклама годится для курорта или дамского крема, но не для автомобиля.

Ленц открыл было рот.

— Минуточку, — продолжал я. — Нас ты подозреваешь в необъективности, Готфрид. Что ж, делаю предложение: давай спросим Юппа. Пусть то будет голос народа!

Юпп, наш единственный служащий, малый лет пятнадцати, был у нас чем-то вроде ученика. Он обслуживал бензоколонку, приносил еду на завтрак, убирал в конце рабочего дня. Был он щупл, весь в веснушках и с самыми огромными оттопыренными ушами, какие мне только доводилось видеть. Кестер говорил, что если бы Юпп упал с самолета, с ним бы ничего не случилось: он плавно опустился бы на землю на ушах, как на планере.

Мы позвали Юппа. Ленц прочитал ему объявление.

— Тебя заинтересовала бы такая машина, Юпп? — спросил Кестер.

— Машина? — переспросил Юпп.

Я засмеялся.

— Разумеется, машина, — проворчал Готфрид. — Не лошадь же.

— А есть у нее прямое переключение скоростей? А как управляется кулачковый вал — сверху? А тормоза гидравлические? — невозмутимо осведомился Юпп.

— Кретин, да ведь это же наш «кадиллак»! — прошипел Ленц.

— Не может быть, — возразил Юпп, осклабя рот до ушей.

— Съел, Готфрид? — сказал Кестер. — Вот тебе и современная романтика.

— Катись-ка ты к своему насосу, Юпп. Проклятое дитя двадцатого века!

Ленц, недовольно бурча, скрылся в мастерской, чтобы, не теряя поэтического накала в своем объявлении, придать ему все же больше технического веса.

Несколько минут спустя в нашем дворе неожиданно появился обер-инспектор Барзиг. Мы встретили его с превеликим почтением. Он был инженером и экспертом автомобильного страхового общества «Феникс», то есть человеком влиятельным, если говорить о распределении заказов на ремонт. У нас с ним были налажены прекрасные отношения. Как инженер он, правда, был сам стоокий сатана, ни в чем не дававший спуску, зато как знаток бабочек он был мягче воска. У него была большая коллекция, которую и мы однажды удачно пополнили, подарив ему огромную ночную бабочку, залетевшую к нам в мастерскую. Барзиг даже весь побледнел и приобрел крайне торжественный вид, когда мы вручали ему эту тварь. Оказалось, то была «мертвая голова», величайшая редкость, коей как раз недоставало в его собрании. Он никогда не забывал об этой услуге и с тех пор снабжал нас заказами, как только мог. А мы за то ловили ему все, что только могли поймать.

— Рюмочку вермута, господин Барзиг? — спросил Ленц, вполне пришедший в себя после конфуза.

— До вечера ни капли спиртного, — ответил Барзиг. — Это у меня железный принцип.

— Принципы нужно иногда нарушать, иначе от них никакой радости, — возразил Готфрид, наливая. — За грядущее процветание бражника, «павлиньего глаза» и перламутровки.

Барзиг колебался не долго.

— Ну, раз уж вы заходите мне в тыл с этой стороны, то я вынужден сдаться, — сказал он, беря в руки рюмку. — Но тогда уж чокнемся и за «воловий глаз». — И он ухмыльнулся с таким видом, будто отпустил какую-нибудь двусмысленную шутку по адресу женщины. — Дело в том, что я тут недавно открыл новую разновидность — со щетинистыми усиками.

— Черт возьми, — воскликнул Ленц, — вот так штука! Теперь вы, стало быть, первооткрыватель, и ваше имя запишут на скрижалях науки!

Мы выпили еще по одной во славу щетинистых усиков, Барзиг вытер подбородок.

— А у меня для вас хорошая новость. Можете забирать «форд». Дирекция утвердила ремонт за вами.

— Великолепно, — сказал Кестер. — Это нам очень кстати. А как дела с нашей сметой?

— Тоже утверждена.

— Без сокращений?

Барзиг прищурился одним глазом.

— Сначала руководство ни в какую не соглашалось. Но в конце концов...

— За страховое общество «Феникс» нужно выпить по полной! — выпалил Ленц, снова наполняя рюмки.

Барзиг встал и начал прощаться.

— Подумать только, — сказал он, уходя. — Женщина, которая была в «форде», все-таки на днях умерла. А ведь у нее были всего лишь порезы. Видно, потеряла много крови.

— Сколько же ей было лет? — спросил Кестер.

— Тридцать четыре, — ответил Барзиг. — Беременность на четвертом месяце. Двадцать тысяч страховки.

Мы сразу же поехали за машиной. Она стояла во дворе владельца булочной. Подвыпивший булочник врезался на ней ночью в стену. Пострадала только жена, сам он не получил и царапины.

Мы встретили его в гараже, куда отправились, чтобы подготовить машину к буксировке. Какое-то время он молча наблюдал за нами; кургузый, с мясистым затылком, короткой шеей, он стоял, склонив голову, напоминая мешок, прислоненный к стене. С нездоровым, сероватым, как у всех пекарей, цветом лица, в полумраке он походил на большого мучного червя. Наконец он медленно приблизился.

— Когда машина будет готова? — спросил он.

— Недели через три, — ответил Кестер.

Булочник ткнул пальцем в кузов.

— Это ведь тоже включено в общий счет, не так ли?

— Как так? — спросил Отто. — Верх целехонек.

Булочник сделал нетерпеливый жест.

— Конечно-конечно. Но ведь общая-то сумма большая. Так что может хватить и на кузов. Мы ведь понимаем друг друга?

— Нет, — сказал Кестер.

Понять было несложно. Этот тип хотел задарма получить новый кузов, включив его потихоньку в общую смету страховки. Мы немного поспорили. Он пригрозил аннулировать заказ, передоверив его другой, более покладистой мастерской. И Кестер в конце концов уступил. Он никогда не сделал бы этого, если б у нас была другая работа.

— Ну вот, сразу бы так, — криво усмехнулся булочник. — Значит, я зайду на днях — материал подобрать. Лучше бы всего беж. Каких-нибудь нежных оттенков...

Мы тронулись в путь. На шоссе Ленц показал рукой на большие темные пятна, что были на сиденьях «форда».

— Кровь его погибшей жены. А он новый кузов себе выжуливает. «Беж». «Нежных оттенков». Хорош гусь! Не удивлюсь, если он слупит страховку за двух мертвецов. Ведь жена-то была беременна.

Кестер пожал плечами:

— Он, по-видимому, считает, что это разные вещи, которые не надо путать.

— Наверное, — согласился Ленц. — Есть ведь люди, которые и в несчастье находят счастье. А нам это обойдется ровно в полсотни.

* * *

После обеда я под благовидным предлогом отправился домой. На пять у меня была назначена встреча с Патрицией Хольман, но в мастерской я не сказал об этом ни слова. Не то чтобы хотел скрыть, просто не верил, что это случится.

Она предложила для свидания одно кафе. Раньше я там никогда не бывал, знал только, что это небольшое изысканное заведение. С тем и отправился. Но едва переступил порог, как непроизвольно отпрянул. Все помещение было набито женщинами, и они галдели. Я попал в типично дамскую кондитерскую.

Мне с трудом удалось протиснуться к столику, который только что освободился. Я неприязненно огляделся. Кроме меня, тут было еще только двое мужчин, да и те мне не понравились.

— Кофе, чаю, шоколаду? — спросил кельнер, смахивая салфеткой крошки от пирожного прямо мне на костюм.

— Двойную порцию коньяка, — с вызовом сказал я.

Он принес коньяк. Но заодно привел с собой целый хоровод алчущих места дамочек во главе с преклонного возраста особой атлетического сложения в шляпе со страусовыми перьями.

— Вот, не угодно ли, четыре места, — сказал кельнер, указывая на мой стол.

— Стоп, стоп! — возразил я. — Здесь занято. Ко мне должны прийти.

— Нет, так не годится, уважаемый, — сказал кельнер. — В это время у нас нельзя занимать места.

Я посмотрел на него. Потом перевел взгляд на даму атлетического сложения, которая уже вплотную подошла к столу и вцепилась в спинку стула. Я увидел ее лицо и понял, что дальнейшее сопротивление бессмысленно. Пали хоть из пушек, решимости этой дамы завоевать стол не поколебать.

— Не могли бы вы по крайней мере принести мне еще коньяку? — в ворчливом тоне обратился я к кельнеру.

— Извольте, сударь. Опять двойной?

— Да.

— Слушаюсь. — Он поклонился. — Это ведь столик на шесть персон, — сказал он извиняющимся тоном.

— Ладно уж, принесите только коньяк.

Атлетка, надо полагать, была из общества трезвости. Она с таким видом уставилась на мой коньяк, точно это была тухлая рыба. Чтобы позлить ее, я заказал еще и, в свой черед, уставился на нее. Вся эта ситуация показалась мне вдруг ужасно нелепой. Зачем я здесь? И чего я хочу от этой девушки? Я даже не был уверен, что узнаю ее в такой суматохе и при таком гаме. Начиная злиться, я опрокинул коньяк.

— Салют! — послышалось у меня за спиной.

Я вскочил. Передо мной стояла она и смеялась.

— А вы, я вижу, не теряете времени?

Я поставил на стол рюмку, которую все еще держал в руке. На меня вдруг нашло замешательство. Девушка выглядела совсем по-другому, чем я помнил. В этом скопище упитанных, жующих пирожные женщин она походила на юную стройную амазонку — холодную, сияющую, уверенную в себе, недоступную. «Ничего у меня с ней не выйдет», — подумал я и сказал:

— Как это вы здесь появились? Словно призрак! Ведь я все время следил за дверью.

Она указала куда-то вправо.

— Тут есть еще один вход. Но я опоздала. Вы давно ждете?

— Нет, совсем нет. Минуты две-три, не больше. Я тоже только что пришел.

Хоровод за моим столом умолк. Я чувствовал на своем затылке оценивающие взгляды четырех матрон.

— Останемся здесь? — спросил я.

Девушка скользнула по столу быстрым взглядом. Губы ее слегка дрогнули в полуулыбке. Она весело посмотрела на меня.

— Боюсь, кафе везде одинаковы.

Я покачал головой:

— Если они пустые, они уже лучше. А здесь какой-то дьявольский притон, в нем можно нажить комплекс неполноценности. Лучше уж перейти в какой-нибудь бар.

— Бар? Разве бывают бары, открытые среди бела дня?

— Я знаю один. В нем, правда, совсем тихо. Но если вы не против тишины...

— Иной раз очень даже не против...

Я посмотрел на нее. В это мгновение я не мог понять, что она имеет в виду. Иронию я ценю, но не ту, что направлена против меня. Правда и то, что совесть моя всегда нечиста.

— Итак, идем, — сказала она.

Я подозвал кельнера.

— Три двойных коньяка! — проорал этот горе луковое таким зычным голосом, будто ему нужно было докричаться в могилу. — Три марки тридцать пфеннигов.

Девушка обернулась.

— Три двойных коньяка за три минуты? Ничего себе темп.

— Два из них оставались за мной со вчерашнего дня.

— Ну и лжец! — прошипела атлетка за моей спиной. Она слишком долго молчала.

Я обернулся и поклонился.

— Приятного Рождества, сударыни! — бросил я им, уходя.

— Вы что, повздорили с ней? — спросила меня девушка на улице.

— Так, ничего особенного. Просто я произвожу неблагоприятное впечатление на респектабельных домашних хозяек.

— Я тоже, — заметила она.

Я взглянул на нее. Она казалась мне существом из другого мира. Я совершенно не мог себе представить, кто она такая и как живет.

В баре я почувствовал куда более твердую почву под ногами. Когда мы вошли, бармен Фред протирал за стойкой большие рюмки для коньяка. Он поздоровался со мной так, будто видит меня впервые и будто не он волок меня третьего дня домой. Школа у него была отменная, опыт огромный.

В зале было пусто. Только за одним столиком сидел, по обыкновению, Валентин Хаузер. Я знал его еще с войны, мы служили в одной роте. Однажды он под ураганным огнем принес мне на передовую письмо, так как думал, что оно от матери. Он знал, что я жду от нее письма, потому что ее должны были оперировать. Но он ошибся — то была всего-навсего реклама подшлемников из крапивной ткани. На обратном пути он был ранен в ногу.

Вскоре после войны Валентин получил наследство. С тех пор он его пропивал. «Надо же, — говорил он, — отпраздновать такое счастье — живым вернуться с войны». А то, что это было давно, для него не имело значения. Он утверждал, что сколько ни празднуй такое событие, все будет мало. Он был одним из тех, у кого память на войну была чудовищная. Мы все уже многое забыли, он же помнил каждый день и каждый час, проведенный на фронте.

Было заметно, что он выпил уже немало и сидел в своем углу, целиком погрузившись в себя, от всего отрешившись. Я поднял руку.

— Салют, Валентин!

Он очнулся и кивнул:

— Салют, Робби!

Мы сели за столик в углу. Подошел бармен.

— Что вы будете пить? — спросил я девушку.

— Может быть, рюмку мартини, — сказала она. — Сухого мартини.

— Ну, по этой части Фред специалист, — заметил я.

Фред позволил себе улыбнуться.

— Мне как обычно, — сказал я.

В баре было полутемно и прохладно. Пахло пролитым джином и коньяком. Запах был терпкий, напоминавший запах можжевельника и хлеба. С потолка свисала деревянная модель парусника. Стена за стойкой была обита медью. Приглушенный свет лампы отбрасывал на

Эрих Мария Ремарк

нее багровые блики, будто из преисподней. В ряду маленьких кованых бра горели лишь два — над столиком Валентина и над нашим. Желтые пергаментные абажуры у них были сделаны из старинных географических карт, они светились, как узкие ломтики мира.

Я был несколько смущен и толком не знал, с чего начать разговор. Ведь я совсем не знал эту девушку, и чем больше разглядывал ее, тем более незнакомой она представлялась мне. Давно уже я ни с кем вот так не сидел, и результат налицо — разучился. Привык общаться с мужчинами. Там, в кафе, мне мешал шум, здесь вдруг стала мешать тишина. Из-за нее каждое слово приобретало такой вес, что было трудно говорить непринужденно. Впору хоть вернуться обратно в кафе.

Фред принес заказ. Мы выпили. Ром был крепок и свеж. Он пах солнцем. Он был тем, за что можно было держаться. Я залпом выпил и сразу же вернул Фреду бокал.

— Вам нравится здесь? — спросил я.

Девушка кивнула.

— Больше, чем там, в кондитерской?

— Терпеть не могу кондитерские, — сказала она.

— Зачем же вы назначили встречу именно там? — спросил я озадаченно.

— Не знаю. — Она сняла берет. — Мне просто не пришло в голову ничего другого.

— Тем приятнее, что вам здесь нравится. Мы здесь часто бываем. По вечерам эта лачуга становится для нас чем-то вроде родного дома.

Она засмеялась.

— А разве это не печально?

— Нет, — сказал я. — Это в духе времени.

Фред принес мне вторую рюмку. А рядом с ней положил на стол зеленую «Гавану».

— Это от господина Хаузера.

Валентин помахал мне из своего угла и поднял рюмку.

— Тридцать первое июля семнадцатого года, Робби, — прохрипел он.

Я кивнул ему в ответ и тоже поднял рюмку.

Ему непременно нужно было с кем-нибудь выпить, я не однажды встречал его вечерами в одном из сельских трактиров и видел, как он чокается с луной или кустом сирени. При этом он вспоминал какой-нибудь особенно трудный день из числа проведенных в окопах и был благодарен судьбе за то, что уцелел и может вот так сидеть.

— Мой приятель, — сказал я девушке. — Товарищ по фронту. Единственный известный мне человек, который из большого несчастья сделал маленькое счастье. Он больше не знает, что ему делать со своей жизнью, и поэтому просто радуется тому, что жив.

Девушка задумчиво посмотрела на меня. Косой луч света упал на ее лоб и губы.

— Мне это так понятно, — сказала она.

Я посмотрел ей в глаза.

— Но этого не должно быть. Ведь вы слишком молоды.

Улыбка порхнула по ее лицу. Улыбались только глаза, а само лицо почти не изменилось, лишь как-то слегка осветилось изнутри.

— Слишком молода, — повторила она. — Так принято говорить. Но я думаю, слишком молодыми люди никогда не бывают. Только слишком старыми.

Я чуть помедлил с ответом.

— На это можно было бы многое возразить, — сказал я и знаком дал понять Фреду, чтобы он принес мне еще.

Девушка держала себя просто и непринужденно, я же казался себе рядом с ней чурбаном неотесанным. Ах, как было бы славно затеять сейчас легкий, игривый разговор — настоящий, который приходит в голову, уже когда остаешься один. Вот Ленц был на это мастак, у меня же вечно все получалось неуклюже и тяжеловесно. Недаром Готфрид любил повторять, что по части светской беседы я стою где-то на уровне писаря.

К счастью, Фред был догадлив. На сей раз вместо наперстка он принес мне изрядный бокал вина. И ему не нужно лишний раз бегать туда-сюда, и меньше заметно, сколько я пью. А не пить мне нельзя, без этого деревянной тяжести не преодолеть.

— Не хотите ли еще рюмочку мартини? — спросил я девушку.

— А что пьете вы?

— Это ром.

Она стала разглядывать мой бокал.

— В прошлый раз вы пили то же самое.

— Да, — сказал я, — ром я пью чаще всего.

Она покачала головой:

— Не могу себе представить, чтобы это было вкусно.

— А я так и вовсе не знаю, вкусно ли это.

Она посмотрела на меня.

— Зачем же вы пьете?

— Ром, — сказал я, радуясь, что наконец-то есть то, о чем я могу говорить, — ром вне измерений вкуса. Ведь это не просто напиток, это скорее друг. Друг, с которым легко. Он изменяет мир. Оттого-то люди и пьют его... — Я отодвинул бокал. — Но не заказать ли вам еще рюмку мартини?

— Лучше рома, — сказала она. — Хочется попробовать.

— Хорошо, — сказал я. — Но тогда не этот. Для начала он, пожалуй, слишком тяжел. Принеси-ка нам коктейль «Баккарди»! — крикнул я Фреду.

Фред принес рюмки. Вместе с ними он поставил вазочку с соленым миндалем и жареными кофейными зернами.

— Давай уж сюда всю бутылку, — сказал я.

Постепенно все обретало свой лад и толк. Неуверенность исчезала, слова рождались теперь сами собой, я даже перестал следить за тем, что говорю. Я продолжал пить и ощущал, как большая ласковая волна, накатив, подхватила меня, как пустые сумерки стали наполняться видениями, а над немыми, скудными низинами бытия потянулись безмолвные грезы. Стены бара отошли, расступились — и вот уже то был не бар, а укромный уголок мира, приют спасения, полутемный сказочный грот, вокруг которого бушевали вечные битвы хаоса, а внутри, сметенные сюда загадочной силой неверного времени, прятались мы.

Девушка сидела, съежившись на своем стуле, чужая и таинственная, словно ее занесло сюда откуда-то из другой жизни. Я что-то говорил и слышал свой голос, но чувство было такое, что это не я говорю, а кто-то другой, кем я мог бы, кем я хотел бы быть. Слова значили не совсем то, что обычно, они смещались, теснились, выталкивая друг друга в иные, более яркие и светлые края, куда не вписывались мелкие события моей жизни; я знал, что слова мои уже не были правдой, что они стали фантазией, ложью, но это теперь не имело значения — правда была безутешной и плоской, и лишь чувство и отблеск грез были истинной жизнью...

В медной бадье бара плавало солнце. Время от времени Валентин поднимал бокал и бормотал себе под нос какую-то дату. За окнами хищными вороньими вскриками автомобилей глухо катилась улица. Иногда крики улицы врывались и к нам — вместе с открываемой дверью. Кричала улица, как сварливая, завистливая старая карга.

Было уже темно, когда я проводил Патрицию Хольман. И медленно поплелся домой. Внезапно накатило чувство одиночества и опустошения. С неба сеялся мелкий дождик. Я остановился перед витриной. Да, выпито слишком много, я заметил это только теперь. Меня вовсе не шатало, но я это отчетливо осознал.

Я вдруг почувствовал жар. Расстегнул пальто и сдвинул шляпу на затылок. Черт побери, опять меня развезло! Знать бы, что я ей наговорил! Страшно было даже припомнить. Да я и не мог ничего вспомнить, и это было самое ужасное. Здесь, на холодной, громыхающей автобусами улице, все выглядело совершенно иначе, чем в полутьме бара. Я проклинал себя самого. Можно представить, какое впечатление я произвел на девушку! Она наверняка все заметила. Ведь она почти не пила. Прощаясь, она так странно на меня смотрела...

О Господи! Я круто повернулся. И при этом столкнулся с каким-то низкорослым толстяком.

— Ну? — сказал я с яростью.

— Раскройте глаза пошире, вы, чучело огородное! — пролаял толстяк.

Я уставился на него.

— Что, людей не видали, а? — продолжал он тявкать. Его-то мне и недоставало.

— Людей видал, — ответил я, — а вот чтобы по улице расхаживали пивные бочки — такое вижу впервые.

Толстяк не задержался с ответом ни на секунду. Раздувая щеки, он немедленно фыркнул:

— Знаете что? Ступайте в зоопарк! Сонным кенгуру не место на улице.

Я понял, что имею дело с бранных дел мастером. Нужно было вопреки скверному настроению спасать свою честь.

— Не сбейся с пути истинного, слабоумок недоношенный, — сказал я и поднял руку в знак благословения.

Он и ухом не повел.

— Залей мозги бетоном, горилла плешивая! — пролаял он.

Я отпарировал «выродком криволапым». Он — «попугаем занюханным». Тогда я выдал «безработного мойщика трупов». На что он, уже с некоторым респектом, отвесил: «Изъеденный раком бараний рог».

Чтобы добить его, я пустил в ход «ходячее кладбище бифштексов».

Его лицо внезапно прояснилось.

— Ходячее кладбище бифштексов! — воскликнул он. — Этого я еще не знал. Включу в свой репертуар! Пока!..

Он приподнял шляпу, и мы расстались, преисполненные взаимного уважения.

Перебранка освежила меня. Однако раздражение не исчезло. Оно даже усиливалось по мере того, как я трезвел. Я казался себе выкрученным мокрым полотенцем. Но постепенно это раздражение на себя самого перешло в раздражение на весь мир вообще — в том числе и на девушку. Ведь это из-за нее я напился. Я поднял воротник. Ну и пусть себе думает обо мне что хочет, теперь это мне безразлично — по крайней мере она с самого начала узнала, с кем имеет дело. А по мне, так и катись все к черту, — что случилось, то случилось. Все равно ничего не изменишь. Пожалуй, так даже лучше...

Я вернулся в бар и теперь уже напился по-настоящему.

IV

Погода стала теплой и влажной, дождь лил несколько дней подряд. Потом разведрилось, стало пригревать солнце. И вот, придя как-то в пятницу утром в мастерскую, я увидел во дворе Матильду Штосс с метелкой под мышкой и с физиономией блаженного бегемота.

— Какая роскошь, господин Локамп, вы только гляньте! Ну не чудо ли? Вот это настоящее чудо!

Я остолбенел от изумления. Старая слива у бензоколонки расцвела за одну ночь.

Она простояла всю зиму кривая и голая, мы вешали на ее ветви канистры и старые шины для просушки, она давно уже превратилась для нас не более чем в удобную вешалку для всякого хлама — от тряпок до автомобильных капотов; совсем недавно на ней развевались после стирки наши синие комбинезоны, вчера еще ничего нельзя было заметить, и вдруг за одну ночь слива преобразилась словно в сказке, окуталась бело-розовой дымкой, и эта светоносная кипень цветов походила на стаю бабочек, чудом залетевшую на наш грязный двор...

Эрих Мария Ремарк

— А запах, запах-то какой! — сказала Матильда, мечтательно закатывая глаза. — Просто чудо! Все равно что ваш ром!

Никакого запаха я не чувствовал, но сразу понял, к чему она клонит.

— По-моему, больше похоже на коньяк для клиентов, — заметил я.

Она стала энергично возражать:

— Да что вы, господин Локамп, да вы, наверное, простужены. Или у вас полипы в носу. Полипы теперь почитай что у каждого. Нет уж, у старухи Штосс нюх что у гончей, уж будьте покойны, раз говорю ром — значит, ром...

— Ну, будь по-вашему, Матильда...

Я налил ей стопку рома и пошел к бензоколонке. Юпп уже сидел там. Перед ним была заржавленная консервная банка с воткнутыми в нее цветущими ветками.

— А это еще что такое? — спросил я с удивлением.

— Это для женского полу, — объяснил Юпп. — Когда они заправляются, то получают бесплатно по веточке. Благодаря чему я уже продал на девяносто литров больше обычного. Это золотое дерево, господин Локамп. Не будь его у нас, стоило бы сделать искусственное.

— Да ты, оказывается, деловой парнишка.

Он ухмыльнулся. Его уши просвечивали на солнце, как рубиновые витражи в церкви.

— И фотографировали меня тут, даже два раза, — сообщил он. — На фоне дерева.

— Гляди, еще станешь кинозвездой, — сказал я и пошел к смотровой щели, где Ленц вылезал как раз из-под «форда».

— Робби, — сказал он, — мне тут кое-что пришло в голову. Надо бы поинтересоваться, как там эта девушка, что была с Биндингом.

Я, обомлев, смотрел на него.

— Что ты имеешь в виду?

— Именно то, что сказал. Ну чего ты уставился?

— Я не уставился...

— Ты вытаращился. Кстати, как ее звали? Пат, а как дальше?

— Не знаю, — сказал я.

Он выпрямился.

— Не знаешь? Да ведь ты записывал ее адрес. Я сам видел.

— Я потерял эту бумажку.

— Потерял?! — Ленц запустил обе руки в соломенные джунгли на голове. — А для чего ж тогда я битый час торчал в саду с этим Биндингом? Он, видите ли, потерял! Но может, Отто помнит?

— Отто тоже не помнит.

Он взглянул на меня.

— Дилетант несчастный! Тем хуже для тебя! Раз ты так и не понял, что это была фантастическая девушка! О Господи! — Он поднял глаза в поднебесье. — В кои-то веки попадается на пути нечто стоящее — и этот нюня теряет адрес!

— Да она и не показалась мне такой уж привлекательной.

— Потому что ты осел, — заявил Ленц. — Болван, не имеющий представления ни о чем выше уровня шлюшек из «Интернационаля»! Эх ты, тапер! Говорю тебе еще раз: такая девушка — редкий подарок судьбы, редчайший! Э, да что ты смыслишь? Ты хоть видел ее глаза? Ни черта ты не видел, кроме своей рюмки!

— Заткнись! — прервал я поток его речи, ибо последние слова его подействовали на меня как соль на открытую рану.

— А руки? — продолжал он, не обращая на меня внимания. — Узкие, длинные, как у мулатки, уж в этом-то Готфрид разбирается, можешь поверить! Святые угодники! В кои-то веки видишь девушку, у которой все как надо: хороша собой, естественна и, что самое важное, с атмосферой. Ты хоть знаешь, что такое атмосфера?

— Воздух, который накачивают в шины, — огрызнулся я.

— Разумеется, воздух, что ж еще! — сказал он, смешивая жалость с презрением. — Атмосфера, аура, излучение, теплота, тайна — это то, что только и способно оживить красоту, одушевить ее. Но что с тобой толковать, твоя атмосфера — это испарения рома...

— Слушай, кончай, а? — зарычал я. — Не то я уроню тебе что-нибудь на макушку!

Но Готфрид продолжал говорить, а я ничего ему не делал. Он ведь понятия не имел о том, что произошло, и не догадывался, насколько ранило меня каждое его слово. Особенно когда он вел речь о пьянстве. Я уже кое-как справился с этим, утешился и забыл, и вот теперь он бередит рану снова. А он все хвалил и хвалил девушку, так что зародил во мне в конце концов тоскливое чувство невозвратимой утраты.

В шесть часов я в расстроенных чувствах отправился в кафе «Интернациональ». Куда же деваться, как не в мое старое убежище, — вот и Ленц толкует о том же. К моему удивлению, я застал там признаки пышного празднества. На стойке теснились пироги и торты, а плоскостопый Алоис как раз спешно ковылял с подрагивающими кофейниками на подносе в заднюю комнату. Я замер на месте. Кофе да еще кофейниками? Да что у них там, уж не пьяный ли ферейн* валяется под столами?

Однако хозяин кафе мне все объяснил. В задней комнате сегодня были проводы подруги Розы Лили. Я стукнул себя по лбу. Ну да, конечно, я ведь тоже приглашен! В качестве единственного мужчины к тому же, как многозначительно подчеркнула Роза; поскольку педераст Кики, также присутствовавший, был не в счет. Я быстро вышел снова на улицу и купил букет цветов, ананас, погремушку и плитку шоколада.

Роза встретила меня улыбкой великосветской дамы. Она восседала во главе стола в черном платье с глубоким

_____

* Союз, общество *(нем.)*. — *Примеч. ред.*

вырезом. Золотые зубы ее сверкали. Я справился о здоровье малышки, вручая для нее целлулоидную игрушку и шоколад. Роза сияла.

Ананас и цветы предназначались Лили.

— От всей души желаю счастья!

— Он был и остается истинным кавалером! — сказала Роза. — Иди сюда, Робби, садись между нами.

Лили была лучшей подругой Розы. Она сделала блестящую карьеру. Она была тем, что является несбыточной грезой любой маленькой проститутки, — дамой из отеля. Дама из отеля не выходит на панель, она живет в гостинице и там заводит знакомства. Мало кому из проституток это удается — не хватает ни гардероба, ни денег, на которые можно было бы жить, спокойно дожидаясь клиента. И хотя Лили жила только в провинциальных отелях, она накопила все же с течением лет около четырех тысяч марок. Теперь она надумала выйти замуж. Ее будущий муж имел небольшую ремонтную мастерскую. Он знал о ее прошлом, но оно ему было безразлично. О будущем он мог не тревожиться: если уж какая-нибудь из этих девиц выходила замуж, то женой она была верной. Она уже прошла огни и воды и была сыта ими по горло. На такую жену можно было положиться.

Свадьба Лили была назначена на понедельник. А сегодня Роза устраивала для нее прощальное кофепитие. Все собрались, чтобы в последний раз побыть вместе с Лили. После свадьбы она уж сюда не придет.

Роза налила мне чашку кофе. Алоис подскочил с огромным пирогом, украшенным изюмом, миндалем и зелеными цукатами. Роза положила мне увесистый кусок.

Я знал, что мне нужно было делать. Откусив с видом знатока от пирога, я изобразил на своем лице величайшее удивление:

— Черт побери! Пирог явно не из кондитерской!

— Сама испекла! — сказала счастливая Роза. Она великолепно готовила и любила, когда это признавали.

Гуляш и вот этот пирог были ее коронными блюдами. Недаром же она была чешкой.

Я огляделся. Вот они сидят рядком — труженицы вертограда Господня, испытанные знатоки людских сердец, воительницы любви: красавица Валли, у которой недавно во время ночной автомобильной прогулки похитили горностаевую горжетку; одноногая Лина с протезом, все еще добывавшая себе любовников; стервозная Фрицци, которая любила плоскостопого Алоиса, хотя давно могла бы иметь собственную квартиру и жить на содержании дружка; краснощекая Марго, разгуливавшая в наряде горничной и тем привлекавшая элегантных кавалеров; и самая младшая — Марион, бездумная хохотушка; Кики, которого и за мужчину-то не считали, потому что ходил он в женском платье и красился; Мими, бедолага, которой все труднее давалось ремесло с ее-то сорока пятью годами и вздутыми венами на ногах; дальше сидели девицы из баров и ресторанов, которых я не знал, и, наконец, в качестве второго почетного гостя маленькая, седая, сморщенная, как мороженое яблоко, «мамаша» — наперсница, утешительница, покровительница всех ночных странниц, та «мамаша», что торгует по ночам сосисками на углу Николайштрассе, служа и ночным буфетом, и разменной кассой, та «мамаша», у которой, кроме ее франкфуртских сосисок, всегда можно тайком купить сигареты и презервативы, а в случае надобности и стрельнуть деньги.

Я знал, как нужно себя держать. Ни слова о делах, никаких грубых намеков; сегодня нужно забыть обо всем — и о необычайных способностях Розы, принесших ей кличку Железный Конь, и о своеобразных диспутах на любовную тему, которые вели между собой скототорговец Стефан Григоляйт и Фрицци, и о предрассветных плясках Кики. Беседа, которая здесь лилась, была достойна любого дамского круга.

— Ну как, все уже приготовлено, Лили? — спросил я.

Она кивнула:

— Приданым я уже давно запаслась.

— Приданое — чудо, — сказала Роза. — Есть даже кружевные салфетки.

— А зачем нужны кружевные салфетки? — спросил я.

— Да ты что, Робби! — Роза посмотрела на меня с такой укоризной, что я немедленно заявил, будто вспомнил. Ах да, кружевные салфетки, как же, как же, ведь это они, стражи мебели, были символом мещанского уюта, священным символом брака, утраченного рая. Ведь никто из девиц не был проституткой по складу своего темперамента, все они были жертвами краха обывательского существования. Их заветной мечтой была супружеская постель, а не ложе порока. Но они никогда не признались бы в этом.

Я сел за пианино. Роза уже давно ожидала этого. Она обожала музыку, как и все девицы. На прощание я еще раз сыграл все ее и Лили любимые песни. Для начала — «Молитву девы». Название, правда, не слишком соответствовало заведению, но на самом деле то была лишь бравурная пьеска с надрывом. Затем последовали «Вечерняя песня птички», «Альпийские зори», «Когда умирает любовь», «Миллионы Арлекина» и под конец — «Тоска по родине». Ее особенно любила Роза. Ведь проститутки — самые закаленные, но и самые сентиментальные существа на свете. Все дружно пели. Педераст Кики — вторым голосом.

Лили стала собираться. Ей еще нужно было заехать за женихом. Роза пылко расцеловала подругу.

— Счастливо, Лили. Смотри только не поддавайся ему!

Наконец Лили, нагруженная подарками, ушла. У нее было совершенно другое лицо, чем всегда. Разрази меня гром, если это не так. Резкие линии, проступающие у каждого, кто сталкивается с человеческой подлостью, словно бы стерлись, черты стали мягче, в лице действительно появилось что-то девическое.

Мы стояли в дверях и махали вслед Лили. Внезапно Мими разревелась. Когда-то и она была замужем. Ее муж умер на фронте от воспаления легких. Если бы он погиб, она бы получала небольшое пособие и не очутилась бы на улице.

Роза похлопала ее по спине.

— Ну-ну, Мими, только не раскисай! Пойдем-ка выпьем еще по чашечке кофе.

Вся компания, как стая кур в курятник, вернулась в полутемный «Интернациональ». Но прежнего веселья уже как не бывало.

— Сыграй нам что-нибудь на прощание, Робби! — попросила Роза. — Чтобы поднять настроение!

— Идет, — ответил я. — Давай-ка сбацаем «Марш ветеранов».

Потом распрощался и я. Роза сунула мне напоследок кулек с пирогами. Я отдал его «мамашиному» сынку, который уже устанавливал на ночь котел с сосисками.

Я раздумывал, что предпринять. Идти в бар не хотелось ни под каким видом, в кино тоже. В мастерскую? Я нерешительно взглянул на часы. Восемь. Кестер, должно быть, уже вернулся. А при нем Ленц не станет часами трепаться о той девушке. И я отправился в мастерскую.

Сарай наш светился. И не только он — весь двор был залит светом, Кестер был один.

— Что это за дела, Отто? — спросил я. — Неужто ты продал «кадиллак»?

Кестер засмеялся:

— Нет, это Готфрид устроил иллюминацию.

Обе фары «кадиллака» горели. Машина была поставлена так, чтобы снопы света падали через окна прямо на цветущую сливу. Белая как мел, она выглядела волшебно. А вокруг нее темнота разливала свои черные волны.

— Великолепно, — сказал я. — А где он сам?

— Пошел принести что-нибудь поесть.

— Блестящая идея, — сказал я. — А то у меня что-то кружится голова. Может, это просто от голода.

Кестер кивнул:

— Поесть всегда не мешает. Железное правило всех старых вояк. Сегодня, кажется, и у меня голова закружилась. Заявил, знаешь ли, «Карла» на гонки.

— Что? — спросил я. — Неужели на шестое?

Отто кивнул.

— Черт возьми, Отто, но там же стартуют одни асы.

Он опять кивнул:

— В классе спортивных машин даже сам Браумюллер.

Я засучил рукава.

— Ну тогда за дело, Отто. Искупаем-ка нашего любимца в масле.

— Стоп! — крикнул в этот момент, входя, последний романтик. — Кормежка прежде всего!

И он выложил принесенное на ужин — сыр, хлеб, сухую копченую колбасу и шпроты. Все это мы запивали отменным холодным пивом. Ели мы, как бригада изголодавшихся косарей. А потом взялись за «Карла». Провозились с ним часа два, простучали и смазали каждый подшипник. После этого мы с Ленцем поужинали вторично. Ленц включил еще и единственную фару «форда», случайно уцелевшую после столкновения. С вогнутого шасси она косым лучом била в небо.

Довольный Ленц повернулся ко мне.

— А теперь, Робби, тащи-ка бутылки. Отметим «праздник цветущего дерева».

Я поставил на стол коньяк, джин и два стакана.

— А себе? — спросил Готфрид.

— Я пить не буду.

— Что такое? С чего это вдруг?

— Не испытываю больше удовольствия от этой проклятой пьянки.

Какое-то время Ленц разглядывал меня.

— Наш мальчик, похоже, рехнулся, Отто, — сказал он затем Кестеру.

— Оставь его, раз он не хочет, — ответил Кестер.

Ленц налил себе полный стакан.

— Он уже несколько дней не в себе.

— Ничего, бывает и хуже, — сказал я.

Эрих Мария Ремарк

Над крышей фабрики напротив нас встала большая и красная луна. Какое-то время мы сидели молча. Потом я спросил:

— Послушай, Готфрид, ты ведь у нас спец по любовной части, не так ли?

— Спец? Да я в этих делах гроссмейстер, — скромно заметил Ленц.

— Вот и отлично. Тогда скажи, всегда ли при этом ведут себя по-дурацки?

— То есть как это по-дурацки?

— Ну так, как будто ты все время под мухой. Болтаешь, несешь всякую чушь, завираешься.

Ленц расхохотался.

— Деточка моя! Ну как же при этом не завираться? Ведь все это и есть вранье. Чудесное вранье самой мамаши-природы. Взгляни хоть на эту сливу! Она ведь тоже сейчас привирает. Притворяется куда более красивой, чем окажется потом. Было бы ужасно, если бы любовь имела хоть какое-то отношение к правде. Слава Богу, что не все на свете порабощено этими проклятыми моралистами.

Я поднялся.

— Так ты думаешь, без некоторого привирания в этом деле не обойтись?

— Никак не обойтись, детка.

— Но ведь при этом ставишь себя в идиотское положение.

Ленц осклабился.

— Заруби себе на носу, малыш: никогда в жизни, ни при каких обстоятельствах не покажется женщине идиотом тот, кто усердствует ради нее. Даже если он ведет себя как шут гороховый. Делай что хочешь — стой на голове, неси околесицу, хвастай, как павиан, пой у нее под окнами, избегай только одного — не будь деловым! Не будь умником!

Я оживился.

— А ты как думаешь, Отто?

Кестер рассмеялся.

— Пожалуй, он прав.

Кестер встал и открыл капот «Карла». Я достал бутылку рома и еще один стакан и поставил все это на стол. Отто запустил мотор, заурчавший сдержанным басом. Ленц смотрел в окно, взгромоздив ноги на подоконник. Я подсел к нему.

— Ты когда-нибудь напивался в присутствии женщины?

— И не раз, — ответил он не шевелясь.

— Ну и как?

Он скосил на меня глаза.

— Ты хочешь сказать, как быть, если наломал при этом дровишек? Только не извиняться, детка. Вообще никаких слов. Послать цветы. Без записки. Одни цветы. Они все покрывают. Даже могилы.

Я посмотрел на него. Он был неподвижен. В его глазах отражались сверкающие огоньки. Мотор все еще работал, тихо урча; казалось, под нами подрагивает земля.

— Что ж, теперь, пожалуй, и я бы выпил, — сказал я, откупоривая бутылку.

Кестер выключил мотор. Потом обратился к Ленцу:

— Луна светит достаточно ярко, чтобы увидеть стакан, Готфрид. Так что выключи иллюминацию. Особенно этот косой прожектор на «форде». Слишком уж напоминает войну. Бывало не до шуток, когда эти твари вцепятся в твой самолет.

Ленц согласно кивнул:

— А мне они напоминают... Впрочем, это не важно. — Он встал и выключил фары.

Тем временем луна над фабрикой поднялась еще выше. Она становилась все ярче и уже походила на желтый фонарь, висящий на сучке сливы. Ветви дерева слабо покачивались на тихом ветру.

— Люди ведут себя странно, — сказал немного погодя Ленц, — ставят памятники себе подобным. А почему бы не поставить памятник луне или цветущему дереву?

Эрих Мария Ремарк

Я рано ушел домой. Открыв дверь в коридор, услыхал музыку. Играл патефон Эрны Бениг, секретарши. Тихо пел чистый женский голос. Потом приглушенно защебетали скрипки, за ними — пиццикато на банджо. И снова тот же голос, проникновенный, мягкий, словно переполненный счастьем. Я прислушался, стараясь разобрать слова. То, что пела эта женщина, звучало необыкновенно трогательно именно здесь, в полутемном коридоре, между швейной машинкой фрау Бендер и чемоданами семейства Хассе.

Я глядел на чучело кабаньей головы над кухонной дверью. Было слышно, как за ней гремит посудой служанка. «И как могла я жить без тебя?..» — доносилось из-за другой двери, двумя шагами дальше.

Пожав плечами, я направился к своей комнате.

Рядом раздавались возбужденные крики. Вскоре послышался стук в дверь и вошел Хассе.

— Не помешаю? — спросил он устало.

— Ничуть, — ответил я. — Не желаете ли рюмочку?

— Лучше не надо. Посижу только немного.

Взгляд у него был пустой и потухший.

— Хорошо вам, — сказал он. — Вы-то один.

— Ерунда, — возразил я. — Когда торчишь целыми днями один как сыч, это тоже, знаете ли, не сахар. Уж вы мне поверьте.

Он понуро сидел в кресле. Глаза стеклянно поблескивали в неверном свете фонарей за окном. Узкие плечи поникли...

— Да, не так я себе представлял жизнь, не так, — сказал он немного погодя.

— Ну, это относится ко всем нам, — ответил я.

Через полчаса он ушел — налаживать отношения с женой. Я отдал ему кипу газет и полбутылки ликера «Кюрасао», с незапамятных времен пылившегося у меня на шкафу, — неприятная сладковатая дрянь, но для него как раз то, что нужно. Он все равно ничего не смыслил в этом.

Хассе удалился тихо, почти беззвучно, тень тенью — словно растворился. Я запер за ним дверь. На мгновение — будто кто взмахнул пестрым платком — в комнату ворвались обрывки музыки: приглушенные звуки скрипки, банджо, «И как я жить могла без тебя?..»

Я сел к окну. Кладбище было залито голубым лунным светом. Сверкающие буквы реклам скакали по верхушкам деревьев, а внизу во тьме мерцали мраморные надгробия. В их безмолвии не было ничего страшного. Близко-близко от них, сигналя, проносились автомобили, скользя светом фар по стертым от времени строкам эпитафий.

Я просидел так довольно долго, думая о всякой всячине. Среди прочего и о том, какими мы тогда вернулись с войны — молодыми, но уже изверившимися, как шахтеры из обвалившейся шахты. Мы хотели сражаться с ложью, себялюбием, бессердечием, корыстью — со всем тем, что было повинно в нашем прошлом, что сделало нас черствыми, жесткими, лишило всякой веры, кроме веры в локоть товарища и в то, что нас никогда не обманывало, — в небо, табак, деревья, хлеб, землю; но что из всего этого вышло? Все рушилось на глазах, предавалось забвению, извращалось. А тому, кто хранил верность памяти, выпадали на долю бессилие, отчаяние, равнодушие и алкоголь. Время великих и смелых мечтаний миновало. Торжествовали деляги, коррупция, нищета.

«Хорошо вам, вы-то один», — сказал Хассе. Звучит превосходно: кто одинок, тот не будет покинут. Но иногда вечерами рушился этот карточный домик, и жизнь оборачивалась мелодией совсем иной — преследующей рыданиями, взметающей дикие вихри тоски, желаний, недовольства, надежды — надежды вырваться из этой одуряющей бессмыслицы, из бессмысленного кручения этой вечной шарманки, вырваться безразлично куда. Ах, эта жалкая наша потребность в толике теплоты; две руки

Эрих Мария Ремарк

да склонившееся к тебе лицо — это ли, оно ли? Или тоже обман, а стало быть, отступление и бегство? Есть ли на свете что-нибудь, кроме одиночества?

Я закрыл окно. Нет, ничего другого нет. Для другого у человека слишком мало почвы под ногами.

Все же на следующее утро я вышел из дома чуть свет и по дороге в мастерскую немилосердным грохотом вытащил из постели владельца цветочной лавки. Я выбрал букет роз и велел его немедленно отослать по адресу. Мной владело странное чувство, когда я выводил на карточке слова: Патриция Хольман.

V

Надев свой самый старый костюм, Кестер уехал в финансовое управление добиваться, чтобы нам снизили налог. Мы остались в мастерской вдвоем с Ленцем.

— Ну, Готфрид, вперед, — сказал я, — в атаку на этого толстяка по имени «кадиллак».

Накануне вечером было напечатано наше объявление. Стало быть, уже сегодня можно было рассчитывать на покупателей — если они вообще появятся. Нужно было подготовить машину.

Для начала мы освежили полировку. Машина засверкала и выглядела уже на добрую сотню марок дороже. Затем мы залили в мотор масло, самое густое, какое только нашлось. Цилиндры были уже не самого первого класса и немного стучали. Густой смазкой удалось это сгладить, машина скользила на удивление бесшумно. Коробку скоростей и дифференциал мы также залили погуще, чтобы и они не издавали ни звука.

Потом мы выехали. Поблизости был кусок очень плохой дороги. Мы прошли по нему со скоростью пятьдесят километров. Шасси постукивали. Мы выпустили четверть атмосферы из баллонов и сделали еще одну попытку. Стало получше. Тогда мы выпустили еще столько же. Теперь уже ничего не болталось.

Мы вернулись, смазали поскрипывавший капот, проложили его кое-где резиной, залили в радиатор горячей воды, чтобы мотор запускался порезвее, потом еще опрыскали машину снизу керосиновым распылителем, чтобы она и там блестела. После всего этого Готфрид Ленц воздел руки к небу:

— Приди же, благословенный покупатель! Приди, любезный бумажниконосец! Взыскуем тебя, что жених невесту!

Однако невеста заставляла себя ждать. Поэтому мы вкатили на яму булочникову стальную лошадку и стали снимать переднюю ось. Долго возились с ней, скупо перебрасываясь словами. Потом я услышал, как Юпп у бензоколонки насвистывает песенку: «Глянь-ка, глянь-ка, кто идет...»

Я выбрался из ямы и посмотрел через стекло кабины. Вокруг «кадиллака» бродил какой-то коренастый коротыш. Выглядел он как респектабельный буржуа.

— Взгляни-ка, Готфрид, — прошептал я, — не невеста ли?

— Ясное дело, она, — удостоверившись, сразу же сказал Ленц. — Морда-то, морда-то одна чего стоит. Какое на ней написано недоверие! А ведь он еще не знает, с кем ему иметь дело. Вперед, Робби, в атаку! Я останусь здесь как резерв. Выдвинусь, если не сладишь. Не забывай о моих приемчиках!

— Ладно.

Я вышел во двор. Незнакомец встретил меня взглядом проницательных черных глаз. Я представился:

— Локамп.

— Блюменталь.

Первый приемчик Ленца состоял в том, чтобы представиться. Он утверждал, что так сразу возникает более интимная атмосфера. Второй заключался в том, чтобы начать издалека, дать выговориться клиенту, потом перейти в атаку самому уже в самый подходящий момент.

— Вы по поводу «кадиллака», господин Блюменталь? — спросил я.

Блюменталь кивнул.

— Вот он, — сказал я, указывая на машину.

— Вижу, — возразил Блюменталь.

Я скользнул по нему взглядом. «Внимание! — пронеслось у меня в мозгу. — Малый непрост!»

Мы прошли через двор к «кадиллаку», я открыл дверцу, запустил мотор. Помолчал, давая Блюменталю время для осмотра. Наверняка он начнет что-нибудь критиковать, вот тогда-то я и включусь.

Однако Блюменталь ничего не осматривал и не критиковал. Он тоже молчал и стоял истукан истуканом. Мне не оставалось ничего другого, как пуститься в плавание на авось.

И я стал медленно и подробно описывать «кадиллак», как мать своего ребенка, пытаясь выяснить при этом, насколько он разбирается в деле. Если он знаток, нужно больше внимания уделить мотору и шасси, нет — расписывать удобства и финтифлюшки.

Но он и тут ничем себя не выдал. Он предоставил мне возможность говорить и говорить, пока я сам не почувствовал, что скоро из меня выйдет весь пар.

— А для чего именно нужна вам машина? Для поездок по городу? Или для дальних путешествий? — спросил я наконец, чтобы хоть за что-нибудь зацепиться.

— Там видно будет, — отвечал Блюменталь.

— Так-так! А кто будет ездить — вы сами или шофер?

— Смотря по обстоятельствам.

«Смотря по обстоятельствам». Этот тип выдавал ответы как попугай. Он, как видно, принадлежал к ордену молчальников.

Чтобы как-то расшевелить его, я предложил ему пощупать все своими руками. Обычно это делает покупателей общительнее. Я боялся, что он у меня заснет.

— Верх для такой большой машины поднимается и опускается с необыкновенной легкостью, — сказал я. — Попробуйте сами его опустить. Справитесь одной рукой.

Но Блюменталь посчитал и это излишним. Он и так все видит. Я с силой захлопывал дверцы, дергал ручки.

— Видите, ничего не болтается. Держится, как налоги. Проверьте сами.

Блюменталь не желал ничего проверять. Он находил все это в порядке вещей. Чертовски твердый орешек.

Я продемонстрировал ему боковые стекла.

— Ходят вверх и вниз, как игрушка. Закрепляются на любом уровне.

Он не повел и бровью.

— К тому же стекло небьющееся, — добавил я, начиная отчаиваться. — Неоценимое преимущество! Вот тут у нас в мастерской один «форд»... — И я рассказал про несчастную жену булочника и даже приукрасил эту историю, отправив на тот свет еще и ребенка.

Однако душа у Блюменталя была неуязвима, как сейф.

— Небьющееся стекло теперь во всех машинах, — прервал он меня, — в этом нет ничего особенного.

— Ни в одной машине серийного производства нет небьющегося стекла, — возразил я мягко, но решительно. — Лишь в некоторых моделях оно используется как лобовое стекло. Но ни в коем случае как боковое.

Я посигналил и перешел к описанию комфортабельного интерьера — багажника, сидений, карманов, приборной панели; я не упустил ни единой детали, даже вынул и протянул Блюменталю зажигалку, а заодно предложил ему сигарету, чтобы хоть как-то его переубедить, — но он отклонил и это.

— Не курю, спасибо, — проговорил он, посмотрев на меня с такой скукой, что у меня вдруг зародилось подозрение: а к нам ли он вообще шел, может, он тут по ошибке, может, он хотел купить что-то другое, какую-

Эрих Мария Ремарк

нибудь машину для пришивания пуговиц или радиоаппарат, а теперь вот мнется и не знает, как ему смыться?

— Давайте сделаем пробную поездку, господин Блюменталь, — предложил я наконец, чувствуя себя уже на последнем издыхании.

— Поездку? — переспросил он с таким недоумением, будто я произнес слово «поезд».

— Да, поездку. Надо же вам удостовериться в том, что машина многое может. Она просто стелется по дороге, мчит как по рельсам. Мотор тянет так, словно это не тяжелый кабриолет, а пуховая перина.

— Ох уж эти пробные поездки, — пренебрежительно махнул он рукой, — они ничего не показывают. Все недостатки машины выплывают потом.

Ну разумеется, потом, дьявол ты чугуноголовый, или ты думаешь, я буду тыкать тебя носом в эти недостатки уже теперь? Я закипал от злости.

— Ну, на нет и суда нет, — сказал я, потеряв надежду. Покупать он не хотел, это было ясно.

Но тут он вдруг обернулся и, глядя мне прямо в глаза, тихим голосом, но резко и быстро спросил:

— Сколько стоит машина?

— Семь тысяч марок, — не моргнув глазом ответил я, словно выстрелил из пистолета. Такому, как он, нельзя выказывать и малейшую нерешительность, это я знал. Каждая секунда колебаний обошлась бы в тысячу марок, уж он бы ее выторговал. — Семь тысяч марок чистыми, — повторил я твердым голосом, а про себя подумал: «Предложишь пять — и она твоя».

Однако Блюменталь не предлагал ничего. Он только коротко фыркнул.

— Слишком дорого!

— Ну конечно! — сказал я, прощаясь с последней надеждой.

— Почему «конечно»? — неожиданно спросил Блюменталь с ноткой живого интереса.

— Господин Блюменталь, — ответствовал я, — разве вы встречали в наши дни человека, который реагировал бы на цены иначе?

Он внимательно посмотрел на меня. На лице его мелькнуло что-то вроде улыбки.

— Это верно. И тем не менее цена машины слишком высока.

Я не верил своим ушам. Наконец-то прорезался истинный тон! Тон азартного интереса! Или то был очередной коварный маневр?

В это мгновение в воротах показался какой-то элегантный щеголь. Он вынул из кармана газету, еще раз сличил с ней номер дома и направился ко мне.

— Здесь ли продается «кадиллак»?

Я кивнул и, опешив, уставился на бамбуковую трость и кожаные перчатки пижона.

— Могу я взглянуть на него? — невозмутимо продолжал тот.

— Вот он, — сказал я, — но не будете ли вы так любезны немного подождать, я сейчас занят. Прошу вас, пройдите пока в помещение.

Щеголь некоторое время прислушивался к шуму мотора, придавая своему лицу сначала недовольное, потом все более одобрительное выражение, и, наконец, дал увести себя в мастерскую.

— Идиот! — зашипел я на него и поспешил вернуться к Блюменталю. — Стоит вам проехаться разок на машине, и вы иначе станете относиться к цене. Можете испытывать ее сколько пожелаете. Если вам сейчас некогда, то я могу заехать за вами вечером, и мы совершим пробную поездку.

Но его мимолетный порыв уже улетучился. Блюменталь снова принял позу по меньшей мере президента певческой ассоциации, изваянного из гранита.

— Ах, оставьте, — сказал он. — Мне пора идти. Если я захочу предпринять пробный выезд, то я ведь смогу позвонить вам.

Эрих Мария Ремарк

Я понял, что дальнейшие усилия пока бесполезны. Этого не уговоришь.

— Хорошо, — сказал я. — Но может быть, вы дадите мне свой телефон, чтобы я мог известить вас, если кто-нибудь еще будет интересоваться машиной?

Блюменталь как-то странно посмотрел на меня.

— Интересоваться — еще не значит покупать.

Он вытащил коробку с сигарами и предложил мне. Вдруг выяснилось, что он курит. И даже «Корону» — денег у него, видно, куры не клюют. Но мне это было уже безразлично. Сигару я взял. Он любезно подал мне руку на прощание и ушел. Я смотрел ему вслед, тихо, но основательно чертыхаясь. Потом вернулся в мастерскую.

— Ну как? — встретил меня щеголь по имени Готфрид Ленц. — Каково я все это проделал? Смотрел, смотрел, как ты надрываешься, и решил пособить. Благо Отто, переодевшись, оставил тут свой шикарный костюм! Мигом влезаю в него, выпрыгиваю в окошко и заявляюсь во двор, как заправский покупатель! Ловко, а?

— Бездарно и глупо! — возразил я. — Он хитрее нас с тобой, вместе взятых. Взгляни, какие он курит сигары. Полторы марки штука! Ты спугнул миллиардера.

Готфрид отнял у меня сигару, обнюхал ее и зажег.

— Если я кого и спугнул, то мошенника. Миллиардеры не курят таких сигар. Они курят грошовые.

— Чушь, — сказал я. — Мошенник не станет называть себя Блюменталем. Мошенник представится графом Блюменау или что-нибудь в этом духе.

— Он вернется, — заявил не унывающий, как всегда, Ленц и выдохнул мне в лицо дым моей же сигары.

— Этот не вернется, — сказал я убежденно. — Но где это ты раздобыл бамбуковую трость и перчатки?

— Одолжил. В магазине «Бенн и К°». У меня там знакомая продавщица. Трость я, пожалуй, себе оставлю. Она мне нравится. — И он с самодовольным видом стал крутить в воздухе толстую палку.

— Готфрид, — сказал я. — Здесь ты гробишь свои таланты. Знаешь что? Шел бы ты в варьете. Вот где тебе место.

— Вам звонили, — сказала Фрида, косоглазая служанка фрау Залевски, когда я днем забежал на минутку домой.

Я обернулся к ней.

— Когда?

— Да с полчаса назад. Какая-то дама.

— И что она сказала?

— Что позвонит еще вечером. Ну так я ей прямо сказала, что толку не будет, что вечерами вас дома не бывает.

Я остолбенел.

— Что? Вы так и сказали? О Господи, научат вас когда-нибудь разговаривать по телефону?

— Я умею разговаривать по телефону, — с напыщенным достоинством произнесла Фрида. — А по вечерам вас дома действительно почти никогда не бывает.

— Не ваше дело! — в сердцах крикнул я. — В другой раз вы еще расскажете, что у меня носки дырявые.

— Могу рассказать и про это, — обдала меня ядом Фрида, зыркнув красноватыми, воспаленными глазами. Мы давно с ней враждовали.

У меня чесались руки ткнуть ее физиономией в кастрюлю с супом, но вместо этого, совладав с собой, я сунул ей марку и спросил примирительным тоном:

— Эта дама не назвала себя?

— Не-а, — ответила Фрида.

— А голос у нее какой? Такой глуховатый и низкий, вроде как слегка охрипший, да?

— Да не помню я, — сказала Фрида с таким равнодушием, будто я и не давал ей марки.

— Какое миленькое у вас колечко, право, восхитительное, — вставил я. — Ну подумайте хорошенько, может, все-таки вспомните, а?

Эрих Мария Ремарк

— Не-а, — ответила Фрида, пыша самодовольным злорадством.

— Ну так пойди и повесься, метелка чертова! — выпалил я и хлопнул дверью.

Вечером, ровно в шесть, я был уже дома. Когда я отпер дверь, то застал необычную картину. В коридоре вокруг фрау Бендер, ясельной сестрички, столпились все женщины нашей квартиры.

— Идите-ка сюда, — позвала меня фрау Залевски.

Причиной сборища был весь увитый лентами полугодовалый младенец. Фрау Бендер привезла его из своего пансиона в коляске. Ребенок был самый обыкновенный, но дамы тетешкали его с таким безумным восторгом, будто это было первое дитя, появившееся на белый свет. Они и ворковали, и щелкали пальцами над личиком маленького существа, и делали губы бантиком. Даже Эрна Бениг в своем кимоно с драконами принимала участие в этой оргии платонического изъявления материнства.

— Ну разве не прелесть? — спросила меня фрау Залевски с умилением.

— Об этом можно будет судить лет через двадцать — тридцать, — ответил я и покосился на телефон. Оставалось надеяться, что он не зазвонит сейчас, когда тут такое столпотворение.

— Да вы посмотрите на него хорошенько, — призвала меня фрау Хассе.

Я посмотрел. Младенец как младенец. Ничего особенного в нем я не обнаружил. Разве что поразительно крохотные ручки. И потом, конечно, это странное чувство — что и сам ты был когда-то таким.

— Несчастный червячок, — сказал я, — знал бы он, что ему предстоит. На какую войну он поспеет — вот что интересно.

— Экий чурбан! — воскликнула фрау Залевски. — Неужели у вас нет никаких чувств?

— Напротив, их у меня превеликое множество, — возразил я. — Иначе у меня не было бы таких мыслей. — С этими словами я ретировался в свою комнату.

Минут через десять раздался телефонный звонок. Услыхав свое имя, я вышел. Так и есть, все общество еще здесь! Не шелохнулось оно и тогда, когда я, прижав трубку к уху, стал слушать, как Патриция Хольман своим характерным голосом благодарит меня за цветы. В эту минуту младенец, у которого ума, вероятно, было больше, чем у всех остальных, и которому надоело это обезьянье кривлянье, внезапно начал реветь.

— Простите, я ничего не слышу, — отчаянным голосом сказал я в трубку, — тут вопит младенец, но это не мой.

Чтобы успокоить орущее существо, дамы зашипели, как клубок змей. Но достигли только того, что он заорал еще пуще. Лишь теперь я догадался, что ребенок был и впрямь необыкновенный: легкие у него, должно быть, доставали до бедер, иначе как объяснить, откуда такой оглушительный голос. Я был в затруднительном положении: глазами метал молнии в скопление непутевых мамаш, ртом лепетал что-то любезное в трубку — от темени и до носа я был воплощением грозы, от носа до подбородка — сияющим майским полднем. Чудо, как это в таких обстоятельствах мне удалось договориться о встрече на следующий вечер.

— Вам надо установить здесь звуконепроницаемую телефонную будку, — сказал я хозяйке.

Но она была не из тех, кто лезет за словом в карман.

— Что так? — спросила она, сверкая глазами. — Неужели приходится так много скрывать?

Я промолчал и стушевался. С возбужденными материнскими чувствами не поспоришь. За них горой стоит мораль всего мира.

На вечер у нас была назначена встреча у Готфрида. Перекусив в небольшой забегаловке, я пошел к нему. По дороге купил в одном из самых изысканных магазинов мужской одежды роскошный новый галстук. Я все еще был потрясен тем, как легко все налаживалось, и дал себе обет быть завтра серьезным, как директор похоронной конторы.

Логово Готфрида было своего рода достопримечательностью. Оно было сплошь увешано сувенирами, привезенными из странствий по Южной Америке. На стенах пестрые соломенные циновки, маски, высушенный человеческий череп, глиняные кувшины причудливых форм, копья и главное сокровище — великолепные фотографии, занимавшие целую стену: индианки и креолки, красивые, шоколадные, податливые зверьки, необычайно грациозные и небрежные.

Кроме Ленца и Кестера, там были еще Браумюллер и Грау. Тео Браумюллер, примостившись на валике дивана и выставив обгоревшую на солнце медную плешь, с воодушевлением разглядывал Готфридовы фотографии. Он был шофером-испытателем на одном автозаводе и с давних пор дружил с Кестером. Шестого он примет участие в тех самых гонках, на которые Отто заявил нашего «Карла».

Фердинанд Грау сидел за столом обвалившейся глыбой, он был заметно пьян. Увидев меня, он простер свою огромную лапищу и притянул меня к себе.

— Робби, — сказал он хрипло, — ты-то что делаешь среди нас, пропащих? Что ты здесь потерял? Уходи, спасайся. Ты еще можешь спастись!

Я посмотрел на Ленца. Тот подмигнул мне.

— Фердинанд сильно на взводе. Он уже второй день пропивает одну дорогую покойницу. Продал портрет и сразу получил деньги.

Фердинанд Грау был художником. При этом, однако, он давно умер бы от голода, если б не специализировался на портретах усопших, которые он по заказу скорбящих родственников писал с невероятным сходством. Этим он жил — и даже весьма неплохо. А его замечательные пейзажи никто не покупал. Оттого-то в его разговорах преобладала пессимистическая тональность.

— На сей раз трактирщик, Робби, — сказал он, — трактирщик, у которого померла тетка с капиталом, помещенным в уксус и масло. — Он передернулся. — Жуть!

— Послушай, Фердинанд, — заметил Ленц, — зачем ты бранишься? Ты ведь кормишься одним из самых прекрасных человеческих свойств — почтительностью.

— Глупости, — возразил Фердинанд, — я кормлюсь чувством вины. Человек чувствует себя виноватым перед ближним — вот и вся почтительность. Хочет оправдаться за то, что причинил или хотел причинить покойнику при его жизни. — Он не спеша погладил свою сверкающую лысину. — Нетрудно себе представить, сколько раз трактирщик желал своей тетке, чтоб она сдохла, — зато теперь он заказывает ее портрет самых нежных тонов и вешает его над диваном. Теперь он души в ней не чает. Почтительность! Человек вспоминает о скудном запасе своих добродетелей тогда, когда уже поздно. И приходит в умиление, думая о том, каким он мог быть благородным, и считает себя воплощенной порядочностью. Порядочность, доброта, благопристойность... — Он махнул своей огромной ручищей. — Все это хорошо у других — тогда легче водить их за нос.

Ленц ухмыльнулся:

— Ты сотрясаешь устои людского общежития, Фердинанд!

— Устои людского общежития — это корысть, страх и продажность, — парировал Грау. — Человек зол, но любит добро, когда его делают другие. — Он протянул свой стакан Ленцу. — Ну вот, налей-ка мне теперь и кончай травить весь вечер баланду, а то ты никому не даешь сказать ни словечка.

Я перелез через диван поближе к Кестеру. Меня вдруг осенила одна идея.

— Ты должен выручить меня, Отто. Завтра вечером мне нужен «кадиллак».

Браумюллер оторвался от усердного изучения достоинств одной скудно одетой танцовщицы-креолки.

— А ты что, уже научился поворачивать? — поинтересовался он. — До сих пор я думал, что ты умеешь ездить только по прямой, да и то если кто-нибудь другой держит баранку.

— Помалкивай, Тео, — ответил я, — шестого числа на гонках мы из тебя сделаем котлету.

Браумюллер захлебнулся от хохота.

— Ну так как, Отто? — спросил я, весь напрягшись.

— Машина не застрахована, Робби, — сказал Кестер.

— Я буду ползти, как улитка, и дудеть, как автобус в деревне. Да и всей езды-то будет несколько километров по городу.

От улыбки глаза Отто превратились в узенькие щелки.

— Ладно, Робби, я не против.

— Не к новому ли галстуку понадобилась тебе машина? — спросил подошедший Ленц.

— Заткнись! — сказал я, пытаясь отодвинуть его в сторону.

Но он не отставал.

— Ну-ка, ну-ка, детка! Дай поглядеть!

Он пощупал пальцами шелк.

— Блеск! Наше дитя в роли жиголо. Да ты никак собрался на смотрины невесты?

— Отстань, ты, гений перевоплощения. Сегодня тебе не удастся меня разозлить, — сказал я.

— На смотрины? — поднял голову Фердинанд Грау. — А почему бы ему и не присмотреть себе невесту? — Он явно оживился и повернулся ко мне. — Действуй, Робби. У тебя еще есть все для этого. То бишь наивность. А именно она-то и надобна для любви. Храни ее. Она дар Божий. Утратив — не вернешь никогда.

— Не слишком-то развешивай уши, малыш, — хмыкнул Ленц. — Помни: дураком родиться — это еще не позор. Зато дураком умереть...

— Помолчи, Готфрид. — Грау сгреб его своей ручищей. — Не о тебе ведь речь, ты, обозный романтик. Тебя не жалко.

— Ну-ну, интересно послушать, — сказал Ленц. — Давай уж, облегчи душу признанием.

— Ты пустозвон, — заявил Грау, — пустозвон и краснобай.

— Как и все мы, — ухмыльнулся Ленц. — Ведь мы живем иллюзиями и долгами.

— Истинно так, — сказал Грау, оглядывая нас всех по очереди из-под своих кустистых бровей. — Иллюзии достались нам от прошлого, а долги идут в счет будущего. — Затем он снова обратился ко мне: — Я говорил о наивности, Робби. Только завистники называют ее глупостью. Не обижайся на них. Наивность — это дар, а не недостаток.

Ленц хотел было что-то вставить, но Фердинанд не дал ему говорить.

— Ты ведь понимаешь, что я имею в виду. Простую душу, еще не изглоданную скепсисом и всей этой интеллигентской заумью. Парцифаль был простофиля. Будь он умником, не добраться бы ему до Святого Грааля. В жизни побеждают люди не мудрствующие, все же прочие видят слишком много препятствий и теряют уверенность, не успев ничего начать. В трудные времена такая простота — неоценимое благо, она как палочка-выручалочка спасает от опасностей, которые прямо-таки засасывают умника!

Он сделал глоток и посмотрел на меня своими огромными голубыми глазами, этими осколками неба на иссеченном морщинами лице.

— Не надо гоняться за избыточным знанием, Робби! Чем меньше знаешь, тем проще жить. Знания делают человека свободным, но и несчастным... Так что давай-ка выпьем с тобой за простоту, наивность и за все, что из нее вытекает, — за любовь, веру в будущее, мечты о счастье; за ее величество глупость, за потерянный рай...

Внезапно он отключился и снова ушел в себя и свое опьянение, возвышаясь над всеми массивной громадой, словно одинокий холм неприступной тоски. Человек он был конченый, и он знал, что ему уже не подняться.

Эрих Мария Ремарк

Обитал он в своей просторной мастерской, сожительствуя с экономкой. Это была властная, грубая женщина, а Грау, напротив, несмотря на свое могучее тело, был впечатлителен и нестоек. Он никак не мог порвать с ней, да ему, видно, все было безразлично. Как-никак сорок два стукнуло.

И хотя я понимал, что виной всему опьянение, все же наблюдать его в такой неприкаянности было и странно, и тяжело, и даже слегка неприятно. С нами он бывал не часто, все больше пил в одиночку у себя в мастерской. А эта дорожка быстро идет по наклонной.

По лицу его промелькнула улыбка. Он сунул мне в руку стакан.

— Пей, Робби. И спасайся. Помни о том, что я тебе сказал.

— Хорошо, Фердинанд.

Ленц завел патефон. У него была куча пластинок с негритянскими песнями, и некоторые из них он поставил сегодня — о Миссисипи, о собирателях хлопка, о знойных ночах на берегах голубых тропических рек.

VI

Патриция Хольман жила в большом желтом доме-коробке, отделенном от проезжей части улицы узкой полоской газона. У подъезда стоял фонарь. Я остановил «кадиллак» прямо под ним. В неверном свете фонаря машина походила на мощного слона, кожа которого отливала жирным черным глянцем.

Я продолжил усовершенствования своего гардероба: помимо галстука, купил еще перчатки и шляпу, кроме того, на мне было пальто Ленца — великолепное серое пальто из тонкого шотландского твида. Таким оснащением я хотел развеять воспоминания о нашем первом пьяном вечере.

Я посигналил. Сразу же, подобно ракете, загорелись окна всех пяти этажей лестничной клетки. Загудел лифт.

Я следил за ним, как за волшебной бадьей, спускающейся с неба. Патриция Хольман открыла дверь и легко сбежала по ступенькам. На ней была короткая бежевая куртка, отороченная мехом, и узкая коричневая юбка.

— Хэлло! — Она протянула мне руку. — Я так рада куда-нибудь выбраться. Весь день просидела дома.

Мне понравилось ее рукопожатие — более сильное, чем можно было ожидать. Ненавижу людей, вяло сующих свою ладошку, как дохлую рыбу.

— Что же вы сразу мне не сказали, что весь день сидите дома? Я бы заехал за вами еще днем.

— Разве у вас так много времени?

— Не могу этого сказать. Но я бы освободился.

Она сделала глубокий вдох.

— Какой чудесный воздух! Пахнет весной.

— Если хотите, мы можем дышать воздухом сколько угодно, — сказал я, — можем поехать за город, в лес, на природу, я на всякий случай прихватил с собой машину. — При этом я с такой небрежностью показал на «кадиллак», будто это был какой-нибудь развалюха «форд».

— «Кадиллак»? — Она посмотрела на меня с изумлением. — Ваш собственный?

— Сегодня вечером да. А вообще-то он принадлежит нашей мастерской. Мы немало с ним повозились и теперь надеемся сорвать немалый куш.

Я открыл дверцу.

— Не поехать ли нам сначала в «Лозу» и поужинать? Как вы думаете?

— Поужинать было бы неплохо, но почему непременно в «Лозе»?

Я был несколько озадачен. Ведь «Лоза» — это единственный приличный ресторан из тех, что я знал.

— По правде говоря, — сказал я, — я не знаю ничего лучшего. Кроме того, мне казалось, что «кадиллак» нас к чему-то обязывает.

Она рассмеялась.

— В «Лозе» наверняка чопорная, скучная публика. Нет, лучше в другое место!

Я растерялся. Грезы о респектабельности рассеивались, как дым.

— Тогда предложите что-нибудь вы, — сказал я. — Заведения, которые посещаю я, все как на подбор простецкого пошиба. Они не для вас.

— Почему вы так решили?

— Так мне кажется...

Она быстро взглянула на меня.

— Давайте все же попробуем.

— Хорошо. — Я решился круто изменить программу. — Раз вы не из пугливых, то у меня есть кое-что на примете. Едем к Альфонсу.

— Альфонс — это уже звучит! — сказала она. — И вряд ли меня сегодня что-нибудь испугает.

— Альфонс — хозяин пивной, — сказал я. — Большой друг Ленца.

Она засмеялась.

— Похоже, у Ленца повсюду друзья?

Я кивнул:

— Он легко их заводит. Вы ведь видели, как это было с Биндингом.

— Да, Бог свидетель, — заметила она. — Подружились они молниеносно.

Мы поехали.

Альфонс был увалень и флегматик. Выпирающие скулы. Маленькие глаза. Закатанные рукава рубашки. Руки как у гориллы. Он самолично вышвыривал из своего заведения всякого, кто приходился ему не по вкусу. Даже членов патриотического спортивного общества. Для особо трудных случаев он держал молоток под стойкой. Пивная была расположена очень удобно — рядом с больницей, так что на транспорт тратиться не приходилось.

Он вытер светлый еловый стол своей волосатой лапой.

— Пиво? — спросил он.

— Водки и чего-нибудь на закуску, — сказал я.

— А для дамы? — спросил Альфонс.

— Дама тоже желает водки, — сказала Патриция Хольман.

— Крепко, весьма, — промолвил Альфонс. — Есть свиные ребрышки с кислой капустой.

— Свинью сам заколол? — спросил я.

— Натурально.

— Но даме надо бы предложить чего-нибудь полегче, Альфонс.

— Вы шутите, — возразил Альфонс. — Сначала взгляните на мои ребрышки.

Он велел кельнеру показать нам порцию.

— Великолепный был свинтус, — сказал он. — С медалями. Два первых приза.

— Ну кто ж тогда устоит? — заявила, к моему удивлению, Патриция Хольман уверенным тоном постоянной посетительницы этого кабака.

— Стало быть, две порции? — подмигнув, спросил Альфонс.

Она кивнула.

— Прекрасно! Пойду выберу сам.

Он отправился на кухню.

— Беру назад свои слова, — сказал я, — я напрасно сомневался, что вас можно вести сюда. Вы мгновенно покорили Альфонса. Сам выбирает блюда он только для завсегдатаев.

Альфонс вернулся.

— Добавил вам еще колбасы.

— Неплохая идея, — сказал я.

Альфонс к нам явно благоволил. Немедленно явилась водка. И три стопки. Одна — для Альфонса.

— Что ж, будем здоровы! — сказал он. — За то, чтобы наши дети заимели богатых родителей.

Мы выпили залпом. Девушка не пригубила водку, а выпила, как и мы.

— Крепко, весьма, — заметил Альфонс и прокосолапил к стойке.

— Вам понравилась водка? — спросил я.

Эрих Мария Ремарк

Она покачала головой:

— Крепковата, конечно. Но уж надо было держать марку перед Альфонсом.

Ребрышки были что надо. Я съел две большие порции, да и Патриция Хольман преуспела значительно больше, чем я мог предположить. Мне страшно нравилась ее манера держаться по-свойски, чувствовать себя запросто и в пивнушке. Без всякого жеманства она выпила и вторую стопку с Альфонсом. Тот незаметно подмигивал мне в знак одобрения. А он был знаток. Не столько в вопросах красоты или там культуры, но в главном — в том, чего человек стоил как таковой.

— Если вам повезет, вы узнаете и слабую струнку Альфонса, — сказал я.

— Охотно, — сказала она. — Да только похоже, что слабостей у него нет.

— Есть! — Я показал на столик рядом со стойкой. — Вот она!

— Что именно? Патефон?

— Нет, не патефон. Хоровое пение! У него слабость к хоровому пению. Он не признает ни легкой, ни классической музыки, только хоры — мужские, смешанные, всякие. Вон та куча пластинок — это сплошные хоры. А вот и он сам.

— Как вам ребрышки? — спросил Альфонс, подходя.

— Выше всяких похвал! — воскликнул я.

— А даме тоже понравились?

— В жизни не ела ничего подобного, — смело заявила дама.

Альфонс удовлетворенно кивнул.

— А сейчас заведу вам свою новую пластинку. Удивлю, так сказать!

Он направился к патефону. Игла зашипела, и вслед затем могучий мужской хор грянул «Лесное молчание». Чертовски громкое то было молчание.

С первого же такта в пивной воцарилась мертвая тишина. Не разделить вместе с Альфонсом его благоговения — значило пробудить в нем зверя. Он стоял за стойкой, уперевшись в нее волосатыми руками. Под воздействием музыки лицо его преобразилось. Оно стало мечтательным — насколько может быть мечтательным лицо человека, похожего на гориллу. Хоровое пение имело необъяснимое воздействие на Альфонса. Он делался трепетнее лани. Он мог весь отдаться кулачной сваре, но стоило вступить звукам мужского хора — и у него как по мановению волшебной палочки сами собой опускались руки; он затихал, прислушиваясь, и был готов к примирению. В прежние времена, когда он был более вспыльчив, жена всегда держала наготове пластинки, которые он особенно любил. В минуту крайней опасности, когда он выскакивал из-за стойки с молотком, она быстренько опускала иглу на пластинку — и Альфонс опускал молоток, прислушивался, успокаивался. С тех пор надобность в этом исчезла — и жена умерла, оставив вместо себя портрет над стойкой, подарок Грау, за что художник всегда имел здесь даровой столик; да и сам Альфонс с годами поостыл и угомонился.

Пластинка кончилась. Альфонс подошел к нам.

— Чудо как хорошо, — сказал я.

— Особенно первый тенор, — добавила Патриция Хольман.

— Верно, — впервые оживился Альфонс, — о, вы знаете в этом толк! Первый тенор — это самый высокий класс!

Мы простились с ним.

— Привет Готфриду, — сказал он. — Пусть он как-нибудь заглянет.

Мы стояли на улице. Фонари перед домом разбрасывали беспокойные блики по сплетенным ветвям старого дерева. Они уже покрылись зеленоватым легким пушком, и все дерево благодаря неясной, мреющей подсветке казалось мощнее и величественнее, его крона словно пронзала тьму — как гигантская рука, в необоримой тоске простертая в небо.

Патриция Хольман слегка поежилась.

— Вам холодно? — спросил я.

Передернув плечами, она спрятала руки в рукава меховой куртки.

— Ничего, пройдет. Просто в помещении было довольно жарко.

— Вы слишком легко одеты, — сказал я. — Вечерами еще холодно.

Она покачала головой:

— Не люблю одежду, которая много весит. Кроме того, мне хочется, чтобы поскорее наступило тепло. Не выношу холод. Особенно в городе.

— В машине тепло, — сказал я. — Там у меня и плед припасен на всякий случай.

Я помог ей забраться в машину и укрыл пледом ее колени. Она подтянула плед повыше.

— Ой, как хорошо. Ой, как чудесно! А то холод навевает мрачные мысли.

— Не только холод. — Я сел за руль. — Покатаемся?

Она кивнула:

— С удовольствием.

— Куда поедем?

— Просто так, не торопясь, по улицам. Все равно куда.

— Отлично.

Я запустил мотор, и мы поехали по городу — медленно и бесцельно. Был тот час вечера, когда движение становится особенно оживленным. Мы скользили в нем почти бесшумно, настолько тих был мотор. Наш «кадиллак» напоминал парусник, безмолвно плывший по пестрым каналам жизни. Мимо проносились улицы, освещенные подъезды и окна, тянулись ряды фонарей — подслащенная, прельстительная вечерняя суотолока бытия, нежная лихорадка иллюминированной ночи; а над всем этим, над остриями крыш — стальной купол неба, вбиравший, втягивавший в себя огни города.

Девушка сидела молча рядом со мной, по ее лицу пробегали отраженные стеклами блики. Изредка я взглядывал на нее, она снова казалась мне такой, какой я увидел ее в первый вечер. Ее посерьезневшее лицо выглядело теперь более отчужденным, чем за ужином, но оно было очень красивым — это было то самое лицо, которое меня тогда так взволновало, что лишило потом покоя. Мне чудилось, будто в нем есть что-то от той таинственной тишины, что присуща природе — деревьям, облакам, животным, а иногда и женщинам.

Мы выбрались на более тихие улицы предместья. Ветер усилился. Казалось, он гонит ночь перед собой. Я остановил машину на большой площади, вокруг которой спали маленькие дома в маленьких палисадниках.

Патриция Хольман потянулась, словно бы просыпаясь.

— Это было чудесно, — сказала она немного погодя. — Если б у меня была машина, я бы каждый вечер ездила так по улицам. В этом медленном и бесшумном скольжении есть что-то от сна или сказки. И в то же время все это явь. И тогда никаких людей вроде бы и не надо по вечерам...

Я вынул пачку сигарет из кармана.

— А вообще-то ведь надо, чтоб вечерами кто-нибудь был рядом, не так ли?

— Да, вечерами — конечно, — согласилась она. — Странное это чувство — когда наступает темнота.

Я вскрыл пачку.

— Это американские сигареты. Они вам нравятся?

— И даже больше других.

Я дал ей огня. На мгновение теплый и краткий свет спички осветил ее лицо и мои руки, и мне вдруг пришла в голову шальная мысль, будто мы с ней давным-давно неразлучны.

Я опустил стекло, чтобы вытягивало дым.

— Хотите немного поводить? — спросил я. — Наверняка это доставит вам удовольствие.

Она повернулась ко мне.

— Конечно, хочу, но ведь я совсем не умею.

— В самом деле?

— Нет. Я никогда не училась.

Эрих Мария Ремарк

Я узрел в этом свой шанс.

— Биндинг давно бы мог показать вам, как это делается, — сказал я.

Она рассмеялась.

— Биндинг слишком влюблен в свою машину. Он никого к ней не подпускает.

— Ну, это чистая глупость, — не упустил я случая уколоть толстяка. — Я вот запросто посажу вас за руль. Давайте попробуем.

Легко позабыв про Кестера с его предостережениями, я вылез из «кадиллака», уступая ей руль.

— Но я действительно не умею, — сказала она, волнуясь.

— Неправда, — возразил я. — Умеете. Только не знаете этого.

Я показал ей, как действуют коробка скоростей и сцепление.

— Вот и все, очень просто. А теперь вперед!

— Подождите! — Она показала на одинокий автобус, медленно пробиравшийся по улице. — Давайте сначала пропустим!

— Ни в коем случае! — Я быстро включил скорость и сцепление.

Она судорожно вцепилась в руль, напряженно вглядываясь в улицу.

— О Боже, мы едем слишком быстро!

Я посмотрел на спидометр.

— Вы едете сейчас со скоростью ровно двадцать пять километров в час. На самом деле — не больше двадцати. Неплохой темп для стайера.

— А мне кажется, что не меньше восьмидесяти.

Через несколько минут первоначальный страх исчез. Мы ехали вниз по широкой прямой дороге. «Кадиллак» слегка петлял, словно вместо бензина в баке у него был коньяк, да несколько раз едва не потерся шинами о бортик тротуара. Но постепенно дело наладилось, приняв тот самый оборот, которого я желал: неожиданно мы превратились в учителя и ученицу, и я пользовался преимуществами своего положения.

— Внимание — полицейский! — сказал я.

— Остановиться?

— Слишком поздно.

— А что будет, если меня остановят? Ведь у меня нет водительских прав.

— Нас обоих посадят в тюрьму.

— Господи, какой ужас! — От страха она стала тыкаться ногой в тормоз.

— Газ! — крикнул я. — Нажмите на газ! Еще! Мы должны промчаться гордо и смело. Дерзость — лучшее средство борьбы против закона.

Полицейский не обратил на нас ни малейшего внимания. Девушка облегченно вздохнула.

— До сих пор я не знала, что обыкновенный регулировщик может походить на огнедышащего дракона, — сказала она, когда мы отъехали от него на несколько сот метров.

— Он превратится в дракона, если на него наехать. — Я медленно нажал на тормоз. — Вот тут у нас замечательная пустынная улица, на нее и свернем — поупражняемся в свое удовольствие. Сперва поучимся трогаться с места и останавливаться.

Трогаясь, Патриция несколько раз глушила мотор. Она расстегнула меховую куртку.

— Уф! Становится жарко! Но я должна научиться!

Она сидела за баранкой с видом старательной ученицы и внимательно следила за моими объяснениями. Потом она сделала несколько первых поворотов, сопровождая их воплями ужаса и возгласами ликования; встречных машин, их бьющих фар она дьявольски пугалась, зато и бурно радовалась, когда удавалось с ними разминуться. Вскоре в маленьком, скудно освещенном приборами пространстве возникла доверительная товарищеская атмосфера, какая всегда возникает между людьми, занятыми техническим или иным совместным делом, и когда через полчаса мы поменялись местами

　　　　　　　　　　　　Эрих Мария Ремарк

и я поехал назад, мы были значительно ближе друг другу, чем после любого, сколь угодно пространного рассказа о собственной жизни.

Недалеко от Николайштрассе я опять остановил машину. Прямо над нами сверкали пурпуром огни кинорекламы. Асфальт под ней отливал матовым линялым красным цветом. У самой кромки асфальта блестело жирное маслянистое пятно.

— Ну вот, — сказал я, — теперь мы честно заслужили по стаканчику. Где бы нам это сделать?

Патриция Хольман на минутку задумалась.

— А почему бы нам не пойти опять в этот симпатичный бар с парусниками? — предложила затем она.

Меня мигом пронзила тревога. Можно было дать голову на отсечение, что сейчас там сидит последний романтик. Я уже представлял себе, какое он сделает лицо...

— Ну что вы, — быстро сказал я, — это не бог весть что. Есть места куда более приятные...

— Не знаю, не знаю... Мне там в прошлый раз очень понравилось.

— В самом деле? — спросил я озадаченно. — Вам в прошлый раз понравилось?

— Да, — сказала она улыбаясь. — Даже очень.

«Вот тебе на! — подумал я. — А я-то казнился из-за того вечера...»

— Боюсь, в это время там полно народа, — сделал я еще одну попытку.

— Так давайте посмотрим.

— Давайте.

Я обдумывал, как мне быть. Когда мы подъехали к бару, я быстро выскочил из машины.

— Я только взгляну и сразу вернусь.

В баре знакомых не было, кроме одного Валентина.

— Послушай, — обратился я к нему. — Готфрид был здесь?

Валентин кивнул:

— Да, вместе с Отто. Ушли с полчаса назад.

— Жаль, — сказал я, облегченно вздыхая. — Жаль, что я их не застал. — Я вернулся к машине. — Рискнем, — заявил я. — По счастью, тут сегодня вполне сносно.

Однако «кадиллак» я на всякий случай поставил за углом, в темном месте.

Но не прошло и десяти минут, как соломенная грива Ленца всплыла у стойки. «Проклятие! — подумал я. — Все же нарвался! Лучше бы это произошло через несколько недель».

Готфрид, кажется, был не намерен задерживаться. Я уж подумал было, что все обойдется, как заметил, что Валентин показывает ему на меня. Вот мне и наказание за мою ложь. Лицо Ленца, когда он нас увидел, нужно было бы демонстрировать начинающим киноактерам — трудно было бы найти более поучительный материал. Глаза его округлились и выпучились, как желтки глазуньи, а челюсть грозила вот-вот отвалиться. Жаль, в баре в этот миг не нашлось режиссера, я уверен, что он немедленно заключил бы с Ленцем контракт, заняв его, например, в эпизоде, когда перед потерпевшим кораблекрушение матросом предстает чудовищный спрут.

Впрочем, Готфрид быстро овладел собой. Я взглядом умолял его исчезнуть. В ответ он подленько ухмыльнулся, оправил пиджак и подошел к нам.

Я знал, что мне предстоит, и поэтому первым пошел в атаку.

— Ты уже проводил фройляйн Бомблатт? — спросил я, чтобы выбить его из седла.

— Да, конечно, — спокойно ответил он, ничем не выдав, что еще секунду назад ничего не знал о существовании упомянутой фройляйн. — Она передает тебе привет и просит, чтобы ты позвонил ей завтра пораньше.

Контрудар был неплох. Я кивнул:

— Позвоню. Бог даст, она все же купит машину.

Ленц снова открыл было рот, но я ударил его по ноге и посмотрел на него такими глазами, что он, ухмыльнувшись, осекся.

Эрих Мария Ремарк

Мы выпили по нескольку рюмок. Я пил только коктейль с большим количеством лимона. Не хотелось снова опростоволоситься.

Готфрид пришел в отличное расположение духа.

— Только что был у тебя, — сказал он. -- Думал зазвать тебя на ярмарку. Там великолепная новая карусель. Может, сходим, а? — Он посмотрел на Патрицию Хольман.

— Конечно! — воскликнула она. — Больше всего на свете люблю карусели!

— Тогда выезжаем немедленно, — сказал я. Я был рад выбраться на улицу. Там все было как-то проще.

Шарманщики — на передовых постах аттракционов. Меланхолические, нежно жужжащие звуки. На истертой бархотке там и сям попугай или зябнущая обезьянка в красном суконном жилете. Пронзительно зазывные голоса торговцев самым разным товаром — фарфоровым клеем, алмазами для резки стекла, турецким медом, воздушными шарами, отрезами на костюмы. Острый запах карбидных ламп, испускающих голубое свечение. Гадалки, астрологи, ларьки с марципанами, лодки-качалки, увеселительные павильоны. А вот наконец и сама карусель с ее оглушительной музыкой, пестротой, огнями крутящихся башен, освещенных как дворцы.

— Ребята, вперед! — И Ленц с развевающимися волосами бросился к «американским горкам». Здесь был самый большой оркестр. Перед каждым пуском из позолоченных ниш выходили шесть фанфаристов, поворачивались во все стороны, трубили как оглашенные и, взмахнув инструментами, исчезали. Зрелище было грандиозное.

Мы уселись в большую лодку с лебедем на носу и понеслись вперед, так что только ветер свистел. Мир искрился и скользил, он раскачивался в разные стороны и вдруг нырял в темный туннель, который мы проскакивали под барабанный бой, чтобы через секунду вновь вынырнуть в шумном и бушующем море огней.

— Еще! — Готфрид устремился к летающей карусели с гондолами в виде дирижаблей и самолетов. Мы взобрались в цеппелин и сделали на нем три круга.

С трудом переводя дух, мы очутились опять на земле.

— А теперь на чертово колесо! — бросил клич Ленц.

Чертовым колесом назывался большой и гладкий, несколько выпуклый к середине диск, который вращался с нарастающей скоростью и на котором надо было удержаться дольше всех. Он отбивал немыслимую чечетку, и ему аплодировали. В конце концов он остался на кругу вдвоем с какой-то поварихой, у которой был зад как у ломовой лошади. Чем эта хитрюга и воспользовалась: когда удерживаться на ногах стало совсем уже невмоготу, она просто плюхнулась задом на середину, а Готфрид приплясывал вокруг нее. Всех прочих давно уже разметало в разные стороны. Но вот судьба настигла и последнего романтика, он рухнул в объятия поварихи, и они кубарем скатились на землю. К нам он подошел, ведя ее под руку и называя просто Линой. В ответ Лина смущенно улыбалась. Он спросил ее, не желает ли она чего-нибудь съесть или выпить, и она заявила, что пиво хорошо утоляет жажду. После чего оба исчезли в палатке.

— А куда же пойдем мы? — спросила с горящими глазами Патриция Хольман.

— В лабиринт привидений, — сказал я, указывая на большой павильон.

Путь, проложенный по лабиринту, был полон неожиданностей. Они начались уже через несколько шагов: вдруг зашатался пол, чьи-то руки стали ощупывать нас в темноте, по углам то и дело мелькали страшные рожи, завывали привидения, мы, конечно, только посмеивались, но в один момент, когда перед нами в зеленоватом освещении внезапно возник череп, девушка резко отпрянула назад, на миг оказавшись в моих объятиях. Кожей лица я ощутил ее дыхание, губами — ее волосы, но она тут же рассмеялась, и я отпустил ее.

Эрих Мария Ремарк

Я отпустил ее, но что-то во мне этого не желало. Мы давно уже вышли из лабиринта, а я все еще чувствовал прикосновение ее плеча, ее мягких волос, чувствовал тонкий персиковый запах ее кожи...

Я избегал смотреть на нее — все стало как-то совсем по-другому...

Ленц нас поджидал. Он был один.

— А где же Лина? — спросил я.

— Хлобыщет пивко, — кивнул он в сторону тента. — С каким-то кузнецом.

— Приношу свои соболезнования.

— А, чепуха, — заметил Готфрид. — Давай-ка лучше займемся самым что ни на есть мужским делом.

Мы пошли в павильон, где можно было выиграть всякую всячину, набрасывая резиновые кольца на железные крюки.

— Так, — сказал Ленц, обращаясь к Патриции Хольман, — сейчас мы вам соберем целое приданое.

Он бросил первым и выиграл будильник. За ним и я урвал плюшевого медведя. Владелец аттракциона вручил нам и то и другое с громкими, делано восторженными восклицаниями, рассчитывая привлечь новых клиентов.

— Сейчас ты у меня уймешься, — хмыкнул Готфрид и овладел сковородкой. Я добыл еще одного мишку.

— Надо же, какая пруха, — только и крякнул хозяин, передавая нам вещи.

Он еще не знал, что его ожидало. Ленц лучше всех в нашей роте метал гранату, а зимой, когда нечего было делать, мы, бывало, месяцами упражнялись в набрасывании шляпы на разные крючья. Так что тутошнее испытание было для нас детской забавой. Готфрид легко завладел своим следующим призом — хрустальной вазой. Я — полдюжиной граммофонных пластинок. Хозяин молча сунул их нам и стал проверять свои крючья на прочность.

Ленц прицелился, бросил — и выиграл кофейный сервиз, второй приз. Тем временем вокруг нас собралась толпа зевак. Я в темпе набросил три кольца подряд на один и тот же крюк. Наградой стала кающаяся Магдалина в золоченой раме.

Хозяин павильона, скроив такую гримасу, будто он сидел в кресле у зубного врача, отказался выдать нам новые кольца. Мы не стали возражать, но тут зрители устроили настоящий скандал. Они стали требовать, чтобы он не мешал нам куражиться дальше. Они жаждали видеть, как он разорится дотла. Больше всех шумела Лина, снова появившаяся вместе со своим кузнецом.

— Стало быть, как мимо бросать, так это можно, да? А попадать, стало быть, нельзя?

Кузнец одобрял ее, раздувая мехи своего баса.

— Так и быть, — сказал хозяин. — Пусть каждый бросит еще по разу.

Я бросил первым. Тазик для умывания с кувшином и мыльницей. Потом настала очередь Ленца. Он взял пять колец. Четыре из них он со скоростью автомата накинул на один и тот же крюк. Перед тем как бросить пятое, он сделал нарочитую паузу и достал сигарету. Трое мужчин бросились к нему с зажигалками. Кузнец похлопал его по плечу. Лина от волнения жевала платочек. Потом Ленц прищурился и расслабленно, чтобы не было амортизации, кинул пятое кольцо поверх предыдущих. Кольцо осталось висеть. Раздался оглушительный рев. Ленц оторвал главный приз — детскую коляску с кружевными подушками и розовым одеяльцем.

Хозяин, чертыхаясь, выкатил нам коляску. Мы погрузили в нее все остальные трофеи и двинулись к следующему павильону. Лина везла коляску. Кузнец отпускал по этому поводу такие шуточки, что я предпочел несколько отстать от них с Патрицией Хольман. В следующем павильоне кольца нужно было набрасывать на бутылки с вином. Попало кольцо на бутылку — она твоя. Мы добыли шесть бутылок. Ленц взглянул на этикетки и подарил их кузнецу.

Был и еще один подобный павильон. Но его владелец вовремя учуял опасность и при нашем приближении павильон закрыл. Кузнец хотел было затеять свару, он знал, что здесь в качестве призов разыгрывались бутылки пива. Но мы отказались от этой идеи: у хозяина аттракциона была только одна рука.

В сопровождении целой толпы мы добрались до «кадиллака».

— Что будем делать? — спросил Ленц, почесывая затылок. — Привяжем коляску к машине?

— Давай, — согласился я. — Но тебе придется сесть в нее и править, чтобы она не перевернулась.

Патриция Хольман запротестовала. Она боялась, что Ленц и впрямь отколет такой номер.

— Что ж, — сказал Готфрид, — тогда придется рассортировать добычу. Обоих мишек вы непременно должны взять себе. Пластинки тоже. А как насчет сковородки?

— В таком случае она перейдет во владение мастерской, — заявил Готфрид. — Забери ее, Робби, как старый специалист по яичницам. А кофейный сервиз?

Патриция кивнула в сторону Лины. Повариха покраснела. Готфрид вручил ей, будто приз, кофейные причиндалы. Потом он извлек из коляски керамический тазик.

— А эту посудину кому? Господину соседу, не так ли? В твоем деле эта штуковина пригодится. Как и будильник. Кузнецы спят, как медведи.

Я протянул Готфриду цветочную вазу. Он и ее вручил Лине. Она, заикаясь, стала отказываться. Она не сводила глаз с кающейся Магдалины. Она полагала, что если ваза достанется ей, то картина — кузнецу.

— Обожаю искусство, — выдохнула она, от волнения и алчности обкусывая ногти на своих красных пальцах.

— Милостивая сударыня, — с наивозможной галантностью обратился Ленц к Патриции Хольман, — что вы на это скажете?

Патриция Хольман взяла картину и отдала ее поварихе.

— Вещь действительно очень красивая, Лина, — с улыбкой сказала она.

— Повесь над кроватью и услаждай свое сердце, — добавил Ленц.

Лина обеими руками схватила картину. Глаза ее увлажнились; от переизбытка благодарности ее поразила икота.

— А теперь ты, — задумчиво, с чувством произнес Ленц, обращаясь к детской коляске. Глаза Лины, осчастливленной, казалось бы, Магдалиной, вновь загорелись жадностью. Кузнец заметил, что, мол, никому не дано знать, когда ему понадобится такая штука, и так расхохотался своему замечанию, что даже выронил бутылку с вином.

Но Ленц шутку не поддержал.

— Постойте-ка, я тут кое-что вспомнил, — сказал он и исчез. Через несколько минут он прибежал за коляской и куда-то ее укатил. — Все в ажуре! — бросил он нам, вернувшись.

Мы сели в «кадиллак».

— Ну, это просто как Рождество! — воскликнула счастливым голосом Лина и, освободив от обильных подарков свою красную лапу, протянула ее нам на прощание.

Кузнец еще успел отозвать нас в сторонку.

— Значит, так, ребята, — сказал он, — если вам понадобится кого-нибудь вздуть, то я живу по Лейбниц-штрассе, шестнадцать, задний двор, второй этаж, левая дверь. А если их будет несколько, то я прихвачу с собой товарищей по кузнечному молоту.

— Заметано! — дружно ответили мы и уехали.

Когда мы немного отъехали и свернули за угол, Готфрид указал нам на окно машины. Мы увидели нашу коляску, а в ней настоящего младенца. Коляску осматривала бледная женщина, еще явно не оправившаяся от потрясения.

— Неплохо, а? — воскликнул Готфрид.

Эрих Мария Ремарк

— Отдайте ей и мишек! — сказала Патриция Хольман. — Уж все вместе!

— Одного, может быть? — сказал Ленц. — А второго оставьте себе.

— Нет-нет, обоих!

— Ладно. — Ленц выскочил из машины, сунул обе
плюшевые игрушки женщине в руки и, не дав ей опомниться, пустился наутек так, будто его преследовали. —
Ну вот, — сказал он, запыхавшись, — теперь меня просто мутит от моего благородства. Высадите меня около «Интернационаля». Я обязан пропустить рюмочку
коньяка.

Он вылез из машины, а я отвез Патрицию Хольман
домой. Все было иначе, чем в прошлый раз. Она стояла
в дверях и в колеблющихся отсветах фонаря была очень
красива. Как мне хотелось пойти с ней!

— Спокойной ночи, — сказал я, — и приятных сно-
видений.

— Спокойной ночи.

Я смотрел ей вслед, пока не погас свет на лестнице. Потом сел в «кадиллак» и уехал. Чувствовал я себя
странно. Вовсе не так, как бывало, когда влюбленный
провожал домой девушку. Теперь было куда больше
нежности в этом чувстве, нежности и желания отдаться чему-то полностью. Отдаться, забыться...

Я поехал к Ленцу в «Интернациональ». Там было
почти пусто. В одном углу сидела Фрицци со своим
дружком Алоисом. Они о чем-то спорили. Готфрид
устроился с Мими и Валли на диване у стойки. Он был
мил и любезен с обеими, даже с этой несчастной ста-
ренькой Мими.

Девицы вскоре ушли. Им было пора на дело, теперь
наступало самое время. Мими кряхтела и вздыхала, се-
туя на больные вены. Я подсел к Готфриду.

— Ну, поливай, не церемонься, — сказал я.

— Зачем же, детка? — возразил он, к моему удивлению. — Ты все делаешь правильно.

Мне уже стало легче оттого, что он так просто ко всему отнесся.

— Мог бы и раньше намекнуть, — сказал я.

— Чепуха! — отмахнулся он.

Я заказал себе ром.

— А знаешь, — сказал я, — я ведь даже понятия не имею, кто она, чем занимается. И в каких отношениях с Биндингом. Он-то, кстати, не говорил тебе тогда ничего?

Он посмотрел на меня:

— А что, тебя это разве заботит?

— Да нет...

— Вот и я думаю. Между прочим, пальто тебе очень идет.

Я покраснел.

— И нечего тебе краснеть. Ты прав во всем. Я бы и сам так хотел — если б мог...

Я немного помолчал, а потом спросил:

— Что ты имеешь в виду, Готфрид?

— А то, что все остальное — дерьмо, Робби. То, что в наше время ничего нет стоящего. Вспомни, что тебе вчера говорил Фердинанд. Не так уж не прав этот старый толстый некрофил-малеватель. Ну да хватит об этом... Сядь-ка лучше на этот ящик да сыграй парочку-другую старых солдатских песен.

Я сыграл «Три лилии» и «Аргоннский лес». Здесь, в пустом кафе, эти мелодии наших былых времен возникли как призраки.

VII

Дня через два Кестер выбежал из мастерской.

— Робби, звонил твой Блюменталь! Он ждет тебя в одиннадцать с «кадиллаком». Хочет сделать пробную ездку.

Я швырнул на землю гаечный ключ.

— Черт возьми, Отто, неужели клюет?

— А что я вам говорил? — раздался из-под «форда» голос Ленца. — Он явится снова — вот что я вам говорил. Готфрида надо слушать!

— Кончай трепаться, дело серьезное! — крикнул я ему под машину. — Отто, сколько я могу ему уступить? Предельно?

— Предельно — две тысячи. Сверхпредельно — две тысячи двести. Упрется — две пятьсот. Если увидишь, что перед тобой сумасшедший, — две шестьсот. Но уж тогда скажи ему, что мы будем век его проклинать.

— Ладно.

Мы надраили машину до блеска. Я сел за руль. Кестер положил мне руку на плечо.

— Робби, не посрами свою солдатскую доблесть. Отстаивай честь нашей мастерской до последней капли крови. Умри стоя и положа руку на бумажник Блюменталя.

— Будет исполнено, — улыбнулся я.

Ленц нашарил в кармане медаль и сунул ее мне под нос.

— Дотронься до моего амулета, Робби!

— Изволь. — Я взялся за амулет.

— Абракадабра, великий шива, — в тоне молитвы произнес Готфрид, — благослови этого рохлю, надели его мужеством и силой! Подержись вот здесь, а еще лучше — возьми его с собой! Да, еще плюнь три раза.

— Все будет в порядке, — сказал я, плюнул ему под ноги и, оставив позади возбужденно махавшего мне бензиновым шлангом Юппа, выехал за ворота.

По дороге я купил несколько гвоздик и непринужденно расставил их по хрустальным вазочкам в салоне. Расчет был на фрау Блюменталь.

К сожалению, Блюменталь принял меня в конторе, а не на своей квартире. Мне пришлось подождать с четверть часа. «Ах ты, милашка, — подумал я, — этот трюк мне известен, так что не раскисну, не надейся». В приемной, заручившись расположением смазливой стенографистки, которую подкупил вынутой из петлицы гвоздикой, я выведал, с кем имею дело. Трикотаж, сбыт хороший, девять человек занято только в конторе, надежный компаньон, острейшая конкуренция со стороны фирмы «Майер и сын», Майеров сын разъезжает в красном двухместном «эссексе» — такие сведения я собрал к тому моменту, когда Блюменталь меня позвал.

Начал он с артподготовки.

— Молодой человек, — молвил он, — у меня мало времени. Цена, которую вы мне недавно назвали, — ваша несбыточная мечта. Итак, положа руку на сердце, сколько стоит машина?

— Семь тысяч, — заявил я.

Он резко откинулся.

— Тогда нам не о чем говорить.

— Господин Блюменталь, — сказал я, — да вы хоть взгляните еще раз на машину...

— Незачем, — прервал он меня, — я достаточно на нее насмотрелся, к тому же совсем недавно...

— Но смотреть ведь можно по-разному, — заявил я. — Вам нужно взглянуть на детали. Лакировка, к примеру, первоклассная, фирма «Фолль и Рурбек», двести пятьдесят марок по себестоимости; затем новые резиновые покрышки, каталожная цена шестьсот марок. Вот вам уже восемьсот пятьдесят. Далее — обивка из тончайшего корда...

Он от меня отмахнулся. Но я как ни в чем не бывало начал свою песню сначала. Призвал его осмотреть роскошный инструментарий, превосходный кожаный верх, хромированный радиатор, сработанные по последнему слову бамперы — шестьдесят марок пара; как младенца к матери, меня влекло к моему «кадиллаку», и, тоскуя по нему, я пытался увлечь за собой Блюменталя. Я знал, что при соприкосновении с ним у меня, как у Антея, коснувшегося земли, появятся новые силы. Абстрактный жупел цены не так страшен перед лицом конкретного товара.

Эрих Мария Ремарк

Но и Блюменталь не хуже моего знал, что за письменным столом он сильнее. Он, как перед рукопашной, снял очки и взялся за меня по-настоящему. Мы сражались, как тигр с удавом. Удавом был Блюменталь. Не успел я оглянуться, как он уже оттяпал у меня полторы тысячи марок.

Дух мой слабел. Я сунул руку в карман и крепко сжал амулет Готфрида.

— Господин Блюменталь, — сказал я, весьма утомленный, — уже час, видимо, вам пора обедать! — Во что бы то ни стало я хотел вырваться из этого логова, в котором цены тают, как снег.

— Я обедаю в два, — хладнокровно заявил Блюменталь, — но знаете что? Мы могли бы теперь проехаться для пробы.

Я облегченно вздохнул.

— А затем продолжим наши переговоры, — добавил он.

Я снова вздохнул свободнее.

Мы поехали к нему на квартиру. В машине его словно подменили, что немало меня удивило. В самом добродушном тоне он рассказал мне бородатый анекдот об императоре Франце-Иосифе. Я отплатил ему таким же о трамвайном кондукторе; тогда он поведал о злоключениях саксонца в сумасшедшем доме, я в ответ — о шотландской любовной парочке; и только перед самым его домом мы снова посерьезнели. Он просил меня подождать, пока сходит за женой.

— Дорогой мой толстый «кадиллак», — произнес я, похлопывая машину по радиатору, — ясно, что эти россказни скрывают новые чертовы козни. Но не волнуйся, тебя мы пристроим. Он тебя купит, уж это точно: когда еврей возвращается, то он покупает. Когда возвращается христианин, это еще далеко ничего не значит. Он проделает дюжину пробных поездок, чтобы сэкономить на извозчике, а потом вдруг вспомнит, что ведь, в сущности говоря, мебель для кухни ему нужнее. Нет-нет, евреи — добрые люди, они знают, чего хотят.

Но клянусь тебе, мой милый толстячок: если я уступлю сему прямому потомку браннолюбивого Иуды Маккавейского еще хотя бы сотню, то я до конца моей жизни не возьму в рот ни капли шнапса.

Появилась фрау Блюменталь. Я немедленно вспомнил о советах Ленца и превратился из борца в кавалера. Сам Блюменталь, глядя на это, лишь подленько ухмыльнулся. Этот субъект был из железа. Ему бы торговать паровозами, а не трикотажем.

Я устроил так, чтобы он сидел сзади, а его жена рядом со мной.

— Куда прикажете отвезти вас, сударыня? — льстивым голосом спросил я.

— Куда хотите, — ответила она с материнской улыбкой.

Я болтал без умолку — какое все же блаженство иметь дело с простодушным человеком. Говорил я так тихо, что Блюменталь мог слышать только обрывки фраз. Так я чувствовал себя свободнее. Хотя его присутствие я ощущал и спиной, и оно на меня давило.

Мы остановились. Я вылез из машины и твердо посмотрел своему противнику в глаза.

— Вы должны признать, господин Блюменталь, что машина идет как по маслу.

— Да уж какое там масло, молодой человек, — возразил он до странности дружелюбно, — когда человека пожирают налоги. А вы еще лупите кругленький налог за машину. Я вам говорю.

— Господин Блюменталь, — сказал я, стараясь не сбиться с тона, — это не налог, это издержки. Вы деловой человек, и поэтому я говорю с вами откровенно. Скажите сами, чего требует в наши дни дело? Вы ведь и сами знаете — не капитала, как прежде, а кредита, вот чего! А как заполучить кредит? Рецепт известен: по одежке встречают. «Кадиллак» — это и солидно, и элегантно, вполне уютно, но не старомодно. «Кадиллак» — это воплощение буржуазного здравого смысла, это живая реклама для фирмы.

— Каков юноша. Ну чистое дело еврейский колган, а? — обратился к жене повеселевший Блюменталь. — Ах, молодой человек, — сказал он затем, — чтоб вы знали: лучшая реклама для солидного заведения в наше время — это поношенный костюм и проездной на автобус. Если б у нас с вами были деньги тех людей, которые не тратятся на все эти шикарные, сверкающие до ряби в глазах машины, то нам с вами больше не о чем было бы беспокоиться. Я вам говорю. По секрету.

Я недоверчиво взглянул на него. Что значит этот внезапный дружеский тон? Может, присутствие жены сдерживает его боевой пыл? Пожалуй, пора давать решающий залп.

— Во всяком случае, такой «кадиллак» не сравнишь с каким-нибудь «эссексом», не правда ли, сударыня? Это уж пусть сыночек Майера разъезжает на таком драндулете, а я бы и задаром не взял этакую дрянь кричаще-красного цвета...

Я услыхал, как Блюменталь хмыкнул, и поторопился продолжить:

— А этот цвет, сударыня, вам необычайно идет, приглушенный кобальт для блондинки...

Блюменталь прыснул, и лицо его напомнило дергающиеся обезьяньи рожи.

— Насчет Майера — это не слабо, — простонал он. — А там уж пошла эта глупая лесть... Вот именно, лесть!

Я взглянул на него и не поверил своим глазам: в нем больше не было никакого притворства! И я стал изо всех сил давить на ту же педаль.

— Позвольте мне внести кое-какие уточнения, господин Блюменталь. Для женщины лесть никогда не является лестью. Но — комплиментами, которые в наш жалкий век, увы, стали редкостью. Ведь женщина — не стальная конструкция, а цветок, и не деловитость ей нужна, а теплая нега лести. Лучше каждый день говорить ей какие-нибудь милые пустяки, чем всю жизнь работать на нее с маниакальным занудством. Это я вам говорю. И тоже по секрету. К тому же я не льстил, а лишь припомнил классический закон физики, согласно которому синий цвет всегда идет блондинкам.

— Узнаю льва по его когтям! — сказал Блюменталь сияя. — Послушайте, господин Локамп! Я знаю, что мог бы выторговать у вас еще тысячу марок...

Я так и отпрянул, подумав, что вот он, этот долгожданный дьявольский удар. Я уже представил себе, как буду влачить жизнь угрюмого абстинента, и глазами измученной лани взглянул на фрау Блюменталь.

— Но, отец... — сказала она.

— Оставь, мать, — перебил он. — Итак, я мог бы выторговать еще, но не стану. Мне как деловому человеку доставляло удовольствие наблюдать за вашей работой. Пожалуй, фантазии пока еще многовато, но вот номер с Майерами был удачен. Ваша мать не еврейка ли?

— Нет.

— Вам доводилось работать в магазине готового платья?

— Да.

— Ну вот видите, отсюда и стиль. А по какой части?

— По части души, — ответил я. — Собирался стать учителем.

— Господин Локамп, — сказал Блюменталь, — снимаю шляпу! Ежели вдруг останетесь без места, позвоните мне.

Он выписал чек и подал его мне. Я не поверил своим глазам. Уплатил вперед! Не чудо ли?

— Господин Блюменталь, — сказал я сдавленным голосом, — позвольте мне бесплатно приложить к машине две хрустальные пепельницы и первоклассный резиновый коврик.

— Вот и прекрасно, — ответствовал он, — наконец-то дарят что-то и старику Блюменталю. — Вслед затем он пригласил меня на следующий день поужинать. Фрау Блюменталь одарила меня материнской улыбкой.

— Будет фаршированная щука, — ласково сказала она.

— О, какой деликатес, — заявил я. — В таком случае я завтра же пригоню вам машину. А с утра мы оформим бумаги.

Назад в мастерскую я летел словно ласточка. Но Ленц и Кестер ушли обедать. Я был вынужден сдерживать свой триумф. Только Юпп был на месте.

— Ну как, продали? — спросил он с ухмылкой.

— Все-то тебе надо знать, плутишка, — сказал я. — На-ка тебе талер, построй на него самолет.

— Значит — продали, — ухмыльнулся Юпп.

— Я поеду обедать, — сказал я, — но горе тебе, если скажешь им хоть слово до моего возвращения.

— Господин Локамп, — заверил он меня, подбрасывая в воздух монету, — я буду нем как рыба.

— На нее-то ты и похож, — сказал я и дал газ.

Когда я вернулся, Юпп подал мне знак.

— Что случилось? — спросил я. — Ты проболтался?

— Как можно, господин Локамп! Да только тут этот малый... Ну, насчет «форда»...

Я оставил «кадиллак» во дворе и пошел в мастерскую. Там был и булочник. Склонившись над книгой, он рассматривал образцы красок, на нем было клетчатое пальто с поясом и широким траурным крепом. Рядом с ним была смазливая дамочка с бегающими черными глазками, в расстегнутом пальтишке, отороченном облезлым кроликом, и в лаковых туфельках, которые ей явно жали. Они обсуждали вопрос о том, какого цвета им выбрать лаковое покрытие. Чернявенькая особа была за яркий сурик, однако булочник выдвигал сомнения против красноватых тонов, так как он еще носил траур. Он предлагал блеклую серо-желтую краску.

— Глупости, — капризным голосом говорила чернявенькая, — «форд» должен быть броского цвета, иначе его никто не заметит.

Она бросала на нас заговорщицкие взгляды, пожимала плечами, когда булочник склонялся к образцам, передразнивала его, подмигивала нам. Эдакий живчик! Наконец они сошлись на зеленом, цвета резеды. При этом девушка настаивала на светлом верхе. Но тут уж булочник настоял на своем: надо ведь и траур обозначить. Он выбрал кожаное покрытие черного цвета и был в этом тверд. При этом он между делом слегка нагрел руки, ибо верх он получал бесплатно, а кожа была дороже ткани.

Они ушли. Во дворе, однако, вышла заминка: едва черненькая завидела «кадиллак», как пулей устремилась к нему.

— Ты только посмотри, киса, какая машина! Фантастика! Вот это мне нравится!

В следующее мгновение она уже, открыв дверцу, впорхнула на сиденье и, щурясь от восторга, запричитала:

— Вот это кресла! Колоссально! Как в ложе! Нет, это тебе не «форд»!

— Ну ладно-ладно, пошли, — недовольно проворчал ее киса.

Ленц толкнул меня в бок: мол, действуй, попытайся всучить машину булочнику. Я сверху вниз посмотрел на него и промолчал. Тогда он толкнул меня посильнее, я ответил ему тем же и отвернулся.

Лишь с трудом булочник извлек наконец из машины свое чернявое сокровище и ушел с ней, как-то сгорбившись и осердясь.

Мы посмотрели вслед этой парочке.

— Человек быстрых решений! — сказал я. — Машина отремонтирована, жена новая — нет, каков молодец!

— Ну, с этой он еще напляшется, — сказал Кестер.

Едва они скрылись за поворотом, как Готфрид напустился на меня:

— Ты в своем уме, Робби? Упускать такой шанс! Да ведь это был учебный пример на тему о том, как надо действовать!

— Унтер-офицер Ленц, — возвысил голос я, — грудь колесом, когда разговариваете со старшим по званию! Я, к вашему сведению, не сторонник двоеженства и не стану выдавать машину замуж вторично!

Момент был впечатляющий. Глаза у Готфрида стали как блюдца.

— Не шути так со святыми вещами, — выдавил он из себя.

Не обращая на него больше внимания, я обратился к Кестеру:

— Отто, прощайся с нашим сыночком «кадиллаком»! Он больше не наш. Отныне он украсит собой достославную фирму подштанников! Будем надеяться, он заживет там недурно. Не так героически, как у нас, зато куда более вольготно!

Я вынул чек. Ленц едва удержался на ногах.

— Не может быть! Что? Неужели? Ну, не получено же... — прошептал он хрипло.

— А вы что, птенчики, думали! — сказал я, помахивая чеком. — Угадайте сколько!

— Четыре! — выкрикнул Ленц, закрыв глаза.

— Четыре с половиной, — сказал Кестер.

— Пять! — крикнул Юпп от бензоколонки.

— Пять с половиной! — выпалил я.

Ленц вырвал у меня чек.

— Нет, это невероятно! Нет, по нему наверняка не заплатят!

— Господин Ленц, — сказал я с достоинством, — чек настолько же благонадежен, насколько неблагонадежны вы! Мой друг Блюменталь не затруднится уплатить в двадцать раз больше. Подчеркиваю: мой друг, у которого завтра вечером я ем фаршированную щуку. И да послужит вам это примером! Заключить дружбу, получить деньги вперед и быть приглашенным на ужин — вот что значит уметь продавать! Так-то, а теперь вольно!

Готфрид с трудом приходил в себя. Он сделал последнюю попытку:

— А мое объявление в газете! Мой амулет!

Я сунул ему медаль.

— На, возьми свой собачий жетон. Совсем забыл о нем.

— Сделка безупречная, Робби, — сказал Кестер. — Слава Богу, что мы наконец сбыли нашу телегу. А деньги нам сейчас невероятно кстати.

— Дашь мне пятьдесят марок авансом? — спросил я.

— Сто. Ты их заслужил.

— Не желаешь ли взять в счет аванса и мое серое пальто? — спросил Готфрид, сладко сощурив глаза.

— Не желаешь ли попасть в больницу, несчастный хамоватый ублюдок? — парировал я.

— Парни, закрываем лавочку, на сегодня хватит! — предложил Кестер. — И так заработали за день немало! Нельзя искушать Всевышнего... Поедем на «Карле» за город, потренируемся хоть перед гонками.

Юпп давно уже забыл про свой насос. Волнуясь, он потирал руки.

— Господин Кестер, тогда я, получается, остаюсь здесь за старшего, да?

— Нет, Юпп, — засмеялся Кестер, — не получается. Ты поедешь с нами!

Сначала мы заехали в банк и сдали чек. Ленц никак не мог успокоиться до тех пор, пока не удостоверился, что с чеком все в порядке. А потом мы рванули с места, да так, что из выхлопной трубы посыпались искры.

VIII

Я стоял перед своей хозяйкой.

— Ну, где горит? — спросила фрау Залевски.

— Нигде, — ответил я. — Просто хочу заплатить за квартиру.

До истечения срока оставалось три дня, и фрау Залевски едва не упала от удивления.

— Тут дело нечисто, — высказала она свое подозрение.

— Отнюдь, — возразил я. — Вы позволите мне взять на сегодняшний вечер оба парчовых кресла из вашей гостиной?

Эрих Мария Ремарк

Она грозно вперила руки в свои увесистые бока.

— Вот оно что! Вам, значит, больше не нравится ваша комната?

— Нравится. Но ваши парчовые кресла мне нравятся больше.

Я объяснил, что меня, возможно, посетит кузина и поэтому мне хотелось бы несколько украсить свою комнату. Она хохотала так, что грудь ее накатывала на меня, как девятый вал.

— Кузина! — передразнила она меня, вложив в интонацию все свое презрение. — И когда же пожалует ваша кузина?

— Ну, я в этом не совсем уверен, но если она придет, то, конечно, достаточно рано, к ужину. А почему, собственно, не должно быть на свете кузин, фрау Залевски?

— Кузины на свете, конечно, бывают, да только ради них не одалживают кресла.

— А я вот одалживаю, у меня, видите ли, очень развито родственное чувство, — заявил я.

— Как же, как же! На вас это очень похоже! Все вы шатуны. А парчовые кресла можете взять. Свои плюшевые поставьте пока в гостиную.

— Большое спасибо. Завтра я все верну на свои места. И ковер тоже.

— Ковер? — Она повернулась. — Кто здесь сказал хоть слово о ковре?

— Я. Да и вы тоже. Только что.

Она сердито смотрела на меня.

— Так он как бы часть целого, — сказал я. — Ведь кресла стоят на нем.

— Господин Локамп, — заявила фрау Залевски величественным тоном, — не заходите слишком далеко! Умеренность во всем, как говаривал блаженной памяти Залевски. Не худо бы и вам усвоить себе этот девиз.

Я-то знал, что этот девиз не помешал блаженной памяти Залевски однажды в буквальном смысле упиться до смерти. Его жена в иных обстоятельствах сама не раз рассказывала мне об этом. Но ей это было нипочем. Она использовала своего мужа, как другие люди Библию, то есть для цитирования. И чем больше времени проходило со дня его смерти, тем больше изречений она ему приписывала. Теперь он уже — как и Библия — годился на все случаи жизни.

Я приводил свою комнату в божеский вид. Днем я разговаривал с Патрицией Хольман по телефону. До этого она была больна, и я целую неделю не виделся с ней. Теперь же мы условились на восемь, я предложил поужинать у меня, а потом пойти в кино.

Парчовые кресла и ковер производили внушительное впечатление, но освещение портило все. Поэтому я постучал к своим соседям, Хассам, чтобы попросить у них настольную лампу на вечер. Фрау Хассе с усталым видом сидела у окна. Ее супруга еще не было дома. Он по собственной воле задерживался на часик-другой на работе, лишь бы избежать увольнения. Фрау Хассе чем-то напоминала больную птицу. В ее расплывшихся и постаревших чертах все еще проглядывало узкое личико маленькой девочки — разочарованной и печальной.

Я изложил свою просьбу. Несколько оживившись, она вручила мне лампу.

— Подумать только, — сказала она, вздыхая, — ведь и я в свое время...

Эту историю я знал назубок. Она повествовала о том, какие замечательные виды открылись бы перед ней, если б она не вышла замуж за Хассе. Я знал эту историю и в редакции самого Хассе. Там речь шла о том, какие перед ним открылись бы замечательные виды, если бы он не женился. По-видимому, это была самая банальная история на свете. И самая безнадежная.

Я послушал ее какое-то время, вставив по ходу дела несколько подходящих фраз, и направился к Эрне Бениг за ее патефоном.

Фрау Хассе говорила об Эрне не иначе как об «этой особе, проживающей рядом». Она презирала ее, потому что завидовала. Я же души в ней не чаял. Она не строила

Эрих Мария Ремарк

себе никаких иллюзий и твердо знала, что нужно постараться урвать хоть немного от того, что у людей называется счастьем. Знала она и то, что за каждую кроху счастья нужно платить вдвое, а то и втридорога. Счастье — это самая неопределенная вещь на свете, которая идет по самой дорогой цене.

Эрна опустилась на колени и принялась рыться в чемодане, подбирая мне пластинки.

— Фокстроты хотите? — спросила она.

— Нет, — ответил я, — я не умею танцевать.

Она удивленно воззрилась на меня.

— Не умеете танцевать? Но что же вы делаете, когда ходите вечером развлекаться?

— Устраиваю перепляс в своем горле. Тоже, знаете, получается неплохо.

Она покачала головой:

— Мужчина, не умеющий танцевать? Нет, я такому сразу бы дала от ворот поворот!

— У вас суровые правила, — заметил я. — Но ведь есть же и другие пластинки. Вот недавно у вас играла замечательная — знаете, такой женский голос и что-то вроде гавайской музыки...

— А, это чудо! «И как я жить могла без тебя?..» Эта, да?

— Точно! Кто только придумывает все эти слова! Мне кажется, что авторы этих песенок должны быть последними романтиками на нашей земле.

Она засмеялась.

— Вполне возможно, что так оно и есть. Ведь патефон теперь стал чем-то вроде альбома для посвящений. Раньше писали друг другу стишки в альбом, а теперь дарят пластинки. Если мне хочется вспомнить какой-нибудь эпизод из своей жизни, мне стоит лишь завести пластинку, которую я слушала тогда, и прошлое сразу оживет.

Я перевел взгляд на груду пластинок на полу.

— О, если судить по пластинкам, Эрна, то у вас есть о чем вспомнить.

Она встала с колен и откинула со лба непокорные рыжие волосы.

— Что верно, то верно, — сказала она, отодвигая ногой стопку пластинок. — Но я бы все свои воспоминания отдала за одно — настоящее...

Я вынул все, что закупил к ужину, и приготовил стол как умел. На помощь со стороны кухни рассчитывать не приходилось, отношения с Фридой у меня были слишком неважные. Уж она бы постаралась уронить что-нибудь на пол. Но я справился кое-как и сам, да так, что не мог узнать свою комнату в ее новом блеске. Кресла, лампа, накрытый стол — я чувствовал, как во мне растет беспокойное ожидание.

Я вышел из дома, хотя до условленного времени оставалось еще больше часа. На улице бушевал порывистый ветер, нападавший из-за угла. Фонари были уже зажжены. Сумерки между домами сгустились и посинели, как море. «Интернациональ» плавал в них, как фрегат со спущенными парусами. Я решил заглянуть туда на минутку.

— Гопля, Роберт, — встретила меня Роза.

— А ты что здесь поделываешь? — спросил я. — На дежурство не собираешься?

— Рановато еще.

Алоис словно соткался из воздуха.

— Одинарную? — спросил он.

— Тройную, — ответил я.

— Ого, резво ты начинаешь, — заметила Роза.

— Надо для куражу, — сказал я, опрокидывая ром.

— Сыграешь что-нибудь? — спросила Роза.

Я покачал головой:

— Неохота. Очень уж ветрено. Как твоя малышка?

Она улыбнулась всеми своими золотыми зубами.

— Не звонят, стало быть, все хорошо. Завтра опять к ней поеду. На этой неделе собралась приличная выручка: знать, весна уже задорит вас, старых козлов. Отвезу ей новое пальтишко. Из красной шерсти.

— О, красная шерсть — это последний крик моды, — сказал я.

Роза просияла.

— Какой ты джентльмен, Робби.

— Твоими бы устами да мед пить. Кстати, не выпить ли нам по одной? Тебе ведь анисовую?

Она кивнула. Мы чокнулись.

— Скажи-ка, Роза, а что, собственно, ты думаешь о любви? — спросил я. — Ведь ты в этих делах разбираешься.

Она рассмеялась звонким, раскатистым смехом.

— Ах, перестань, — сказала она, отсмеявшись. — Любовь! Хотя, конечно, и у меня был мой Артур... Как вспомню этого проходимца, так до сих пор чувствую слабость в коленках. Я вот что тебе скажу, Робби, если серьезно: человеческая жизнь слишком длинная для любви. Просто-напросто слишком длинная. Это мне мой Артур объяснил, когда удирал, на прощание. И это верно. Любовь — это чудо. Но для одного из двоих она всегда тянется слишком долго. А другой упрется как бык, и все ни с места. Вот и остается ни с чем — сколько бы ни упирался, хоть до потери пульса.

— Ясно, — сказал я. — Но и без любви человек — все равно что покойник в отпуске.

— А ты сделай как я, — сказала Роза. — Заведи себе ребенка. Вот и будет тебе кого любить и кем утешаться.

— Да уж, это идея! — засмеялся я. — Пожалуй, только этого мне не хватало.

Роза мечтательно покачала головой.

— Уж как меня, бывало, поколачивал мой Артур, а все равно — войди он сейчас сюда в своем котелке, эдак наискось сдвинутом на затылок... Милый ты мой! Да я вся трясусь, как только себе это представлю.

— Ну так давай выпьем за здоровье Артура.

Роза рассмеялась.

— Подлецу и юбочнику — долгие лета!

Мы выпили.

— До свидания, Роза. Желаю тебе побольше выручить сегодня вечером!

— Спасибо, Робби! До свидания!

Хлопнула дверь в подъезде.

— Хэлло, — сказала Патриция Хольман, — задумались?

— Ни о чем вовсе. А как вы поживаете? Выздоровели? Что с вами было?

— Пустяки, ничего особенного. Простудилась, поднялась немного температура.

Она вовсе не выглядела изнуренной болезнью. Напротив, ее глаза еще никогда не казались мне такими большими и сияющими, ее лицо покрывал легкий румянец, а движения были грациозны, как у гибкого, изящного животного.

— Выглядите вы великолепно, — сказал я. — Ни тени болезни! Мы можем наметить большую программу.

— Это было бы прекрасно, — сказала она. — Но сегодня, к сожалению, не получится. Сегодня я не могу.

Я уставился на нее, остолбенев.

— Не можете?

Она покачала головой:

— К сожалению.

Я все еще не мог ничего понять. Я решил, что она раздумала идти ко мне, но согласна пойти в другое место.

— Я звонила вам, — сказала она, — чтобы вы не приходили напрасно. Но вы уже ушли.

Наконец-то до меня дошло.

— Вы действительно не можете? У вас занят весь вечер? — спросил я.

— Сегодня да. Мне обязательно нужно в одно место. К сожалению, я узнала об этом всего полчаса назад.

— И вы не можете перенести это дело на другой день?

— Нет, не получится. — Она улыбнулась. — Это что-то вроде деловой встречи.

Меня словно стукнули по голове. Все, все я предусмотрел, но только не это. Я не верил ни одному ее слову. Деловая встреча! Нет, не такой у нее вид! Отговорка, по всей вероятности. В этом даже нет никаких сомнений. Какие могут быть вечером деловые переговоры? На это есть утренние часы! И за полчаса о таких вещах не сообщают. Просто ей расхотелось, вот и весь сказ.

Я был огорчен прямо-таки как ребенок. Только теперь я понял, насколько был рад предстоящему вечеру. Я был недоволен собой из-за того, что так огорчился, и мне не хотелось, чтобы она это заметила.

— Что ж, — сказал я, — коли так — ничего не поделаешь. До свидания.

Она испытующе посмотрела на меня.

— Ну, особой-то спешки нет. Я договорилась только на девять. Мы могли бы еще немного погулять. Я целую неделю не была на улице.

— Хорошо, — нехотя согласился я. Внезапно я почувствовал себя разбитым и опустошенным.

Мы пошли по улице. Вечернее небо прояснилось, и над крышами встали звезды. Мы шли вдоль газона, на котором темнело несколько кустов. Патриция Хольман остановилась.

— Сирень, — сказала она. — Пахнет сиренью.

— Я не чувствую никакого запаха, — возразил я.

— Ну как же! — Она склонилась над газоном.

— Это «дафне индика», сударыня, — раздался из темноты хриплый голос.

Там, прислонившись к дереву, стоял один из городских озеленителей в форменной фуражке с латунной кокардой. Слегка пошатываясь, он подошел к нам. Из его кармана высверкивало горлышко бутылки.

— Мы ее, слышь ты, сегодня высадили, — заявил он, прерывая свое сообщение сильнейшей икотой. — Тут она и есть.

— Да-да, спасибо, — сказала Патриция Хольман и, повернувшись ко мне, добавила: — Вы все еще не чувствуете никакого запаха?

— Нет, отчего же, — вяло возразил я. — Теперь я чувствую запах доброго пшеничного шнапса.

— Попадание — первый класс! — Человек в тени звучно рыгнул.

Я отчетливо различал густой сладковатый аромат цветения, растекавшийся по мягкому бархату ночи, но я бы ни за что на свете не признался в этом.

Девушка засмеялась и потянулась одними плечами.

— Ах, как это прекрасно, особенно для того, кто целую неделю проторчал дома. Как жаль, что надо уходить! Этот Биндинг — вечно он спешит, вечно сообщает обо всем в последний момент! Лучше бы он действительно перенес это на завтра!

— Биндинг? — переспросил я. — Вы договорились с Биндингом?

Она кивнула:

— С Биндингом и еще одним человеком. В этом-то человеке все дело. Серьезная деловая встреча. Представляете себе?

— Нет, — возразил я, — не представляю.

Она засмеялась и продолжала что-то говорить. Но я больше не слушал. Биндинг! Это имя прозвучало для меня как раскат грома. Я и думать не хотел о том, что она ведь знает его много дольше, чем меня, я только совершенно отчетливо и в каких-то преувеличенных размерах видел перед собой его сверкающий «бьюик», его дорогой костюм и его портмоне. Бедная моя, славная, изукрашенная берлога! И что это мне взбрело на ум! Лампа от Хассе, кресла от Залевски! Да эта девушка мне просто не пара! Кто я такой, в конце концов? Тротуарный шаркун, одолживший себе на вечер «кадиллак», жалкий пьянчужка — и ничего больше! Да такие шьются на каждом углу. Я уже видел, с каким подобострастием швейцар в «Лозе» приветствует Биндинга, видел светлые, теплые, великолепно обставленные помещения, утопающие в сигаретном дыму, видел элегантно одетых людей, небрежно расположившихся в них, слышал музыку и смех, смех надо мной. «Назад, — подумал я, — скорее назад! Что-то предчувствовать, на что-то надеяться — уже и это было смешно! Глупо предаваться таким иллюзиям. Так что только назад!»

— Мы могли бы встретиться завтра вечером, если хотите, — сказала Патриция Хольман.

— Завтра вечером у меня нет времени, — возразил я.

— Или послезавтра, или в какой-нибудь другой день на этой неделе. На ближайшие дни у меня нет никаких планов.

— Это будет трудно, — сказал я. — Сегодня мы получили срочный заказ, над которым придется работать всю неделю до поздней ночи.

Это был обман, но я не мог иначе. Столько во мне скопилось бешенства и стыда.

Мы пересекли площадь и пошли по улице вдоль кладбищенской ограды. Я увидел, как от «Интернационаля» навстречу нам движется Роза. Ее высокие сапоги сверкали. Я бы мог еще свернуть и в другое время так бы и сделал, но теперь я пошел прямо, ей навстречу. Роза скользнула взглядом мимо меня, как будто мы и в глаза друг друга не видели. Все это само собой разумелось: ни одна из этих девушек не узнавала на улице своих знакомых, если они были не одни.

— Привет, Роза, — сказал я.

Она озадаченно взглянула сначала на меня, потом на Патрицию Хольман, быстро кивнула и в полном смятении прошла мимо. Через несколько шагов после нее показалась Фрицци. С ярко намалеванными губами, она шла, помахивая сумочкой и виляя бедрами. Она равнодушно смотрела сквозь меня, как сквозь стекло.

— Мое почтение, Фрицци, — сказал я.

Она наклонила голову, как королева, и ничем не выдала своего удивления; но я услышал, как каблучки ее застучали чаще, — она явно хотела обсудить происшедшее с Розой. Я все еще мог свернуть в переулок, ведь я знал, что сейчас появятся и остальные — как раз настал час первого большого обхода. Но я с каким-то особым упрямством решительно шагал им навстречу — почему я должен избегать тех, кого знаю намного лучше, чем девушку рядом со мной с ее Биндингом и его «бьюиком»? Пусть все видит, пусть насмотрится вдоволь.

Они проследовали все по длинному коридору под фонарями — и красавица Валли, бледная, стройная, элегантная, и Лина с ее протезом, и кряжистая Эрна, и цыпленочек Марион, и краснощекая Марго, и педераст Кики в женской шубке, и под конец старушка Мими с ее узловатыми венами, похожая на общипанную сову. Я приветствовал их всех, а уж когда проходили мимо котла с сосисками, то я и вовсе от души потряс «мамашину» руку.

— У вас тут много знакомых, — немного погодя сказала Патриция Хольман.

— Таких, как эти, да, — ответил я, задираясь.

Я заметил, как она на меня посмотрела.

— По-моему, нам пора возвращаться, — сказала она через какое-то время.

— По-моему, тоже, — ответил я.

Мы подошли к ее подъезду.

— Прощайте, — сказал я, — и приятных вам развлечений сегодня вечером.

Она не ответила. Не без труда я оторвал взгляд от кнопки звонка на входной двери и посмотрел на нее. И не поверил своим глазам. Вот она стоит прямо передо мной, и никаких следов оскорбленности на лице — в чем я был уверен, но — ничуть не бывало, губы ее подрагивали, глаза мерцали огоньками, а там прорвался и смех — раскатистый, свободный. Она от души смеялась надо мной.

— Сущий ребенок! — сказала она. — Нет, какой же вы еще ребенок!

Я уставился на нее.

— Ну да... как-никак... — пролепетал я и наконец-то все понял. — Вы, наверное, считаете меня полным идиотом, не так ли?

Она смеялась. Я быстро шагнул к ней и крепко прижал к себе: будь что будет. Ее волосы касались моих щек, ее лицо было близко-близко, я чувствовал слабый персиковый запах ее кожи; потом ее глаза выросли перед моими, и я вдруг ощутил ее губы на своих губах...

Она исчезла, прежде чем я успел сообразить, что случилось.

Эрих Мария Ремарк

Я побрел назад и подошел к «мамашиному» котлу с сосисками.

— Дай-ка мне штучку побольше, — сказал я, весь сияя.

— С горчицей? — спросила «мамаша». На ней был чистенький белый передник.

— Да уж, мамаш, горчицы давай побольше!

Я с наслаждением ел сардельку, запивая ее пивом, которое Алоис по моей просьбе вынес мне из «Интернационаля».

— Странное все-таки существо человек, мамаша, а?

— Да уж, это точно! — подхватила она с пылом. — Вот хоть вчера приходит тут один, съедает две венские сосиски с горчицей, а потом вдруг — нате вам, платить ему нечем. Ну, дело-то было позднее, кругом ни души, что ж я могу, не бежать же за ним. А сегодня, представь-ка, он является снова, платит сполна за вчерашнее да еще дает мне на чай.

— Ну, это тип еще довоенный, мамаша. А как вообще-то дела?

— Плохо! Вчера вот семь пар венских да девять сарделек. Знаешь, если б не девочки, я б давно разорилась.

Девочками она называла проституток, которые поддерживали ее как могли. Подцепив клиента, они по мере возможности старались затащить его к «мамашиному» котлу и раскошелить на сардельку-другую, чтобы «мамаша» могла хоть что-нибудь заработать.

— Теперь уж потеплеет скоро, — продолжала она, — а вот зимой, когда сыро да холодно... Тут уж напяливай на себя что хочешь, а все одно не убережешься.

— Дай-ка мне еще сардельку, — сказал я, — что-то меня сегодня распирает охота жить. А как дела дома?

Она взглянула на меня своими водянистыми маленькими глазками.

— Да все то же. Недавно вот кровать продал.

«Мамаша» была замужем. Лет десять назад ее муж, прыгая на ходу в поезд подземки, сорвался, и его переехало. В результате ему отняли обе ноги. Несчастье оказало на него странное действие. Он настолько стыдился перед женой своего вида, что перестал спать с ней. Кроме того, в больнице он пристрастился к морфию. Это быстро потащило его на самое дно, он связался с гомосексуалистами, и теперь его можно было видеть только с мальчиками, хотя пятьдесят лет до этого он был нормальным мужчиной. Мужчин калека не стыдился. Ведь калекой он был только в глазах женщин, ему казалось, что он вызывает отвращение и жалость, и это было для него невыносимо. А для мужчин он оставался мужчиной, с которым случилось несчастье. Чтобы добыть деньги на мальчиков и морфий, он забирал у «мамаши» все, что только подворачивалось под руку, и продавал все, что только мог продать. Но «мамаша» держалась за него, хоть он ее частенько поколачивал. Она вместе с сыном каждую ночь до четырех стояла у своего котла. А днем стирала белье и скоблила лестницы. У нее был больной желудок, и весила она девяносто фунтов, но никто никогда не видел от нее ничего, кроме радушия и ласки. Она считала, что ей еще повезло в жизни. Иной раз муж, когда ему совсем уж становилось невмоготу, приходил к ней и плакал. И то были самые отрадные минуты ее жизни.

— А ты как? Держишься еще на своем таком хорошем месте?

— Да, мамаша. Я теперь зарабатываю неплохо.

— Смотри только, не потеряй его.

— Постараюсь, мамаша.

Я подошел к своему дому. У подъезда — вот уж Бог послал! — стояла служанка Фрида.

— Фрида, вы просто прелесть что за девочка, — сказал я, обуреваемый желанием творить добро.

Она сделала такое лицо, точно хватила уксусу.

— Да нет, я серьезно! — продолжал я. — Ну какой смысл вечно ссориться! Жизнь коротка, Фрида, и полна самых опасных случайностей. В наше время надо держаться друг друга. Давайте жить дружно!

Эрих Мария Ремарк

Она даже не взглянула на мою протянутую руку, пробормотала что-то о проклятых пьянчужках и скрылась в подъезде, громыхнув дверью.

Я постучал к Георгу Блоку, из-под его двери пробивалась полоска света. Он зубрил.

— Пойдем, Георгий, пожуем, — сказал я.

Он поднял на меня глаза. Бледное лицо его порозовело.

— Я сыт.

Он решил, что я предлагаю ему из жалости, поэтому и отказался.

— Да ты только взгляни, сколько там всего, — сказал я. — И все испортится. Так что окажи мне любезность.

Когда мы проходили по коридору, я заметил, что дверь Эрны Бениг приоткрыта на узенькую щелочку. За ней слышалось затаенное дыхание. «Ага», — подумал я и тут же услышал, как мягко щелкнул замок на двери Хассе и их дверь также приоткрылась на один сантиметр. Похоже, весь пансион подстерегает мою кузину.

Яркий свет люстры падал на парчовые кресла фрау Залевски. Сияла роскошью лампа Хассе, светился ананас, теснились куски ливерной колбасы высшего сорта, нежной, как осетр, ветчины, тут же была бутылка шерри-бренди...

Едва мы с онемевшим от изумления Георгом налегли на еду, как в дверь постучали. Я уже знал, что сейчас последует.

— Внимание, Георгий, — прошептал я, а громко сказал: — Войдите!

Дверь отворилась, и вошла сгорающая от любопытства фрау Залевски. Впервые в жизни она самолично принесла мне почту, какой-то рекламный проспект, призывавший меня питаться исключительно сырой пищей. Разодета она была в пух и прах — настоящая дама добрых старых времен: кружевное платье, шаль с бахромой и брошь с портретом блаженной памяти Залевски в виде медальона. Заготовленная слащавая улыбка так и застыла на ее лице, она остолбенела, увидев перед собой смущенного Георга. Я разразился безжалостным смехом. Она быстро овладела собой.

— Так, стало быть, получил отставку, — ядовито заметила она.

— Вот именно, — согласился я, погруженный в разглядывание ее наряда. — Какое счастье, что визит не состоялся.

— А вам и смешно? Недаром я всегда говорила: там, где у других людей сердце, у вас — бутылка шнапса, — произнесла фрау Залевски, меряя меня взглядом прокурора.

— Хорошо сказано, — одобрил я ее речь. — Не окажете ли нам честь, сударыня?

Она поколебалась. Но потом одержало верх любопытство: вдруг удастся еще что-нибудь выведать? Я откупорил бутылку бренди.

Позже, когда все в доме стихло, я взял пальто и одеяло и пробрался по коридору на кухню. Я встал на колени перед столиком, на котором стоял телефонный аппарат, накрыл голову пальто и одеялом, снял трубку, подоткнув левой рукой конец пальто под аппарат. Так я мог быть уверен, что меня не подслушают. У пансиона Залевски были на редкость длинные и любопытные уши. Мне повезло. Патриция Хольман была дома.

— Давно ли вы вернулись с ваших таинственных переговоров? — спросил я.

— Почти час назад.

— Ах, если б я знал...

Она засмеялась.

— Нет-нет, это ничего бы не изменило, я сразу легла, у меня опять немного поднялась температура. Хорошо, что я рано вернулась.

— Температура? Сколько же?

— Ах, пустяки. Расскажите лучше, что вы еще делали сегодня вечером.

— Беседовал с хозяйкой о международном положении. А вы? Переговорили успешно?

— Надеюсь, что успешно.

Под моим покровом возникла тропическая жара. Поэтому всякий раз, когда говорила девушка, я делал себе отдушину, жадно хватал губами холодный воздух и снова опускал полог, когда настовал мой черед говорить в трубку, которую я прижимал к самому рту.

— Среди ваших знакомых нет никого, кого звали бы Робертом? — спросил я.

Она засмеялась.

— По-моему, нет...

— Жаль. Мне бы очень хотелось слышать, как вы произносите это имя. Может быть, все-таки попробуете?

Она снова засмеялась.

— Так, ради смеха, — сказал я. — Например, Роберт — осел.

— Роберт — ребенок...

— У вас чудесное произношение, — сказал я. — А теперь попробуем слово «Робби». Итак, Робби...

— Робби — пьяница, — медленно произнес тихий далекий голос. — А теперь мне пора спать: я уже приняла таблетку снотворного, и голова начинает гудеть...

— Да, конечно. Спокойной ночи. Приятного сна...

Я положил трубку и снял с себя пальто и одеяло. Потом поднялся на ноги — и опешил. Всего в шаге от меня застыл, как призрак, наш пансионер, бухгалтер, занимавший комнату рядом с кухней. Я сердито чертыхнулся.

— Тсс! — сказал он ухмыляясь.

— Тсс! — передразнил я его, еще раз мысленно послав его к черту.

Он значительно поднял палец.

— Я не выдам. Дело политическое, не так ли?

— Что? — поразился я.

Он подмигнул мне.

— Да вы не бойтесь! Я и сам держусь крайне правых позиций. Секретный политический разговор, не так ли?

Наконец до меня дошло.

— В высшей степени! — сказал я и тоже ухмыльнулся.

Он кивнул и сказал шепотом:

— Да здравствует его величество!

— Трижды виват! — ответил я. — Ну а теперь кое-что из другой оперы: знаете ли вы, собственно, кто изобрел телефон?

Он удивленно потряс лысым черепом.

— Я тоже не знаю, — сказал я, — но это наверняка был классный парень...

IX

Воскресенье. День гонок. Всю последнюю неделю Кестер тренировался каждый день. По вечерам после этого мы проверяли самочувствие «Карла», каждый его винтик, — смазывали, отлаживали. А теперь мы сидели у склада с запасными частями и ждали Кестера, который пошел к месту старта.

Мы все были в сборе: Грау, Валентин, Ленц, Патриция Хольман и, конечно, Юпп. Юпп был в гоночном комбинезоне, в гоночном шлеме и с гоночными очками. Он ехал в паре с Кестером, потому что был легче всех. Правда, Ленц выдвинул по этому поводу свои сомнения. Он утверждал, что огромные торчащие уши Юппа создают повышенное сопротивление воздуха и машина, таким образом, либо потеряет километров двадцать скорости, либо превратится в самолет.

— Каким образом, собственно, у вас оказалось английское имя? — спросил Ленц сидевшую рядом с ним Патрицию Хольман.

— Моя мать была англичанкой. Ее звали так же. Пат.

— А, Пат — это нечто иное. Выговаривается значительно легче.

Он достал стакан и бутылку.

— Будем настоящими товарищами, Пат! Меня зовут Готфрид.

Я с удивлением смотрел на него. Я лавирую и так и сяк с этим обращением, а он среди бела дня запросто проделывает такие трюки. И вот уже она смеется с ним и называет его Готфридом.

Но куда было Ленцу до Фердинанда Грау. Тот будто спятил и не мог оторвать глаз от девушки. Он то раскатисто декламировал стихи, то заявлял, что должен писать ее портрет. И в самом деле, пристроившись на каком-то ящике, он начал делать зарисовки.

— Послушай, Фердинанд, старый ворон, — сказал я, отнимая у него блокнот, — не трать себя на живых людей. Оставайся при своих покойниках. И не переходи на личности. В том, что касается этой девушки, я чувствителен.

— А вы потом пропьете со мной ту часть тетушкиного наследства, которая достанется мне от трактирщика?

— За всю часть не ручаюсь. Но уж какую-то ее долю — наверняка.

— Идет. В таком случае я тебя пощажу, мой мальчик.

Треск моторов пулеметной дробью завис над трассой. Пахло прогорклым маслом, бензином и касторкой. Волнующий, чудный запах, волнующий, чудный шум моторов!

Из соседних, хорошо оборудованных боксов доносились крики механиков. Сами мы были оснащены довольно скудно. Кое-какие инструменты, свечи зажигания, пара колес с запасными баллонами, доставшаяся нам задаром на одной фабрике, несколько мелких запасных деталей — вот и все. Ведь Кестер не представлял какой-нибудь автозавод. Нам приходилось платить за все самим, вот у нас и было всего в обрез.

Подошел Отто, а за ним Браумюллер, уже одетый для гонки.

— Ну, Отто, — сказал он, — если мои свечи сегодня выдержат, тебе хана! Да только они не выдержат.

— Посмотрим, — ответил Кестер.

Браумюллер погрозил кулаком «Карлу».

— Берегись моего «Щелкунчика»!

«Щелкунчиком» он называл свою новую тяжелую машину, которая считалась фаворитом.

— «Карл» еще утрет тебе нос, Тео! — крикнул ему Ленц.

Браумюллер хотел что-то ответить на привычном солдатском жаргоне, но, заметив Патрицию Хольман, поперхнулся, сделал масленые глаза, глупо осклабился и отошел.

— Полный успех! — удовлетворенно заметил Ленц.

На трассе залаяли мотоциклы. Кестеру пора было готовиться. «Карл» был заявлен по классу спортивных машин.

— Особой помощи мы тебе не окажем, Отто, — сказал я, кивая на инструменты.

Он махнул рукой.

— Да это и не нужно. Ежели «Карл» надорвется, то тут уж не поможет целая мастерская.

— Может, нам все-таки выставлять щиты, чтобы ты видел, каким идешь?

Кестер покачал головой:

— Старт-то общий. И сам все увижу. Да и Юпп будет следить.

Юпп усердно закивал головой. Он весь дрожал от волнения и непрерывно жевал шоколад. Но таким он был только перед началом гонок. После стартового выстрела он становился спокоен, как черепаха.

— Ну, ни пуха!

Мы выкатили «Карла».

— Не застрянь только на старте, козырь ты наш, — произнес Ленц, поглаживая радиатор. — Смотри не огорчай своего старика отца, «Карл»!

«Карл» рванул с места. Мы смотрели ему вслед.

— Глянь, глянь, во рухлядь-то чудная! — сказал вдруг кто-то неподалеку от нас. — А задница как у страуса!

Ленц выпрямился.

— Вы имеете в виду белую машину? — спросил он, заливаясь краской, но еще спокойно.

Эрих Мария Ремарк

— Знамо дело, ее, — небрежно через плечо бросил ему гигант механик из соседнего бокса и передал своему приятелю бутылку с пивом. Охваченный яростью Ленц уже собрался перелезть через низенькую загородку. К счастью, он еще не успел выпалить никаких оскорблений. Я оттащил его назад.

— Кончай эти глупости, — накинулся я на него, — ты нам нужен здесь. Зачем тебе раньше времени попадать в больницу?

Ленц с ослиным упрямством пытался вырваться у меня из рук. Он не выносил никаких замечаний в адрес «Карла».

— Вот видите, — сказал я, обращаясь к Патриции Хольман, — каков человек, который выдает себя за последнего романтика. Просто козел ненормальный! Вы можете поверить, что он когда-то писал стихи?

Это подействовало — я знал, где у Готфрида уязвимое место.

— Ну, это было еще задолго до войны, — сказал он извиняющимся тоном. — Кроме того, детка, свихнуться во время гонок — это не позор. А, Пат?

— Свихнуться никогда не позор.

Готфрид взмахнул рукой.

— Великие слова!

Рев моторов заглушил все. Воздух содрогнулся. Земля и небо содрогнулись. Стая машин пронеслась мимо.

— Предпоследний! — буркнул Ленц. — Эта скотина все же запнулась на старте.

— Ничего страшного, — сказал я, — старт — это слабое место у «Карла». Он разгоняется медленно, зато потом его не удержишь.

Едва стал затихать грохот моторов, как вступили репродукторы. Мы не поверили своим ушам. Бургер, один из главных конкурентов, так и остался стоять на старте.

Рокот машин снова стал приближаться. Машины подрагивали вдали, как кузнечики, потом выросли прямо на глазах и вот уже промчались мимо трибун и вошли в крутой поворот. Пока их было шесть, Кестер все еще на предпоследнем месте. Мы держали все наготове. Отдававший эхом рев моторов за поворотом то стихал, то нарастал. И вот вся стая снова вынырнула из-за трибуны. Один из гонщиков вырвался вперед, двое других буквально висели у него на колесе, следом шел Кестер. Он чуть продвинулся вперед на повороте и теперь был четвертым.

Солнце выглянуло из-за облаков. Свет и тень легли широкими полосами на дорогу, превратив ее в тигровую шкуру. Тени облаков передвигались и по трибунам. Ураганный рев моторов взвинтил нас всех не хуже самой шальной музыки. Ленц переминался с ноги на ногу, я давно превратил свою сигарету в жвачку, а Патриция Хольман раздувала ноздри, как жеребенок на ранней зорьке. Только Валентин и Грау преспокойно посиживали себе, греясь на солнышке.

Снова накатил гул напряженного сердцебиения машин, выскочивших на линию трибун. Мы впились глазами в Кестера. Он покачал головой — мол, шины менять не буду. На обратном пути он несколько сократил разрыв и теперь сидел на колесе у третьего. Так, спаренные, они и мчались по бесконечной прямой.

— Проклятие! — Ленц сделал глоток из бутылки.

— Ничего, его козырь — повороты, — сказал я Патриции Хольман. — Их-то он и разучивал.

— Пригубим пузырек, Пат? — спросил Ленц.

Я сердито посмотрел на него, но он выдержал мой взгляд не моргая.

— Лучше бы из стакана, — ответила она. — Пить из горлышка я еще не научилась.

— То-то и оно! — Готфрид выудил из сумки стакан. — Вот они, плоды современного воспитания.

На последующих кругах стая машин распалась. Лидировал Браумюллер. Первая четверка оторвалась метров на триста. Кестер исчез за трибуной, держась нос в нос с третьим. Потом рев снова приблизился. Мы вскочили на ноги. А где же третий? Отто шел теперь в одиночестве за двумя передними. А-а, вот наконец приковыляла и бывшая третья. Задние колеса были разодраны в клочья. Ленц ухмыльнулся не без злорадства — машина остановилась у соседнего бокса. Гигант механик чертыхался. Через минуту машина вновь была на ходу.

На последующих кругах расстановка сил не изменилась. Ленц отложил в сторону секундомер и занялся подсчетами.

— У «Карла» еще есть резервы! — поведал он через некоторое время.

— Боюсь, у других тоже, — сказал я.

— Маловер! — Он бросил на меня уничтожающий взгляд.

И на предпоследнем круге Кестер отрицательно помотал головой. Он решил рискнуть и не менять шины. Было еще не настолько жарко, чтобы риск был слишком велик.

Напряжение словно сковало трибуны и площадь незримой стеклянной цепью, когда машины пошли на последний круг.

— Подержитесь все за дерево, — сказал я, сжимая рукоять молотка. Ленц в ответ на это схватил мою голову. Я оттолкнул его. Он, ухмыляясь, взялся рукой за барьер.

Гул моторов перерос в рев, рев — в вой, вой — в грохот, затем в высокое, протяжное, свистящее пение мчащихся машин. Браумюллер влетел в поворот по внешней касательной. Вплотную за ним, но ближе к середине трассы, взметая пыль скрежещущими задними колесами, несся второй гонщик, он, по всей видимости, хотел выскочить вперед снизу.

— Ошибка! — закричал Ленц.

В этот момент пулей вылетел Кестер. Его машина с визгом взяла вираж по самому внешнему краю. Мы замерли. Казалось, «Карл» неминуемо перелетит за пределы шоссе, но мотор взревел, и машина прыжком вписалась в прямую.

— Он вошел в поворот на полном газу! — крикнул я.

— Сумасшедший! — кивнул Ленц.

Мы свесились далеко за барьер, дрожа от возбуждения в предчувствии удачи. Я помог Патриции Хольман взобраться на ящик с инструментами.

— Так вам будет лучше видно! Обопритесь о мое плечо. Смотрите внимательно, он и этого обставит на повороте.

— Уже обставил! — воскликнула она. — Он его проскочил!

— Он приближается к Браумюллеру! О Господи Боже мой и пресвятые угодники, — вскричал Ленц, — он действительно его проскочил и приближается к Браумюллеру!

Три автомобиля носились туда-сюда в сгустившихся сумерках от нависшей грозовой тучи. Мы кричали как сумасшедшие, теперь к нам присоединились Валентин и Грау с его оглушительным басом. Кестеру удался сей безумный замысел, он обошел второго на повороте сверху — тот переоценил свои возможности, избрав слишком крутую дугу, и вынужден был сбавить скорость. Теперь Кестер, как ястреб, бросился на Браумюллера, неожиданно сократив расстояние метров до двадцати. Было похоже на то, что у Браумюллера забарахлило зажигание.

— Дай ему, Отто! Дай! Расщелкай «Щелкунчика»! — ревели мы и махали руками.

Машины скрылись за последним поворотом. Ленц громко молился всем богам Азии и Южной Америки и потрясал своим амулетом. Я тоже извлек свой. Опершись на мои плечи и подавшись вперед, Патриция Хольман всматривалась в даль, напоминая русалку на носу галеры.

Наконец они показались. Мотор Браумюллера стучал все еще с перебоями, как будто чихал. Я закрыл глаза, Ленц повернулся к трассе спиной — мы делали все, чтобы умилостивить судьбу. Чей-то вопль вывел нас из оцепенения. Мы еще успели увидеть, как Кестер первым проскочил финиш, оторвавшись метра на два.

Ленц просто обезумел. Он швырнул инструменты на землю и сделал стойку на руках на запасном колесе.

— Так как вы изволили выразиться? — снова встав на ноги, обратился он к механику-геркулесу. — Рухлядь, да?

— Слушай, не квакай, а? — не скрывая досады, ответил тот.

И впервые за все годы, что я его знал, оскорбленного последнего романтика не охватило бешенство; он хохотал и трясся, как в пляске святого Витта.

Мы поджидали Отто. У него еще были дела в судейской.

— Готфрид! — раздался позади нас хриплый голос. Мы обернулись и увидели не человека, а гору в слишком узких полосатых штанах, слишком узком пиджаке цвета маренго и черном котелке.

— Альфонс! — воскликнула Патриция Хольман.

— Собственной персоной, — подтвердил он.

— Мы выиграли, Альфонс! — выкрикнула она.

— Лихо, лихо. Так я, стало быть, опоздал?

— Ты никогда не опаздываешь, Альфонс, — сказал Ленц.

— Я, собственно, хотел вас немного подкормить. Принес вот холодной ветчины и солонины. Все уже нарезано.

— Золотце ты наше! Давай сюда и садись! — сказал Готфрид. — Сразу и заправимся.

Он развернул сверток.

— Бог мой, — воскликнула Патриция Хольман, — да тут на целый полк!

— Ну, это выяснится только после еды, — заметил Альфонс. — Кстати, имеется немного тминной. — Он достал две бутылки. — И пробки уже вынуты.

— Лихо, лихо, — сказала Патриция Хольман. Альфонс одобрительно подмигнул ей.

Протарахтев, подкатил «Карл». Кестер и Юпп выпрыгнули из машины. Юпп сиял, как юный Наполеон. Его уши светились что твои витражи в соборе. В руках он держал огромный и чудовищно безвкусный серебряный кубок.

— Уже шестой такой же, — со смехом сказал Кестер. — На что-нибудь другое у них фантазии не хватает.

— Один кувшин? — деловитым тоном осведомился Альфонс. — А тити-мити?

— Отсыпали кое-что, — успокоил его Отто.

— Ну, тогда мы просто купаемся в деньгах, — сказал Грау.

— Похоже, недурной получится вечерок.

— У меня?.. — спросил Альфонс.

— Дело чести, — ответил Ленц.

— Гороховый суп со свиными потрохами, ножками и ушами, — произнес Альфонс, и даже Патриция Хольман изобразила на лице безусловное почтение. — Бесплатно, само собой, — добавил он.

Подошел Браумюллер, проклиная свое невезение, с пригоршней промасленных свечей зажигания.

— Успокойся, Тео, — сказал ему Ленц. — В ближайшей гонке детских колясок первый приз тебе обеспечен.

— Ну вы хоть дадите мне реваншироваться коньяком?

— Даже выставим его в пивных кружках, — сказал Грау.

— Ну тут у вас еще меньше шансов, господин Браумюллер, — сказал тоном эксперта Альфонс. — Я еще ни разу не видел Кестера пьяным.

— Я тоже ни разу не видел «Карла» впереди себя, — парировал Браумюллер. — А вот поди ж ты.

— Держись достойно, — сказал Грау. — Вот тебе стакан. Выпьем за гибель культуры под натиском машин.

Собравшись уезжать, мы хотели взять с собой остатки провианта. Его должно было хватить на несколько человек с избытком. Однако, хватившись, мы обнаружили одну лишь бумагу.

— Что за дьявольщина! — воскликнул Ленц. — А, вот в чем дело! — Он показал на Юппа, который стоял, смущенно улыбаясь, с руками, полными снеди, и с животом, набитым как барабан. — Тоже рекорд!

Эрих Мария Ремарк

За ужином у Альфонса Патриция Хольман пользовалась, как мне показалось, слишком большим успехом. От меня не ускользнул и тот момент, когда Грау снова предлагал ей написать ее портрет. Рассмеявшись, она заявила, что это не по ней — длится слишком уж долго, и что фотография — дело куда более удобное.

— А это как раз по его части, — вставил я не без яда. — Может, он напишет ваш портрет по фотографии?

— Спокойно, Робби, — невозмутимо отреагировал Фердинанд, не спуская с Патриции своих огромных голубых детских глаз. — Ты от выпивки становишься злее, а я — человечнее. В этом разница поколений.

— Он лет на десять старше меня, — опять вставил я.

— В наше время это и составляет разницу в целое поколение, — продолжал Фердинанд. — Разницу в целую жизнь. В тысячелетие. Да что вы, сосунки, знаете о бытии! Вы пугаетесь собственных чувств. Вы больше не пишете писем — разговариваете по телефону, вы больше не мечтаете — выезжаете за город на уик-энд, вы разумны в любви и неразумны в политике, вы — жалкое племя!

Я слушал его лишь одним ухом, а вторым прислушивался к тому, как Браумюллер уговаривает Патрицию — уже не вполне трезвым голосом — брать у него уроки вождения автомобиля, обещая обучить ее всем своим трюкам.

Выждав удобный момент, я отозвал его в сторонку.

— Спортсмену вредно, Тео, слишком увлекаться женским полом.

— Мне — не вредно, я устроен замечательно, — заявил Браумюллер.

— Прекрасно. Но предупреждаю: тебе будет вредно, если я хвачу тебя бутылкой по башке.

Он ухмыльнулся:

— Спрячь шпагу, малыш. Знаешь, в чем отличие джентльмена? В том, что он соблюдает приличия, даже когда пьян. А знаешь, кто я?

— Пижон!

Я не опасался, что кто-нибудь из них станет всерьез отбивать ее — такое между нами не водилось. Но ведь я не знал еще в точности, как обстоит дело с ней самой. Вполне могло статься, что она пленится кем-нибудь из них. Мы еще слишком мало знали друг друга, чтобы я мог быть уверен. Да и как вообще можно быть уверенным?

— Давайте незаметно исчезнем! — предложил я.

Она кивнула.

Мы шли по улицам. Стало сумрачно, улицы окутал серебристо-зеленый туман. Я взял руку Пат и сунул ее в карман своего пальто. Так мы шли долго.

— Устали? — спросил я.

Она покачала головой и улыбнулась.

— Не зайти ли нам куда-нибудь? — показал я на ряд кафе, мимо которых мы проходили.

— Нет. Нельзя же все время...

Мы побрели дальше и добрались так до кладбища. В каменном водовороте домов оно было как тихий остров. Деревья шумели. Их верхушек уже не было видно. Мы отыскали пустую скамейку и сели. Вокруг фонарей, стоявших на краю тротуара, дрожали оранжевые нимбы. В сгущавшемся тумане вершилась волшебная игра света. Охмелевшие майские жуки медленно отделялись от липовых крон, окружали фонари, тяжко бились о влажные стекла. Туман преобразил все — приподнял, растворил; отель напротив нас уже плыл, как океанский лайнер, нависнув освещенными каютами над черным зеркалом асфальта; серой тенью торчавший за ним собор обернулся призрачным парусником с высокими мачтами, таявшими в багрово-сизом мареве... А в дымке за ними уже плыл караван домов...

Мы молча сидели рядом. Туман и нас, как и все вокруг, сделал какими-то нереальными. Я взглянул на девушку — в ее широко распахнутых глазах отражалось пламя фонарей.

— Иди ко мне, — сказал я, — поближе, а не то тебя унесет туман...

　　　　　　　　　　　　Эрих Мария Ремарк

Она повернула ко мне лицо и улыбнулась: губы ее были слегка приоткрыты, поблескивали зубы, большие глаза смотрели прямо на меня, но мне чудилось, будто она меня вовсе не видит, будто она улыбается не мне, а чему-то в серебристо-сером тумане, будто она зачарована тихо шелестящим в ветвях ветром, звоном стекающих капель росы, будто она прислушивается к таинственному, беззвучному оклику того, кто прячется позади деревьев, позади всего мира, кто зовет ее встать и идти, наугад и без колебаний, следуя ему, темному и таинственному зову земли и жизни.

Никогда не забуду я это лицо, никогда не забуду, как оно безмолвно склонилось ко мне с тихим выражением глубокой нежности, нет; как оно просветлело и расцвело; никогда не забуду, как ее губы потянулись навстречу моим, как глаза приблизились к моим, как они стояли прямо передо мной, большие, серьезные, лучистые, с застывшим в них немым вопросом, и как они потом закрылись, словно сдаваясь...

А туман все клубился, повисая клочьями на белесых могильных крестах. Я снял пальто и накинул его на нас сверху. Город затонул. Время исчезло...

Так просидели мы долго. Ветер понемногу усилился, перед нами в сизой мгле замелькали косматые тени. Я услышал скрип шагов и невнятное бормотание. Потом долетел приглушенный звук гитарных струн. Я приподнял голову. Тени приблизились, превратились в темные фигуры, которые затем образовали круг. Тишина. И вдруг ее разорвало громкое пение: «И тебя Иисус ожидает...»

Я вздрогнул, прислушался. Что это? Где мы? Уж не на Луне ли? Ведь это был настоящий хор — женский хор на два голоса...

«Грешный образ твой совлекает...» — загремело над кладбищем в такт военному маршу.

Я посмотрел на Пат с недоумением.

— Ничего не понимаю, — сказал я.

«От тебя он ждет покаянья...» — наливался бодростью лад.

Наконец-то меня осенило.

— Бог мой! Да ведь это Армия спасения!

«И забвенья, и аикованья...» — взывали тени в нарастающей кантилене.

В карих глазах Пат зажглись искорки смеха. И губы, и плечи ее подрагивали.

Неудержимый хор гремел фортиссимо:

> Вихря огнь и пламя ада —
> Вот грехов твоих награда.
> Иисус к тебе взывает,
> На молитву уповает...

— Тихо, разрази вас сила небесная! — раздался вдруг в тумане сиплый сердитый голос.

Последовала минута озадаченного молчания. Однако ж Армию спасения мало что беспокоило. Тут же хор вступил с новой силой.

«Чего ты жаждешь в мире сем...» — зазвучал укоризненный унисон.

— Обжиматься, черт подери! — хрипел сердитый голос. — Хоть здесь-то можно этим заняться без помех?

«Где бесова соблазна окоем...» — прогремел на это пылкий ответ.

— Вы-то, старые гайки, давно уже никого не соблазняете! — незамедлительно воспоследовал ответ из тумана.

Я прыснул. Пат тоже не могла больше сдерживаться. Эта кладбищенская дуэль повергла нас в дикий хохот. Армии спасения было известно, что кладбищенские скамейки облюбовали парочки, не знавшие, где им уединиться посреди городского шума и гама. Было решено нанести по этому безобразию мощный удар. Во имя спасения душ «армейцы» вышли на воскресную облаву. Непоставленные голоса с истовой набожностью и такой же громкостью гнусавили заученный текст. Дело дополняли редкие и неуместные звуки гитары.

Эрих Мария Ремарк

Кладбище ожило. Со всех сторон из тумана доносились выкрики и хихиканье. Складывалось впечатление, что были заняты все скамейки. Одинокий мятежник любви получил могучую поддержку незримых единомышленников. Формировался хор протеста. Нашлись, кажется, и старые вояки, которых возбудили маршевые ритмы, ибо в скором времени над кладбищем мощно зазвучало незабвенное: «Ах, как был я в Гамбурге-городе, видел мира цветущего рай...»

«В грехах погрязши, не упорствуй...» — собрался с последними силами пронзительный хор аскетов; по бурному колыханию форменных шляпок было заметно, что в Армии спасения начинался переполох.

Зло победило. Заглушая все, зычные глотки разом грянули:

> Свое имя назвать не могу я —
> Я за деньги любовь продаю...

— Пора идти, — сказал я Пат. — Эту песенку я знаю. В ней много куплетов — один хлеще другого. Бежим отсюда!

И снова город с его сиренами и жужжанием шин. Но волшебство сохранилось. Туман превратил автобусы в сказочных зверей, автомобили — в крадущихся кошек с горящими глазами, а витрины магазинов — в пестрые и прельстительные пещеры.

Мы прошли по улице вдоль кладбища и пересекли ярмарочную площадь. В мглистом воздухе вознеслись кипящие музыкой и огнями башни каруселей, чертово колесо разбрызгивало пурпур, золото и смех; а лабиринт мерцал голубыми огнями.

— Благословенный лабиринт! — сказал я.

— Почему? — спросила Пат.

— Мы когда-то были в нем вместе.

Она кивнула.

— У меня такое чувство, будто это было давным-давно.

— Может, заглянем туда еще раз?

— Нет, — сказал я. — Теперь это уже ни к чему. Не хочешь ли чего-нибудь выпить?

Она покачала головой. Она выглядела необыкновенно красивой. Туман, как легкие духи, подчеркивал ее очарование.

— Ты не устала? — спросил я.

— Нет еще.

Мы подошли к павильонам с кольцами и крюками. Перед ними горели карбидные фонари с белым искрящимся светом. Пат выжидательно посмотрела на меня.

— Нет-нет, — сказал я. — Сегодня я не буду бросать. Ни разу. Даже если б можно было выиграть винный подвал Александра Великого.

Мы пошли дальше через площадь и прилегающие к ней скверы.

— Где-то здесь должна быть «дафне индика», — сказала Пат.

— Да, ведь ею сильно пахнет еще издалека. Не правда ли?

Она взглянула на меня.

— Правда.

— Должно быть, она зацвела. Ее запах слышен теперь по всему городу.

Я осторожно поглядывал по сторонам в поисках свободной скамейки. Уж не знаю, что было тому виной — сирень, воскресный день или собственное невезение, но я ничего не нашел. Все были заняты. Я посмотрел на часы. Было уже больше двенадцати.

— Идем ко мне, — сказал я, — там нам никто не помешает.

Она ничего не ответила, но мы повернули назад.

У кладбища нас ждала неожиданность. Армия спасения подтянула резервы. К сестрам присоединились униформированные братья, выстроившиеся двумя рядами. Итого хор состоял теперь из четырех рядов. И пение лилось уже не на два высоких голоса, а на четыре и звучало как мощный орган. В ритме вальса над каменными над-гробиями бушевало: «Небесный Иерусалим...»

Оппозицию больше не было слышно. Она была сметена. Как говаривал директор моей гимназии Хиллерманн: «Терпение и усердие лучше, чем беспутство и гениальность...»

Я открыл входную дверь. Поколебавшись секунду, включил свет. Кишка коридора открыла свой желтый отвратительный зев.

— Закрой глаза, — сказал я шепотом Пат, — это зрелище для задубелых натур.

Я подхватил ее на руки и медленно, своим обычным шагом, точно я был один, двинулся мимо чемоданов и газовых горелок к своей двери.

— Жуткий вид, а? — смущенно произнес я, глядя на представшую нам плюшевую мебель. Увы, ни парчовых кресел фрау Залевски, ни ковра, ни лампы от Хассе уже не было...

— Ну, не такой уж и жуткий, — сказала Пат.

— Жуткий, — сказал я, подходя к окну. — Зато вид из окна красивый. Может, пододвинем кресла к окну?

Пат расхаживала по комнате.

— Нет, здесь в самом деле не так плохо. Главное, замечательно тепло.

— Мерзнешь?

— Люблю тепло, — сказала она и зябко повела плечами. — Терпеть не могу дождь и холод. Просто не выношу.

— О небо, а мы сидели на улице в этом тумане...

— Тем приятнее теперь здесь...

Она потянулась и снова прошлась по комнате своим красивым шагом. Я, весь в смятении, стал озираться — да нет, слава Богу, наброшено кругом не слишком много. Свои рваные шлепанцы я незаметно задвинул ногой под кровать.

Пат остановилась перед шкафом и задрала голову. На шкафу лежал старый чемодан, подаренный мне Ленцем.

Он был весь в пестрых наклейках времен его авантюрных странствований.

— Рио-де-Жанейро, — прочитала она, — Манаос, Сантьяго, Буэнос-Айрес, Лас-Пальмас...

Она задвинула чемодан и подошла ко мне.

— И во всех этих местах ты уже побывал?

Я что-то пробормотал. Она взяла меня под руку и сказала:

— Давай ты мне будешь рассказывать обо всех этих городах, а? Ведь как это здорово, наверное, путешествовать по дальним странам...

И что же я? Я видел ее перед собой, красивую, юную, полную трепетного ожидания, эту бабочку, залетевшую благодаря счастливой случайности в мою видавшую виды, убогую комнату, в мою пустую, бессмысленную жизнь, бабочку, как будто ставшую моей, но еще не ставшую моей до конца, — одно неосторожное движение, и она может вспорхнуть и улететь. Браните меня, проклинайте, но я не сумел, не смог отказаться от искушения, не смог признаться, что я там никогда не был, в эту минуту не смог...

Мы стояли у окна, туман, сгущаясь, словно напирал на стекла, и я почувствовал: что-то там снова прячется и подстерегает меня, что-то от былого, скрытого, стыдного, от серых липких будней, пустоты, грязи, осколков раздрызганного бытия, от растерянности, расточительной траты сил, разбазаренной жизни; зато здесь, прямо передо мной, в моей тени, ошеломляюще близко ее тихое дыхание, ее непостижное уму присутствие, теплота, сама жизнь, — я должен был это удержать, завоевать...

— Рио... — сказал я, — Рио-де-Жанейро — порт, похожий на сказку. Семью стрелами врезается море в берег, а над ним вздымается белый сверкающий город...

И я пустился рассказывать о знойных городах и бесконечных прериях, о желтых от ила потоках, о мерцающих островах и крокодилах, о лесах, пожирающих дороги, о том, как кричат по ночам ягуары, когда речной пароход скользит в темноте сквозь удушливое благоуха-

Эрих Мария Ремарк

ние, свитое из запахов орхидей, ванили и тлена, — все эти рассказы я слышал от Ленца, но теперь мне почти казалось, что я и вправду бывал в тех краях; память о рассказанном и томительное желание самому это видеть соединились в стремлении привнести в мою скудную, бесцветную, полную хаоса жизнь хотя бы толику блеска, чтобы не потерять это неизъяснимо милое лицо, эту внезапную надежду, этот благословенный цветок, для которого я как таковой мало значил. Потом, когда-нибудь, я ей все объясню, потом, когда стану сильнее, когда все будет прочнее, потом, потом... А теперь... «Манаос... — говорил я, — Буэнос-Айрес...», и каждое слово звучало как мольба и как заклинание.

* * *

Ночь. На улице пошел дождь. Капли падали мягко и ласково. Они не хлопали теперь по голым ветвям, как еще месяц назад, а тихо шуршали, сбегая вниз по молодой и податливой липовой листве, — мистическое празднество, таинственный ток влаги к корням, от коих она вновь поднимется вверх и сама станет листьями, ожидающими дождя весенней ночью.

Стало тихо. Улица смолкла, на тротуар бросал беспокойные снопы света одинокий фонарь. Нежные листочки деревьев, освещенные снизу, выглядели почти белыми, чуть не прозрачными, а верхушки мерцали, как светлые паруса...

— Прислушайся, Пат, — дождь...

— Я слышу...

Она лежала рядом. Темные волосы на белой подушке. И лицо из-за темных волос казалось необычайно бледным. Одно плечо было приподнято, оно тускло бронзовело от случайного блика. Узкая полоска света падала и на руку.

— Посмотри-ка, — сказала она, подставляя обе ладони лучу.

— Это, должно быть, от фонаря на улице, — заметил я.

Она приподнялась. Теперь освещенным оказалось и лицо, свет стекал по плечам и груди, желтый, как пламя восковой свечи, но вот он дрогнул и изменился, стал оранжевым, потом наплыли голубоватые волны, и вдруг над ее головой встало венчиком алеющее сияние — скользнуло ввысь и медленно покатилось по потолку.

— А это от рекламы — тут напротив рекламируют сигареты.

— Видишь, как у тебя красиво в комнате, — прошептала она.

— Красиво, потому что здесь ты, — ответил я. — Теперь эта комната уже никогда не будет такой, как прежде, — потому что здесь побывала ты.

Она встала на колени на постели — вся в бледно-голубом сиянии.

— Но ведь я буду теперь здесь часто, — сказала она, — очень часто.

Я лежал не шевелясь и смотрел на нее. Все было как в безмятежном, прозрачном сне — ласковом, умиротворенном и очень счастливом.

— Как ты красива, Пат! Так ты красивее, чем в любом платье.

Она улыбнулась и склонилась ко мне.

— Ты должен очень любить меня, Робби. Без любви я как без руля в жизни.

Ее глаза, не мигая, смотрели на меня. Лицо было совсем близко. Открытое, взволнованное, страстное.

— Ты должен крепко держать меня, — прошептала она, — мне так необходимо, чтобы меня крепко держали. Иначе я упаду. Мне страшно.

— На тебя это как-то совсем не похоже, — возразил я.

— Это я притворяюсь. На самом деле мне часто бывает страшно.

— Я буду держать тебя крепко, — сказал я, все еще не очнувшись от этого странного, зыбкого и прозрачного сна наяву. — Уж я-то удержу тебя, Пат, вот увидишь.

Эрих Мария Ремарк

Она обхватила мое лицо руками.

— Правда?

Я кивнул. Ее плечи отливали зеленым светом, будто погруженные в воду. Я разнял ее руки и привлек ее к себе — о эта живая, дышащая, жаркая волна: набежав, она все поглотила.

Она спала на моей руке. Я часто просыпался и смотрел на нее. Мне хотелось, чтобы эта ночь никогда не кончалась. Мы плыли где-то по ту сторону времени. Все произошло так быстро, что я не успел опомниться. Я все еще не мог осознать, что меня кто-то любит. То есть я понимал, что для мужчины я могу быть товарищем на все сто, но чтобы меня любила женщина... Мне казалось, что это может длиться одну только ночь и что уже утром все кончится.

Темнота за окном посерела. Я лежал не шевелясь. Моя рука под головой Пат занемела, и я ее не чувствовал. Но я не двигался. Лишь когда она во сне повернулась, уткнувшись лицом в подушку, я смог высвободить руку. Я тихонько встал, без шума почистил зубы и побрился. Я даже протер себе шею и виски одеколоном. Было непривычно и странно без единого звука передвигаться в сумерках комнаты, наедине со своими мыслями и с темными силуэтами деревьев за окном.

Повернувшись, я увидел, что Пат лежит с открытыми глазами и наблюдает за мной. Я застыл на месте.

— Иди сюда, — сказала она.

Я подошел к ней и сел на кровать.

— Это все еще правда? — спросил я.

— Почему ты спрашиваешь?

— Не знаю. Может быть, потому, что наступило утро.

Стало светлее.

— Подай мне мои вещи, — попросила она.

Я поднял с пола ее белье из тонкого шелка. Оно было таким маленьким и таким легким. Я подержал его на руке. «Даже в этом есть что-то новое, необычное», —

думал я. Кто носит такое белье, тот и сам должен быть человеком необычным. И я никогда не смогу его понять, никогда.

Я подал ей ее вещи. Она обвила мою шею рукой и поцеловала.

Потом я пошел ее провожать. Мы шли рядом в серебристых сумерках рани и почти не разговаривали. Тележки с молоком громыхали по асфальту, разносили газеты. Какой-то старик сидел перед домом и спал. Его подбородок дрожал, как подвешенный на веревочке. Мимо нас проехали велосипедисты с корзинами булочек. На улице остался запах свежего теплого хлеба. Высоко над нами в голубеющем небе летел самолет.

— Сегодня? — спросил я Пат перед ее дверью.

Она улыбнулась.

— В семь? — спросил я.

Она совсем не выглядела усталой. Была свежа, как будто долго спала. Она поцеловала меня на прощание. Я оставался стоять перед ее домом до тех пор, пока не увидел, как в ее комнате зажегся свет.

Потом я пошел обратно. По дороге мне пришло в голову многое из того, что я мог бы сказать ей, много прекрасных слов. Я бродил по улицам и думал о том, что я мог бы сказать и что сделать, если бы был совсем другим человеком. Потом я завернул на рынок. Фургоны с овощами, мясом и цветами были уже на своем месте. Я знал, что цветы здесь втрое дешевле, чем в магазинах. И я накупил тюльпанов на все деньги, какие у меня еще оставались. Они были великолепны — совершенно свежие, с капельками влаги в бутонах. Мне досталась целая охапка. Продавщица обещала отослать их в одиннадцать часов Пат. Рассмеявшись, она приложила к букету еще толстый пучок фиалок.

— Они будут радовать вашу даму не меньше двух недель, — сказала она. — Надо только положить в воду пирамидон.

Я кивнул и отдал ей деньги. А потом медленно пошел домой.

Эрих Мария Ремарк

X

В мастерской стоял отремонтированный «форд». Новой работы не было. Нужно было что-то предпринимать. Мы с Кестером отправились на аукцион. Хотели взглянуть на такси, которое там шло с молотка. Такси всегда можно было с выгодой перепродать.

Аукцион помещался в глухом дворе на северной окраине города. Помимо такси, здесь продавалась еще куча разных вещей. Часть из них была выставлена во дворе. Кровати, шаткие столики, позолоченная клетка с попугаем, который кричал «Здравствуй, дорогой», напольные часы, книги, шкафы, старинный фрак, кухонные табуретки, посуда — жалкий мусор нищей, крошащейся, гибнущей жизни.

Мы пришли слишком рано, распорядителя аукциона еще не было. Я порылся в развале и полистал пару книг — зачитанные дешевые экземпляры древнегреческих и латинских авторов со множеством пометок на полях. Не стихи Горация и не песни Анакреона были на этих замусоленных, истрепанных страницах, то был вопль пропащей жизни с ее беспросветной нуждой и потерянностью. Для владельца этих книг они были последним прибежищем, и он цеплялся за них, сколько мог, и уж если расстался с ними, значит, дошел до точки.

Кестер заглянул мне через плечо.

— Грустное зрелище, а?

Я кивнул и показал на другие вещи.

— Как и все это, Отто. От хорошей жизни шкафы с табуретками сюда не потащишь.

Мы направились к машине, которая стояла в углу двора. Лак потрескался, местами облупился, но в целом машина была чистенькой, и даже крылья были в порядке. Неподалеку стоял коренастый мужчина; свесив жирные руки, он тупо наблюдал за нами.

— А мотор ты проверил? — спросил я Кестера.

— Вчера, — сказал он. — Порядком изношен, но ухожен отменно.

Я кивнул:

— Да, вид у машины именно такой. Наверняка ее мыли еще сегодня утром, Отто. И вряд ли этим занимался этот бездельник-аукционист.

Кестер посмотрел на коренастого мужчину.

— Наверное, это и есть владелец. Он и вчера тут был и машину чистил.

— Ну и вид у него, черт возьми, — сказал я, — как у раздавленной собаки.

Какой-то молодой человек пересек двор и подошел к машине. На нем было пальто с поясом, его пижонский вид отталкивал.

— А, так вот она, колымага, — сказал он, обращаясь не то к нам, не то к мужчине, и постучал тростью по капоту. Я заметил, как в глазах мужчины что-то дрогнуло.

— Пустяки, чего там, — снисходительно бросил подпоясанный, — лакировке все равно уже грош цена. Да, почтенная рухлядь. Ее бы в музей, да? — сказал он и залился смехом от собственного остроумия, поглядывая на нас в поисках сочувствия. Мы не смеялись. Он повернулся к владельцу машины. — Сколько же вы хотите за это ископаемое?

Мужчина проглотил слюну и промолчал.

— Видимо, пойдет по цене металлолома, а? — продолжал трещать юнец, пребывая в радужном настроении. Он снова повернулся к нам. — А вы, господа, тоже интересуетесь? — И понизив голос: — Можем обтяпать дельце. Отыграем ее по какой-нибудь тухлой цене, а выручку пополам. Что, а? А чего ради навешивать им лишние деньги! Кстати, позвольте представиться. Гвидо Тисс из фирмы «Аугека».

Он вертел своей бамбуковой тростью и подмигивал нам с видом доверительного превосходства. «Эта тля в свои двадцать пять прошла уже огни и воды», — подумал я с ненавистью. Мужчину рядом с машиной было искренне жаль.

— Тисс... — произнес я. — Эта фамилия вам не очень подходит.

— Неужели, — сказал он, явно польщенный. Как видно, он привык получать комплименты за свою бойкость.

— Ну конечно, — продолжал я. — Сопляк — вот бы вам что подошло. Гвидо Сопляк!

Он отпрянул.

— Ну да, конечно, — промямлил он, приходя в себя, — двое на одного...

— Если дело в этом, — сказал я, — то я готов и один пройти с вами, куда прикажете.

— Нет уж, благодарю, — ответил Гвидо деревянным голосом, — покорно благодарю! — И удалился.

Коренастый мужчина с потерянным лицом не отрываясь смотрел на машину, как будто все это его не касалось.

— Не надо нам ее покупать, Отто, — сказал я.

— Ну так ее купит эта мразь с поясом, — возразил Кестер. — И мы тогда владельцу ничем не поможем.

— Это верно, — сказал я. — И все-таки есть в этом что-то нехорошее.

— А в чем в наше время нет нехорошего, Робби? Поверь, для него же лучше, что мы здесь. Так он хоть получит за машину побольше. Но я тебе обещаю: если эта мразь препоясанная ничего не предложит, то я тоже буду молчать.

Пришел аукционист. Дел у него, видно, было много, и он спешил. Ведь каждый день проводились десятки аукционов. Сопровождая слова отточенными плавными жестами, он приступил к распродаже жалкого скарба. У него был чугунный юмор и деловитый тон человека, ежедневно соприкасающегося с нищетой, но не задетого ею.

Вещи расходились за пфенниги. Большую часть приобрели всего несколько торговцев. Встречая взгляд аукциониста, они небрежно поднимали один палец или отрицательно качали головой. Но порой за взглядами аукциониста следовали взгляды других глаз; эти глаза с изможденных женских лиц взирали на пальцы торговцев как на заповеди Господни — с надеждой и страхом. За такси трое людей — первым Гвидо — предложили три сотни марок. Не цена, а насмешка. Коренастый подошел поближе, шевеля губами. Казалось, он тоже хочет что-то предложить. Но рука его, приподнявшись, тут же и опустилась, и он отошел. Затем было предложено четыреста марок. Гвидо пошел на четыреста пятьдесят. Возникла пауза. Аукционист переводил глаза с одного покупателя на другого.

— Кто больше! Четыреста пятьдесят — раз, четыреста пятьдесят — два...

Мужчина стоял у своего такси понурившись и с выпученными глазами, как будто ожидал удара в затылок.

— Тысяча, — сказал Кестер. Я посмотрел на него. — Она стоит трех, — шепнул он. — Видеть не могу, как они его режут.

Гвидо подавал нам отчаянные знаки. Он и «сопляка» забыл, как дело коснулось денег.

— Тысяча сто, — проблеял он и стал моргать нам обоими глазами. Будь у него еще один глаз сзади, он стал бы моргать и им.

— Полторы, — сказал Кестер.

Аукциониста обуял азарт. Он пританцовывал, помахивая молотком, точно капельмейстер дирижерской палочкой. Да, тут речь пошла не о двух-трех марках, как до этого.

— Тысяча пятьсот десять, — заявил Гвидо, утирая пот со лба.

— Тысяча восемьсот, — сказал Кестер.

Гвидо, постучав пальцем по лбу, сдался. Аукционист вертелся волчком. Я вдруг вспомнил о Пат.

— Тысяча восемьсот пятьдесят, — вырвалось у меня помимо воли.

Кестер с удивлением повернул ко мне голову.

— Полсотни я добавлю сам, — поспешно сказал я. — Так надо — на всякий случай.

Он кивнул.

Эрих Мария Ремарк

Аукционист ударил молотком, присудив нам машину. Кестер немедленно заплатил.

— Нет, надо же! — все никак не мог успокоиться Гвидо, подошедший к нам с таким видом, будто ничего не случилось. — Мы бы могли иметь ее за тыщу! Третьего мы бы быстро вывели из игры.

— Здравствуй, дорогой! — произнес у него за спиной жестяной голос.

То был попугай в позолоченной клетке, до которого теперь дошла очередь.

— Сопляк, — добавил я. Гвидо, пожав плечами, исчез.

Я подошел к мужчине, которому принадлежала машина. Рядом с ним теперь была бледная женщина.

— Итак... — сказал я.

— Знаю, знаю... — ответил он.

— Мы бы предпочли этого не делать, — сказал я. — Но тогда вы бы получили меньше.

Он кивнул, нервно теребя руки.

— Машина хорошая, — сказал он внезапно и как-то захлебываясь, — хорошая, этих денег она стоит, уж это точно, вы не переплатили, не думайте, дело тут не в машине, — нет, тут другое.

— Я понимаю, — сказал я.

— Этих денег мы все равно не увидим, — сказала женщина, — все отдать придется.

— Ничего, мать, все образуется, — сказал он. — Все образуется!

Она не ответила.

— Там поскребывает маленько — при переключении на вторую, но это ничего, не дефект, так сразу было, еще когда она была новой, — сказал мужчина таким тоном, будто вел речь о своем ребенке. — Она у нас три года, и ни одной поломки. Просто я тут разболелся, ну а мне тем временем подложил свинью один... друг...

— Один негодяй, — сказала женщина с каменным лицом.

— Да ладно, мать, — посмотрел на нее мужчина, — я еще выкарабкаюсь, увидишь. А, мать?

Женщина не ответила. Мужчина весь взмок от пота.

— Оставьте мне свой адрес, — сказал Кестер. — Может быть, нам понадобится водитель.

Мужчина торопливо, но старательно вывел свой адрес тяжелой честной рукой. Я переглянулся с Кестером, мы оба понимали, что должно произойти чудо, чтобы из этого что-нибудь вышло. Но время чудес миновало. Чудеса теперь бывают разве что в худшую сторону.

А мужчина все говорил и говорил, будто в бреду. Аукцион уже кончился. Мы остались одни во дворе. Он рассказывал нам, как пользоваться стартером зимой. И то и дело трогал машину руками. Но потом как-то сразу стих.

— Ну пойдем же, Альберт, — сказала женщина.

Мы подали ему руку. Они ушли. Мы подождали, пока они скрылись из виду, а потом завели машину.

Выезжая со двора, под аркой мы увидели, как старушка с попугаевой клеткой в руках отбивается от ребятишек. Кестер остановился.

— Вам куда? — спросил он старушку.

— Господь с вами, — сказала она, — нет у меня денег на катание.

— Не надо денег, — сказал Отто. — У меня сегодня день рождения, поэтому катаю бесплатно.

Она, недоверчиво глядя, прижала к себе клетку с попугаем.

— Да, а потом выяснится, что надо платить.

Мы успокоили ее, и она села в машину.

— Зачем это вы купили себе попугая, бабушка? — спросил я, когда она выходила из машины.

— А для вечеров, — сказала она. — Как вы думаете, корм-то дорог ли нынче?

— Нет, — сказал я. — А что значит для вечеров?

— Так ведь он говорящий, — ответила она, посмотрев на меня выцветшими старческими глазами. — Будет хоть с кем слово перемолвить.

— Ах вот как... — сказал я.

Эрих Мария Ремарк

После обеда явился булочник забирать свой «форд». Вид у него был унылый и сумрачный. Он застал меня одного на дворе.

— Как вам цвет? — спросил я.

— Подходящий, — ответил он, рассеянно взглянув на машину.

— Верх получился очень красивым.

— Действительно...

Он все мялся, не решаясь уехать. Я ждал, что он попытается оттяпать у нас еще что-нибудь на дармовщинку — какой-нибудь домкрат или пепельницу.

Но вышло иначе. Потоптавшись и посопев, он поднял на меня свои в красных прожилках глаза и сказал:

— Подумать только — всего несколько недель назад она сидела в этой машине жива-невредима...

Я слегка удивился, увидев его таким размякшим, и решил, что та бойкая чернявенькая стервочка, что была с ним последний раз, уже начала действовать ему на нервы. Ведь огорчения скорее делают людей сентиментальными, чем любовь.

— Она была очень славная, добрая женщина, просто душа человек, — продолжал он. — Никогда никаких претензий. Десять лет носила одно пальто. Блузки, кофточки там всякие шила себе сама. И все хозяйство было на ней одной, обходилась без прислуги.

«Вот оно что, — подумал я, — новенькая, стало быть, ничего этого не делает».

Булочнику хотелось выговориться. Он рассказал мне, какой экономной была жена. И было странно наблюдать, какой прилив умиления вызывали воспоминания о сэкономленных деньгах в душе этого завсегдатая пивной и кегельбана. И не фотографировалась-то она никогда, потому что берегла деньги. Так что осталась у него только свадебная фотография да несколько моментальных снимков.

Это навело меня на мысль.

— Вам бы надо заказать хороший портрет своей жены у художника, — сказал я. — Вот уж вещь так вещь — навсегда. А фотографии, что ж — они со временем выцветают. Есть тут один художник, который этим занимается.

И я рассказал ему о деятельности Фердинанда Грау. Он сразу насторожился и сказал, что это, видимо, слишком дорого. Я заверил его, что могу устроить ему это дело по сходной цене. Он стал отнекиваться, но я наседал, говоря, что если ему дорога память о жене, то расходы покажутся ему пустяковыми. Наконец он клюнул. Я позвонил Фердинанду Грау и предупредил его обо всем. А потом поехал с булочником за фотографиями его жены.

Чернявенькая выкатилась из булочной нам навстречу и забегала вокруг «форда».

— Красное было бы лучше, киса! Но ведь ты обязательно должен настоять на своем.

— Отстань! — раздраженно бросил ей киса.

Мы поднялись в гостиную. Чернявенькая последовала за нами. Ее шустренькие глазки успевали повсюду. Булочник стал нервничать. Он не хотел искать фотографии при ней.

— Оставь-ка нас одних, — наконец сказал он грубо.

Она удалилась, гордо выставив осанистую грудь, туго обтянутую джемпером. Булочник извлек из зеленого плюшевого альбома несколько фотографий и протянул их мне. Его жена в свадебной фате, а рядом он с лихо закрученными усами. Тут она еще улыбалась. И другая фотография: похудевшая, изможденная, с испуганными глазами, она сидит на краешке стула. Всего две маленькие фотографии — и вся жизнь как на ладони.

— Годится, — сказал я. — Этого ему будет вполне достаточно.

Фердинанд Грау принял нас в сюртуке. У него был солидный и торжественный вид. Все это составляло часть его деловой программы. Он знал, что для многих скорбящих почтение к их страданию важнее самого страдания.

На стенах мастерской в золоченых багетах висели парадные портреты, выполненные маслом, под ними — соответственные маленькие фотографии. Всякий клиент мог самолично удостовериться, что получалось из иной раз довольно смазанных моментальных снимков.

Фердинанд водил булочника вдоль стен, спрашивая, какую манеру он предпочитает. В свою очередь, булочник поинтересовался, находятся ли цены в соответствии с размерами изображений. Фердинанд объяснил, что цена зависит не от квадратного метра, но от проработанности произведения, после чего булочнику немедленно понравился портрет максимальных размеров.

— У вас хороший вкус, — похвалил Фердинанд, — это портрет принцессы Боргезе. Он стоит восемьсот марок. С рамой.

Булочник вздрогнул.

— А без рамы?

— Семьсот двадцать.

Булочник предложил четыреста марок. Фердинанд помотал своей львиной гривой.

— За четыреста марок вы можете иметь в лучшем случае головной портрет в профиль. Но никоим образом портрет до колен анфас. Тут двойная работа.

Булочник выразил готовность удовольствоваться головным портретом в профиль. Фердинанд обратил его внимание на то обстоятельство, что обе фотографии сняты прямой наводкой. И тут уж сам Тициан не смог бы написать профиль. Булочник покрылся испариной, на лице его было написано отчаяние из-за того, что в свое время он не оказался достаточно предусмотрительным. Он вынужден был признать, что Фердинанд прав: анфас состоит из двух половинок лица и, следовательно, здесь в два раза больше работы. Так что более высокая цена действительно оправданна. Его мучили колебания. Фердинанд до этого был очень сдержан, теперь же он принялся уговаривать. Его могучий бас покатился по мастерской вкрадчивыми волнами. Я в таких вещах знаю толк и могу сказать, что он работал безукоризненно. Да и булочник вскоре дозрел — особенно после того, как Фердинанд в красках изобразил ему, как подействует столь роскошное произведение на завистливых соседей.

— Ну ладно, — согласился он, — но при оплате наличными вы уж уступите десять процентов.

— По рукам, — сказал Фердинанд. — Десять процентов скидки и триста марок задатка — на издержки, связанные с приобретением красок и холста.

Начался новый раунд пререканий, но наконец обе стороны достигли взаимопонимания и перешли к обсуждению деталей. Булочник желал, чтобы на портрете были пририсованы жемчужное ожерелье и золотая брошь с алмазами, хотя их не было на фотографиях.

— Ну разумеется, — заявил Фердинанд, — драгоценности вашей жены будут изображены. Было бы лучше всего, если бы вы занесли их сюда на часок — чтобы можно было запечатлеть их во всей натуральности.

Булочник покраснел.

— У меня их больше нет. Они... я отдал их родственникам.

— Вот как? Ну что ж, обойдемся и так. Не похожа ли ваша брошь на ту, что изображена на этом портрете?

Булочник кивнул.

— Только не такая большая.

— Вот и прекрасно. Такой мы ее и изобразим. А ожерелье нам и вовсе не нужно. Ведь жемчужины всегда выглядят одинаково.

Булочник вздохнул с облегчением.

— А когда будет готово?

— Через шесть недель.

— Хорошо. — Булочник простился.

Мы с Фердинандом посидели еще какое-то время в мастерской.

— Неужели тебе потребуется на это шесть недель? — спросил я.

— Какое там. Дня четыре, от силы пять. Но ведь этому субчику правду не скажешь, не то он сразу примется

Эрих Мария Ремарк

высчитывать, сколько я зарабатываю в час, и почувствует себя обманутым. А вот шесть недель его устраивают. Как и принцесса Боргезе. Такова человеческая природа, дорогой Робби. Скажи я ему, что это швея, и портрет собственной жены уже не показался бы ему таким ценным. Кстати, это уже в шестой раз выясняется, что почившие в бозе женщины носили точно такие же драгоценности, как на этом вот портрете. Игра случая, что поделаешь. Неотразимого обаяния реклама — этот портрет славной Луизы Вольф.

Я огляделся. Неподвижные лица на стенах пристально смотрели на меня глазами, которые в действительности давно истлели. Это были портреты, не востребованные или не оплаченные родственниками. И все это были люди, которые тоже когда-то надеялись и дышали.

— Не настраивают ли они тебя на меланхолический лад, Фердинанд?

Он пожал плечами:

— Нет, скорее уж на цинический. Меланхолия возникает, когда думаешь о жизни, а цинизм — когда видишь, что делает из жизни большинство людей.

— Ну, иные все-таки живут по-настоящему...

— Конечно. Но они не заказывают портретов. — Он встал. — И слава Богу, Робби, что у людей есть эти мелочи, которые им кажутся важными, которые их поддерживают и защищают. Потому что одиночество — настоящее, без всяких иллюзий — это уже ступень, за которой следуют отчаяние и самоубийство.

Большое голое пространство мастерской заливали волнами сумерки. За стеной кто-то тихо ходил взад и вперед. Это была хозяйка. Она никогда не показывалась, если приходил кто-нибудь из нас. Она ненавидела нас, потому что думала, что мы натравливаем против нее Фердинанда.

Я вышел на улицу. Шумная сутолока ударила мне в грудь банным паром.

XI

Я шел к Пат. Впервые за все это время. До сих пор мы встречались всегда у меня или, когда мы куда-нибудь шли, она поджидала меня, около своего дома. И всегда все выглядело так, будто она заглянула сюда ненадолго. Я хотел знать о ней больше. Я хотел знать, как она живет. Мне пришло в голову, что не худо было бы прийти к ней с цветами. Это было нетрудно: городские скверы за ярмаркой зацвели пышным цветом. Я перелез через ограду и стал обрывать белую сирень.

— А вы что здесь делаете? — загремел вдруг надо мной раскатистый голос. Я выпрямился. На меня сердито смотрел мужчина с лицом цвета бургундского и лихо закрученными седыми усами. Не полицейский и не парковый сторож. Один из высших военных чинов в отставке, это сразу бросалось в глаза.

— Это не так трудно определить, — вежливым тоном ответил я. — Я здесь обламываю ветви сирени.

На миг мужчина потерял дар речи.

— А вы знаете, что здесь городской парк? — заорал он потом возмущенно.

Я рассмеялся.

— Разумеется, знаю! Или вы полагаете, что я держу это место за Канарские острова?

Мужчина позеленел от злости. Я испугался, что его хватит удар.

— А ну, немедленно вон отсюда, паршивец! — заорал он первоклассным казарменным басом. — Вы покушаетесь на общественное добро! Я велю вас забрать!

Тем временем я собрал достаточный букет.

— Да ты сначала поймай меня, дед! — поддразнил я старика, перемахнул через ограду и был таков.

Перед домом Пат я еще раз осмотрел свой костюм. Потом поднялся по лестнице, все время глядя по сторонам. Дом был новый, современной постройки — никакого сравнения с моим обветшалым помпезным ба-

раком. На лестнице — красная дорожка, чего у фрау Залевски также не было. Не говоря уже о лифте.

Пат жила на третьем этаже. На двери красовалась
внушительная латунная табличка: «Подполковник Эгберт фон Хаке». Я долго взирал на нее. Потом, прежде
чем позвонить, машинально поправил галстук.

Открыла девушка в белой наколке и белоснежном
переднике — не чета нашей косой Фриде. Мне вдруг
стало как-то не по себе.

— Господин Локамп? — спросила она.

Я кивнул.

Она провела меня через небольшую переднюю и открыла дверь в комнату. Я бы не особенно удивился, если
бы обнаружил в ней подполковника Эгберта фон Хаке
при эполетах, поджидающего меня для допроса, — столь
серьезное впечатление произвели на меня вывешенные
в передней парадные портреты многочисленных генера-
лов, мрачно уставившихся на меня, штафирку. Но навстречу мне своей красивой широкой походкой уже шла
Пат, и комната немедленно превратилась в остров тепла
и радушия. Я закрыл дверь и первым делом осторожно
обнял ее. Потом вручил ей уворованную сирень.

— Вот! — сказал я. — С приветом от городской
управы!

Она поставила ветки в большую глиняную вазу, стоявшую на полу у окна. Я тем временем огляделся в ее
комнате. Мягкие приглушенные тона, немного старинной красивой мебели, дымчато-голубой ковер, пастель-
ных оттенков занавеси, маленькие удобные кресла, оби-
тые блеклым бархатом...

— Боже мой, Пат, как это тебе удалось найти такую
комнату? — спросил я. — Ведь обычно комнаты сдают
только с никому не нужной рухлядью да бессмысленны-
ми подарками, полученными ко дню рождения.

Она осторожно отодвинула вазу с цветами к стене.
Я смотрел на ее узкий изогнутый затылок, прямые плечи
и худющие руки. Смотрел и думал, что вот так, на коленях, она похожа на ребенка, который нуждается в защи-

те. У нее были движения гибкого животного, и когда она поднялась и прижалась ко мне, то в ней уже ничего не осталось от ребенка, в глазах и губах опять появилось то выражение вопроса и тайны, которое свело меня с ума, так как я уже давно не верил, что оно еще есть в этом грязном мире.

Я положил руки ей на плечи. Было так хорошо чувствовать ее близость.

— Все это мои собственные вещи, Робби. Квартира принадлежала раньше моей матери. После ее смерти я отдала все, оставив себе две комнаты.

— Так, значит, это твоя квартира? — спросил я с облегчением. — А подполковник Эгберт фон Хаке проживает здесь на правах квартиранта?

— Нет, теперь уже не моя, — покачала она головой. — Мне не удалось сохранить ее за собой. От квартиры пришлось отказаться, а всю лишнюю мебель продать. Так что теперь я здесь сама квартирантка. Но что ты имеешь против старика Эгберта?

— Ничего. У меня лишь естественная робость перед полицейскими и штабс-офицерами. Я вынес ее со времен своей военной службы.

Она рассмеялась:

— Мой отец тоже был майор.

— Ну, майор — это еще терпимо, — сказал я.

— А ты знаешь старика Хаке? — спросила она.

Внезапно меня охватило недоброе предчувствие.

— Не такой ли это бравый коротыш с красным лицом, седыми усами да громовым голосом? Из тех, что любят прогуливаться в городском парке?

— Ага, попался! — рассмеялась она, посмотрев на букет сирени. — Нет, он высокий, бледный и в роговых очках.

— Тогда я его не знаю.

— Хочешь, я тебя с ним познакомлю? Очень милый человек.

— Избави Боже! Мой круг пока что очерчен мастерской и пансионом фрау Залевски.

В дверь постучали. Та же горничная вкатила низкий столик на колесиках. Тонкий белый фарфор, серебряный подносик с пирожными и еще такой же с неправдоподобно крошечными бутербродиками, салфетки, сигареты и бог весть что еще, — пораженный, я не мог оторвать от всего этого взгляда.

— Смилуйся, Пат! — наконец произнес я. — Да ведь это все как в кино. Я еще в парадной заметил, что мы стоим на разных ступенях социальной лестницы. Не забывай, что я привык есть с засаленной бумаги на подоконнике фрау Залевски в соседстве с доброй и верной спиртовкой. Сжалься над обитателем убогих пансионов, ежели он, потрясенный, раскокает тебе чашку!

Она рассмеялась.

— Нет уж, пожалуйста, не надо. Честь автомобилиста тебе этого не позволит. Ты ведь обязан быть ловким. — Она взялась за ручку маленького чайника. — Хочешь чаю или кофе?

— Чаю или кофе? А что, есть и то и другое?

— Да. Вот смотри!

— Великолепно! Как в лучших ресторанах! Недостает только музыки.

Она отклонилась в сторону и включила маленький портативный приемник, который я не заметил сразу.

— Итак, чего же ты хочешь — чаю или кофе?

— Кофе, простецкого кофе, Пат. Ведь я человек сельский. А что будешь ты?

— Я выпью с тобой кофе.

— А вообще ты пьешь чай?

— Да.

— Вот тебе на!

— Я уже начинаю привыкать к кофе. С чем ты будешь — с пирожными или бутербродами?

— И с тем и с другим, Пат. Нельзя упускать такие возможности. Потом я выпью и чаю. Хочу попробовать все, что у тебя есть.

Она со смехом наполнила мне тарелку. Я запротестовал:

— Довольно, довольно! Не забывай, что рядом с нами подполковник! А начальство любит умеренность в нижних чинах.

— Только в питье, Робби. Старик Эгберт сам обожает пирожные с кремом.

— Умеренность в комфорте тоже, — заметил я. — В свое время они здорово нас от него отучили.

Я стал перекатывать столик на резиновых колесиках взад и вперед. Его бесшумный ход по ковру был настолько приятен, что хотелось длить эту игру. Я огляделся. Все здесь гармонировало одно с другим.

— Да, Пат, — сказал я, — так, стало быть, жили наши предки!

Она рассмеялась.

— Ну что ты выдумываешь!

— Я не выдумываю. Констатирую ход времени.

— Ведь все это чистый случай, Робби, что у меня сохранились некоторые вещи.

Я покачал головой:

— Это не случай. И дело не в вещах. Дело в том, что стоит за ними. Прочность. Тебе этого не понять. Это может понять лишь тот, кто этого лишен.

Она посмотрела на меня.

— Но ведь и ты мог бы все это иметь, если б всерьез захотел.

Я взял ее за руку.

— Но я не хочу, Пат, это верно. Я бы самому себе показался тогда авантюристом. Нашему брату лучше всего жить в раздрызге. К этому привыкаешь. Это в духе времени.

— И весьма удобно.

Я засмеялся.

— Может быть, и так. А теперь налей-ка мне чаю. Хочется попробовать.

— Нет, — сказала она, — останемся пока при кофе. Ты лучше съешь чего-нибудь. Для раздрызга.

— Хорошая идея. Но не рассчитывает ли Эгберт, сей

Эрих Мария Ремарк

прилежный пожиратель пирожных, что и ему еще кое-что перепадет?

— Может, и рассчитывает. Но он должен считаться и с возможной местью нижних чинов. Это ведь тоже в духе времени. Так что можешь спокойно съесть все, не оставив ему ни крошки.

Ее глаза сияли, выглядела она великолепно.

— А знаешь ли ты, — спросил я, — когда вдруг наступает безжалостный конец раздрызгу моей жизни? — Она молча смотрела на меня, не отвечая. — Когда я с тобой! Ну а теперь — к оружию! И без тени раскаяния — вперед на Эгберта!

В обед я проглотил лишь чашку бульона в шоферской столовке. Поэтому мне не составило особого труда съесть все, что было. Заодно, поощряемый Пат, я выпил и весь кофе.

Мы сидели у окна и курили. Вечер алел над крышами.

— Красиво у тебя, Пат, — сказал я. — И очень понятно, что отсюда не хочется выходить по неделям, сидеть тут до тех пор, пока не позабудешь обо всем, что творится на свете.

Она улыбнулась:

— Было время, когда я и не надеялась отсюда выйти.

— Когда же это?

— Когда болела.

— Ну, это другое. А что с тобой было?

— Да ничего особенно страшного. Просто я должна была лежать. Вероятно, я слишком быстро выросла, получая слишком мало еды. Во время войны да и после с этим ведь было трудно.

Я кивнул.

— Сколько же ты пролежала?

Она чуть помедлила с ответом.

— Примерно год.

— О, это очень долго! — Я внимательно посмотрел на нее.

— Это было давно и почти забылось. Но тогда мне это показалось вечностью. Помнишь, ты рассказывал мне как-то в баре о твоем друге Валентине? О том, что после войны он мог думать только о том, какое это счастье — жить? И что по сравнению с этим все остальное не имеет значения?

— Ты хорошо запомнила, — сказал я.

— Потому что я хорошо это понимаю. Я с тех пор тоже радуюсь любому пустяку. По-моему, я очень поверхностный человек.

— Поверхностны только те люди, которые убеждены в обратном.

— Нет, я поверхностна, это точно. Я ничего не смыслю в серьезных вопросах жизни. И воспринимаю только красивое. Вот этот букет сирени уже делает меня счастливой.

— Это не поверхностность, это — целая философия.

— Но только не у меня. Я человек поверхностный и легкомысленный.

— Я тоже.

— Не настолько, как я. Ты вон говорил об авантюризме. А я и есть настоящая авантюристка.

— Я думал об этом, — сказал я.

— Да, да. Мне давно бы пора поменять квартиру, обзавестись профессией и зарабатывать деньги. Но я все откладываю и откладываю. Хотелось пожить какое-то время так, как хочется. Не важно, разумно ли это. Вот я так и жила.

Я засмеялся.

— А почему это у тебя вдруг появилось такое строптивое выражение лица?

— Да потому что я привыкла слышать со всех сторон, что это легкомыслие — так жить, что нужно экономить деньги, искать себе место. Но мне хотелось наконец легкости, радости, а не угнетенности. Хотелось делать что хочу. Такое настроение возникло после смерти матери и после того, как я так долго лежала.

— У тебя есть братья и сестры? — спросил я.

Она покачала головой.

— Я так и думал, — сказал я.

— Ты тоже считаешь, что я была легкомысленной?

— Нет. Ты была мужественной.

— Ах, какое там мужество... Нет, это не про меня. Мне очень часто бывало страшно. Как человеку, который сидит в театре на чужом месте и все-таки не уходит.

— Вот поэтому ты и была мужественной. Мужество не бывает без страха. Кроме того, это было и разумно. Иначе ты бы просто потеряла свои деньги. А так ты хоть что-то от них имела. А что же ты делала?

— Да ничего, собственно. Жила себе, и все.

— Снимаю шляпу! Так живут только избранные натуры.

Она улыбнулась:

— Но скоро этому конец. В ближайшее время я начну работать.

— Кем же? Не об этом ли были у тебя тогда переговоры с Биндингом?

Она кивнула:

— С Биндингом и доктором Максом Матушейтом, директором «Электролы» — есть такая фирма по продаже пластинок. Продавщица с музыкальным образованием.

— А ничего другого этому Биндингу в голову не пришло? — спросил я.

— Пришло. Но я не захотела.

— А я бы ему не советовал. Когда же ты начнешь работать?

— Первого августа.

— Ну, до тех пор еще много времени. Может быть, мы еще подыщем что-нибудь получше. Но во всяком случае, в нашем лице клиентура тебе обеспечена.

— Разве у тебя есть патефон?

— Нет, но я, конечно же, немедленно его себе заведу. Хотя вся эта история мне не очень-то нравится.

— А мне нравится. Я ведь ни на что толком не гожусь. И все это значительно проще для меня с тех пор, как есть ты. Но я, наверное, не должна была тебе об этом рассказывать.

— Нет, должна была. Ты должна мне рассказывать обо всем.

Она посмотрела на меня и сказала:

— Хорошо, Робби. — Потом встала и подошла к шкафчику. — Знаешь, что у меня тут есть? Ром для тебя. Хороший, по-моему.

Она поставила на стол рюмку и выжидательно посмотрела на меня.

— Что он хороший, я унюхиваю издалека, — сказал я. — Но видишь ли, Пат, не лучше ли теперь быть немного поэкономнее с деньгами? Чтобы потянуть как можно дольше с этими патефонами?

— Нет, не лучше.

— Тоже верно.

Ром, я это заметил уже по цвету, был смешан. Торговец, конечно же, обманул Пат. Я выпил рюмку до дна.

— Высший класс, — сказал я, — налей мне еще. Откуда он у тебя?

— Купила тут на углу.

«Ну конечно, — подумал я. — Один из этих магазинчиков, что торгуют деликатесами, будь они прокляты». Я решил при случае заглянуть туда и перекинуться парой слов с владельцем.

— Наверное, я должен теперь уйти, Пат, да? — спросил я.

Она посмотрела на меня.

— Нет еще...

Мы стояли у окна. Внизу пламенели огни.

— Покажи мне и спальню, — сказал я.

Она открыла дверь в соседнюю комнату и включила свет. Я заглянул в комнату, оставаясь на пороге. В голове роилась всякая всячина.

— Так это, стало быть, твоя кровать, — произнес я наконец.

Она улыбнулась:

— Ну а чья же еще, Робби?

Эрих Мария Ремарк

— И в самом деле! А здесь, значит, телефон. Тоже буду знать. Ну а теперь я пойду. Прощай, Пат.

Она взяла мою голову в свои ладони. Как было бы чудесно никуда не идти, встречать с ней наступающую ночь, тесно прижавшись друг к другу под мягким голубым одеялом в этой спаленке... Но было что-то, что меня удерживало от этого. Не скованность, не страх и не осторожность — нежность скорее, огромная нежность, которая была сильнее вожделения.

— Прощай, Пат, — сказал я. — Мне было очень хорошо у тебя. Много лучше, чем ты можешь себе представить. И этот ром... что ты подумала даже об этом...

— Но это так просто...

— Для меня — нет. Я к этому не привык.

Снова казарма фрау Залевски. Посидел, поскучал. Не нравилось мне, что Пат будет чем-то обязана Биндингу. И я двинулся коридором к Эрне Бениг.

— Я по серьезному делу, — сказал я. — Как обстоят дела на женской бирже труда, а, Эрна?

— Ого! — сказала она. — Ничего себе вопросик на засыпку! Но вообще-то неважно обстоят.

— Ничего нельзя предпринять? — спросил я.

— А в каком плане?

— Ну, секретарша, ассистентка...

Она махнула рукой.

— Тысяч сто без места. А специальность у нее есть?

— Она великолепно выглядит, — сказал я.

— Сколько слогов? — спросила Эрна.

— Что?

— Сколько слогов она записывает в минуту? На скольких языках?

— Понятия не имею, — сказал я, — но вот представительствовать...

— Дорогой мой, — заметила Эрна, — у меня уже в ушах вянет от этого: «Дама из хорошей семьи вследствие изменившихся обстоятельств вынуждена...» — и так далее. Дело безнадежное, это я вам говорю. Разве что кто-нибудь проявит к ней интерес и куда-нибудь приткнет. Сами понимаете, из каких соображений. Но ведь этого вы не хотите?

— Странный вопрос, — сказал я.

— Ну, не такой уж и странный, как вы думаете, — возразила Эрна с горечью. — Бывает всякое. — Мне вспомнилась ее история с шефом. — Но могу вам дать хороший совет, — продолжала она. — Постарайтесь зарабатывать на двоих. Женитесь. Вот самое простое решение.

— Ничего себе решение, — рассмеялся я. — Хотел бы я стать когда-нибудь таким самонадеянным.

Эрна посмотрела на меня каким-то особенным взглядом. При всей своей живости она показалась мне вдруг заметно постаревшей и даже несколько увядшей.

— Вот что я вам скажу, — произнесла она. — Я живу хорошо, у меня есть все и даже больше, чем мне нужно. Но если бы сейчас пришел кто-нибудь и предложил жить вместе — по-настоящему, честно, то, верите ли, я бы бросила все эти пожитки и отправилась с ним хоть на чердак... — Лицо ее приняло прежнее выражение. — Ну да ладно, разнюнилась... Поскреби, так у каждого наберется малость сентиментальности. — Она подмигнула мне сквозь дым своей сигареты. — Даже у вас, как видно?

— Откуда? — сказал я.

— Ладно, ладно, — заметила Эрна. — Кто ничего не ждет, того-то и прихватывает всего скорее...

— Но не меня, — возразил я.

До восьми я продержался в своей берлоге, потом мне стало невмоготу сидеть одному, и я пошел в бар в надежде кого-нибудь встретить.

Валентин был на своем месте.

— Садись, — сказал он. — Что будешь пить?

— Ром, — ответил я. — К рому у меня сегодня особенное отношение.

— Ром — это молоко для солдата, — сказал Валентин. — Слушай, ты прекрасно выглядишь, Робби.

— Да?

　　　　　　　　　Эрих Мария Ремарк

— В самом деле помолодел.

— Уже неплохо, — сказал я. — Будь здоров, Валентин.

— Будь здоров, Робби.

— Прекрасные слова — будь здоров, а?

— Лучшие из всех слов.

Мы повторили еще несколько раз. Потом Валентин ушел.

Я остался за столом. Никого, кроме Фреда, не было. Я разглядывал старые, светящиеся изнутри карты, кораблики с пожелтевшими парусами и думал о Пат. Хотелось ей позвонить, но я запретил себе это делать. Запретил себе слишком много думать о ней. Я хотел воспринимать ее как неожиданный счастливый подарок, не больше. Как явился, так и исчезнет. Я подавлял в себе мысль, что это может быть что-то большее. Я слишком хорошо знал, что всякая любовь хочет быть вечной и в этом ее вечная мука. А вечного ничего нет. Ничего.

— Дай-ка мне еще стаканчик, Фред, — сказал я.

Вошли мужчина и женщина. Выпили по бокалу коктейля у стойки. Вид у женщины был усталый, но мужчина смотрел на нее с вожделением. Вскоре они ушли.

Я допил свой стакан. Может, и не стоило мне ходить к Пат. Мне теперь не избавиться от этой картины: комната, плывущая в полумраке, синие тени вечера за окном и прекрасная девушка, которая сидит, поджав ноги, и глухим, низким голосом рассказывает мне о своей жизни и о своем желании жить... Черт подери, не становлюсь ли я сентиментальным? Но разве не растворилось уже в дымке нежности то, что поначалу казалось ошеломительным и завораживающим приключением, разве не захватило меня все это сильнее и глубже, чем я хотел, чем я мог себе в этом признаться, разве не ощутил я сегодня, именно сегодня, насколько я изменился? Почему я ушел, почему не остался у нее, как хотел? К черту, хватит думать об этом, хватит перебирать в голове то да се. Будь что будет, пусть я сойду с ума, когда потеряю ее, но теперь-то она здесь, теперь-то она со мной, а все остальное не важно, все остальное пусть катится к черту! Что толку городить всякие маленькие подпорки, если однажды могучим потоком все равно смоет все.

— Не выпьешь ли со мной, Фред? — спросил я.

— Уж это завсегда, — сказал он.

Мы выпили по рюмке абсента. Потом кинули жребий, кому платить за две следующие. Я выиграл, но мне было неловко, и мы стали кидать жребий дальше. Проиграл я только на пятый раз, зато потом трижды кряду.

— Слушай, я пьян или действительно гремит гром? — спросил я.

Фред прислушался.

— Гремит в самом деле. Первая гроза в этом году.

Мы пошли к выходу взглянуть на небо. Но ничего не было видно. Было только тепло, и время от времени гремел гром.

— Собственно говоря, за это не мешало бы выпить еще по одной, — сказал я. Фред не возражал.

— Чертов мыльный пузырь, — сказал я, ставя пустую рюмку на стойку. Фред также полагал, что надо бы дернуть чего-нибудь позабористее. Он полагал — вишневки, я стоял за ром. Без лишних споров выпили и того и другого. Чтобы Фред не перетрудился, разливая, взяли рюмки побольше. Настроение у нас теперь было блестящее. Несколько раз мы выходили на улицу смотреть молнию. Очень нам хотелось увидеть молнию, но нам не везло. Они сверкали всякий раз тогда, когда мы сидели под крышей. Фред рассказывал о том, что у него есть невеста, дочь владельца ресторана-автомата. Но с женитьбой Фред не спешил, ожидая, пока старик умрет, чтобы уж наверняка знать, достанется ли ей ресторан. Я пенял ему за чрезмерную осторожность, а он доказывал мне, что старик непредсказуем, как угорь, вильнет в последний момент и откажет ресторан общине методистов. Тут я соглашался. Впрочем, Фред был настроен оптимистически. Старик недавно простудился и заболел,

　　　　　　　　　　　　　Эрих Мария Ремарк

Фред думает, что гриппом, а это штука опасная. Я вынужден был его разочаровать, сказав, что алкоголикам грипп не страшен, напротив, и самые доходяги среди них от гриппа прямо-таки хорошеют и даже набирают жирку. Фред сказал, что на это, в общем, плевать, может, он еще попадет под какую машину. Я признал, что возможность такая существует, особенно на мокром асфальте. Тут Фред поднялся и пошел посмотреть, не начался ли дождь. Но было еще сухо. Только гром гремел сильнее. Я дал ему выпить стакан лимонного сока и пошел к телефону. Однако в последний момент я вспомнил, что запретил себе звонить. Я раскланялся с аппаратом и хотел снять перед ним шляпу. Но тут заметил, что никакой шляпы на мне нет.

Вернувшись в зал, я застал Кестера и Ленца.

— Ну-ка дыхни на меня, — сказал Готфрид.

Я дыхнул.

— Ром, вишневка и абсент, — сказал он. — Абсент, поросячья ты морда!

— Если ты думаешь, что я пьян, то ты ошибаешься, — сказал я. — Где вы были?

— На одном политическом собрании. Да только Отто оно показалось пустопорожним. А что это пьет Фред?

— Лимонный сок.

— Выпей и ты стаканчик.

— Завтра, — сказал я. — А сейчас я лучше чего-нибудь съем.

Кестер все это время смотрел на меня с явной тревогой.

— Не смотри на меня так, Отто, — сказал я, — я слегка налимонился от полноты жизни, а не от горя.

— Ну тогда все в порядке, — сказал он. — Но все равно пойдем с нами. Поедим вместе.

К одиннадцати часам я уже снова был трезв как стеклышко. Кестер предложил пойти посмотреть, что с Фредом. Мы вернулись в бар и нашли его валяющимся под стойкой, он был в стельку пьян.

— Уведите его, — сказал Ленц, — а я пока возьму обслуживание на себя.

Мы с Кестером привели Фреда в чувство, дав ему теплого молока. Оно подействовало незамедлительно. Затем мы усадили его на стул и сказали, чтобы он отдохнул с полчасика, а Ленц тем временем за него поработает.

Готфрид и в самом деле хорошо управлялся. Он знал все цены и все популярные рецепты коктейлей. Он так лихо тряс миксер, будто отроду только этим и занимался.

Спустя час появился Фред. С выпотрошенным желудком он быстро пришел в себя.

— Прости, Фред, — сказал я. — Нам надо было сначала что-нибудь съесть.

— Ничего, я уже в полном порядке, — ответил Фред. — Иногда это невредно.

— Что правда, то правда.

Я подошел к телефону и позвонил Пат. Мне стало совершенно безразлично все, что я тут надумал и порешил. Она взяла трубку.

— Через четверть часа я буду у твоего подъезда! — выкрикнул я и быстро повесил трубку. Я боялся, что она устала, что она и слышать ни о чем не захочет. А мне надо было ее видеть.

Она вышла. Пока она открывала дверь, я поцеловал стекло в том месте, где была ее голова. Она хотела что-то сказать, но я не дал ей произнести ни слова. Я поцеловал ее, и мы двинулись вниз по улице, пока не поймали такси. Гремел гром, сверкали молнии.

— Быстрее, пока не пошел дождь! — крикнул я.

Мы сели в машину, и в это мгновение по крыше застучали первые капли. Машину подбрасывало на неровной брусчатке. Это было чудесно, потому что так я ближе чувствовал Пат. Все было чудесно — дождь, город, хмель. Все слилось, и все было прекрасно. Я был в том бодром и светлом настроении, какое бывает после того, как выпил и уже отошел от хмеля. От скованности ни следа, ночь полна свежей силы и блеска, ничто не грозит, и ничто не поддельно.

Эрих Мария Ремарк

Дождь пошел, когда мы вылезли из машины. Пока я расплачивался, мостовая была вся еще в темных пятнышках дождя, как пантера, но мы еще не добежали до двери, как на черных камнях запрыгали серебряные фонтанчики, полило сразу как из ведра.

Я не стал включать свет. В комнате было светло от молний. Гроза стояла над самым центром города, и один гром перекатывался в другой.

— Вот теперь мы можем здесь хоть кричать — и никто нас не услышит! — крикнул я Пат.

Окно озарилось вспышкой. На секунду на бело-голубом небе проступили черные силуэты кладбищенских деревьев — и тут же с трескучим грохотом ночь поглотила их; на какое-то мгновение меж тьмой и тьмой мелькнула гибкая и фосфоресцирующая фигурка Пат — я нашел ее плечи, она прижалась ко мне, я ощутил ее губы, ее дыхание и ни о чем больше не думал...

XII

Мастерская наша все еще пустовала, как амбар перед жатвой. Вот мы и решили не продавать сразу такси, приобретенное на аукционе, а покамест использовать его по назначению. Мы с Ленцем должны были ездить по очереди. А Кестер с помощью Юппа вполне мог управиться в мастерской, пока не было настоящего дела.

Кинули жребий, кому ехать первым. Выиграл я. Набил карманы мелочью, взял документы, сел в такси и не торопясь двинулся в путь, для начала подыскивая стоянку получше. Чувство на первых порах было странное. Ведь любой идиот мог меня остановить и распорядиться по своему усмотрению. Не очень-то это приятно.

Я приискал себе место, где стояло всего пять машин. Против отеля «Вальдекер гоф», в самой гуще делового района. Такая стоянка дарила надежду на шуструю деятельность. Я выключил зажигание и вышел. Тут же от одной из передних машин отделился верзила в кожаном пальто и подступил ко мне.

— Уматывай отсюда, — мрачно процедил он сквозь зубы.

Я спокойно смотрел на него, прикидывая, как сбивать его с ног, ежели придется. Лучше всего апперкотом снизу. В этаком пальто так быстро руки не вскинуть.

— Не дошло? — вопросило кожаное пальто, сплевывая окурок мне под ноги. — Сказано — уматывай! И без тебя народу хватает! Под завязку!

Конечно, пополнение пришлось ему не по нутру, дело понятное, но ведь и я был в своем праве — стоять где хочу.

— Как новичок ставлю пару бутылок на бочку, — сказал я.

Этим вопрос был бы исчерпан. Да так и было заведено, когда кто-нибудь появлялся впервые. К нам подошел молодой шофер.

— Годится, приятель. Не лезь к нему, Густав...

Но Густаву что-то во мне не нравилось. И я знал что. Он догадывался, что я новичок в этом деле.

— Считаю до трех... — заявил он. Он был на голову выше меня, на это и возлагал надежды.

Стало ясно, что держать речи тут бесполезно. Надо уезжать или драться. Случай проще простого.

— Раз... — произнес Густав, расстегивая пальто.

— Да бросьте вы, парни... — предпринял я все же еще одну попытку. — Пошли бы лучше смочили горло...

— Два, — выдавил из себя Густав.

Было видно, что он собирается отделать меня по всем правилам.

— Плюс один — равняется... — Он поправил козырек фуражки.

— Заткнись, идиот! — внезапно заорал я. От неожиданности он раскрыл рот и сделал шаг вперед. И оказался там, где он мне был нужен. Я сразу же ударил. Это был удар-молот, всем корпусом. Меня ему научил Кестер. Собственно, других приемов я не знал да и не считал это нужным — ведь все зависит по большей части от первого удара. Этот вышел что надо. Густав рухнул, как мешок.

— Так ему и надо, — сказал молодой шофер. — А то вечно задирается. — Мы оттащили Густава к его машине. — Ничего, оклемается.

На душе у меня было неспокойно. В спешке я не так поставил большой палец и вывихнул его при ударе. Когда Густав придет в себя, он может сделать со мной что хочет. Я сказал об этом молодому шоферу и спросил, не лучше ли мне сматывать удочки.

— Глупости, — сказал он. — Инцидент исчерпан. Теперь айда в кабак — выставишь обещанное. Ты ведь не профессиональный шофер?

— Нет.

— И я нет. Я актер.

— Ну и как?

— Ничего, жить можно... — сказал он со смехом. — А театра и здесь хватает.

Нас в пивной было пятеро, двое пожилых и трое молодых. Немного погодя появился и Густав. Он исподлобья зыркнул в нашу сторону и подошел. Я нащупал левой рукой связку ключей в кармане, решив в любом случае сопротивляться до последнего.

Однако до этого не дошло. Густав придвинул ногой стул и упал на него всем своим телом. Вид у него был угрюмый. Владелец пивной поставил перед ним рюмку. Разлили по первой. Густав выпил одним глотком. Тут же налили по второй. Густав искоса взглянул на меня и поднял рюмку.

— Будь здоров, — сказал он мне, при этом, однако, мерзко поморщившись.

— Будь здоров, — ответил я и опрокинул свою рюмку.

Густав вынул пачку сигарет и протянул мне, не глядя. Я взял одну и предложил ему за это огня. Потом я заказал двойную порцию кюммеля на всех. Мы выпили и кюммель. Густав снова скосил на меня глаза.

— Пижон, — сказал он. Но тон был такой, как надо.

— Обалдуй, — в том же тоне ответил я.

Он повернулся ко мне.

— Ничего ударчик...

— Случайный. — Я показал ему свой палец.

— Не повезло, — сказал он ухмыляясь. — Между прочим, меня зовут Густав.

— Меня — Роберт.

— Лады. Значит, все в порядке, Роберт, да? А я думал, ты из маменькиных сынков.

— Все в порядке, Густав.

С тех пор мы стали друзьями.

Наша очередь из машин медленно подвигалась вперед. Актеру, которого звали Томми, достался блестящий рейс — на вокзал. Густаву — коротенький, до ближайшего ресторана, всего на тридцать пфеннигов. Он чуть не лопнул от злости, так как из-за десяти пфеннигов прибыли ему пришлось снова встать в хвост. На мою долю выпало нечто редкое — старуха англичанка, желавшая осмотреть город. Мы с ней ездили не меньше часа. Возвращаясь, я еще урвал несколько мелких заказов. За обедом, когда мы, снова собравшись в пивной, жевали наши бутерброды, я уже казался себе бывалым таксистом. Эта среда чем-то напоминала мне фронтовое братство. Тут сходились люди самых разных профессий. Профессиональных шоферов было не больше половины, остальные оказались в этом деле случайно.

Под вечер, усталый и возбужденный, я въехал во двор мастерской. Ленц и Кестер уже ждали меня.

— Ну, братцы, что вы наработали? — спросил я.

— Семьдесят литров бензина, — доложил Юпп.

— Только-то?

Ленц, сделав яростное лицо, обратил его к небу.

— Дождя бы! И небольшого столкновения на мокром асфальте прямо у нас под носом! Никаких жертв! Один только маленький, миленький ремонтик!

— Смотрите сюда! — Я показал им на вытянутой ладони тридцать пять марок.

　　　　　　　　　　　Эрих Мария Ремарк

— Великолепно, — сказал Кестер. — Тут двадцать марок прибыли. Ими-то мы и тряхнем сегодня. Надо же обмыть первый денечек!

— Да, тяпнем крюшончика, — осклабился Ленц.

— Какого еще крюшончика? — спросил я.

— Да ведь с нами пойдет Пат.

— Пат?

— Не разевай так варежку, — сказал последний романтик, — мы уже давно обо всем договорились. В семь заедем за ней. Она в курсе. Приходится и нам что-то делать, раз ты не ловишь мышей. В конце концов, ты познакомился с ней благодаря нам.

— Отто, — сказал я, — ты когда-нибудь видел такого стервеца, как этот салага?

Кестер рассмеялся.

— Что это у тебя с рукой, Робби? Ты все держишь ее как-то набок.

— Кажется, вывих. — Я рассказал, как было дело с Густавом.

Ленц осмотрел мою руку.

— Так и есть! Ну ничего — как христианин и студент-медик в отставке я тебе ее, так и быть, помассирую, невзирая на все твои грубости. Пойдем уж, ты, чемпион по боксу.

Мы прошли в мастерскую, и Ленц, вылив мне на руку немного масла, принялся растирать ее.

— Слушай, а ты сказал Пат, что мы празднуем однодневный юбилей нашей таксистской деятельности? — спросил я его.

Он присвистнул.

— Неужели ж ты этого стыдишься, хмырь?

— Заткнись, — сказал я. Тем более что он был прав. — Так ты сказал или нет?

— Любовь, — заявил Ленц с невозмутимой миной, — это нечто возвышенное. Но она портит характер.

— Зато длительное одиночество делает человека бестактным. Вот как тебя, например, с твоим мрачным соло.

— Такт — это молчаливое соглашение не замечать недостатки друг друга, вместо того чтобы их исправлять. Жалкий компромисс, одним словом. Это не для немецкого ветерана, детка.

— А что бы ты стал делать на моем месте, — сказал я, — если бы, положим, твое такси вызвали по телефону, а потом бы вдруг оказалось, что это Пат?

— Во всяком случае, сын мой, я не стал бы брать с нее деньги за проезд, — ухмыльнулся он.

Я дал ему такого тумака, что он слетел с треножника.

— А знаешь, попрыгунчик, что сделаю я? Заеду за ней сегодня вечером на нашем такси.

— Воистину так! — Готфрид поднял руку для благословения. — Главное — не терять свободу! Свобода дороже любви. Но это понимаешь всегда только задним числом. Тем не менее такси ты не получишь. Оно нужно для Фердинанда Грау и Валентина. Вечер обещает быть чинным, но грандиозным.

Мы сидели в саду небольшого трактира в пригороде. Мокрая луна красным факелом повисла над лесом. Мерцали бледные канделябры цветущих каштанов, одуряюще пахло сиренью, а на столе перед нами, распространяя аромат ясменника, стояла большая стеклянная чаша с крюшоном, в неверном свете густеющих сумерек она походила на опал, вобравший в себя последние голубовато-перламутровые отблески уходящего дня. По нашей просьбе чашу наполняли уже в четвертый раз за этот вечер.

За столом председательствовал Фердинанд Грау. Пат сидела с ним рядом, приколов к платью бледно-розовую орхидею, которую он ей принес.

Фердинанд выудил из своего бокала крошечного мотылька и осторожно высадил его на стол.

— Вы только посмотрите, — сказал он. — Какие крылышки! Да рядом с ними любая парча все равно что тряпка! И эдакое существо живет всего один день, и баста. — Он оглядел всех нас. — Знаете, что самое жуткое на этом свете, братцы?

Эрих Мария Ремарк

— Пустой стакан, — вставил Ленц.

Фердинанд презрительно отмахнулся.

— Самое позорное для мужчины, Готфрид, — быть шутом. — Затем он снова обратился к нам: — А самое жуткое, братцы, — это время. Время. То мгновение, в течение коего мы живем и коим все же не обладаем. — Он вынул часы из кармана и поднес их к самым глазам Ленца. — Вот она, прислушайся, бумажный романтик! Адская машина. Тикает и тикает — неумолчно тикает, неостановимо, все на свете приближая к небытию. Ты можешь сдержать лавину, оползень — но этого ты не удержишь.

— Очень надо, — заявил Ленц. — Ничего не имею против того, чтобы благополучно состариться. Люблю разнообразие.

— Человек этого не выносит, — продолжал Грау, не обращая на него внимания. — Человек не может этого вынести. Вот он и придумал себе в утешение мечту. Древнюю, трогательную, безнадежную мечту всего человечества о вечности.

Готфрид засмеялся.

— Самая тяжелая болезнь на свете, Фердинанд, — это привычка думать. Она неизлечима.

— Если б эта болезнь была единственной, ты был бы бессмертен, — заметил Грау. — Недолговременная комбинация углеводов, извести, фосфора и небольшого количества железа, названная на этой земле Готфридом Ленцем...

Готфрид добродушно осклабился. Фердинанд тряхнул своей львиной гривой.

— Жизнь, братцы, — это болезнь, и смерть начинается уже с рождения. Каждый вдох и каждый удар сердца — это кусочек смерти, маленький шажок навстречу концу.

— И каждый глоток — тоже, — вставил Ленц. — Будь здоров, Фердинанд! Иной раз смерть — это дьявольски легкая штука.

Грау поднял свой бокал. По его большому лицу бесшумной грозой прокатилась улыбка.

— Будь здоров, Готфрид, наша бодрая блошка на гремучем загривке времени! И о чем только думала таинственная сила, движущая нами, когда создавала тебя?

— Это уж ее заботы. Да и не тебе скорбеть о порядке вещей, Фердинанд. Если б люди были бессмертны, ты, старый, бравый паразит смерти, остался бы без работы.

Плечи Грау затряслись. Он смеялся. А потом обернулся к Пат.

— Ну что вы скажете о нас, болтунах, вы, изящный цветок на буйно пляшущих водах!

Потом мы прошлись вдвоем с Пат по саду. Луна поднялась и залила лужайки волнами серого серебра. Темными указателями в незнаемое пролегли на них длинные черные тени деревьев. Мы спустились к пруду, потом повернули обратно. По дороге наткнулись на Готфрида Ленца, который втащил прихваченный им складной стул в самые заросли сирени. Там он и сидел, затаившись, и только соломенный чуб и огонек сигареты светились в темноте. Рядом с ним на земле покоились стакан и знакомая чаша с остатками пахучего питья.

— Какое местечко! — сказала Пат. — В самой гуще сирени.

— Местечко неплохое, — согласился Ленц, вставая. — Попробуйте посидеть.

Пат села на стул. Ее лицо утонуло в цветах.

— Я с ума схожу по сирени, — сказал последний романтик. — Для меня тоска по родине — это тоска по сирени. Весной тысяча девятьсот двадцать четвертого года я сломя голову бросился сюда из Рио-де-Жанейро только потому, что мне взбрело на ум, что здесь, должно быть, цветет сирень. Ну а когда приехал, выяснилось, что сирень, разумеется, давно отцвела. — Он рассмеялся. — Вот так всегда и бывает.

— Рио-де-Жанейро... — Пат притянула к себе ветку сирени. — Вы что же, вместе там были?

Готфрид поперхнулся. У меня по спине побежали мурашки.

— Вы только гляньте, какая луна? — быстро произнес я, выигрывая время для того, чтобы ногой подать Ленцу умоляющий знак.

В слабой вспышке его сигареты я заметил, что он слегка улыбнулся и подмигнул мне. Я был спасен.

— Нет, вместе мы там не были, — заявил Готфрид. — В тот раз я был один. А как вы насчет того, чтобы сделать по последнему глотку сего божественного напитка?

Пат покачала головой:

— Больше не надо. Не могу пить так много.

Мы услышали, как Фердинанд криком сзывает нас, и пошли к нему.

Он стоял в дверях, занимая весь проем своей массивной фигурой.

— Давайте под кров, дети мои, — сказал он. — Таким, как мы, ночью нечего искать у природы. Ночью она хочет побыть одна. Крестьянин или рыбак — это еще дело другое, а у нас, горожан, все инстинкты давно отмерли. — Он положил руку на плечо Готфриду. — Ночь — это протест природы против засилья цивилизации, Готфрид! Приличный человек не в состоянии подолгу выносить это. Он замечает, что его вытолкнули из немого круга деревьев, животных, звезд и бессознательной жизни. — Он улыбнулся своей странной улыбкой, о которой нельзя было сказать, является ли она выражением радости или печали. — Входите же, дети мои! Согреем руки у костра воспоминаний. О чудесное время, когда мы были еще хвощами и ящерицами, лет эдак пятьдесят — шестьдесят миллионов назад... Господи, как же мы с тех пор опустились...

Он взял Пат за руку.

— И если бы мы не сохранили в себе хоть немного чувства красоты, все было бы потеряно. — С нежностью медведя он положил ее ладони на свой локоть. — Серебряная капелька звездной магмы, повисшая над грохочущей бездной, не согласитесь ли выпить стаканчик с первобытных времен человеком?

— Соглашусь, — сказала она. — Со всем, что хотите.

Они пошли в дом. Они выглядели как отец и дочь. Стройная, смелая и юная дочь усталого великана, уцелевшего от былинных времен.

В одиннадцать часов мы поехали обратно. Валентин с Фердинандом в такси, которое вел Валентин. Остальных вез «Карл». Ночь была теплой, и Кестер поехал окольным путем, мимо вереницы деревень, прикорнувших у дороги. Они провожали нас редкими огоньками и одиноким лаем собак. Ленц сидел впереди рядом с Отто и пел песни; мы с Пат примостились сзади.

Кестер замечательно вел машину. Повороты он брал как птица. Он все делал будто играючи, столько в нем было уверенной в себе силы. Он ехал вовсе не жестко, как большинство гонщиков. Можно было спать, не просыпаясь и на виражах, настолько спокойно и плавно шла машина. Скорость совершенно не ощущалась.

По звуку шин мы узнавали об очередной смене дорожного покрытия. На асфальте они посвистывали, на брусчатке глухо рокотали. Лучи наших фар убегали далеко вперед, как две гончие светлой масти, вырывая из темноты то трепещущую на ветру березовую аллею, то строй тополей, то вознесенные над приземистыми домами телеграфные столбы, то застывшие, как на параде, ряды лесных просек. Беспредельно высоко над нами, пронизанный тысячью звезд, курился и таял бледный дым Млечного Пути.

Темп нарастал. Я укрыл Пат еще и своим пальто. Она улыбнулась мне.

— Ты меня любишь? — спросил я.

Она покачала головой.

— А ты меня?

— Нет. Какое счастье, не правда ли?

— Великое.

— Ведь в таком случае с нами ничего не может случиться, а?

— Ничегошеньки, — сказала она и нашла под пальто мою руку.

Эрих Мария Ремарк

Шоссе спикировало по широкой дуге к железной дороге. Поблескивали рельсы. Далеко впереди раскачивались красные огоньки. «Карл» взревел и ринулся к этой цели. То был скорый поезд со спальными вагонами и ярко освещенным вагоном-рестораном. Мы догнали его и какое-то время шли вровень. Из окон поезда нам махали, но мы не махали в ответ. Мы вырвались вперед. Я оглянулся. Паровоз извергал дым и искры. Он тяжко дышал, чернея на синем небе. Мы его обогнали — но мы ехали в город, туда, где такси, мастерские и меблирашки. А он пыхтел, но бежал сквозь леса и поля и реки в дальнюю даль, на простор приключений.

Надвинулись улицы с их домами. «Карл» чуть унял свой норов, но все равно ревел диким зверем.

Кестер остановил машину недалеко от кладбища. Он не поехал ни к Пат, ни ко мне, просто высадил нас где-то поблизости, вероятно, решил, что нам надо побыть вдвоем. Мы вышли. Машина тут же со свистом умчалась, и оба даже не оглянулись. Я смотрел им вслед. На миг мне все показалось таким странным. Они уехали, мои товарищи уехали, а я остался. А я остался.

Но я тут же стряхнул с себя оцепенение.

— Пойдем, — сказал я Пат, которая смотрела на меня и, кажется, угадала мое состояние.

— Поезжай с ними, — сказала она.

— Нет, — сказал я.

— Тебе ведь хочется поехать с ними...

— Ну что ты... — сказал я, понимая, что она права. — Пойдем.

Мы пошли вдоль кладбища, еще слегка пошатываясь и от ветра, и после поездки.

— Робби, — сказала Пат, — мне лучше пойти домой.

— Почему?

— Я не хочу, чтобы ты из-за меня отказывался от чего-то.

— Да почему ты решила, что я от чего-то отказываюсь? И от чего?

— От своих товарищей...

— Да не отказываюсь я от них вовсе — завтра же утром увижу их снова.

— Ты ведь понимаешь, что я имею в виду, — сказала она. — Раньше ты был гораздо больше с ними.

— Потому что у меня не было тебя, — сказал я, открывая дверь.

Она покачала головой:

— Это совсем другое.

— Разумеется, это другое. И слава Богу.

Я взял ее на руки и пронес по коридору в свою комнату.

— Тебе нужны товарищи, — прошептала она прямо мне в ухо.

— Ты тоже нужна мне, — возразил я.

— Но не настолько...

— Это мы еще посмотрим...

Я ногой распахнул свою дверь и осторожно поставил Пат на пол. Она не отпускала меня.

— Я, знаешь ли, очень плохой товарищ, Робби.

— Надеюсь, что так, — сказал я. — Я и не хочу себе в товарищи женщину. Мне нужна возлюбленная.

— А я и не возлюбленная, — пробормотала она.

— А кто же ты?

— Так, ни то ни се. Некий фрагмент...

— А это самое лучшее, — сказал я. — Это возбуждает фантазию. Таких женщин любят вечно. Женщины определенно-законченные быстро надоедают. Цельно-совершенные тоже. Фрагменты же — никогда.

Было четыре часа утра. Я проводил Пат домой и возвращался к себе. Небо уже слегка посветлело. Пахло утренней прохладой.

Я уже прошел кладбище и кафе «Интернациональ» и приближался к дому. Тут открылась дверь шоферской закусочной рядом с домом профсоюзов, и вышла девушка. Беретик, старенькое красное пальтецо, лаковые сапожки на высоком каблуке — я уже почти прошел мимо, как вдруг узнал ее.

Эрих Мария Ремарк

— Лиза...

— О, тебя еще можно встретить...

— Откуда это ты? — спросил я.

Она слегка кивнула в сторону закусочной.

— Ждала тут кое-кого. Тебя, например. Ты ведь обычно в это время возвращаешься домой.

— Да, верно...

— Пойдешь со мной? — спросила она.

Я замялся.

— Не получится...

— Денег не надо, — торопливо сказала она.

— Не в этом дело, — брякнул я, не подумав. — Деньги у меня есть.

— Вот как... — горько произнесла она и отступила на шаг.

Я схватил ее руку.

— Да нет, Лиза...

Худенькая, бледная, она стояла на пустынной серой улице. Такой я ее и встретил много лет назад, когда жил одиноко и тупо, не задумываясь и не надеясь. Поначалу она была недоверчива, как все эти девицы, но потом, после нескольких разговоров по душам, она трогательно раскрылась и привязалась ко мне. Отношения были самые странные, иногда она пропадала по неделям, а потом вдруг возникала где-нибудь, поджидая. В ту пору около меня — как и около нее — не было ни души, поэтому даже та малость тепла и участия, которой мы могли наделить друг друга, ценилась нами выше обычного... Я давно уже не видел Лизу, с тех пор как познакомился с Пат — вообще ни разу.

— Где же ты пропадала так долго, Лиза?

Она пожала плечами:

— Не все ли равно? Просто я хотела повидать тебя. Ну да ладно... Поплетусь восвояси.

— Ну а как ты вообще-то?

— Брось... — сказала она. — Не напрягайся.

Губы ее дрожали. Вид был изголодавшийся.

— Пойдем, я провожу тебя немного, — предложил я.

Ее несчастное, окаменелое лицо проститутки оживилось и стало детским. По дороге я купил ей кое-какой еды в шоферских закусочных, которые работали всю ночь. Сперва она отказывалась и лишь после того, как я заявил, что тоже хочу есть, согласилась. Но при этом она внимательно следила за тем, чтобы меня не обманули и не подсунули что похуже. Она возражала против половины фунта ветчины, говорила, что хватит и четверти, раз уж мы берем еще франкфуртские сардельки. Но я взял полфунта ветчины и две банки сарделек.

Жила она в чердачном помещении, которое кое-как приспособила под жилье. На столе стояла керосиновая лампа, а рядом с кроватью свеча в бутылке вместо подсвечника. На стенах висели картинки, вырезанные из журналов и прикрепленные кнопками. На комоде валялось несколько детективных романов, рядом пачка фотографий непристойного содержания. Иные из посетителей, особенно женатые, любили разглядывать подобные вещи. Лиза смахнула их в ящик комода и достала из него застиранную, но чистую скатерть.

Я развернул покупки. Лиза тем временем переодевалась. Прежде всего она сняла платье, хотя я знал, как у нее устали ноги. Ведь ей приходилось столько ходить. Она стояла передо мной в высоких сапогах до колен и в черном белье.

— Как тебе мои ноги? — спросила она.

— Первый сорт, как всегда.

Она была удовлетворена и с облегчением села на кровать, чтобы расшнуровать ботинки.

— Сто двадцать марок стоят, — сказала она, демонстрируя их мне. — Пока заработаешь столько, от них останутся одни дырки.

Она достала из шкафа кимоно и выцветшие парчовые босоножки, уцелевшие от лучших времен. При этом она улыбнулась почти виновато. Она хотела нравиться. Я вдруг почувствовал ком в горле. В этой крохотной каморке на верхотуре меня настигло такое чувство, будто у меня кто-то умер.

Эрих Мария Ремарк

Потом мы ели и я занимал ее разговорами, стараясь быть чутким. Но она все же заметила какую-то перемену во мне. В глазах ее появился страх. Между нами никогда не было ничего более того, что дает случай. Но может быть, это обязывало и соединяло больше, чем многое другое.

— Уже уходишь? — спросила она, когда я поднялся, с таким чувством, будто давно ждала и боялась этого.

— Мне еще нужно повидать кое-кого...

Она посмотрела на меня.

— Так поздно?

— Да, это по делу. По очень важному для меня делу, Лиза. Надо попытаться обязательно перехватить его. В это время он обычно сидит в «Астории».

Девицы вроде Лизы понимают важность дела лучше всех женщин на свете. Но и заморочить им голову труднее, чем любым другим женщинам.

— У тебя появилась другая...

— Но подумай сама, Лиза, ведь мы так редко виделись, в последний раз — больше года назад, и ты ведь не думаешь, что все это время...

— Нет-нет, я не это имела в виду. У тебя появилась женщина, которую ты любишь! Ты изменился. Я это чувствую.

— Ах, Лиза...

— Да, да! Признайся!

— Да я и сам еще не знаю. Может быть...

Она постояла, оцепенев, потом закивала:

— Ну да, ну да, конечно... А я-то, дура... Да и что у нас, в сущности, было... — Она провела рукой по лбу. — И что это мне взбрело, не знаю...

Ее худенькая фигурка застыла передо мной ломким и трогательным вопросом. Парчовые босоножки, кимоно, память о длинных пустых вечерах...

— До свидания, Лиза...

— Уходишь?.. Не побудешь еще?.. Уже уходишь?..

Я понимал, что она имеет в виду. Но я не был на это способен. Престранная вещь, но я действительно не мог этого и всем своим существом ощущал, что не могу. Раньше такого со мной не случалось. У меня не было преувеличенных представлений о верности. Но теперь просто ничего бы не получилось. Я вдруг почувствовал, как далеко отодвинулось от меня мое прошлое.

Я вышел, она осталась в дверях.

— Уходишь... — Она побежала внутрь комнаты. — Вот, я видела, ты сунул мне деньги... вот, под газетой... Я не возьму, не хочу, вот, на, на... А теперь уходи, уходи же...

— Мне действительно нужно, Лиза.

— Ты больше никогда не придешь...

— Приду, Лиза...

— Нет, нет, не придешь, я знаю! И не приходи, не надо! Иди, да иди же ты...

Она рыдала. Я, не оборачиваясь, сбежал вниз по лестнице.

Я еще долго бродил по улицам. Странная была ночь. Заснуть я бы не смог, сна не было ни в одном глазу. Снова прошел мимо «Интернационаля», думая о Лизе и о прежних годах, о многом из того, что уже забыл, что совсем отдалилось и уже не принадлежало мне больше. Потом я пошел улицей, на которой жила Пат. Ветер усилился, все окна в ее доме были темны, рассвет на своих серых лапах уже подкрадывался к ним, и я наконец-то повернул домой. «Боже мой, — думал я, — неужели я счастлив!»

XIII

— Эта дама, которую вы все прячете... — сказала фрау Залевски, — так вот — можете ее больше не прятать. Пусть она приходит к вам открыто. Она мне нравится...

— Да ведь вы ее даже не видели, — возразил я.

— Уж я-то видела, это вы будьте покойны, — произнесла фрау Залевски со значением. — Я ее видела, и она мне нравится, и даже очень. Но эта женщина не для вас!

— Вы полагаете?

— Нет, не для вас. Я еще подивилась, как это вы сумели подцепить ее в своих кабаках. Хотя, с другой стороны, как раз самые забубенные мужчины...

— Мы уклоняемся от темы, — прервал я ее.

— Это женщина для человека солидного, с положением, — заявила она, подбоченившись. — Для человека богатого, одним словом!

«Вот те раз, — подумал я. — Только этого мне еще не хватало».

— Это ведь можно сказать о любой женщине, — заявил я, задетый.

Она тряхнула своими седыми завитушками.

— Подождите еще! Будущее покажет, что я была права!

— Ох уж это будущее! — Я с досадой швырнул на стол свои запонки. — Кто сегодня рассчитывает на будущее? Какой толк уже заранее ломать себе голову?

Фрау Залевски укоризненно покачала своей величественной головой.

— До чего же странная пошла молодежь! Прошлое вы ненавидите, настоящее презираете, а на будущее вам наплевать. Ну чем хорошим это может кончиться?

— А что вы называете хорошим концом? — спросил я. — Конец может быть хорошим только в том случае, если до него все было плохо. Так что плохой конец будет много лучше.

— Это все еврейские штучки, — возразила фрау Залевски с достоинством и решительно повернулась к двери. Но тут, уже взявшись за ручку, она вдруг остановилась как вкопанная. — Смокинг? — выдохнула она с изумлением. — У вас? — Она выпучила глаза на костюм Отто Кестера, висевший на дверце шкафа. Я взял его, чтобы сходить вечером с Пат в театр.

— Совершенно верно — у меня! — сказал я ядовитым тоном. — Ваша способность к умозаключениям просто поразительна, сударыня...

Она посмотрела на меня. Туча мыслей, пробежавшая по ее жирной физиономии, породила молнию всепонимающей усмешки.

— Ага! — сказала она. И потом повторила: — Ага!

И уже за дверью она бросила мне через плечо с наслаждением и вызовом, озаренным вечной радостью, какую испытывает женщина, делая подобные открытия:

— Так, значит, обстоят дела!

— Да, так обстоят дела, чертова кукла, — буркнул я себе под нос, когда она уже не могла меня слышать. И в сердцах шмякнул об пол картонку с новыми лакированными туфлями. Богатый человек ей нужен! Тоже мне открытие!

Я зашел за Пат. Она, уже одетая для выхода, поджидала меня у себя в комнате. У меня прямо-таки перехватило дыхание, когда я ее увидел. Впервые с тех пор, как мы были знакомы, на ней было вечернее платье.

Это было платье из серебристой парчи, изящно и мягко ниспадавшее с ее прямых плеч. Казавшееся узким, оно вовсе не стесняло ее свободный широкий шаг. Спереди оно было глухо закрыто, а на спине был вырез в виде длинного узкого треугольника. В синих матовых сумерках Пат походила на серебряный факел — так резко и неожиданно она преобразилась. Праздничный вид сделал ее очень далекой. Тень фрау Залевски с ее высоко поднятым пальцем витала над ней.

— Хорошо, что ты не была в этом платье, когда я с тобой знакомился, — сказал я. — А то бы в жизни не решился.

— Так я тебе и поверила, — улыбнулась она. — Тебе нравится, Робби?

— До жути! Как будто передо мной совсем другая женщина.

— Что же тут жуткого? Платья на то и существуют.

— Возможно. Но меня это как-то подавляет. Тебе бы к этому платью другого мужчину. Мужчину, у которого много денег.

Эрих Мария Ремарк

Она рассмеялась.

— Мужчины, у которых много денег, по большей части отвратительны, Робби.

— Но ведь не деньги же, а?

— Нет, не деньги.

— Так я и думал.

— А ты сам разве так не считаешь?

— Почему же, — сказал я. — Деньги хоть и не делают счастливым, но действуют чрезвычайно успокаивающе.

— Они делают независимым, милый, а это намного больше. Но если хочешь, я могу надеть другое платье.

— Исключено. Это платье великолепно. С сегодняшнего дня я портных ставлю выше, чем философов! Эти люди привносят в жизнь красоту. А это во сто крат ценнее и самых глубоких мыслей! Только смотри, как бы я в тебя не влюбился!

Пат засмеялась. Я незаметно оглядел себя. Кестер был чуть выше меня, и мне пришлось прихватить брюки на поясе булавками, чтобы они кое-как сидели. Слава Богу, они сидели.

Мы поехали в театр на такси. По дороге я все больше молчал и сам не мог понять отчего. Расплачиваясь, я против собственной воли взглянул на шофера. У него были возбужденные, покрасневшие глаза, небрит, выглядит очень устало. Деньги взял равнодушно.

— Как с выручкой сегодня? — тихо спросил я.

Он посмотрел на меня.

— Да ничего... — вяло сказал он, не желая поддерживать разговор. Видно, принял меня за любопытного.

На мгновение у меня возникло такое чувство, что мне надо сесть за баранку и уехать. Но я обернулся и увидел перед собой стройную, гибкую фигуру Пат. В серебристом жакете поверх такого же цвета платья она была прекрасна и полна нетерпения.

— Идем же, Робби, скоро начнется!

Перед входом толпился народ. Сегодня давали премьеру, и театр был освещен прожекторами, машина подкатывала за машиной, из них выходили, сверкая драгоценностями, женщины в вечерних туалетах и мужчины во фраках, все с розовыми холеными лицами, смеющиеся, довольные, непринужденные, беззаботные; устало фырча и тарахтя, из этой блестящей толпы выбралось старенькое такси с усталым шофером.

— Скорее же, Робби! — крикнула Пат, глядя на меня сияющими и возбужденными глазами. — Ты что-нибудь забыл?

— Нет-нет, ничего, — сказал я, неприязненно посмотрев на публику.

Потом я пошел в кассу и поменял наши билеты. Взял два в ложу, хотя это стоило целого состояния. Мне вдруг страшно не захотелось, чтобы Пат сидела в окружении этих самоуверенных людей, для которых все здесь было привычно. Я не хотел, чтобы она принадлежала им. Я хотел, чтобы мы были одни.

Давненько я не был в театре. И не пошел бы теперь, если б не Пат. Театры, концерты, книги — от этих буржуазных привычек я давно уже успел поотвыкнуть. Да и время было не то. В политике и без того хватало театра, ежевечерняя стрельба на улицах заменяла концерты, а гигантская книга нужды была убедительнее, чем все библиотеки мира.

Все ярусы и партер были полны. Свет погас сразу, едва только мы отыскали свои места. По залу сеялся лишь слабый свет рампы. Мощно вступила музыка и словно бы вовлекла все в свой вихрь.

Я задвинул свой стул подальше в угол ложи. Так я не видел ни сцену, ни бледные овалы зрительских лиц. Я только слушал музыку, глядя на лицо Пат.

Музыка околдовала зал. Она была как знойный ветер, как теплая ночь, как полный парус под звездами, она была совершенной фантастикой, эта музыка к «Сказкам Гофмана». Она словно раздвигала границы, заливала мир красками, вбирала в себя грохот неистового потока жизни, и не было больше ни тяжести, ни препон, а были лишь блеск, и мелодия, и любовь, и нельзя было понять, как могут за стенами театра царить нужда, и мука, и отчаяние, когда здесь есть эта музыка.

На лицо Пат падал таинственный отсвет сцены. Она полностью отдалась музыке, и я любил ее за то, что она не прижималась ко мне, не искала мою руку и даже ни разу не взглянула на меня, как будто совсем забыв о моем существовании. Я терпеть не мог, когда смешивали разные вещи, все эти телячьи нежности на фоне грандиозной красоты великого произведения, терпеть не мог эти умильно-чувственные взгляды, которыми обмениваются любовные парочки, эти тупо-блаженные прижимания, это непристойно-счастливое воркование — самозабвенное, отрешенное ото всего на свете; терпеть не мог и всю эту болтовню о слиянии сердец, ибо считал, что близость двоих имеет свои пределы и что нужно как можно чаще разлучаться, чтобы радоваться новым встречам. Потому что счастье быть вместе по-настоящему испытывает лишь тот, кто подолгу оставался один. Все остальное ослабляет тайну любовного напряжения. А что еще в состоянии прорвать магический круг одиночества, если не напор чувств, не разящее потрясение, не разгул стихий, буря, ночной хаос, музыка! И не любовь...

* * *

Разом вспыхнул свет. Я на мгновение зажмурил глаза. О чем это я тут думал? Пат повернулась ко мне. Я увидел, что публика устремилась к дверям. Большой антракт.

— Не хочешь ли выйти? — спросил я.

Пат покачала головой.

— Слава Богу! Терпеть не могу эту манеру пялиться друг на друга в перерыве.

Я отправился за стаканом апельсинового сока для Пат. Буфет осаждала армия голодающих. Почему-то музыка необыкновенно возбуждает аппетит. Горячие сардельки исчезали с такой скоростью, будто в стране свирепствовал голодный тиф.

Вернувшись с добытым стаканом в ложу, я увидел, что за стулом Пат стоит некто, с кем она, повернув голову, оживленно беседует.

— Роберт, это господин Бройер, — сказала она.

«Господин Бугай», — подумал я, без всякого удовольствия глядя на него. Она сказала «Роберт» вместо обычного «Робби». Я поставил стакан на барьер ложи и стал ждать, когда уйдет этот человек в великолепно сшитом смокинге. Но он без умолку болтал о режиссуре и труппе и уходить не собирался. Пат повернулась ко мне.

— Господин Бройер спрашивает, не пойдем ли мы после спектакля в «Каскад»?

— Как хочешь, — сказал я.

Господин Бройер объяснил, что в «Каскаде» можно потанцевать. Он был крайне вежлив и в общем-то понравился мне. Вот только эта неприятная мне непринужденная элегантность, которая, как я думал, должна была действовать на Пат и которой я не обладал. Внезапно я услышал — и не поверил своим ушам, — что он обращается к Пат на ты. И хотя для этого могло найтись сто самых безобидных оснований, мне сразу захотелось выкинуть его в оркестровую яму.

Прозвенел звонок. Музыканты стали настраивать инструменты. По скрипкам запорхали легкокрылые звуки флажолета.

— Итак, мы условились — встречаемся у выхода, — сказал Бройер и наконец-то ушел.

— Это что за фрукт? — спросил я.

— Это не фрукт, а очень милый человек. Мой старинный знакомый.

— Против твоих старинных знакомых я имею кое-что возразить, — сказал я.

— Ну-ну, слушай-ка лучше музыку, дорогой, — сказала Пат.

Теперь еще этот «Каскад». Я мысленно пересчитал свои деньги. Проклятая злачная яма!

Эрих Мария Ремарк

Я решил все же сходить с ними хотя бы из мрачного любопытства. Как раз этого Бройера мне и недоставало после того, что накаркала фрау Залевски. Он уже ждал нас у выхода.

Я стал звать такси.

— Оставьте, — сказал Бройер, — в моей машине достаточно места.

— Прекрасно, — сказал я. А что еще оставалось? Все прочее было бы смешно. Но все равно было противно.

Пат машина Бройера была знакома. Это был большой «паккард», стоявший под косым углом к тротуару. Пат прямо пошла к нему.

— А цвет теперь другой, — сказала она, остановившись перед машиной.

— Да, серый, — сказал Бройер. — Так тебе больше нравится?

— Гораздо больше.

Бройер повернулся ко мне.

— А вам? Нравится вам этот цвет?

— Я ведь не знаю, какой был прежде, — ответил я.

— Черный.

— Черная машина выглядит очень красиво.

— Несомненно. Но ведь иногда хочется перемен! Но ничего, к осени у меня будет новая.

Мы поехали в сторону «Каскада». Это был весьма фешенебельный дансинг с хорошим оркестром.

— Кажется, больше не пускают, — обрадованно заметил я, когда мы подошли к входу.

— Жаль, — сказала Пат.

— Пустяки, уж это мы как-нибудь уладим, — заявил Бройер и пошел к администратору. По всей видимости, его тут хорошо знали, потому как для нас специально внесли столик и стулья, и уже через несколько минут мы сидели в самом лучшем месте зала, откуда все хорошо было видно.

Оркестр играл танго. Пат облокотилась о барьер.

— Ах, как давно я не танцевала...

Бройер немедленно встал.

— Ты позволишь?

Пат посмотрела на меня загоревшимся взглядом.

— Я пока закажу что-нибудь, — сказал я.

— Хорошо.

Танго длилось долго. Танцуя, Пат время от времени поглядывала на меня и улыбалась. Я кивал в ответ, хотя чувствовал себя не блестяще. Она прелестно выглядела и великолепно танцевала. К сожалению, Бройер тоже очень хорошо танцевал, и вместе они смотрелись отлично. Они танцевали так, будто много раз делали это вместе. Я заказал себе большую рюмку рома. Они вернулись к столику. Бройер заметил каких-то знакомых и пошел поздороваться с ними, а мы с Пат остались на минуту одни.

— Давно ты знаешь этого мальчика? — спросил я.

— Давно. А почему ты спрашиваешь?

— Да так. Ты с ним здесь часто бывала?

Она посмотрела на меня.

— Я уже не помню, Робби.

— Такие вещи обычно помнят, — сказал я жестко, хотя понимал, что она имела в виду.

Она покачала головой, улыбаясь. Я очень любил ее в эту минуту. Она хотела показать мне, что прошлое забыто и не имеет значения. Но меня что-то подзуживало, что я и сам находил смешным, но с чем я не мог совладать. Я поставил рюмку на стол.

— Ты спокойно можешь во всем признаться. Что же тут особенного?

Она снова посмотрела на меня.

— Неужели ты думаешь, что мы сейчас сидели бы здесь, если б действительно что-то было?

— Нет, не думаю, — сказал я пристыженно.

Оркестр снова заиграл. Вернулся Бройер.

— Блюз, — сказал он, обращаясь ко мне. — Прелесть. Хотите потанцевать?

— Нет! — ответил я.

— Жаль.

— Тебе надо попробовать, Робби, — сказала Пат.

Эрих Мария Ремарк

— Лучше не надо.

— Но почему же? — спросил Бройер.

— Не испытываю удовольствия, — ответил я недружелюбно. — Да и не учился никогда. Времени не было. Но вы можете спокойно танцевать, я найду чем заняться.

Пат колебалась.

— Ну что ты, Пат, — сказал я. — Раз тебе это в радость...

— Да, конечно. Но ты правда не будешь скучать?

— Ни в коем случае! — Я показал на рюмку. — Тоже своего рода танцы.

Они ушли. Я допил свою рюмку и подозвал кельнера. Потом сидел за столом, пересчитывая соленые миндалинки. Рядом со мной сидела тень фрау Залевски.

Бройер привел с собой нескольких знакомых к нашему столику. Двух хорошеньких женщин и довольно молодого мужчину с совершенно лысой маленькой головой. Потом к нам присоединился еще один мужчина. Все они были легки, как пробки, ловки в обращении, уверены в себе. Пат знала всех четверых.

Я же чувствовал себя настоящим чурбаном. До сих пор я всегда бывал с Пат только наедине. И вот впервые увидел людей, с которыми она встречалась до меня. Я не знал, как себя с ними держать. Они двигались легко и непринужденно, они явились из другой жизни, в которой все шло гладко, в которой люди не замечали того, чего не желали замечать, словом, то были люди из другого мира. Будь я один тут, или с Ленцем, или с Кестером, меня бы ничто не тревожило и все было бы безразлично. Но здесь была Пат, она знала их, и это меня мучило, угнетало, все время заставляло сравнивать.

Бройер предложил перебраться всей компанией в другой ресторан.

— Робби, — сказала Пат, когда мы выходили, — не пойти ли нам лучше домой?

— Нет, — сказал я, — зачем?

— Тебе ведь скучно.

— Ни капельки. Почему мне должно быть скучно? Напротив! И потом, тебе ведь весело?

Она посмотрела на меня, но ничего не сказала.

Я начал пить. Не так, как до этого, а по-настоящему. Лысый обратил на это внимание. Он спросил, что я пью.

— Ром, — ответил я.

— Грог? — переспросил он.

— Нет, ром, — сказал я.

Он попробовал тоже и поперхнулся.

— Черт побери, — сказал он уважительно, — к этому надо привыкнуть.

Обе женщины теперь смотрели на меня. Пат танцевала с Бройером, часто поглядывая в мою сторону. Я делал вид, что этого не замечаю. Я понимал, что это нехорошо, но что-то нашло на меня. Меня злило еще, что все наблюдают за тем, как я пью. Мало радости импонировать людям таким способом, я все же не гимназист. Я встал и направился к бару. Мне показалось, что Пат мне совсем чужая. Пусть катится к черту со своими людишками. Она такая же, как они. Нет, она не такая... Такая!

Лысый потащился за мной. Мы выпили с барменом водки. Бармены — это вечное наше утешение. С ними и без всяких слов сразу найдешь общий язык в любой точке земного шара. Этот тоже был парень что надо. Только лысый никуда не годился. Жаждал излиться. Некая Фифи не шла у него из ума. Впрочем, вскоре он перескочил с нее на Пат и сказал мне, что Бройер уже много лет влюблен в нее.

— Вот как? — сказал я.

Он хихикнул. После коктейля «Прэри ойстер» он умолк. Но то, что он сказал, застряло у меня в башке. Меня злило, что я так влип. Злило, что это меня так задевает. И еще злило, что я не могу грохнуть кулаком по столу. Я чувствовал, как где-то во мне зарождается холодная страсть к разрушению. Но направлена она была не против других, а против меня самого.

Лепеча что-то бессвязное, лысый исчез. Я остался у стойки. Внезапно я почувствовал, что к моей руке прижимается чья-то крепкая грудь. Это была одна из женщин, которых привел Бройер. Она уселась вплотную ко мне, обволакивая меня матовой зеленью своих косоватых глаз. После такого взгляда, собственно, говорить не нужно — нужно действовать.

— Как это здорово — уметь так пить, — сказала она немного погодя.

Я молчал. Она протянула руку к моему бокалу. Ее сверкающая драгоценностями рука походила на сухую и жилистую ящерицу. И двигалась она медленно, будто ползла. Я отдавал себе отчет в том, что происходит. «С тобой-то я покончу в два счета, — думал я про себя. — Ты меня недооцениваешь. Видишь, что я злюсь, и думаешь, что я на все готов. Но ты ошибаешься. С женщинами я могу разделаться быстро — это с любовью я разделаться не могу. Несбыточное — вот что нагоняет на меня тоску».

Женщина о чем-то заговорила. Голос у нее был ломкий, какой-то стеклянный. Я заметил, как Пат смотрит в нашу сторону. Плевать. Но и на женщину рядом со мной мне было плевать. У меня было такое чувство, будто я бесшумно падаю в бездонную и скользкую пропасть. Это чувство не имело никакого отношения к Бройеру и его знакомым. Оно не имело отношения даже к Пат. То была сама мрачная тайна жизни, которая будит жажду желаний, но никогда не может ее утолить, которая зачинает любовь в человеке и никогда не может ее завершить, которая если и посылает все — любовь, человека, счастье, радость жизни, — то всего этого по какому-то ужасному правилу всегда оказывается слишком мало, и чем большим кажется тебе то, что у тебя есть, тем меньше его оказывается на самом деле. Я украдкой взглянул туда, где была Пат. Вон она там передвигается в своем серебристом платье, юная и прекрасная, пламенеющий факел жизни; и я любил ее, и когда говорил ей «приди», она приходила, и ничто не разделяло нас больше, мы могли быть близки, как только могут быть близкими люди, — и все-таки иногда каким-то загадочным образом все погружалось вдруг в муку и мрак, и я не мог вынуть ее из кольца вещей, не мог вырвать ее из круга того бытия, которое над нами и в нас, которое навязывает нам свои законы, свое дыхание и тлен, и сомнительный блеск настоящего с его провалом в ничто, и зыбкую иллюзию чувства, в погоне за которым всегда остаешься в проигрыше. Нет, невозможно его удержать, невозможно! Не распутать, не снять ее с себя, эту гремучую цепь времени, не превратить неутомимость в сон, рыскания в покой, падения в пристанище. Я не мог отделить ее ни от одной из сонма цепких случайностей, не мог отъединить ее от того, что было прежде, до того, как я узнал ее, от целой тьмы мыслей, воспоминаний, от всего, что ваяло ее до моего появления, и даже от этих людишек — не мог...

Рядом со мной звучал надломленный голос женщины. Она искала себе спутника на одну ночь, цеплялась за кусочек чужой жизни, чтобы подстегнуть себя, забыть, забыть себя и мучительно ясное понимание того, что ничего никогда не остается, ни «я», ни «ты» и уж меньше всего «мы». Разве не искала она, по сути, того же, что и я? Спутника, чтобы забыть об одиночестве жизни, товарища, чтобы справиться с бессмысленностью бытия...

— Идемте, — сказал я, — идемте назад. Все это безнадежно — и то, чего вы хотите, и то, чего хочу я.

Она окинула меня взглядом и, запрокинув голову, расхохоталась.

Мы побывали еще в нескольких ресторанах. Бройер был возбужден, речист и полон надежд. Пат притихла. Она ни о чем не спрашивала меня, ни в чем не упрекала, не пыталась ничего выяснить, она просто присутствовала, иногда улыбалась мне, иногда танцевала — и тогда казалось, будто это тихий, нарядный, стройный кораблик скользит сквозь рой марионеток и карикатурных фигур.

Сонливый чад ночных заведений словно прошелся своей серо-желтой ладонью по лицам и стенам. А музыку как будто загнали под стеклянный колпак. Лысый пил кофе. Женщина с руками, похожими на ящериц, уставилась в одну точку. Бройер купил розы у поникшей от усталости цветочницы и разделил их между Пат и двумя женщинами. На полураскрытых бутонах застыли маленькие чистые бисеринки воды.

— Давай потанцуем с тобой хоть раз, — сказала мне Пат.

— Нет, — сказал я, думая о том, какие руки ее сегодня касались. — Нет, нет. — Я почувствовал себя нелепым и жалким.

— И все-таки мы потанцуем, — сказала Пат, и глаза ее потемнели.

— Нет, — сказал я, — нет, Пат.

Потом наконец мы собрались уходить.

— Я отвезу вас домой, — сказал мне Бройер.

— Хорошо.

У него в машине нашелся плед, который он положил Пат на колени. Она выглядела теперь очень бледной и усталой. Женщина, с которой мы сидели за стойкой, при прощании сунула мне записку. Я сделал вид, что этого не заметил, и сел в машину. Дорогой смотрел в окно. Пат сидела в углу и не шевелилась. Я даже не слышал ее дыхания. Бройер поехал сначала к ней. Он знал, где она живет, вопросов не задавал. Она вышла из машины. Бройер поцеловал ей руку.

— Спокойной ночи, — сказал я, не взглянув на нее.

— Где вас высадить? — спросил меня Бройер.

— На ближайшем углу.

— Я с удовольствием довезу вас до дома, — возразил он как-то поспешно и преувеличенно вежливо.

Он явно не хотел, чтобы я вернулся к ней. Я раздумывал, не дать ли ему по физиономии. Но он был мне слишком безразличен.

— Ладно, тогда отвезите меня к бару «Фредди».

— А пустят вас в такое время?

— Очень трогательно, что вас это заботит, — сказал я, — но будьте покойны, меня везде еще пускают.

Как только я произнес эти слова, мне стало его жаль. Ведь он наверняка казался себе весь вечер лихим и обаятельным гулякой. Такие иллюзии нельзя разрушать. Я простился с ним более учтиво, чем с Пат.

В баре было еще довольно много народу. Ленц и Фердинанд Грау играли в покер с владельцем магазина модной одежды Больвисом и еще с несколькими мужчинами.

— Присаживайся, — сказал Готфрид, — сегодня покерная погода.

Я отказался.

— Да ты только посмотри, — сказал он, кивая на целую кучу денег. — И без всякого блефа. Масть сама так и прет.

— Ну ладно, — согласился я. — Давай.

Я на первой же сдаче на двух королях обставил четверых.

— Каково! — воскликнул я. — Похоже, и в самом деле сегодня шулерская погода.

— Тут такая всегда, — заметил Фердинанд, протягивая мне сигареты.

Я не хотел здесь задерживаться. Но теперь вдруг снова почувствовал почву под ногами. Настроение, конечно, было неважное, но все-таки здесь была моя старая честная родина.

— Поставь-ка мне полбутылки рома! — крикнул я Фреду.

— Смешай его с портвейном, — сказал Ленц.

— Нет, — сказал я. — Некогда экспериментировать. Хочу надраться.

— Ну так выпей сладких ликеров. Что, поссорился?

— Ерунда.

— Не скажи, детка. И не пудри мозги старому папаше Ленцу, который собаку съел в сердечных делах. Признавайся и хлобыщи.

— С женщиной нельзя ссориться. На нее можно разве что злиться.

194   *Эрих Мария Ремарк*

— Что-то слишком тонко для трех часов ночи. Я, кстати говоря, ссорился с каждой. Когда кончаются ссоры, то скоро и всему конец.

— Ладно, — сказал я, — кто сдает?

— Ты, — сказал Фердинанд Грау. — Радуйся, у тебя мировая скорбь, Робби. Береги ее как зеницу ока. Жизнь пестра, но несовершенна. Между прочим, для человека с мировой скорбью ты блефуешь на славу. Два короля — это уже наглость.

— Как-то я наблюдал партию, в которой на двух королей поставили семь тысяч франков, — сказал Фред от стойки.

— Швейцарских или французских? — спросил Ленц.

— Швейцарских.

— Твое счастье, — заявил Готфрид. — Если бы французских, тебе бы попало за то, что мешаешь игре.

Мы играли в течение часа. Я довольно много выиграл, больше постоянно проигрывал. Я пил, но не чувствовал ничего, кроме головной боли. Хмельное блаженство не наступало. Я только острее все чувствовал. В животе начался настоящий пожар.

— Ну а теперь кончай игру и поешь чего-нибудь, — сказал Ленц. — Фред, дай ему сандвич и пару сардин. Прячь деньги в карман, Робби.

— Давай еще один кон.

— Ладно. Но последний. По двойной ставке?

— По двойной! — загудели все.

Я довольно безрассудно прикупил три карты к десятке и королю треф. Пришли валет, дама и туз той же масти. С таким набором я выиграл у Больвиса, у которого на руках был полный комплект восьмерок. Больвис взвился под потолок. Проклиная все на свете, он придвинул мне кучу денег.

— Видал? — сказал Ленц. — Покерная погодка!

Мы перебрались к стойке. Больвис опять спросил о «Карле». Он все не мог забыть, как Отто обогнал его спортивную машину. И все еще надеялся купить «Карла».

— Спроси у Кестера, — сказал Ленц. — Но я думаю, он скорее продаст тебе свою руку.

— Ну, это мы поглядим, — сказал Больвис.

— Тебе этого никогда не понять, — заметил Ленц, — ты коммерческое дитя двадцатого века.

Фердинанд Грау засмеялся. За ним Фред. А там и все мы. Если уж не смеяться над двадцатым веком, то надо всем застрелиться. Но и долго над ним не посмеешься. Он таков, что впору бы выть.

— Ты умеешь танцевать, Готфрид? — спросил я.

— Конечно. Я ведь был учителем танцев в свое время. Ты об этом забыл?

— Забыл — и прекрасно, что забыл, — вмешался Фердинанд Грау. — В забвении — тайна вечной молодости. Мы стареем только из-за памяти. Мы слишком мало забываем.

— Нет, — возразил Ленц. — Мы забываем только плохое.

— Можешь меня научить? — спросил я.

— Танцевать-то? Да за один вечер, детка. Это и все твое горе?

— Нет у меня никакого горя, — сказал я. — Одна головная боль.

— Болезнь нашего времени, Робби, — сказал Фердинанд. — И лучшее средство от нее — родиться без головы.

Я зашел еще в кафе «Интернациональ». Там Алоис уже собирался опускать жалюзи.

— Есть еще кто-нибудь? — спросил я.

— Роза.

— Давай-ка выпьем втроем еще по одной.

— Годится.

Роза, сидя около стойки, вязала маленькие чулочки своей дочке. Она дала мне полистать журнал с образцами. Кофточку оттуда она уже связала.

— А как с выручкой сегодня? — спросил я.

— Плохо. Денег ни у кого нет.

— Хочешь, я тебе одолжу? Вот — выиграл в покер.

— О, выигрышем обзаведешься — деньгами разживешься, — изрекла Роза, поплевала на бумажки и сунула их в карман.

Алоис принес три стопки. Потом, когда пришла Фрицци, еще одну.

— Шабаш, — сказал он, когда мы выпили. — Устал смертельно.

Он выключил свет. Мы вышли на улицу. У дверей Роза простилась. Фрицци прицепилась к Алоису, повиснув на его руке. Плоскостопый Алоис устало шаркал по мостовой, а Фрицци вышагивала рядом с ним легко и бодро. Я остановился, глядя им вслед. И увидел, как Фрицци склонилась к перепачканному кривоногому кельнеру и поцеловала его. Он досадливо отстранился. И тут вдруг сам не знаю с чего бы, но когда я повернулся и побрел по пустынной улице, глядя на дома с темными окнами и на холодное ночное небо, на меня навалилась и чуть не сшибла с ног чудовищная тоска по Пат. Я даже зашатался. Я ничего больше не понимал — ни себя самого, ни свое поведение в этот вечер, ничего вообще.

Я стоял, прислонившись к стене какого-то дома и уставившись в одну точку. Я не мог уразуметь, что заставило меня все это вытворять. Что-то нашло на меня, рвало на куски, подталкивая к несправедливости, глупости, швыряло меня туда-сюда, разбивая вдребезги то, что я доселе так старательно строил. Чувствовал я себя, стоя у этой стены, довольно беспомощно и не знал, что делать. Идти домой не хотелось — там совсем было бы скверно. Наконец я вспомнил, что у Альфонса, должно быть, еще открыто. И пошел туда, намереваясь просидеть там до утра.

Альфонс не проронил ни слова, когда я вошел. Он бросил на меня взгляд и продолжал читать газету. Я сел за столик и погрузился в полудрему. Никого в зале больше не было. Я думал о Пат. И только о Пат. И о том, что я начудил. Я вдруг вспомнил все до последней детали. И все было против меня. Я один был во всем виноват.

Просто спятил. Я тупо смотрел на стол, а в голове моей закипала кровь. Меня душили горечь и гнев на себя самого. И беспомощность. Я, я один все погубил.

Внезапно раздался звон стекла. Это я в сердцах хлопнул что было сил по своей рюмке.

— Тоже развлечение, — сказал Альфонс и поднялся. Он вынул из моей руки осколки.

— Не сердись, — сказал я. — Как-то забылся.

Он принес вату и пластырь.

— Поди проспись, — сказал он, — все будет лучше.

— Да ладно, — ответил я. — Прошло уже. Что-то вдруг накатило. Вспышка ярости.

— Ярость нужно погашать весельем, а не злостью, — заявил Альфонс.

— Верно, — сказал я. — Но это тоже надо уметь.

— Во всем нужна тренировка. Все вы норовите бить башкой о стенку. С годами пройдет.

Он завел патефон и поставил «Мизерере» из «Трубадура». Вскоре стало светать.

* * * *

Я пошел домой. Перед уходом Альфонс налил мне стакан «Фернет-Бранка». Теперь в голове моей застучало помягче. И улица под ногами утратила ровность. И плечи мои налились свинцом. В общем, с меня было довольно.

Медленно поднимался я по лестнице, нащупывая ключ в кармане. И вдруг услышал в полутьме чье-то дыхание. Какая-то неясная, блеклая фигура сидела на верхней ступеньке. Я подошел поближе.

— Пат... — Я был ошарашен. — Пат, что ты здесь делаешь?

Она пошевелилась.

— Кажется, я немного вздремнула...

— Да, но как ты попала сюда?

— У меня ведь есть ключ от твоего подъезда.

— Я не это имею в виду. Я имею в виду... — Хмель прошел, я ясно видел перед собой обшарпанные ступени, облупившиеся стены и серебристое платье, узенькие сверкающие туфельки. — Я имею в виду — зачем ты сидишь здесь?

— Я и сама все время спрашиваю себя об этом...

Она встала и потянулась с таким видом, будто ничего особенного не было в том, что она всю ночь просидела здесь на ступеньках. Потом она потянула носом.

— Ленц бы сказал: коньяк, ром, вишневка, абсент...

— И даже «Фернет-Бранка», — сознался я и только теперь понял, что происходит. — Разрази меня гром, Пат, ты потрясающая девушка, а я чудовищный идиот!

Я одним движением подхватил ее на руки, отпер дверь и понес ее по коридору. Она лежала комочком на моей груди, как свернутый серебряный веер, как усталая птица. Я отвернул лицо в сторону, чтобы не дышать на нее перегаром, но видел, как она улыбается. И чувствовал, как она дрожит.

Я усадил ее в кресло, включил лампу и достал плед.

— Ах, если б я мог догадаться, Пат, — вместо того чтобы шататься да рассиживать по кабакам, я бы... Осел несчастный, ведь я звонил тебе от Альфонса, а потом еще свистел у тебя под окном — и все безрезультатно, я думал, ты не желаешь со мной больше знаться...

— Почему же ты не вернулся после того, как проводил меня?

— Да, это я и сам хотел бы знать...

— Будет лучше, если ты дашь мне ключ и от квартиры, чтобы мне не сидеть больше под дверью. — Она улыбалась, но губы ее дрожали, и я вдруг понял, чего ей стоило все это — прийти сюда, прождать всю ночь и теперь разговаривать в бесшабашном тоне...

— Пат, — сказал я поспешно и в полном смятении, — Пат, ты наверняка промерзла, тебе надо чего-нибудь выпить, согреться, я с улицы видел, что у Орлова горит свет, а у этих русских всегда есть чай, я мигом... — Я почувствовал, как кровь ударила мне в голову. — Я тебе никогда в жизни этого не забуду, — сказал я от двери и бросился по коридору.

Орлов еще не ложился. Он сидел с покрасневшими глазами в углу комнаты под иконой Божьей Матери, перед которой теплилась лампадка, а на столе дымился небольшой самовар.

— Простите меня, пожалуйста, — обратился я к нему, — непредвиденный случай... Вы не могли бы дать мне немного горячего чая?

Русские к непредвиденным случаям привычны. Орлов дал мне два стакана чаю, сахар и полную тарелку маленьких пирожков.

— Весьма рад служить чем могу, — сказал он, — позвольте еще — со мной тоже такое бывало — вот, несколько кофейных зерен, чтобы жевать...

— Благодарю, — сказал я, — искренне благодарю вас. Охотно возьму и зерна...

— Если вам понадобится еще что-нибудь, — сказал он, и тоном и жестами выказывая отменное благородство, — не сочтите за беспокойство, располагайте мной, я не ложусь еще.

В коридоре я разгрыз кофейные зерна. Они устранили запах алкоголя. Пат пудрилась, сидя под лампой. Я на мгновение задержался в дверях. Трогательно было наблюдать, с каким тщанием она смотрится в зеркальце и водит пушком по вискам.

— Выпей немного чаю, — сказал я, — он совершенно не горячий.

Она взяла стакан. Я смотрел, как она пьет.

— Черт знает, что вдруг случилось сегодня вечером, Пат.

— Я тоже знаю, не только черт, — возразила она.

— Правда? А вот я не знаю.

— Тебе и не надо знать, Робби. Ты и без того знаешь слишком много для того, чтобы быть по-настоящему счастливым.

— Возможно, — сказал я. — Но куда это годится — ведь я все больше и больше впадаю в детство с тех пор, как знаю тебя.

— Это гораздо лучше, чем если бы ты становился все разумнее.

— Тоже верно. Ты замечательно умеешь помогать человеку выкарабкиваться из силков. Впрочем, тут сошлось, наверное, очень многое.

Она поставила стакан на стол. Я сидел, прислонясь к кровати. У меня было такое чувство, будто я вернулся домой после долгого, трудного путешествия.

Защебетали птицы. В коридоре хлопнула дверь. Это фрау Бендер собирается в ясли. Я взглянул на часы. Через полчаса на кухне появится Фрида, и тогда уж мы не сможем выйти незамеченными. Пат еще спала. Она дышала глубоко и ровно. Стыдно, конечно, ее будить, но иначе нельзя.

— Пат...

Она пробормотала что-то во сне.

— Пат... — Я проклинал все меблированные комнаты на свете. — Пат, проснись, пора. Тебя нужно одевать.

Она открыла глаза и улыбнулась детской улыбкой, еще теплой ото сна. Меня всегда поражало, с каким радостным настроением она просыпается, и я любил в ней это. Я никогда не испытывал радости, когда просыпался.

— Пат, фрау Залевски уже надраивает свою пасть.

— Сегодня я остаюсь у тебя.

— Здесь?

— Да.

Я приподнялся на постели.

— Блестящая идея. Но как же быть с твоими вещами — ведь у тебя здесь и платье, и туфли только вечерние...

— Ну так я и останусь до вечера...

— А тебя не хватятся дома?

— Туда мы позвоним и скажем, что я переночевала в гостях.

— Хорошо, позвоним. Хочешь есть?

— Нет еще.

— Ну, на всякий случай я все же сопру пару свежих булочек. Из корзинки на входной двери. Пока не поздно.

Когда я вернулся, Пат стояла у окна. На ней были только ее серебряные туфельки. Мягкий свет раннего утра прозрачным покрывалом падал на ее плечи.

— Вчерашнее забыто. Ладно, Пат? — сказал я.

Она, не поворачиваясь, кивнула.

— Просто нам не нужно встречаться с другими людьми. Настоящая любовь не выносит чужих людей. Тогда и не будет ни ссор, ни ревности. Пусть катятся они к черту — и Бройер, и вся эта компания, верно?

— Да, — сказала она, — и Маркович тоже.

— Маркович? Это еще кто?

— Та, с которой ты сидел за стойкой в «Каскаде».

— Ах, эта, — сказал я с чувством неожиданного удовлетворения.

Я вывернул карманы.

— Вот, посмотри, хоть какой-то прок от всей этой истории. Я выиграл кучу денег в покер. На эти деньги мы можем еще раз куда-нибудь выбраться сегодня вечером, верно? Только уж по-настоящему, без посторонних. О них мы забыли, а?

Она кивнула.

Над крышей Дома профсоюзов вставало солнце. Засверкали окна. Волосы Пат были пронизаны светом, а ее плечи стали золотыми.

— Так что ты говорила про этого Бройера? Кто он по профессии?

— Архитектор.

— Архитектор, — повторил я, несколько задетый, ибо мне было бы приятнее услышать, что он круглый нуль. — Подумаешь, архитектор, делов-то, Пат, а?

— Да, милый.

— Ведь ничего особенного, а?

— Решительно ничего. — Пат убежденно тряхнула головой и рассмеялась. — Решительно ничего, абсолютно! Делов-то!

Эрих Мария Ремарк

— И каморка эта — не такая она уж и жалкая, а, Пат? Конечно, бывают и луч...

— Она чудесна, эта каморка, — перебила меня Пат, — она великолепна, и я не знаю никакой другой лучше, милый!

— Да и я, Пат. Конечно, я не без недостатков и всего-навсего таксист, но вообще-то...

— Вообще-то ты самый любимый на свете воришка булочек и ромодуй — вот ты кто!

В порыве чувства она бросилась мне на шею.

— Глупенький мой, до чего же хорошо жить на свете!

— Только с тобой, Пат! Воистину!

Занималось чудесное сияющее утро. Внизу над могильными плитами рассеивался туман. Верхушки деревьев уже были ярко освещены. Трубы домов выпускали клубы дыма. Первые разносчики выкрикивали названия газет. Мы легли, чтобы насладиться еще утренним сном, сном на грани полугрез-полуяви, и лежали так, тесно обнявшись, согласно и ровна дыша. Потом, в девять, я позвонил сначала подполковнику Эгберту фон Хаке — при этом я назвался тайным советником Буркхердтом, а потом Ленцу, которого попросил выехать вместо меня в утренний рейс.

Он не дал мне говорить.

— О чем речь, детка? Недаром твой Готфрид слывет знатоком вариаций человеческого сердца. Я и не сомневался, что так будет. Желаю всяческих удовольствий юному плейбою!

— Заткнись, — сказал я счастливым голосом, а на кухне заявил, что болен и останусь в постели до обеда. После этого я отбил три атаки сердобольной фрау Залевски, пытавшейся облагодетельствовать меня ромашковым чаем, аспирином и горчичниками. Потом Пат удалось прошмыгнуть в ванную комнату, и нас больше никто не беспокоил.

XIV

Спустя неделю в наш двор вкатил нежданный булочник на своем «форде».

— Пойди потолкуй с ним, Робби, — сказал Ленц, бросив презрительный взгляд в окно. — Этот пряничный Казанова наверняка хочет предъявить нам какую-нибудь рекламацию.

Вид у булочника был довольно потерянный.

— Что-нибудь с машиной? — спросил я.

Он покачал головой.

— Какое там. Бежит как по маслу. Да ведь она теперь все равно что новая.

— Это верно, — подтвердил я, глядя на него уже с большим интересом.

— Тут вот что, — сказал он, — я, это самое, хотел бы другую машину. Побольше. — Он огляделся. — Ведь у вас тут был «кадиллак»?

Я сразу понял, в чем дело. Итак, чернявенькая сожительница его допекла.

— М-да, «кадиллак», — произнес я мечтательным голосом. — Надо было сразу его хватать! Вещица роскошная! Ушла за семь тысяч. Считайте — даром!

— Ничего себе даром...

— Даром! — решительно повторил я, раздумывая, что предпринять. — Я могу разузнать, — сказал я после паузы, — вдруг человеку, который его купил, понадобились деньги. Такое теперь частенько бывает. Подождите минутку.

Я пошел в мастерскую и в двух словах рассказал, что случилось. Готфрид так и подпрыгнул.

— Братцы, где ж нам раздобыть теперь какой-нибудь старый «кадиллак»?

— Предоставь это мне, — сказал я, — а сам последи, чтобы булочник не сбежал.

— Идет! — Готфрид исчез.

Я позвонил Блюменталю. Без особых надежд, но ведь надо было попробовать. Он оказался в бюро.

— Не хотите ли продать свой «кадиллак»? — спросил я напрямик.

Блюменталь рассмеялся.

— У меня есть на примете человек, — продолжал я, — который готов выложить за него всю сумму наличными.

— Наличными... — задумчиво повторил за мной Блюменталь после некоторой паузы. — По нынешним временам — это слово из высокой поэзии...

— Вот и я того же мнения, — сказал я, внезапно приободрившись. — Так, может быть, мы договоримся?

— Ну, поговорить всегда есть о чем, — заявил Блюменталь.

— Прекрасно. Где я могу вас увидеть?

— Сегодня, сразу после обеда, у меня есть время. Скажем, часика в два здесь, у меня в бюро.

— Хорошо.

Я повесил трубку.

— Отто, — сказал я Кестеру не без волнения, — я никак не мог этого ожидать, но похоже, наш «кадиллак» вернется к нам!

Кестер оторвался от своих бумаг.

— В самом деле? Он хочет его продать?

Я кивнул и посмотрел в окно, за которым Ленц оживленно беседовал с булочником.

— Не то он делает, — сказал я с беспокойством. — Говорит слишком много. Булочник — это столп недоверия, его нужно убеждать молчанием. Пойду-ка сменю Готфрида.

Кестер рассмеялся.

— Ни пуха ни пера, Робби.

Я подмигнул ему и вышел во двор. Однако я не поверил своим ушам — Готфрид и не думал петь преждевременные гимны «кадиллаку», вместо этого он с большим увлечением рассказывал булочнику о том, как индейцы в Южной Америке пекут лепешки из кукурузы. Я взглянул на него с признательностью и обратился к булочнику:

— К сожалению, он не хочет продавать...

— Так я и думал, — немедленно подхватил Ленц, словно мы с ним сговорились.

Я пожал плечами:

— Жаль, конечно, но его можно понять...

Булочник стоял в нерешительности. Я посмотрел на Ленца.

— А может, попробуешь еще разок? — сразу же спросил он.

— Попробовать-то попробую, — ответил я. — Мне все же удалось с ним договориться о встрече сегодня после обеда. Где я смогу найти вас потом? — спросил я булочника.

— Мне в четыре надо быть тут поблизости. После этого заеду к вам снова...

— Хорошо — к этому времени наверняка все решится. Может, дело еще и выгорит.

Булочник кивнул. А потом сел в свой «форд» и дал газ.

— Да ты не спятил ли часом? — накинулся на меня Ленц, когда машина скрылась за углом. — Сначала я должен удерживать этого типа чуть ли не силой, а потом ты запросто отпускаешь его на все четыре стороны.

— Логика и психология, славный мой Готфрид! — ответил я, потрепав его по плечу. — Этого ты еще не усек...

Он стряхнул мою руку.

— Психология... — отмахнулся он с пренебрежением. — Удачный случай — вот лучшая психология! А такой случай мы только что имели. Этот малый ни за что не вернется...

— Он вернется в четыре часа...

Готфрид посмотрел на меня как на больного.

— Спорим? — предложил он.

— Охотно, — сказал я, — но ты проиграешь. Я его знаю лучше, чем ты! Он будет теперь соваться к нам, как мотылек на пламя. Кроме того, не могу ведь я продать ему то, чего у нас и самих-то пока нет...

— О Господи, еще и это! — сказал Ленц, качая головой. — Из тебя ни черта не получится в жизни, детка!

Эрих Мария Ремарк

Продавать то, чего нет, — да тут только и начинается настоящий гешефт! Пойдем, я прочту тебе бесплатный курс лекций о современной экономической жизни...

Днем я пошел к Блюменталю. По дороге я показался себе юным козленком, которому надо навестить старого волка. Асфальт жарился на солнце, и с каждым шагом мне все меньше хотелось, чтобы Блюменталь изжарил меня на вертеле. Во всяком случае, имело смысл не тянуть быка за рога.

— Господин Блюменталь, — заговорил я поэтому сразу же, как переступил порог, — вам делается самое приличное предложение. Вы заплатили за «кадиллак» пять пятьсот. Предлагаю вам шесть — при условии, что я его сбагрю. Это выяснится сегодня вечером...

Блюменталь, восседая за своим столом как на троне, ел яблоко. Он прекратил жевать и взглянул на меня.

— Хорошо, — прогундосил он немного погодя, снова принимаясь за яблоко.

Я подождал, пока он бросит огрызок в бумажную корзину, и спросил:

— Так вы согласны?

— Минуточку! — Он достал из ящика письменного стола другое яблоко. — Хотите?

— Спасибо, сейчас не хочу...

Он с треском надкусил яблоко.

— Ешьте побольше яблок, господин Локамп! Они продлевают жизнь! Несколько яблок в день — и вам никогда не понадобится врач!

— Даже если я сломаю себе руку?

Он ухмыльнулся, выбросил второй огрызок и встал из-за стола.

— В том-то и дело, что тогда вы не сломаете себе руку!

— Практично! — сказал я, ожидая, что же последует дальше. Эта беседа о яблоках показалась мне слишком подозрительной.

Блюменталь вынул из небольшого шкафа ящичек с сигарами и предложил мне. Уже знакомая мне «Корона».

— Они тоже продлевают жизнь? — спросил я.

— Нет, они ее сокращают. Затем это уравновешивается яблоками. — Он выпустил облачко дыма и искоса взглянул на меня, откинув голову, как задумчивая птица. — Уравновешивать, все нужно уравновешивать, господин Локамп, — вот и вся загадка жизни...

— Ну, это нужно уметь...

Он подмигнул мне.

— Да, да, уметь, вся штука в том, чтобы уметь. Мы слишком много знаем и слишком мало умеем. Потому что слишком много знаем. — Он рассмеялся. — Извините меня — после еды меня всегда тянет пофилософствовать...

— Самое подходящее время для этого, — сказал я. — Итак, в деле с «кадиллаком» мы достигли равновесия, не правда ли?

Он поднял руку.

— Секундочку...

Я покорно склонил голову. Заметив это, Блюменталь рассмеялся.

— Вы меня неправильно поняли. Я только хотел сделать вам комплимент. Ошеломить прямо с порога, открыв свои карты! Со стариком Блюменталем лучше действовать так — это было точно рассчитано. Знаете, чего я ожидал?

— Что для начала я предложу вам четыре тысячи пятьсот...

— Совершенно верно! Но так вы бы ничего не добились. Ведь вы хотите продать машину за семь, не так ли?

На всякий случай я пожал плечами:

— Почему именно за семь?

— Потому что такова была первая цена, которую вы мне тогда предложили...

— У вас блестящая память, — сказал я.

— На цифры. Только на цифры. К сожалению. Итак, чтобы покончить с этим делом: можете забирать машину за эти деньги.

Мы ударили по рукам.

— Слава Богу, — сказал я, переведя дух. — Наша первая сделка после долгого перерыва. Похоже на то, что «кадиллак» приносит нам счастье.

— Мне тоже, — сказал Блюменталь. — Я ведь тоже заработал на нем пятьсот марок.

— Верно. Но почему, собственно, вы так торопитесь его продать? Он вам не нравится?

— Из чистого суеверия, — заявил Блюменталь. — Я не пропускаю ни одной выгодной сделки.

— Чудесное суеверие, — заметил я.

Он покачал сверкающей лысиной.

— Вот вы не верите мне, а между тем так оно и есть. Это страхует меня от неудач в других делах. Упускать добычу в наши дни — значит, бросать вызов судьбе. А этого теперь никто не может себе позволить.

В половине пятого Ленц, сделав значительное лицо, поставил передо мной на стол пустую бутылку из-под джина.

— Мне бы хотелось, чтобы ты наполнил ее, детка! На свои шиши! Ты не забыл о нашем пари?

— Не забыл, — ответил я. — Но ты явился слишком рано.

Готфрид молча сунул мне под нос свои часы.

— Половина пятого, — сказал я. — Льготное время еще не истекло. Опоздать может каждый. Впрочем, предлагаю поправку к пари: ставлю два против одного.

— Принято, — торжественно провозгласил Готфрид. — Это означает, что я даром получу четыре бутылки джина. Это называется героической защитой обреченных рубежей. Мужественно и почетно, детка, но — ошибочно...

— Подождем...

На самом деле я давно уже не был так уверен, как старался это показать. Напротив, я все больше склонялся к тому, что булочник не придет. Нужно было задержать его утром. Слишком он ненадежен.

Когда в пять часов на соседней фабрике, производившей перины, завыла сирена, Готфрид молча выставил на стол еще три пустые бутылки из-под джина. И уставился на меня, опершись о подоконник.

— Пить хочется, — сказал он немного погодя со значением. В это мгновение я различил на улице характерный шум «фордовского» мотора, и вскоре к нам во двор въехала машина булочника.

— Коли тебе хочется пить, милый Готфрид, — заявил я с подчеркнутым достоинством, — то беги, не откладывая, в магазин и принеси две бутылки рома, которые я у тебя выиграл. Так и быть, бесплатный глоток ты получишь. Видишь во дворе булочника? Психология, мой мальчик! А теперь убери-ка эти пустые бутылки! А потом можешь промышлять на такси. Для более тонких дел ты еще не дорос. Привет, сын мой!

Я вышел во двор и сообщил булочнику, что машину, возможно, удастся заполучить. Правда, владелец требует семь с половиной тысяч, но если он увидит наличные, то наверняка согласится и на семь.

Булочник слушал меня настолько рассеянно, что я даже растерялся.

— В шесть часов я буду звонить ему снова, — наконец сказал я.

— В шесть? — очнулся булочник. — В шесть мне надо... — Внезапно он повернулся ко мне. — Может быть, пойдете со мной?

— Куда? — спросил я с удивлением.

— К вашему другу, художнику. Портрет готов.

— Ах вот оно что — к Фердинанду Грау...

Он кивнул:

— Пойдемте. Заодно поговорим и о машине.

По всей видимости, он почему-то не хотел идти один. Мне же теперь не хотелось оставлять его одного.

— Хорошо, — сказал я. — Но это довольно далеко. Так что давайте поедем сразу.

Эрих Мария Ремарк

Фердинанд Грау выглядел плохо. Лицо помятое и обрюзгшее, серо-зеленого цвета. Он приветствовал нас в дверях мастерской. Булочник едва взглянул на него. Он был как-то странно не уверен в себе и взволнован.

— Где портрет? — сразу же спросил он.

Фердинанд указал рукой на окно. Портрет стоял у окна на мольберте. Булочник быстро прошел туда и застыл перед ним. Через какое-то время он снял шляпу, что забыл впопыхах сделать сразу.

Мы с Фердинандом остались в дверях.

— Как дела, Фердинанд? — спросил я.

Он сделал неопределенный жест рукой.

— Что-нибудь случилось?

— Что могло случиться?

— Ты плохо выглядишь...

— И только-то?

— И только...

Он положил мне на плечо свою ручищу, и его лицо старого сенбернара озарилось улыбкой.

Мы постояли так еще немного. Потом подошли к булочнику. Портрет его жены поразил меня. Голова получилась замечательно. По свадебной фотографии и другому снимку, на котором едва можно было что-либо разобрать, Фердинанду удалось написать портрет еще молодой женщины, взирающей на мир серьезными, несколько растерянными глазами.

— Да, — сказал булочник, не оборачиваясь, — это она. — Он сказал это скорее для себя, и мне показалось, что он даже не заметил, как у него это вырвалось.

— Вам достаточно света? — спросил его Фердинанд.

Булочник не ответил.

Фердинанд подошел к мольберту и слегка повернул его. Потом, отойдя, кивнул мне, приглашая к себе в каморку рядом с мастерской.

— Вот уж не думал, — сказал он с удивлением, — что и такой несгораемый сейф, как он, может рыдать. Его проняло...

— Рано или поздно пронимает всякого, — возразил я. — Да только его — слишком поздно...

— Слишком поздно, — сказал Фердинанд, — это всегда бывает слишком поздно. Уж так устроена жизнь, Робби.

Он медленно прошелся по комнате взад и вперед.

— Пусть пока побудет наедине с собой. Можем тем временем сыграть партию в шахматы.

— У тебя золотая душа, — сказал я.

— При чем здесь это? — Он остановился. — Его душе от этого не будет ни прибытка, ни убытка. Да и нельзя все время думать о подобных вещах — не то бы люди на земле разучились улыбаться, Робби...

— И опять ты прав, — согласился я. — Ну, давай сгоняем партийку.

Мы расставили фигуры и начали игру. Фердинанд выиграл без особых усилий. Поставил мне мат слоном и ладьей, даже без помощи ферзя.

— Ну и ну, — сказал я. — Выглядишь ты так, как будто три ночи не спал. А играешь при этом как заправский морской пират.

— Я всегда хорошо играю, когда на меня нападает меланхолия, — заметил Фердинанд.

— А отчего это она на тебя напала?

— Да так, без всяких причин. Потому что стемнело. Порядочный человек всегда впадает в меланхолию, когда вечереет. И не по какой-либо определенной причине. Просто так...

— Но только в том случае, если он одинок, — сказал я.

— Разумеется. Это час теней. Час одиночества. Час, когда особенно хорошо пьется коньяк. — Он достал бутылку и две рюмки.

— Не пора ли нам к булочнику? — спросил я.

— Сейчас. — Он наполнил рюмки. — Будь здоров, Робби! Ибо всем нам когда-нибудь подыхать!

— Будь здоров, Фердинанд! Ибо пока-то мы еще живы!

Эрих Мария Ремарк

— Ну, — сказал он, — все не раз висело на волоске. Да обходилось. Выпьем-ка и за это!

— Идет.

Мы вернулись в мастерскую. Стемнело. Булочник, вобрав голову в плечи, все еще стоял перед портретом. В большом голом помещении он выглядел жалким, потерянным, мне даже показалось, что он уменьшился в росте.

— Завернуть вам картину? — спросил Фердинанд.

Он испуганно вздрогнул.

— Нет, нет...

— В таком случае я пришлю ее вам завтра.

— Нельзя ли оставить ее пока здесь? — поколебавшись, спросил булочник.

— Почему? — с удивлением спросил Фердинанд, подходя к нему. — Вам не нравится?

— Нравится. Но мне бы хотелось, чтобы она побыла пока здесь...

— Не понимаю...

Булочник взглянул на меня в поисках помощи. Я понял — он боялся повесить портрет дома, где хозяйничала теперь чернявенькая стерва. А может, ему было неловко перед покойницей.

— Но, Фердинанд, — сказал я, — портрет ведь может повисеть и здесь, если он будет оплачен...

— Ну, это само собой...

Булочник с облегчением вынул из кармана чековую книжку. Они с Фердинандом подошли к столу.

— За мной оставалось четыреста марок? — спросил булочник.

— Четыреста двадцать, — сказал Фердинанд, — с учетом скидки. Хотите квитанцию?

— Да, — сказал булочник. — Порядка ради.

Оба молча занялись писанием — один чека, другой квитанции. Оставшись у окна, я огляделся. В сумеречном полусвете со стен мерцали лица невостребованных и неоплаченных портретов в золоченых багетах. Это походило на собрание потусторонних призраков, и казалось, что все они уставили неподвижный взгляд на портрет у окна, который должен был к ним присоединиться и на который вечернее солнце бросало последний отблеск жизни. Странное настроение создавала эта картина — двое согбенных и пишущих за столом, тени и многочисленные немые портреты.

Булочник снова подошел к окну. Его красноватые, воспаленные глаза походили на стеклянные шары, рот был полуоткрыт, нижняя губа отвисала, и были видны нечистые зубы — фигура печальная и смешная. Этажом выше кто-то стал наигрывать на пианино, всего несколько повторяющихся тактов, для разминки пальцев. Звуки были высокие и царапающие. Фердинанд Грау, оставшись у стола, зажег себе сигару. Спичка, вспыхнув, осветила его лицо. Из-за маленького красноватого огонька залитое синими сумерками помещение показалось невероятно огромным.

— А можно еще изменить кое-что в портрете? — спросил булочник.

— Что именно?

Фердинанд подошел поближе. Булочник показал на драгоценности.

— Можно их убрать?

Та самая тяжелая брошь, на которой он настаивал, когда делал заказ.

— Конечно, — сказал Фердинанд, — да они и мешают. Портрет только выиграет, если они исчезнут.

— Вот и мне кажется. — Он помялся. — А во что это обойдется?

Мы с Фердинандом обменялись взглядами.

— Это ничего не будет стоить, — великодушно произнес Фердинанд. — Напротив, кое-что причитается вам назад. Ведь работы становится меньше.

Булочник встрепенулся. На миг показалось, что он согласится с этим. Но потом он решительно заявил:

— Нет, нет, оставьте, ведь вам пришлось это все рисовать...

— И это правда...

Мы ушли. На лестнице, глядя на сгорбленную спину булочника, я растроганно думал, что в этой истории с брошью в нем заговорила совесть. И было как-то не по себе от мысли, что я нагреваю себе руки на «кадиллаке». Но потом я подумал о том, что частью своей искренней скорби по усопшей жене он обязан только тому, что эта чернявенькая, что ждала его дома, оказалась такой стервой, и снова приободрился.

— Мы могли бы потолковать о деле у меня дома, — сказал булочник, когда мы вышли на улицу.

Я кивнул. Меня это вполне устраивало. Булочник хоть и полагал, что в своих четырех стенах он будет сильнее, но я-то рассчитывал на поддержку брюнетки.

Она уже поджидала нас в дверях.

— Приношу вам свои самые сердечные поздравления, — сказал я, не давая булочнику раскрыть рот.

— С чем же? — быстро спросила она, метнув на меня юркий взгляд.

— С вашим «кадиллаком», — ответил я как можно непринужденнее.

— Киса! — бросилась она на шею булочнику.

— Но это все еще вовсе не... — пытался он выпутаться из ее объятий и объясниться. Но она не отпускала его, а, пританцовывая, крутилась с ним по комнате, не давая ему говорить. Передо мной попеременно возникала то ее хитрая, подмигивающая мордочка, то его постная и укоризненная, тщетно протестующая головка мучного червя.

Наконец ему удалось высвободиться.

— Да мы вовсе еще ничего не решили, — выдохнул он.

— Решили! — сказал я со всей сердечностью. — Положитесь на меня — выторгую я у него эти последние пятьсот марок. Вы заплатите за «кадиллак» всего семь тысяч — и ни пфеннига больше! Согласны?

— Конечно! — поспешно воскликнула чернявенькая. — Ведь это и впрямь недорого, киса...

— Да постой ты! — Булочник протестующе поднял руку.

— Ну что с тобой опять! — напустилась она на него. — То говорил, что берешь машину, то опять вдруг не хочешь!

— Да хочет он, — вставил я, — мы уже обо всем договорились.

— Ну вот, киса, к чему ж ты тогда... — Она опять прильнула к нему своей обширной грудью, а он опять забарахтался, пытаясь освободиться. Лицо он сделал сердитое, однако сопротивление его заметно слабело.

— «Форд»... — произнес он.

— Будет, конечно же, принят в счет оплаты...

— Четыре тысячи марок...

— Стоил он когда-то, не так ли? — спросил я самым участливым тоном.

— Пойдет в счет оплаты за четыре тысячи марок, — твердо заявил булочник. Наконец-то он обрел точку опоры для контратаки против ошеломительного натиска. — Машина ведь почти новая...

— Новая, — подхватил я, — после колоссального ремонта...

— Сегодня утром вы сами со мной соглашались...

— Сегодня утром речь шла о другом. Новое и новое — это большая разница, и зависит она от того, покупаете вы или продаете. Чтобы стоить четыре тысячи марок, ваш «форд» должен иметь бамперы из чистого золота.

— Четыре тысячи — или ничего не выйдет, — упрямо заявил булочник. Он вернулся к своему старому образу и, казалось, твердо намерен стереть всякие следы недавнего наплыва сентиментальности.

— В таком случае — желаю здравствовать! — заявил я и обратился к черноволосой его сожительнице: — Сожалею, сударыня, но соглашаться на убыточные сделки я не могу. Мы и без того не зарабатываем ни пфеннига на «кадиллаке», не можем же мы при этом брать «форд» по такой чудовищной цене. Прощайте...

Она меня удержала. Из глаз ее посыпались искры, и она приступила к булочнику с такой яростью, что он онемел.

— Сам ведь сто раз говорил, что за «форд» теперь ничего не получишь... — прошипела она под конец своей тирады, прерывая ее плачем.

— Две тысячи марок, — сказал я, — две тысячи, хотя и это похоже на самоубийство.

Булочник молчал.

— Ну ты что, воды в рот набрал? Что стоишь как пень? — кипятилась она.

— Господа, — обратился я к ним, — я отправлюсь за «кадиллаком». А вы пока обсудите это дело между собой.

У меня было такое чувство, что мне лучше всего удалиться. Черноволосая леди и без меня довершит мое дело.

Час спустя я вернулся к ним с «кадиллаком». И сразу заметил, что их спор разрешился способом наипростейшим. У булочника был усталый, помятый вид, на костюме его повис пух от перины, а чернявая, напротив, сияла, победно покачивая грудями, улыбаясь предательски и плотоядно. Она переоделась, теперь на ней было тонкое шелковое платье, плотно облегавшее фигуру. Улучив момент, она кивком и подмигиванием дала мне понять, что все в порядке. Мы совершили пробную поездку. Вальяжно раскинувшись на широком сиденье, чернявенькая без умолку болтала. Я бы с наслаждением вышвырнул ее в окно, но понимал, что без нее мне не обойтись. Булочник с меланхолическим видом сидел рядом со мной. Он заранее скорбел по своим деньгам, а уж эта скорбь — самая натуральная на свете.

Мы вернулись к дому булочника и снова прошли в его квартиру. Булочник вышел в соседнюю комнату за деньгами. Выглядел он теперь как старик, и я заметил, что волосы у него крашеные. Чернявенькая оправила на себе платье.

— Ловко мы это обделали, а?

— Да, — согласился я против воли.

— Сто марок на мою долю...

— Вот как... — сказал я.

— Скряга паршивый, — доверительно прошептала она, подойдя поближе. — Деньжищ у него куры не клюют! Но он скорее ими подавится, чем выпустит из рук лишний пфенниг! Даже завещания писать не хочет. Вот и отойдет все к детям, а я останусь с носом. А много ли удовольствия жить со старым хрычом...

Она, играя бюстом, придвинулась еще ближе.

— Так я зайду завтра насчет этой сотни. Когда вас можно застать? Или лучше вы заглянете сюда? — Она хихикнула. — Завтра после обеда я буду одна...

— Я вам пришлю их, — сказал я.

Она снова хихикнула.

— Лучше занесите сами. Или боитесь?

Видимо, она сочла меня слишком робким и для поощрения слегка погладила по руке.

— Не боюсь, — сказал я. — Просто я занят. Как раз завтра мне нужно к врачу. Застарелый сифилис, знаете ли! Страшно отравляет жизнь...

Она отскочила как ужаленная, чуть не опрокинув плюшевое кресло. В эту минуту вошел булочник. Он недоверчиво покосился на брюнетку. Потом отсчитал мне деньги, складывая их на стол. Считал он медленно и нерешительно. Тень его покачивалась на розовых обоях комнаты, будто считая вместе с ним. Подписывая квитанцию, я вспомнил, что все это сегодня уже было, только на моем месте был Фердинанд Грау. И хотя в этом не было ничего особенного, ситуация показалась мне несколько странной.

Выйдя на улицу, я вздохнул с облегчением. Воздух был по-летнему теплым. У тротуара поблескивал «кадиллак».

— Ну, старик, спасибо, — сказал я, похлопав его по капоту. — Поскорей возвращайся для новых свершений!

XV

Утреннее солнце щедро заливало луга. Мы с Пат сидели на краю лесной просеки и завтракали на траве. Я взял себе отпуск на две недели, и мы с Пат отправились в путь. Решили выбраться к морю.

Перед нами на шоссе стоял маленький старый «ситроен». Мы получили его в счет оплаты за «форд» булочника, и Кестер дал мне его на время отпуска. Нагруженный чемоданами, он походил на терпеливого вьючного осла.

— Будем надеяться, что он не развалится по дороге, — сказал я.

— Не развалится, — ответила Пат.

— Откуда ты знаешь?

— Нетрудно догадаться. Потому что это наш отпуск, Робби.

— Может, и так, — сказал я. — Но мне знакома и его задняя ось. Выглядит она плачевно, особенно когда автомобиль перегружен.

— Он брат «Карла». Он выдержит все.

— Братец довольно рахитичный.

— Перестань грешить, Робби. Это самый прекрасный автомобиль, какой я только знаю.

Мы повалялись еще какое-то время на траве. Со стороны леса веяло теплым, мягким ветерком. Пахло смолой и свежей зеленью.

— Слушай, Робби, — сказала Пат немного погодя, — а что это за цветы там, у ручья?

— Анемоны, — ответил я, не взглянув.

— Ну что ты, милый! Это не анемоны. Анемоны гораздо меньше. Кроме того, они цветут только весной.

— Верно, — сказал я. — Это лютики.

Она покачала головой:

— Лютики я знаю. Они совсем другие.

— Ну, значит, цикута.

— Робби! Ведь цикута белого цвета.

— Ну тогда не знаю. До сих пор, когда меня спрашивали, мне хватало этих трех названий. И одному из них обязательно верили.

Она рассмеялась.

— Жаль, что я этого не знала. А то бы удовлетворилась уже анемонами.

— Цикута — вот что принесло мне наибольшее число побед!

Она приподнялась с земли.

— Веселенькое сообщение! И часто тебя таким образом расспрашивали?

— Не слишком. И при совершенно других обстоятельствах.

Она оперлась ладонями о землю.

— А ведь, в сущности, это стыдно — ходить по земле и ничего не знать о ней. Даже нескольких названий.

— Не расстраивайся, — сказал я. — Куда больший стыд — не знать, зачем мы вообще ходим по этой земле. А несколько лишних названий тут ничего не изменят.

— Это только слова! И я думаю, произносят их в основном из-за лени.

Я повернулся к ней.

— Конечно. Но о лени еще мало кто задумывался по-настоящему. Она — основа всякого счастья и конец всякой философии. Давай-ка лучше приляг, полежим еще. Человек слишком мало лежит. Он живет по большей части стоя или сидя. А это нездорово, это вредно для его животного благополучия. Только лежа можно достичь полной гармонии с самим собой.

На шоссе послышался приближающийся, а потом снова удаляющийся шум машины.

— Маленький «мерседес», — сказал я, не приподнимаясь. — Четырехцилиндровый.

— А вот еще один, — сказала Пат.

— Да, уже слышу. «Рено». У него радиатор, как свиной пятачок?

— Да.

— Значит, «рено». А вот, слышишь, приближается что-то стоящее! «Ланчия»! Эта наверняка нагонит тех двух, как волк ягнят! Послушай, какой мотор! Как орган!

Машина промчалась мимо.

— В этой области ты знаешь побольше трех названий, не так ли? — спросила Пат.

— Разумеется. И они даже подходят.

Она засмеялась.

— А не печально ли это? Или как?

— Вовсе не печально. Лишь естественно. Хорошая машина мне иной раз дороже двадцати лугов с цветами.

— Очерствелое дитя двадцатого века! Ты, видимо, совсем не сентиментален.

— Отчего же? Что касается машин, я сентиментален. Ты ведь слышала.

Она посмотрела на меня.

— Я тоже сентиментальна, — сказала она.

В ельнике куковала кукушка. Пат принялась подсчитывать.

— Зачем тебе это? — спросил я.

— Разве ты не знаешь? Сколько она прокукует, столько лет еще проживешь.

— Ах да, верно. Но есть и другая примета. Когда услышишь кукушку, нужно перетряхнуть все свои деньги. Тогда их станет больше.

Я вынул мелочь из кармана, положил в ладони и стал что есть силы трясти.

— Вот ты каков, — сказала Пат. — Я хочу жить, а ты хочешь денег.

— Чтобы жить, — возразил я. — Истинный идеалист всегда хочет денег. Ведь деньги — это отчеканенная свобода. А свобода — это жизнь.

— Четырнадцать, — сказала Пат. — Когда-то ты говорил об этих вещах иначе.

— Это было в мои глухие времена. О деньгах нельзя говорить с презрением. Деньги многих женщин превращают во влюбленных. А любовь, напротив, порождает в мужчинах страсть к деньгам. Итак, деньги поощряют любовь, а любовь, напротив того, материализм.

— Ты сегодня в ударе, — сказала Пат. — Тридцать пять.

— Мужчина, — продолжал я, — становится алчным, только повинуясь желаниям женщины. Если бы не было женщин, то не было бы и денег, а мужчины составили бы героическое племя. В окопах не было женщин, и не играло никакой роли, кто чем владеет, — важно было лишь, каков он как мужчина. Это не свидетельствует в пользу окопов, но проливает на любовь истинный свет. Она пробуждает в мужчине дурные инстинкты — стремление к обладанию, к значительности, к заработкам, к покою. Недаром диктаторы любят, чтобы их подручные были женаты — так они менее опасны. И недаром католические священники не знают женщин — иначе они никогда бы не были такими отважными миссионерами.

— Ты сегодня в ударе, как никогда, — сказала Пат. — Пятьдесят два.

Я снова сунул мелочь в карман и закурил сигарету.

— Может, хватит считать? — спросил я. — Тебе уже давно перевалило за семьдесят.

— А нужно сто, Робби! Сто — хорошая цифра. И мне хочется ее набрать.

— Вот это мужественная женщина! Но зачем тебе столько?

Она скользнула по мне быстрым взглядом.

— Там видно будет. Я ведь иначе смотрю на эти вещи, чем ты.

— Вне всяких сомнений. Говорят, впрочем, что труднее всего даются первые семьдесят лет. Потом все становится проще.

— Сто! — провозгласила Пат, и мы тронулись в путь.

Море приближалось к нам, как огромный серебряный парус. Мы давно уже ощутили его солоноватое дыхание — горизонт все раздвигался и светлел, и наконец

Эрих Мария Ремарк

оно раскинулось перед нами — беспокойное, могучее, бесконечное.

Шоссе по дуге приблизилось к морю вплотную. Потом показался лес, а за ним деревушка. Мы спросили, как проехать к дому, в котором мы должны были жить. Он был несколько на отшибе. Адрес нам дал Кестер. После войны он пробыл там целый год.

Это был небольшой одинокий особняк. Проделав элегантный пируэт на «ситроене», я подкатил к воротам и дал сигнал. В одном из окон на мгновение показалось чье-то широкое лицо, подержалось секунду бледной тенью и исчезло.

— Будем надеяться, что это не фройляйн Мюллер, — сказал я.

— Совершенно не важно, как она выглядит, — заметила Пат.

Дверь отворилась. К счастью, то была не фройляйн Мюллер, а служанка. Фройляйн Мюллер, владелица особняка, появилась минутой позже. Хрупкая седоволосая дама, типичная старая дева. На ней было закрытое до подбородка черное платье и золотой крест в виде броши.

— Пат, на всякий случай подтяни-ка снова свои чулки, — сказал я, увидев брошь, и вылез из машины. — Мне кажется, господин Кестер уже сообщил вам о нас, — начал я.

— Да, он телеграфировал о вашем приезде. — Она пристально всматривалась в меня. — А как поживает господин Кестер?

— Да хорошо, в общем, — если в наше время можно так сказать.

Она кивнула, продолжая меня разглядывать.

— А вы давно знакомы с ним?

«Похоже на экзамен», — подумал я и дал справку о том, как долго я знаю Отто. Сказанное мной ее, кажется, удовлетворило! Тем временем подошла и Пат. Чулки на ней были подтянуты. Взгляд фройляйн Мюллер потеплел, похоже, что Пат скорее могла рассчитывать на ее благосклонность, чем я.

— У вас еще найдется комната для нас? — спросил я.

— Раз телеграфирует господин Кестер, то вы всегда получите у меня комнату, — заявила фройляйн Мюллер, холодно взглянув на меня. — Я даже дам свою лучшую, — сказала она Пат.

Пат улыбнулась. Фройляйн Мюллер улыбнулась в ответ.

— Пойдемте, я покажу вам ее, — пригласила она.

Они пошли рядом по узкой тропинке, ведшей по небольшому саду. Я ковылял сзади, чувствуя себя совершенно лишним, потому что фройляйн Мюллер обращалась исключительно к Пат.

Комната, которую она нам показала, находилась на первом этаже. У нее был отдельный вход со стороны сада. Это мне очень понравилось. Комната была довольно большой, светлой и уютной. Сбоку было что-то вроде ниши, в которой стояли две кровати.

— Ну как? — спросила фройляйн Мюллер.

— Замечательно, — ответила Пат.

— Даже роскошно, — добавил я, стараясь хоть немного подольститься к хозяйке. — А где же другая?

Фройляйн Мюллер медленно повернулась ко мне.

— Другая? Какая другая? Разве вы хотите другую? А эта что, вам не подходит?

— Она великолепна, но... — начал я.

— Но что же? — ядовито спросила фройляйн Мюллер. — К сожалению, у меня нет лучшей, чем эта.

Я хотел было объяснить ей, что нам нужны две комнаты, как она уже добавила:

— Да ведь и вашей жене эта комната нравится...

«Вашей жене»... Мне показалось, что я отпрянул на шаг. На самом же деле я даже не шевельнулся. Только осторожно взглянул на Пат, которая стояла, опершись о подоконник и подавляя улыбку.

— Моей жене... конечно, — проговорил я, не сводя глаз с золотого креста на груди фройляйн Мюллер.

Ничего не поделаешь, объяснить ей все невозможно. Она бы немедленно с воплем повалилась в обморок. — Я лишь хотел сказать, что мы привыкли спать в разных комнатах, — сказал я. — То есть каждый в своей.

Фройляйн Мюллер неодобрительно покачала головой:

— Две спальни у супругов — странная новая мода...

— Дело не в этом, — сказал я, погашая возможные подозрения. — Просто у жены моей очень чуткий сон. А я, к сожалению, довольно громко храплю.

— Вот как, вы храпите! — воскликнула фройляйн Мюллер таким тоном, будто всегда была в этом уверена.

Я уж испугался, что она предложит мне теперь комнату на втором этаже, но она, по-видимому, считала брак делом святым. Она открыла дверь в маленькую комнатку по соседству, в которой не было, кажется, ничего, кроме кровати.

— Великолепно, — сказал я, — этого вполне достаточно. Но я здесь никому не помешаю? — Я хотел удостовериться, что внизу, кроме нас, никого нет.

— Вы никому не помешаете, — заявила фройляйн Мюллер, с которой вдруг слетела вся важность. — Кроме вас, здесь никто не живет. Все прочие комнаты пусты. — Она постояла немного, потом встрепенулась. — Вы будете есть в этой комнате или в столовой?

— Здесь, — сказал я.

Она кивнула и вышла.

— Итак, фрау Локамп, — обратился я к Пат, — вот мы и въехали. Но я никак не ожидал, что в этой старой чертовке окажется столько церковности. Кажется, я ей тоже не приглянулся. Странно, обычно я пользуюсь у старушек успехом.

— Это не старушка, Робби, а очень милая старая дева.

— Милая? — Я пожал плечами. — Во всяком случае, в манерах ей не откажешь. Ни души в доме, а столько величия в поведении!

— Да нет в ней никакого величия...

— По отношению к тебе.

Пат рассмеялась.

— Мне она понравилась. Но давай притащим чемоданы и достанем купальные принадлежности.

Проплавав целый час, я лежал на песке и грелся на солнце. Пат еще оставалась в воде. Ее белая шапочка то и дело мелькала в синих волнах. Кричали чайки. По горизонту медленно тянулся пароход, оставляя за собой развевающееся дымное знамя.

Солнце пекло. Оно расплавляло всякое желание сопротивляться бездумной, сонной лени. Я закрыл глаза и вытянулся во весь рост. Горячий песок похрустывал. В ушах отдавался шум слабого прибоя. Что-то мне все это напоминало, какой-то день, когда я точно так же лежал...

Было это летом тысяча девятьсот семнадцатого года. Наша рота находилась тогда во Фландрии, и мы неожиданно получили несколько дней для отдыха во Фландрии — Майер, Хольтхоф, Брегер, Лютгенс, я и еще несколько человек. Большинство из нас еще ни разу не были на море, и эта толика отдыха, этот непостижимый перерыв между смертью и смертью превратился в настоящее безудержное упоение солнцем, песком и морем. Мы по целым дням пропадали на пляже, распластавшись голышом на солнце, — ибо лежать голым, не навьюченным оружием и униформой уже было почти что миром. Мы резвились на песке, мы снова и снова бросались в море, мы с невероятной, только в это время возможной силой ощущали биение жизни в своем теле, в своем дыхании, в своих движениях, мы забывали в эти часы обо всем на свете и хотели обо всем забыть. Но вечерами, в сумерках, когда солнце закатывалось за горизонт и от него бежали по потускневшему морю серые тени, к рокоту прибоя постепенно примешивался другой звук, он усиливался и наконец заглушал все, словно глухая угроза, — то был грохот фронтовой канонады. И тогда случалось, что стихали разговоры и наступало вымученное молчание, заставлявшее тянуть шею и напряженно вслушиваться, а на радостных лицах наигравшихся до устали мальчишек снова проступали суровые лики солдат, словно бы высекаемые внезапно, нахлынувшим изумлением, тоской, в которой сошлось все, чему не было слов: горькое мужество и жажда жизни, преданность долгу, отчаяние, надежда и глубокая загадочная печаль тех, кто был смолоду отмечен перстом судьбы. Через несколько дней началось большое наступление, и уже к третьему июля от роты осталось всего тридцать два человека, а Майер, Хольтхоф и Лютгенс были мертвы.

— Робби! — крикнула мне Пат.

Я открыл глаза. Несколько секунд мне понадобилось, чтобы осознать, где я. Воспоминания о войне всегда уносили меня далеко-далеко. С другими воспоминаниями так не было.

Я встал. Пат выходила из воды. Она шла как раз по солнечной дорожке на море, ярким блеском были залиты ее плечи, и вся она была словно окутана светом, отчего фигурка ее казалась почти черной. С каждым шагом наверх она все выше врастала в слепящее предзакатное солнце, пока лучи его не образовали ореол вокруг ее головы.

Я вскочил на ноги. Это видение показалось мне неправдоподобным, будто из другого мира: просторное синее небо, белые гребни волн — и на этом фоне красивая стройная фигура. Чувство было такое, будто я один в целом мире и ко мне выходит из воды первая женщина. На миг меня поразила мощная безмолвная сила красоты, и я почувствовал, что она значительнее, чем кровавое прошлое, что она должна быть значительнее, иначе мир рухнул бы и задохнулся от ужаса и смятения. И еще сильнее, чем это, я ощутил, что я есть, что я существую и что есть Пат, что я живу, что я выбрался из кошмара, что у меня есть глаза, и руки, и мысли, и что горячими волнами бьет во мне кровь, и что все это непостижимое чудо.

— Робби! — снова крикнула Пат и помахала рукой.

Я подхватил с земли ее халат и пошел ей навстречу.

— Ты слишком долго была в воде, — сказал я.

— Я совсем не замерзла, — ответила она, с трудом переводя дух.

Я поцеловал ее в мокрое плечо.

— На первых порах тебе надо вести себя немного разумнее.

Она покачала головой и посмотрела на меня сияющими глазами.

— Я достаточно долго вела себя слишком разумно.

— Вот как?

— Конечно. Слишком долго! Пора мне наконец быть и неразумной!

Она рассмеялась, прильнув щекой к моему лицу.

— Будем неразумными, Робби! Ни о чем не будем думать, совершенно ни о чем, только о нас двоих, да о солнце, да о каникулах, да о море!

— Хорошо, — сказал я и взял махровое полотенце. — Для начала, однако, я вытру тебя досуха. Когда это ты успела уже загореть?

Она надела халат.

— Это результат разумно проведенного года. В течение которого я ежедневно по часу должна была лежать на солнце на балконе. А в восемь вечера идти спать. Сегодня же в восемь вечера я опять пойду купаться.

— Это мы еще посмотрим, — сказал я. — Человек всегда велик в своих намерениях. Но не в их свершении. В этом и состоит обаяние человека.

Из вечернего купания ничего не вышло. Мы еще прогулялись по деревне и проехались в сумерках на «ситроене», а потом Пат почувствовала себя вдруг крайне усталой и потребовала ехать домой. Я уже не раз наблюдал в ней этот резкий переход от кипучей жизненной энергии к внезапной усталости. У нее было не много сил и вовсе не было никаких резервов — хотя она и не производила такого впечатления. Она всегда расточительно тратила все запасы своей жизненной силы, и они

Эрих Мария Ремарк

казались неисчерпаемыми благодаря ее цветущей юности, а потом вдруг наступал момент, когда лицо ее резко бледнело, а глаза глубоко западали — и всему приходил конец. Она утомлялась не медленно, как другие люди, а в одну секунду.

— Поедем домой, Робби, — сказала она, и ее низкий голос прозвучал глуше обычного.

— Домой? То есть к фройляйн Эльфриде Мюллер с ее золотым крестом на груди? Кто знает, что еще пришло в голову старой хрычовке в наше отсутствие.

— Домой, Робби, — сказала Пат, устало склонившись к моему плечу. — Теперь это наш дом.

Я отнял одну руку от руля и обнял ее за плечи. Так мы медленно ехали по голубым и туманным сумеркам, а когда наконец завидели освещенные окна маленького домика, уткнувшегося, подобно некоему темному зверю, мордой в неширокую ложбину, то и впрямь почувствовали, будто возвращаемся к себе домой.

Фройляйн Мюллер уже поджидала нас. Она переоделась, и теперь на ней вместо черного шерстяного было черное шелковое платье такого же пуританского покроя. Крест заменила другая эмблема из сердца, якоря и креста — церковных символов веры, надежды и любви.

Она была гораздо приветливее, чем днем, и учтиво спросила, устроит ли нас приготовленный ею ужин — яйца, холодное мясо и копченая рыба.

— Почему бы и нет? — пожал я плечами.

— Вам не нравится? Это свежекопченая камбала. — Она посмотрела на меня с некоторой робостью.

— Конечно, конечно, — бросил я холодно.

— Свежекопченая камбала — это очень вкусно, — сказала Пат, бросив на меня укоризненный взгляд. — Классический ужин, о каком можно только мечтать в первый день на море, фройляйн Мюллер. А если к этому будет горячий чай...

— Ну конечно! Охотно! А как же! Сейчас принесу! — Фройляйн Мюллер с явным облегчением удалилась, шурша шелковым платьем.

— Ты что, действительно не любишь рыбу? — спросила Пат.

— Люблю. Еще как! Камбала! Да я мечтал о ней черт знает сколько!

— И при этом ведешь себя так надменно? Не слабо!

— Должен ведь я поквитаться с ней за то, как она встретила меня днем.

— Ах ты, Господи! — рассмеялась Пат. — Все-то ты держишь в себе! Я уже давно обо всем забыла.

— А я нет, — сказал я. — Я не забываю так легко.

— А надо бы, — заметила Пат.

Вошла служанка с подносом. У камбалы была кожа цвета золотистого топаза, и она чудесно пахла морем и дымом. Вместе с ней были поданы еще и свежие креветки.

— Начинаю забывать, — прочувствованно произнес я. — Кроме того, я замечаю, что страшно проголодался.

— Я тоже. Но сначала налей мне горячего чаю. Странно, но меня отчего-то знобит. Хотя на улице-то тепло.

Я посмотрел на нее. Она заметно побледнела, хотя улыбалась.

— Впредь и не заикайся насчет того, чтобы купаться подолгу, — сказал я и спросил служанку: — У вас есть ром?

— Что?

— Ром. Напиток такой, в бутылках.

— Ром?

— Да.

— Не-е...

Ее глаза на круглом как луна лице, сделанном из теста, таращились с тупым недоумением.

— Не-е... — повторила она снова.

— Ладно, — сказал я. — Это не так важно. Прощайте. Да хранит вас Бог.

Она исчезла.

— Какое счастье, Пат, что у нас есть дальновидные друзья, — сказал я. — Сегодня утром перед отъездом

Ленц успел сунуть мне в машину довольно тяжелый пакет. Давай-ка посмотрим, что в нем.

Я принес пакет из машины. В нем оказался небольшой ящичек с двумя бутылками рома, бутылкой коньяка и бутылкой портвейна. Я поднес их к лампе.

— «Сент Джеймс», мать честная! На мальчиков можно положиться.

Я откупорил бутылку и налил Пат в чашку с чаем добрую толику рома. При этом я заметил, что ее рука слегка дрожит.

— Тебя трясет? — спросил я.

— Теперь уже лучше. Почти прошло. Ром хорош. Но я скоро лягу.

— Ложись немедленно, Пат, — сказал я, — пододвинем стол к кровати, и ты сможешь есть лежа.

Она дала себя уговорить. Я принес ей еще одно одеяло с моей кровати и пододвинул поближе стол.

— Может, сделать тебе настоящий грог, Пат, а? Это помогает еще лучше. Я быстро сделаю.

Пат покачала головой.

— Мне уже лучше.

Я взглянул на нее. Она и в самом деле выглядела лучше. В глазах опять появился блеск, губы налились кровью, матовая кожа ожила.

— Как быстро действует ром, просто фантастика, — сказал я.

Она улыбнулась.

— И постель тоже, Робби. Я лучше всего отдыхаю в постели. Она — мое прибежище.

— Мне это странно. Я бы спятил, если бы мне приходилось ложиться так рано. То есть одному, я хочу сказать.

Она засмеялась.

— У женщин все по-другому.

— Не говори мне про женщин. Ты не женщина.

— А кто же?

— Не знаю. Но не женщина. Если бы ты была настоящая, нормальная женщина, я бы не мог любить тебя.

Она посмотрела на меня.

— А ты вообще-то можешь любить?

— Ничего себе вопросики за ужином! — сказал я. — И много у тебя таких?

— Может, и много. Но что ты ответишь на этот?

Я налил себе стакан рома.

— Твое здоровье, Пат. Возможно, ты и права. Может быть, никто из нас не умеет любить. Ну, так, как когда-то, я хочу сказать. Но может, оно и к лучшему, что теперь все по-другому. Проще как-то.

В дверь постучали. Вошла фройляйн Мюллер. В руках у нее был крошечный стеклянный кувшин, на дне которого плескалось немного жидкости.

— Вот... я принесла вам ром.

— Спасибо, — сказал я, умиленно разглядывая стеклянный наперсток. — Крайне любезно с вашей стороны, но мы уже вышли из положения.

— О Господи! — Она с ужасом оглядела рать бутылок на столе. — Вы так много пьете?

— Только в целях лечения, — произнес я со всей мыслимой кротостью, избегая смотреть на Пат. — Все это прописано врачом. У меня излишняя сухость в печени, фройляйн Мюллер. Однако не окажете ли нам честь?

Я откупорил бутылку портвейна.

— За ваше здоровье! За то, чтобы дом ваш вскоре наполнился постояльцами!

— Премного благодарна! — Она со вздохом отвесила мне легкий поклон и пригубила вино, как птичка. — За то, чтобы вам хорошо отдыхалось! — Потом она лукаво улыбнулась мне. — Однако крепкий напиток. И хороший.

Меня так поразила эта перемена, что у меня чуть не выпал стакан из рук. У фройляйн Мюллер покраснели щечки и заблестели глаза, и она принялась болтать о всякой всячине, нам вовсе не интересной. Пат внимала ей с ангельским терпением. Наконец хозяйка обратилась ко мне:

— Стало быть, господину Кестеру живется неплохо?

Я кивнул.

— Он был такой тихоня в ту пору, — сказала она. — Бывало, за весь день не вымолвит ни словечка. Он и теперь такой же?

— Да нет, теперь он иногда разговаривает.

— Он пробыл здесь около года. И все один...

— Да, — сказал я, — в таких обстоятельствах человек обычно разговаривает меньше.

Она с серьезным видом кивнула и обратилась к Пат:

— Вы, конечно, устали.

— Немного, — ответила Пат.

— Очень, — добавил я.

— Ну тогда я пойду, — всполошилась она. — Спокойной ночи! Приятного сна!

Помешкав, она все же ушла.

— По-моему, она бы не прочь посидеть здесь еще, — сказал я. — Что довольно странно...

— Бедняга, — ответила Пат. — Наверняка сидит вечерами одна в своей комнате и тоскует.

— Да-да, конечно... — сказал я. — Но мне кажется, я был с ней в целом достаточно обходителен.

— Вполне. — Она погладила мою руку. — Приоткрой немного дверь, Робби.

Я подошел к двери и отворил ее. Небо прояснилось, полоса лунного света протянулась от дороги к нам в комнату. Казалось, сад только и ждал, когда же откроется дверь, — с такой силой ворвался к нам ночной запах цветов, сладкий аромат левкоя, резеды и роз. Он залил всю комнату.

— Ты только посмотри, — сказал я.

При усилившемся свете луны садовую дорожку было видно до самого конца. Вдоль нее стояли, склонив головки, цветы; листья отливали темным серебром, а бутоны, игравшие днем всеми цветами радуги, теперь окутались в тона призрачной и нежной пастели. Лунный свет и ночь отняли у красок их силу, зато благоухание стало острее и слаще, чем когда-либо днем.

Я посмотрел на Пат. Ее изящная узкая голова в обрамлении темных волос нежно и хрупко покоилась на белоснежных подушках. И в этом ее бессилии была та самая тайна хрупкости, что и в цветах, распускающихся в полумраке, и в парящем свете луны.

Она слегка приподнялась на постели.

— Я и правда очень устала. Это ужасно, да?

Я сел к ней на постель.

— Совсем нет. Лучше заснешь — только и всего.

— Но ведь ты еще не будешь спать.

— Я схожу еще разок на пляж.

Она кивнула и откинулась на подушки. Я посидел еще немного.

— Не закрывай дверь на ночь, — сказала она уже в полусне. — Как будто мы спим в саду...

Дыхание ее сделалось ровнее. Я потихоньку встал и вышел в сад. Около забора остановился и закурил сигарету. Отсюда мне была видна вся комната. На стуле висел халатик Пат, сверху было наброшено платье и белье, на полу у стула стояли туфли. Одна из них была опрокинута. Глядя на все это, я испытывал странное, небывалое ощущение чего-то близкого и родного. «Вот, — думал я, — у меня теперь есть она, есть и будет, стоит мне сделать несколько шагов, и я могу видеть ее и быть с ней — сегодня, завтра и, может быть, еще долгое, долгое время...»

Может быть, думал я, может быть... Вечно встревает это слово, без которого теперь нельзя обойтись! В нем — утраченная уверенность, утраченная всеми уверенность во всем...

Я спустился на пляж, к морю и ветру, к глухому шуму прибоя, напоминавшему отдаленную канонаду.

XVI

Я сидел на пляже, наблюдая, как заходит солнце. Пат со мной не пошла. Она весь день чувствовала себя неважно.

Когда стемнело, я поднялся, чтобы идти домой. И тут увидел, что со стороны леса бежит служанка. Она что-то кричала и размахивала руками. Я не мог разобрать ни слова — ветер и море слишком шумели. Я помахал ей, жестами давая понять, чтобы она остановилась и ждала меня. Но она продолжала бежать, то и дело всплескивая руками. «Ваша жена... — донеслось до меня, — быстрее...»

Я побежал ей навстречу.

— Что случилось?

Она хватала ртом воздух.

— Быстрее — ваша жена — несчастье...

Я полетел во весь дух по песчаной дорожке через лес к дому. Деревянная калитка не поддавалась, я перепрыгнул через забор и вбежал в комнату. Пат лежала на постели, заломив руки; кровь, бежавшая у нее изо рта, заливала ей грудь. Рядом с ней стояла фройляйн Мюллер с полотенцами и тазом с водой.

— Что случилось? — крикнул я, отодвигая ее в сторону.

Она что-то сказала.

— Принесите бинт и вату! — потребовал я. — Где рана?

Она посмотрела на меня.

— Это не рана, — проговорила она дрожащим голосом.

Я выпрямился.

— Кровотечение, — сказала она.

Меня словно обухом ударило по голове.

— Кровотечение? — Я подскочил к ней и вырвал из ее рук тазик с водой. — Принесите же льда, принесите поскорее немного льда.

Я намочил полотенце в тазу с водой и положил его на грудь Пат.

— У нас в доме нет льда, — сказала фройляйн Мюллер.

Я резко повернулся к ней. Она отпрянула.

— Ради Бога, добудьте льда, пошлите в ближайший трактир и немедленно позвоните врачу!

— Но у нас нет телефона...

— Проклятие! А где ближайший телефон?

— У Масманна.

— Бегите к нему. Побыстрее. И немедленно позвоните ближайшему врачу. Как его зовут? Где он живет?

Она еще не успела ответить, как я вытолкал ее за дверь.

— Быстрее, да быстрее же! Бегом! Далеко это?

— В трех минутах, — крикнула женщина, убегая.

— И не забудьте про лед! — крикнул я ей вслед.

Она кивнула на бегу.

Я принес еще воды и снова намочил полотенце. Я не решался трогать Пат. Я не знал, так ли она лежит, как надо, и был в отчаянии из-за того, что не знаю этого, не знаю даже, надо ли ей лежать повыше или лучше вынуть подушку из-под головы.

Она захрипела, потом резко изогнулась дугой, и изо рта у нее снова хлынула кровь. Она часто и ужасно дышала, в глазах застыл нечеловеческий ужас, она давилась и кашляла, и снова хлестала кровь. Я поддерживал ее сзади, время от времени давая ей опуститься на подушки, вместе с ней ощущал все содрогания ее несчастного, измученного нескончаемыми страданиями тела... Наконец, совершенно обессиленная, она откинулась назад.

Вошла фройляйн Мюллер. Она посмотрела на меня как на привидение.

— Что же нам делать?! — выкрикнул я.

— Врач сейчас придет, — прошептала она. — Лед — на грудь, и если она в состоянии, то и в рот...

— А лежать лучше высоко или низко? Да отвечайте же быстрее, черт вас подери...

— Оставьте так — он сейчас придет...

Я стал выкладывать куски льда Пат на грудь с чувством облегчения оттого, что могу что-то делать; я раздробил лед для компресса, наложил его, неотрывно глядя на эти прелестные, любимые, искривленные губы, на эти единственные, окровавленные...

Подъехал велосипед. Я вскочил. Врач.

— Я могу вам помочь? — спросил я.

Он покачал головой и стал раскладывать свой саквояж. Я стоял рядом с ним, вцепившись руками в спинку кровати. Он поднял на меня глаза. Я отошел на шаг, пристально глядя на него. Он простукивал ребра Пат. Она стонала.

— Это опасно? — спросил я.

— Где лечилась ваша жена? — ответил он вопросом на вопрос.

— Где — что? — пробормотал я.

— У какого врача? — нетерпеливо спросил он.

— Не знаю... — ответил я. — Нет, ничего не знаю... Я не знал...

Он посмотрел на меня.

— Это вы должны были бы знать...

— Но я не знаю. Она мне никогда об этом не говорила.

Он склонился к Пат и спросил ее. Она хотела ответить, но опять стала кашлять кровью. Врач подхватил ее. Она хватала воздух ртом и дышала с присвистом.

— Жаффе! — проклокотало наконец у нее в горле.

— Феликс Жаффе? Профессор Феликс Жаффе? — спросил врач. Она кивнула одними глазами. Он обернулся ко мне. — Вы можете ему позвонить? Было бы лучше всего спросить у него.

— Да, конечно, — ответил я. — Я сделаю это сейчас же. А потом заеду за вами! Жаффе?

— Феликс Жаффе, — сказал врач. — Номер узнайте в справочной.

— Ничего страшного не случится? — спросил я.

— Кровотечение должно прекратиться, — ответил врач.

Я схватил служанку за руку, и мы побежали с ней по дороге. Она показала мне дом, в котором был телефон. Я нажал кнопку звонка. В доме сидело небольшое общество за пивом и кофе. Я окинул их взглядом, не понимая, как могут они пить, когда Пат истекает кровью. Я заказал срочный разговор и стал ждать у аппарата. Прислушиваясь к далекому гулу в трубке, я то смутно, то с предельной отчетливостью видел сквозь просвет между портьерами часть смежной комнаты. Видел покачивающуюся, в желтых бликах лысину, видел брошку на черном бархате платья, перетянутого шнурами, и двойной подбородок, и пенсне, и пышную прическу над ним; видел костистую старую руку с набухшими венами, барабанившую по столу... Я не хотел ничего этого видеть, но был беззащитен против этих видений, все это застило мне глаза, как слишком яркий свет.

Наконец меня соединили с нужным номером. Я попросил профессора.

— Сожалею, — сказала сестра. — Профессор Жаффе уже ушел.

На минуту сердце мое перестало биться, а потом вдруг застучало, как молот под рукой кузнеца.

— А где он? Мне срочно нужно поговорить с ним.

— Я не знаю, куда он пошел. Может быть, снова в клинику.

— Пожалуйста, позвоните туда. Я подожду. У вас ведь есть другой аппарат.

— Минутку.

Снова врубился гул в беспросветной тьме, прорезаемой тонким металлическим звуком. Я вздрогнул: совсем рядом, в накрытой клетке, вдруг защелкала канарейка. Снова послышался голос сестры:

— Профессор Жаффе уже ушел из клиники.

— Куда?

— Сударь, этого я не знаю.

Это конец. Я прислонился к стене.

— Алло! — произнесла сестра. — Вы еще здесь?

— Да. Послушайте, сестра, вы не знаете, когда он вернется?

— Этого не знает никто.

— Разве он этого не сообщает? А должен бы. Ведь если что случится и он срочно понадобится...

— В его клинике всегда есть дежурный врач.

— А вы не могли бы позвать... — Нет, это не имело смысла, ведь он ничего не знает. — Ладно, сестра, — сказал я, чувствуя смертельную усталость, — если придет профессор Жаффе, попросите его немедленно позвонить сюда. — Я назвал номер. — Только прошу вас, сестра, пусть позвонит сразу же!

— Сударь, можете на меня положиться. — Она повторила номер и повесила трубку.

Я остался один. Покачивающиеся головы, лысина, брошка, вся комната рядом превратилась в блестящий резиновый шар, который раскачивался, как маятник. Я сбросил оцепенение. Делать здесь больше нечего. Надо только сказать этим людям, чтобы меня позвали, когда позвонят. Но я все не решался выпустить из рук телефон. Он был для меня теперь как спасательный круг. И вдруг меня осенило. Я снова поднял трубку и назвал номер Кестера. Он должен быть дома. Ведь иного выхода не было.

И вот из густого варева ночи выплыл спокойный голос Кестера. Я и сам сразу успокоился и рассказал ему все. Я чувствовал, что, слушая, он записывает.

— Хорошо, — сказал он, — я немедленно выезжаю на поиски. Я позвоню. Не волнуйся. Я найду его.

Пронесло. Пронесло ли? Но мир успокоился. Призрак исчез. Я побежал обратно.

— Ну как? — спросил врач. — Дозвонились?

— Нет, — ответил я, — но я дозвонился до Кестера.

— Кестер? Его я не знаю. Что он сказал? Как он ее лечил?

— Лечил? Нет, он ее не лечил. Кестер его ищет.

— Кого?

— Жаффе.

— Мой Бог. А кто этот Кестер?

— Ах да, простите. Кестер — мой друг. Он ищет профессора Жаффе. До которого я не дозвонился.

— Жаль, — сказал врач и снова повернулся к Пат.

— Он его найдет, — сказал я. — Если только он жив, он его найдет.

Врач посмотрел на меня так, как будто я спятил. И пожал плечами.

Тусклый свет лампы рассеивался по комнате. Я спросил, не могу ли помочь. Врач покачал головой. Я выглянул в окно. Пат захрипела. Я закрыл окно и стал в дверях. Я наблюдал за дорогой.

Вдруг раздались крики:

— Телефон! Телефон!

Я повернулся к врачу.

— Телефон. Пойти мне?

Врач вскочил.

— Нет, я пойду сам. Я расспрошу его лучше. Останьтесь здесь. Ничего не предпринимайте. Я сразу вернусь.

Я сел к Пат на постель.

— Пат, — тихо сказал я. — Мы с тобой. Мы сделаем все. С тобой ничего не случится. Не может ничего случиться. Профессор уже позвонил. Сейчас он нам все скажет. А завтра наверняка приедет и сам. Он тебе поможет. И ты выздоровеешь. Почему же ты никогда не говорила мне о том, что еще больна? А кровь — это не страшно, Пат. Мы дадим тебе новую. Кестер разыскал профессора. Теперь все в порядке, Пат.

Врач вернулся.

— Это был не профессор...

Я встал.

— Это был ваш друг. Ленц.

— Кестер его не нашел?

— Нашел. Жаффе дал ему указания. Ленц продиктовал мне их по телефону. Совершенно чисто, без единой ошибки. Он что, врач, ваш друг Ленц?

— Нет. Но хотел стать врачом. А что же Кестер?

Врач посмотрел на меня.

— Ленц сказал, что Кестер несколько минут назад выехал сюда. Вместе с профессором.

Я прислонился к стене.

— Отто! — только и смог я сказать.

— Да, — добавил врач, — это единственное, в чем ваш друг ошибся. Он сказал, что через два часа они бу-

Эрих Мария Ремарк

дут здесь. Я знаю эту трассу. При самой быстрой езде им понадобится не меньше трех часов. Никак не меньше...

— Доктор, — ответил я. — В этом вы можете не сомневаться. Если он сказал два часа, то через два часа он будет здесь.

— Это невозможно. Дорога часто петляет, а сейчас ночь.

— Вот увидите, — сказал я.

— Как бы там ни было... если он все-таки будет здесь... это самое лучшее.

Изнемогая от нетерпения, я вышел на улицу. Стлался туман. Вдали шумело море. С деревьев капало. Я огляделся. И вдруг почувствовал, что я больше не одинок. Где-то на юге, за горизонтом, гудел мотор. За туманами по бледно мерцающим дорогам мчалась помощь, фары выбрасывали снопы света, шины свистели, а две руки железной хваткой держали баранку, два глаза буравили темноту, то были холодные, уверенные глаза, глаза моего друга...

* * *

Потом Жаффе рассказал мне, как все было.

Сразу после разговора со мной Кестер позвонил Ленцу и сказал, чтобы тот был наготове. Потом он слетал в мастерскую за «Карлом» и помчался с Ленцем в клинику. Дежурная сестра высказала предположение, что профессор отправился ужинать. Она назвала Кестеру несколько ресторанов, в которых он мог быть. Кестер отправился на поиски. Он носился по городу, не обращая внимания на дорожные знаки, а также на трели полицейских. «Карл» метался в потоке машин, как норовистый конь. В четвертом по счету ресторане Кестер отыскал профессора. Жаффе сразу все понял. Оставив ужин, он вышел с Кестером. Они поехали к нему на квартиру, чтобы взять нужные вещи. Это был единственный участок пути, который Кестер преодолел хотя и быстро, но не в сумасшедшем темпе. Он не хотел пугать врача прежде времени. По дороге профессор спросил, где Пат находится. Кестер назвал местечко километрах в сорока. Важно было не выпустить профессора из машины. Остальное уж как-нибудь уладится. Собирая свой саквояж, Жаффе объяснял Ленцу, что нужно передать по телефону. Затем он сел с Кестером в машину.

— Это опасно? — спросил Кестер.

— Да, — сказал Жаффе.

И в то же мгновение «Карл» превратился в белый призрак, вихрем полетевший по дороге. Он обгонял всех, вылетая подчас двумя колесами на тротуары, мчась в поисках кратчайшего пути из города в запрещенном направлении по улицам с односторонним движением.

— Да вы с ума сошли! — воскликнул профессор, когда Кестер метнулся наперерез автобусу, едва не задев его высокий бампер. На мгновение Отто сбавил газ, но потом мотор опять взревел на полную мощь.

— Да не гоните вы так машину, — вскричал врач, — что это нам даст, если мы попадем в аварию?

— Мы не попадем в аварию.

— Если вы не сбавите скорость, это случится через две минуты.

Кестер бросил машину в обгон трамвая с левой стороны.

— Мы не попадем в аварию.

Впереди была длинная прямая улица. Кестер посмотрел на врача.

— Я и сам отлично понимаю, что должен доставить вас целым и невредимым. Положитесь на меня, все будет в порядке.

— Но к чему эта бешеная гонка? Так мы выиграем лишь несколько минут.

— Нет, — сказал Кестер, увильнув от груженного камнем грузовика, — нам предстоит проделать еще двести сорок километров.

— Что?

Эрих Мария Ремарк

— Да, двести сорок. — «Карл» прошмыгнул между почтовой машиной и автобусом. — Я не хотел говорить вам этого сразу.

— Это не имело значения, — проворчал Жаффе, — я не отмеряю свою помощь по километровому счетчику. Поезжайте на вокзал. По железной дороге мы доберемся скорее.

— Нет. — Кестер уже выскочил в предместье, и ветер срывал слова с его губ. — Я узнавал... Поезд идет слишком поздно...

Он снова посмотрел на Жаффе, и, видимо, врач прочел на его лице что-то такое, что заставило его сказать:

— Ну, помогай вам Бог... Ваша приятельница?

Кестер покачал головой. Он не произнес больше ни слова. Он уже миновал огороды с садовыми домиками и вырвался на шоссе. Теперь можно было развить предельную скорость. Врач съежился на сиденье. Кестер протянул ему свой кожаный шлем.

«Карл» непрерывно сигналил. Леса отбрасывали назад его рев. Даже в деревнях Кестер сбавлял скорость только при крайней необходимости. Грохот не стесненного глушителем мотора ударялся в стены проносившихся мимо домов, громко хлопавших в ответ, как полотнища на ветру; обдав их на миг мертвенным светом фар, машина летела дальше в ночь, выхватывая из тьмы новые дали.

Шины визжали, шипели, выли, свистели — мотор отдавал теперь все, на что был способен. Кестер весь вытянулся вперед, его тело превратилось в одно огромное ухо, в некий фильтр, просеивающий и грохот, и посвист внутри и снаружи, чутко улавливающий малейший шорох, любой подозрительный скрежет и скрип, чреватый аварией, смертью.

На глинистом и размокшем участке дороги машина заюлила, стала раскачиваться. Кестер вынужден был сбавить темп. Зато он еще более круто стал нырять в повороты. Он вел машину уже не головой, а одним голым инстинктом. Фары высвечивали повороты только наполовину. Нырять поэтому приходилось в кромешную тьму. Кестер включил прожектор-искатель, но его луч был узковат. Врач помалкивал. Внезапно воздух перед фарами стал двоиться, расслаиваться, окрашиваться в бледно-серебристый цвет, окутываться дымкой. То был единственный раз за весь путь, когда Жаффе услышал, что Кестер выругался. Минуту спустя они окунулись в густой туман.

Кестер переключил фары на ближний свет. Словно обернутые ватой, они теперь плавали в сплошном молоке, где как призраки мелькали расплывчатые очертания столбов и деревьев; от шоссе ничего не осталось, на нем царили его величество авось и случай, да еще отчаянный рев мотора и то набегавшие, то исчезавшие тени.

Когда они минут через десять выбрались из этой полосы, Кестера было не узнать: он осунулся на глазах. Взглянув на Жаффе, он что-то пробормотал. Потом снова дал полный газ и снова прильнул к рулю, вглядываясь вперед холодными и уверенными глазами...

Как свинец плавилась в воздухе липкая духота.

— Еще не прекратилось? — спросил я.

— Нет, — ответил врач.

Пат взглянула в мою сторону. Я постарался улыбнуться ей. Получилась гримаса.

— Еще полчаса, — сказал я.

Врач поднял глаза.

— Еще полтора часа, а то и все два. Дождь идет.

Капли дождя с тихим звоном стучали по листьям кустов и деревьев. Я смотрел в сад ничего не видящими глазами. Давно ли мы вставали с Пат ночью, забирались в резеду и левкои, и Пат напевала детские песенки. Давно ли Пат проворным зверьком бегала здесь меж кустов по белеющей от луны дорожке...

Я в сотый раз вышел в сад. Делать там было нечего, и я знал это, но так ожидание становилось менее невыносимым. В воздухе висел туман. Я проклинал его,

Эрих Мария Ремарк

я знал, каково приходится Кестеру. В белом мареве вскрикнула птица.

— Да заткнись ты! — проворчал я в сердцах. Сразу вспомнились всякие россказни о вещих птицах. — Все это чушь! — бодрился я, однако не мог унять невольную дрожь.

Где-то в тумане жужжал жук, но не приближался... не приближался. Жужжал тихо и равномерно. Вот умолк. Вот зажужжал снова. Вот опять... И вдруг я вздрогнул — то был не жук, а машина, где-то далеко-далеко она на огромной скорости брала повороты. Я застыл на месте, затаил дыхание и напряг слух: вот оно опять, вот еще раз — тонкое назойливое жужжание, будто кружит осатаневший слепень. Вот звук стал слышнее — и я отчетливо различил мелодию компрессора. И тогда натянутый до предела горизонт наконец рухнул под натиском мягких волн бесконечности, погребя под собой ночь, отчаяние, ужас, — я бросился к двери со словами:

— Едут! Доктор, Пат, они едут! Я их уже слышу!

Врач, как было видно весь вечер, считал, что я не в своем уме. Он встал и тоже прислушался.

— Действительно машина, но другая, — сказал он наконец.

— Нет, нет, я узнаю мотор.

Он посмотрел на меня с раздражением. По-видимому, он считал себя заправским автомобилистом. По отношению к Пат он был сама снисходительность и само терпение, но стоило мне заговорить о машинах, как от очков его сыпались недовольные искры и он давал понять, что разбирается в этом лучше.

— Нет, это невозможно, — отрезал он и снова ушел в дом.

Я остался в саду. Я весь дрожал от нетерпения. «"Карл", "Карл"», — повторял я. Теперь пошла череда приглушенных и резких ударных звуков — машина проезжала деревню, в бешеном темпе проскакивая между домами. Вот хлопки ослабели — машина пошла лесом, а вот мотор взревел уже близко — с нарастающим, неистовым ликованием, туман прорезали яркие фары, слепящий свет летел на нас вместе с грохотом... Врач был явно ошеломлен. Взвизгнули тормоза, и машина как вкопанная остановилась у садовой калитки.

Я рванулся к машине. Профессор уже вылезал из нее. Не обращая на меня внимания, он направился сразу к врачу. За ним шел Кестер.

— Как она? — спросил он.

— Кровь еще идет.

— Это бывает, — сказал он, — не паникуй прежде времени.

Я молча смотрел на него.

— У тебя найдется сигарета? — спросил он.

Я дал ему закурить.

— Хорошо, что ты приехал, Отто.

Он жадно курил.

— Решил, так будет лучше.

— Ты очень быстро ехал.

— Да ничего. Вот только туман был в одном месте.

Мы сидели рядышком на скамье и ждали.

— Думаешь, пронесет?

— Конечно. Кровотечение — вещь не такая опасная.

— Она никогда мне об этом не говорила.

Кестер кивнул.

— Она должна жить, Отто.

Он не смотрел на меня.

— Дай-ка мне еще сигарету, — попросил он, — забыл прихватить свои.

— Она должна жить, — сказал я, — иначе все, все ни к черту.

Вышел профессор. Я встал.

— Будь я проклят, если я еще когда-нибудь поеду с вами, — бросил он Кестеру.

— Вы меня извините, — ответил Кестер. — Это жена моего друга.

— Вот как, — сказал Жаффе и взглянул на меня.

— Она будет жить? — спросил я.

Эрих Мария Ремарк

Он испытующе посмотрел на меня. Я отвел глаза в сторону.

— Вы полагаете, я стал бы прохлаждаться здесь с вами, если бы она была в опасном состоянии? — заметил он.

Я стиснул зубы. И сжал кулаки. Я плакал.

— Простите меня, — сказал я, — но все произошло так быстро.

— Такие вещи быстро не происходят, — возразил Жаффе, улыбнувшись.

— Я немного раскис, Отто, — сказал я. — Не обращай внимания.

Он повернул меня за плечи и подтолкнул к двери.

— Зайди туда. Если профессор позволит.

— Я уже в порядке, — сказал я. — Можно мне войти?

— Да, только не разговаривайте с ней, — ответил Жаффе, — и не задерживайтесь долго. Ей нельзя волноваться.

От слез я не видел ничего, кроме зыбких бликов в тазу с водой. Я моргал — и блики множились и искрились. Я не осмелился поднести руку к глазам, чтобы Пат не подумала, что я плакал, так как дела ее обстояли неважно. Оставаясь на пороге, я попытался втиснуть в комнату свою улыбку. Потом быстро повернулся и вышел.

— Вы не зря приехали? — спросил Кестер профессора.

— Да, это было вовремя, — согласился Жаффе.

— Завтра утром я могу отвезти вас обратно.

— Нет уж, лучше не надо, — сказал Жаффе.

— Я поеду осторожно.

— Я хочу остаться еще на день и понаблюдать за процессом. Ваша кровать свободна? — спросил он меня.

Я кивнул.

— Хорошо, тогда я останусь здесь. А вы найдете себе пристанище?

— Да. Раздобыть для вас пижаму и зубную щетку?

— Не надо. Я все взял с собой. Я всегда готов к подобным неожиданностям. Исключая гонки, конечно.

— Простите, — извинился Кестер. — Представляю себе, как вы сердиты.

— Вовсе нет, — сказал Жаффе.

— В таком случае сожалею, что не сразу сказал вам всю правду.

Жаффе рассмеялся.

— Вы слишком плохо думаете о врачах. А теперь вы можете спокойно идти. Я останусь здесь.

Я быстро собрал кое-что из белья, и мы с Кестером двинулись в деревню.

— Ты устал? — спросил я.

— Нет, — ответил Отто, — мы могли бы еще где-нибудь посидеть.

Час спустя меня снова охватило беспокойство.

— Раз он остался, значит, положение опасное, — сказал я. — А иначе с чего бы вдруг...

— Я думаю, он остался из предосторожности, — ответил Отто. — Он относится к Пат с большой теплотой. Он говорил мне об этом в дороге. Оказывается, он лечил еще ее мать...

— А что, она тоже?..

— Не знаю, — поспешно ответил Кестер, — может быть, у нее было что-то другое. Ну, идем спать?

— Ступай без меня, Отто. Я хочу еще разочек... хотя бы издалека...

— Ладно. И я с тобой.

— Знаешь, Отто, я хотел тебе сказать, что люблю спать на воздухе. Особенно в теплую погоду. Так что ты не беспокойся. Я здесь не раз уже так ночевал.

— Но ведь сыро.

— Пустяки. Подниму верх и залезу в машину.

— Идет. Я тоже люблю спать на воздухе.

Я понял, что мне от него не отделаться. Взяв несколько одеял и подушек, мы пошли обратно к «Карлу». Отстегнули ремни, откинули спинки передних сидений. Ложе получилось вполне удобное.

— Получше, чем иной раз в окопах, — сказал Кестер.

В мглистом воздухе выделялось яркое пятно окна. Несколько раз его перерезал силуэт Жаффе. Мы выкурили целую пачку сигарет. Потом большой свет в окне погас, осталось тусклое свечение ночника.

— Слава Богу, — сказал я.

По нашей крыше стучали капли. Дул слабый ветерок. Становилось прохладнее.

— Хочешь, возьми еще мое одеяло, Отто, — предложил я.

— Зачем, мне и так тепло.

— А он парень что надо, этот Жаффе! Как по-твоему?

— Парень что надо. И дельный, кажется.

— Наверняка.

Я вскочил на постели, очнувшись от беспокойного полусна. Холодное небо серело.

— Ты не спал, Отто.

— Спал.

Я выбрался из машины и подкрался по дорожке к окну. Ночник все еще горел. Я увидел, что Пат лежит с закрытыми глазами. На миг я испугался, что она умерла. Но потом заметил, как она шевельнула рукой. Она была очень бледна. Но кровь больше не шла. Вот она снова пошевелилась. В ту же секунду открыл глаза Жаффе, который спал на другой кровати. Я отскочил от окна. Он был начеку, и это меня успокаивало.

— Я думаю, нам лучше смыться отсюда, — сказал я Кестеру, — чтобы он не подумал, будто мы контролируем его действия.

— Там все в порядке? — спросил Отто.

— Да, насколько мне было видно. Со сном у профессора обстоит идеально. Такой и бровью не поведет при любом шквальном огне и немедленно встрепенется, стоит только мышке почесать зубы о его вещмешок.

— Можем пойти искупаться, — сказал Кестер. — Воздух здесь замечательный. — Он потянулся.

— Сходи один, — предложил я.

— Пойдем, придем вместе, — ответил он.

Серый купол неба прорвали оранжево-красные трещины. Густая завеса облаков на горизонте поползла вверх, обнажив полоску яркого бирюзового цвета.

Мы прыгнули в воду и поплыли. На серое море неровно ложились красные блики.

Потом мы пошли обратно. Фройляйн Мюллер была уже на ногах. Она срезала на огороде петрушку. Она вздрогнула, когда я к ней обратился. Я стал смущенно извиняться за то, что вчера оказался не в состоянии следить за своими выражениями. Она расплакалась.

— Бедная, бедная дама. Такая красивая и еще такая молодая.

— Она проживет сто лет! — сердито отрезал я в ответ на эту панихиду. Пат не умрет. Прохладное утро, ветер и столько радостной, оживленной морем жизни во мне — нет, Пат не может умереть. Она могла бы умереть только в том случае, если бы я утратил мужество. Вот Кестер, мой товарищ, вот я, товарищ Пат, — сначала должны умереть мы. А пока мы живы, мы ее вытянем. Так было всегда. Пока был жив Кестер, не мог умереть я. И пока живы мы оба, не может умереть Пат.

— Нужно покоряться судьбе, — сказала старая дева, придав своему сморщенному и коричневому, как печеное яблоко, лицу выражение упрека. Вероятно, она имела в виду мои проклятия.

— Покоряться? — сказал я. — Зачем? Какой в этом толк? В жизни за все нужно платить — двойную, а то и тройную цену. Зачем же при этом еще покоряться?

— Нет, нет... так все-таки лучше.

«Покоряться, — подумал я. — Что это изменит? Нет, бороться, бороться до конца — вот единственное, что остается человеку в этой свалке, в которой его все равно когда-нибудь растопчут. Бороться за то немногое, что любишь. А покориться не поздно и в семьдесят лет».

Кестер что-то неслышно сказал ей. Она улыбнулась ему в ответ и спросила его, что бы он хотел съесть на обед.

Эрих Мария Ремарк

— Вот видишь, — сказал Отто, — у старости тоже свои преимущества. Слезы и смех быстро сменяют друг друга. В момент. Не исключено, что и с нами такое будет, — задумчиво произнес он.

Мы слонялись с ним возле дома.

— Для нее теперь каждая минута сна все равно что лекарство, — сказал я.

Мы снова пошли в сад. Фройляйн Мюллер приготовила нам завтрак. Мы выпили горячего черного кофе. Взошло солнце. Сразу стало тепло. От яркого света влажные листья на деревьях брызнули искрами. С моря долетали крики чаек. Фройляйн Мюллер поставила в вазу на столе пышные розы.

— Это для нее, потом отнесем.

Розы пахли детством, оградой в саду...

— Знаешь, Отто, — сказал я, — у меня такое чувство, как будто я сам болел. Все-таки мы уже не те, что прежде. Мне надо было вести себя спокойнее, сдержаннее. Чем спокойнее держишься, тем больше можешь помочь человеку.

— Не всегда это получается, Робби. Со мной такое тоже бывало. Чем дольше живешь, тем хуже с нервами. Это как у банкира, который терпит все новые убытки.

Тут открылась дверь. Вышел Жаффе в пижаме.

— Все хорошо! Да хорошо же! — замахал он руками, увидев, что я чуть было не опрокинул стол с чашками кофе. — Все хорошо, насколько это возможно.

— Можно мне к ней войти?

— Пока нет. Теперь там служанка. Умываются и все такое.

Я налил ему кофе. Он прищурился на солнце и обратился к Кестеру:

— Собственно, я должен благодарить вас. Хоть на денек да выбрался на природу.

— Вы могли бы это делать чаще, — сказал Кестер. — Выезжать с вечера и возвращаться к вечеру следующего дня.

— Мочь-то мы многое можем... — ответил Жаффе. — Вы заметили, что мы живем в эпоху сплошного самотерзания? Что мы не делаем того, что можем, — не делаем, сами не зная почему. Работа стала для нас делом чудовищной важности. Она задавила все, потому что кругом так много безработных. Какая здесь красота! Я не видел всего этого уже несколько лет. У меня две машины, квартира из десяти комнат и достаточно денег. А что с того? Разве все это сравнится с таким вот летним утром в саду? Работа — это мрачная одержимость, которой мы предаемся с вечной иллюзией, будто живем так временно, а потом все изменится. И никогда ничего не меняется. Просто диву даешься, глядя на то, что человек делает из своей жизни!

— А я считаю, что как раз врачи — те немногие из людей, которые знают, зачем живут, — сказал я. — Что же тогда говорить какому-нибудь бухгалтеру?

— Дорогой друг, — возразил мне Жаффе, — неверно предполагать, будто все люди одинаково чутко устроены.

— Это правда, — сказал Кестер, — но ведь люди обрели свои профессии независимо от способности чувствовать.

— Тоже верно, — ответил Жаффе. — Это материя сложная. — Он кивнул мне: — Теперь можно. Только тихонько. Не прикасайтесь к ней и не давайте ей говорить...

* * *

Она лежала на подушках без сил, как побитая. Ее лицо изменилось: глубокие синие тени залегли под глазами, губы побелели. Только глаза оставались большими, блестящими. Даже слишком большими и слишком блестящими.

Я взял ее руку. Она была бледна и прохладна.

— Пат, дружище, — робея сказал я и хотел подсесть к ней, но тут я заметил у окна служанку с белым, как из теста, лицом. Она с любопытством смотрела на меня. — Вышли бы вы отсюда, — с досадой сказал я.

— Я должна задернуть шторы, — ответила она.

— Прекрасно, задергивайте и ступайте.

Она затянула окно желтыми шторами, но не вышла, а принялась не торопясь скреплять их булавками.

— Послушайте, — сказал я, — здесь вам не театр. Немедленно исчезайте!

Она неуклюже повернулась.

— То заколи, то не надо.

— Ты просила ее об этом? — спросил я Пат.

Она кивнула.

— Тебе больно смотреть на свет?

Она покачала головой:

— Сегодня мне лучше не показываться тебе при ярком свете...

— Пат, — вспомнил я, испугавшись, — тебе пока нельзя разговаривать! Но если дело только в этом...

Я открыл дверь, и служанка наконец исчезла. Я вернулся к постели. Моя робость прошла. Я даже был благодарен служанке. Она помогла мне справиться с первыми впечатлениями. Было все-таки ужасно видеть Пат в таком состоянии.

Я сел на стул рядом с кроватью.

— Пат, — сказал я, — скоро ты опять будешь здорова...

Ее губы дрогнули:

— Завтра уже...

— Завтра еще нет, но через несколько дней. Тогда тебе можно будет вставать, и мы поедем домой. Не следовало нам ехать сюда, тут слишком сырой воздух, для тебя это вредно.

— Нет, нет, — прошептала она, — ведь я не больна. Это просто какой-то несчастный случай...

Я посмотрел на нее. Неужели она и вправду не знала, что больна? Или не хотела знать? Глаза ее как-то беспокойно бегали.

— Ты не должен бояться... — сказала она шепотом.

Я не сразу понял, что она имеет в виду и почему так важно, чтобы именно я не боялся. Я видел только, что она взволнована. В ее глазах была мука и какая-то странная, упорная мысль. И вдруг до меня дошло. Я догадался, о чем она думала. Ей казалось, что я боюсь от нее заразиться.

— Боже мой, Пат, — сказал я, — так ты поэтому никогда мне ничего не говорила?

Она не ответила, но я видел, что прав.

— Черт возьми, — сказал я, — за кого же ты меня, собственно, принимаешь?

Я склонился к ней.

— Лежи спокойно, не шевелись... — Я поцеловал ее в губы. Они были сухие, горячие.

Выпрямившись, я увидел, что она плачет. Она плакала беззвучно; из широко раскрытых глаз непрерывно текли слезы, а лицо оставалось неподвижным.

— Ради Бога, Пат...

— Ведь это от счастья, — прошептала она.

Я стоял и смотрел на нее. Она произнесла простые слова. Но никогда еще я их не слыхал. У меня бывали женщины, но встречи с ними всегда были мимолетными — так, легкие приключения, не больше, какая-нибудь безумная вспышка на час, необыкновенный вечер, бегство от самого себя, от отчаяния, от пустоты. Да я и не искал ничего другого, ибо знал, что полагаться можно только на себя самого, в лучшем случае — на товарища. И вдруг я увидел, что могу значить что-то для другого человека и что он счастлив только оттого, что я рядом. Сами по себе такие слова звучат простовато, но когда вдумаешься в них, начинаешь понимать, что за ними целая бесконечность. И тогда это может поднять настоящую бурю в душе человека и совершенно преобразить его. Это любовь и в то же время что-то совсем другое. Что-то такое, ради чего стоит жить. Мужчина не может жить для любви. Но жить для другого человека он может.

Мне хотелось сказать ей что-нибудь, но я не мог ничего сказать. Трудно для этого подобрать слова. И даже если нужные слова приходят, то как-то стыдно произнести их вслух. Ведь все эти слова принадлежат прошлым столетиям. Наше время еще не нашло слов для выражения своих чувств. По-настоящему оно умеет быть только развязным, а все остальное — подделка.

— Пат, — сказал я, — храбрый дружище...

В эту минуту вошел Жаффе. Он сразу понял все.

— Успехи великолепны, куда там! — заворчал он. — Так я и думал.

Я хотел ему возразить, но он решительно выставил меня вон.

XVII

Недели через две Пат окрепла настолько, что мы могли пуститься в обратный путь. Упаковав чемоданы, мы стали ждать Готфрида Ленца. Он должен был отогнать машину назад. Мы с Пат собирались поехать поездом.

День был теплый, как парное молоко. В небе недвижно висели ватные облака, горячий воздух томился над дюнами, море плавилось, как свинец, в светлой мерцающей дымке.

Готфрид явился после обеда. Еще издалека я завидел его соломенную шевелюру над планками заборов. И только когда он свернул в тупик, ведущий к вилле фройляйн Мюллер, я заметил, что он был не один; рядом с ним красовалось что-то вроде манекена автогонщика в миниатюре: огромная клетчатая кепка, надетая козырьком назад, массивные защитные очки, белый комбинезон и громадные, отливающие рубином уши.

— Господи, да ведь это Юпп! — ахнул я.

— Собственной персоной, господин Локамп! — ухмыльнулся Юпп.

— И в полном наряде! Что это с тобой?

— Сам видишь, — бодрым тоном произнес Ленц, тряся мою руку. — Готовится стать гонщиком. Восьмой день берет у меня уроки. Вот, умолил и сегодня взять его с собой. Подходящий случай для первой дальней поездки.

— Осилю я это дело, господин Локамп, вот увидите! — пылко заверил Юпп.

— Еще как осилит! — усмехнулся Готфрид. — Такого одержимого манией преследования я еще в жизни не видел. В первый же день он попытался обогнать на нашей развалюхе такси «мерседес» с компрессором. Носится, дьяволенок, как угорелый!

Юпп, сразу взмокший от счастья, смотрел на Ленца с обожанием.

— Думал, сделаю я этого пижона, господин Ленц! На повороте, как господин Кестер.

Я засмеялся.

— Хорошо начинаешь, Юпп.

Готфрид с отцовской нежностью взирал сверху вниз на своего питомца.

— Сначала сделай-ка так, чтобы чемоданы оказались на вокзале.

— Как, я один? — Юпп чуть не лопнул от волнения. — Так я один могу поехать на вокзал, господин Ленц, а?

Готфрид кивнул, и Юпп стремглав бросился в дом.

Мы сдали багаж. Затем вернулись за Пат и снова поехали на вокзал. До отправления поезда оставалось еще с четверть часа. Перрон был пуст, если не считать нескольких бидонов с молоком.

— Поезжайте, — сказал я. — А то доберетесь домой слишком поздно.

Юпп, сидевший за рулем, обиженно посмотрел на меня.

— Не нравятся тебе такие намеки, а? — спросил его Ленц.

— Господин Локамп, — повернулся ко мне Юпп, — у меня все рассчитано. Мы будем в мастерской ровно в восемь.

— Как в аптеке! — похлопал Ленц его по плечу. — Заключи с ним пари, Юпп. На бутылку сельтерской.

— На кой мне сельтерская? — возразил Юпп. — Может, на пачку сигарет? Готов рискнуть. — И он с вызовом посмотрел на меня.

— А ты знаешь, что дорога местами довольно неважная? — спросил я.

— Все учтено, господин Локамп!

— И многочисленные повороты?

— А что повороты? У меня нет нервов.

— Что ж, Юпп, — сказал я серьезно. — В таком случае заключаем пари. Но только при условии, что господин Ленц за руль не садится.

Юпп прижал руку к сердцу.

— Честное слово!

— Ладно уж. Но что это ты так судорожно сжимаешь в руке?

— Секундомер. Буду по дороге засекать время. Надо же знать, на что способна эта колымага.

— М-да, детка, — усмехнулся Ленц. — Юпп оснащен по первому классу. Похоже, наш старый бравый «ситроен» уже трясется от страха всеми своими поршнями.

Юпп пропустил иронию мимо ушей. Он, волнуясь, теребил свою кепку.

— Ну так, может, поедем, господин Ленц, а? Пари есть пари.

— Ну конечно, моторчик! До свидания, Пат! Пока, Робби! — Готфрид, согнувшись в три погибели, залез в машину. — Ну, Юпп, а теперь покажи даме, как стартует истинный рыцарь и будущий чемпион мира!

Юпп надвинул очки на глаза, помахал нам, как бывалый гонщик, и, включив первую скорость, лихо рванул по булыжнику площади в сторону шоссейной дороги.

Мы с Пат посидели еще немного на скамье перед вокзалом. Жаркое белое солнце распласталось на деревянной ограде перед платформой. Пахло смолой и солью. Пат сидела с закрытыми глазами, не шевелясь, запрокинув голову, подставив лицо солнцу.

— Устала? — спросил я.

Она покачала головой:

— Нет, Робби.

— А вот и поезд, — сказал я.

Паровоз выглядел как маленький черный жук на фоне бескрайней, подернутой дымкой дали. Наконец он, пыхтя, подошел к вокзалу. Мы сели в вагон, в котором было почти пусто. Вздохнув, поезд тронулся. Дым от паровоза, густой и черный, повис в воздухе. За окном медленно поплыл знакомый ландшафт — деревня с коричневыми соломенными крышами, луга с коровами и лошадьми, лес, а за ним и уткнувшийся носом в дюны, безмятежный и сонный домик фройляйн Мюллер.

Пат смотрела в окно, стоя рядом со мной. На повороте линия приблизилась к дому настолько, что можно было отчетливо различить окна нашей комнаты. Они были распахнуты, а с подоконников свисало постельное белье, ярко белея на солнце.

— А вон и фройляйн Мюллер! — сказала Пат.

— Да, в самом деле.

Фройляйн Мюллер стояла у дверей своего дома и махала рукой. Пат достала носовой платок, и он затрепетал на ветру.

— Она не видит, — сказал я, — платок слишком уж мал и тонок. На тебе мой.

Пат взяла мой платок и стала размахивать им. Фройляйн Мюллер энергично замахала в ответ.

Постепенно поезд втянулся в поля. Домик скрылся, отступили и дюны. За черной полосой леса еще мелькало поблескивающее на солнце море. Оно мигало, как усталый, но настороженный глаз. Потом потянулось уже только одно сплошное роскошное золото полей, мягкий ветер убегал по желто-зеленым колосьям к самому горизонту.

Пат отдала мне платок и села в угол купе. Я поднял окно. «Кончено! — подумал я. — Слава Богу, все кончено! Все это был только сон! Проклятое, дурное наваждение...»

Эрих Мария Ремарк

Около шести мы прибыли в город. Я взял такси и погрузил в него чемоданы. И мы поехали к Пат.

— Ты поднимешься со мной? — спросила она.

— Конечно.

Я проводил ее до двери квартиры, потом спустился, чтобы вместе с шофером принести чемоданы. Когда я вернулся, Пат все еще стояла в передней. Она разговаривала с подполковником фон Хаке и его женой.

Мы вошли к ней в комнату. Был светлый ранний вечер. На столе стояла стеклянная ваза с красными розами. Пат подошла к окну и выглянула на улицу. Потом обернулась ко мне.

— Сколько же мы были в отъезде, Робби?

— Ровно восемнадцать дней.

— Восемнадцать дней? А мне кажется, что намного больше.

— И мне тоже. Но так бывает всегда, когда выбираешься из города.

Она покачала головой:

— Нет, я не об этом...

Она открыла дверь на балкон и вышла. Там, прислоненный к стене, стоял белый шезлонг. Притянув его к себе, она стала его молча разглядывать.

Когда она вернулась в комнату, у нее было другое лицо, и глаза потемнели.

— Ты только посмотри, какие розы, — сказал я. — Это от Кестера. Здесь и его визитная карточка.

Пат взяла карточку в руки, а потом снова положила ее на стол. Она взглянула и на розы, но я понял, что она их не видит. Мысли ее были там, возле шезлонга. Она так надеялась, что навсегда избавилась от него, а теперь он, возможно, снова должен был стать частью ее жизни.

Я не стал ей мешать и ничего больше не сказал. Не стоило ее отвлекать. Она должна была сама справиться со всем этим, и будет лучше, если это произойдет теперь, пока я еще здесь. Конечно, можно было бы сейчас отвлечь ее каким-нибудь длинным разговором, но потом это настроение все равно прорвется и, возможно, доставит еще больше муки.

Она стояла около стола, упершись в него руками и опустив глаза. Потом подняла голову и взглянула на меня. Я молчал. Она медленно обошла вокруг стола и положила мне руки на плечи.

— Дружище ты мой, — сказал я.

Она прильнула ко мне, и я ее обнял.

— Теперь мы возьмемся за это дело всерьез, а?

Она кивнула и откинула волосы назад.

— Да, конечно. Просто что-то вдруг прорвалось...

— Ничего, пройдет.

В дверь постучали. Горничная вкатила чайный столик.

— Вот это хорошо, — сказала Пат.

— Хочешь чаю? — спросил я.

— Нет, кофе. Настоящего крепкого кофе.

Я оставался у нее еще с полчаса. Потом она явно устала. Я видел это по ее глазам.

— Тебе надо немного поспать, — предложил я.

— А ты?

— Пойду домой и тоже немного посплю. А потом зайду за тобой, часа через два, и пойдем ужинать.

— Ты устал? — спросила она с сомнением.

— Немного. В поезде было жарко. А потом мне еще надо будет заглянуть в мастерскую.

Она больше ни о чем не спрашивала. Усталость ее буквально сразила. Я отнес ее в постель, укрыл одеялом. Она мгновенно уснула. Я поставил рядом с ней розы и прислонил к ним карточку Кестера, чтобы ей думалось о приятном, сразу как проснется. Потом я ушел.

По дороге я задержался у телефона-автомата. Решил сразу же позвонить Жаффе. Сделать это из дома было бы затруднительно. Нужно было считаться с тем, что у нас подслушивает весь пансион.

Я снял трубку и назвал номер клиники. Спустя минуту к аппарату подошел Жаффе.

Эрих Мария Ремарк

— Говорит Локамп, — сказал я, откашлявшись. — Мы сегодня вернулись. Около часа назад.

— На машине приехали? — спросил Жаффе.

— Нет, поездом.

— Хорошо. Ну и как дела?

— Неплохо, — сказал я.

Он ненадолго задумался.

— Вот что. Я обследую фройляйн Хольман завтра утром. В одиннадцать. Вы сможете ей это передать?

— Нет, — ответил я. — Я бы не хотел, чтобы она знала о нашем с вами разговоре. Завтра утром она наверняка позвонит вам сама. Может, вы тогда ей и скажете?

— Хорошо. Сделаем так. Я ей скажу.

Я машинально сдвинул толстую и замусоленную телефонную книгу. Она лежала на небольшой деревянной полке. Все пространство над ней было испещрено карандашными записями телефонных номеров.

— Можно мне тогда зайти к вам завтра днем? — спросил я. Жаффе не отвечал. — Я бы очень хотел знать, как она, — сказал я.

— Завтра я вам этого не скажу, — ответил Жаффе. — Я должен понаблюдать ее хотя бы неделю. А потом я сам вас извещу.

— Спасибо. — Полка приковала к себе мое внимание. На ней было что-то нарисовано. Толстушка в соломенной шляпке. А внизу было написано: «Элла — свинья». — А должна ли она теперь делать какие-нибудь процедуры? — спросил я.

— Об этом я смогу судить завтра. Но как мне кажется, дома ей обеспечен хороший уход.

— Не знаю. Я слышал, что ее соседи на той неделе собираются уезжать. Тогда она останется, по сути, одна, при ней будет только горничная.

— Ах так? Что ж, завтра поговорю с ней и об этом.

Я снова задвинул рисунок на полке телефонной книгой.

— А вы полагаете, что она... что такой приступ может повториться?

Жаффе помедлил с ответом.

— Возможно, конечно, — сказал он потом, — но маловероятно. Однако за это я могу поручиться лишь после обследования. Я позвоню вам.

— Спасибо.

Я повесил трубку. Вышел и постоял еще в растерянности около будки. Было пыльно и душно. Потом я пошел домой.

В дверях я столкнулся с фрау Залевски. Она, как пушечное ядро, вылетела из комнаты фрау Бендер. Увидев меня, остановилась.

— Что? Уже вернулись?

— Как видите. Есть новости?

— Для вас ничего. И почты никакой. Но вот фрау Бендер выехала.

— Да? Почему же?

Фрау Залевски приняла стойку «руки в боки».

— Потому что кругом одни негодяи. Ее подобрал христианский дом призрения. Вместе с кошкой и двадцатью шестью марками состояния.

И она поведала, что приют, в котором фрау Бендер присматривала за младенцами, закрылся. Возглавлявший его пастор погорел на биржевых спекуляциях. Фрау Бендер была уволена и даже не получила жалованья за два месяца.

— Ну и как, нашла она себе что-нибудь новенькое? — брякнул я, не подумав.

Фрау Залевски только выразительно на меня посмотрела.

— Ну да, где уж там, — сказал я.

— Я ей говорю: оставайтесь, заплатите, когда сможете. Но она не захотела.

— Кто беден, тот чаще всего и честен, — сказал я. — А кто будет жить в ее комнате?

— Супруги Хассе. Эта комната дешевле, чем та, в которой они жили.

— А что будет с ней?

Она пожала плечами:

— Посмотрим. На новых жильцов теперь рассчитывать особенно не приходится.

— Когда она освободится?

— Завтра. Хассе уже переезжают.

— А сколько эта комната стоит? — спросил я. Мне вдруг пришла в голову одна идея.

— Семьдесят марок.

— Слишком дорого, — сказал я, уже настроившись на бдительный лад.

— Это с чашкой-то кофе по утрам, двумя булочками да изрядной порцией масла?

— Тем более дорого. Кофе в исполнении Фриды можете сократить. Итого, пятьдесят, и ни пфеннига больше.

— А вы что, хотите ее снять? — спросила фрау Залевски.

— Может быть.

Я прошел к себе в комнату, где в задумчивости уставился на дверь, соединявшую ее с комнатой Хассе. Пат в пансионе фрау Залевски! Нет, это трудно себе представить! И все же я, поразмыслив, вышел в коридор и постучал в соседнюю дверь.

Фрау Хассе была дома. Она сидела в полупустой комнате перед зеркалом и пудрилась, не снимая шляпы.

Я поздоровался, окинув комнату взглядом. Она оказалась больше, чем я думал. Теперь, когда мебель наполовину вынесли, это особенно бросалось в глаза. Монотонные светлые обои были довольно новыми, двери и оконные переплеты выкрашены недавно, к тому же имелся весьма обширный и красивый балкон.

— Вы уже слышали, что он опять отмочил? — встретила меня фрау Хассе. — Я должна перебираться в комнату этой особы! Какой позор!

— Позор? — удивился я.

— Да, позор! — прорвало ее. — Вы ведь знаете, что мы с ней не выносили друг друга, а теперь Хассе заставляет меня жить в ее комнате, да еще без балкона, с единственным окошком! Только потому, что это дешевле! Можете себе вообразить, как она там торжествует в своем приюте?

— Ну, не думаю, чтобы она торжествовала.

— Еще как торжествует, эта якобы нянечка, эта тихоня, на которой пробы ставить негде! Да еще рядом эта девица Эрна Бениг! И кошками пахнет!

Я был ошарашен. Тихоня, на которой негде ставить пробы? Каким свежим и сочным становится у людей язык, когда они бранятся, как однообразны и стерты выражения любви и сколь, напротив того, богата палитра ругательств!

— Кошки — чистоплотные, красивые твари, — сказал я. — Кстати, я только что заходил в ту комнату. Там вовсе не пахнет кошками.

— Да? — враждебно зыркнула на меня фрау Хассе и поправила шляпку. — В таком случае это вопрос обоняния. Но я и пальцем не шевельну для этого переезда. Пусть сам перетаскивает всю мебель! А я отправляюсь на прогулку! Могу я себе хоть что-то позволить в этой собачьей жизни?

Она встала. Ее расплывшееся лицо тряслось от ярости так, что с него сыпалась пудра. Я заметил, что она ярко намалевала губы и вообще расфуфырилась до предела. Меня обдало как из парфюмерной лавки, когда она с шумом прошла мимо.

Я озадаченно посмотрел ей вслед. Потом еще раз внимательно оглядел комнату, обдумывая, куда бы поставить вещи Пат. Но вскоре я отбросил эти мечты. Пат здесь, постоянно, рядом со мной — нет, это невообразимо! Да мне бы и в голову никогда не пришла такая мысль, если б она была здорова. Теперь же — как знать... Я отворил дверь на балкон, измерив его глазами. Но потом покачал головой и вернулся к себе в комнату.

Она еще спала, когда я вошел. Я потихоньку сел в кресло рядом с кроватью, но Пат сразу проснулась.

— Жаль, что я тебя разбудил, — сказал я.

— Ты все время был здесь? — спросила она.

— Нет. Только сейчас вернулся.

Она потянулась и прижалась лицом к моей руке.

— Это хорошо. Не люблю, чтобы на меня смотрели, когда я сплю.

— Понимаю. Я тоже не люблю. Да я и не думал смотреть на тебя. Я только не хотел тебя будить. Ты не хочешь поспать еще немного?

— Нет, я выспалась. Сейчас встану.

Я перешел в соседнюю комнату, давая ей возможность одеться.

За окном постепенно темнело. Из открытого окна в доме напротив доносились квакающие звуки военного марша. У граммофона сидел мужчина с лысиной и в подтяжках. Вот он встал и принялся расхаживать по комнате, делая в такт музыке разные упражнения. Его лысина металась в полумраке, как беспокойная луна. Я равнодушно наблюдал за ним, испытывая чувство пустоты и печали.

Вошла Пат. Выглядела она чудесно — свежо, без малейших следов усталости.

— Ты блестяще выглядишь, — сказал я, опешив.

— Я и чувствую себя хорошо, Робби. Как будто проспала целую ночь. У меня часто бывают такие перемены состояния.

— В самом деле! Иной раз они случаются так быстро, что не успеваешь уследить.

Она прислонилась к моему плечу и посмотрела на меня.

— Значит, слишком быстро, Робби?

— Нет. Это я слишком медлителен. Я медлительный человек, Пат.

Она улыбнулась.

— Что медленно, то прочно. А что прочно, то всегда хорошо.

— Да уж я прочен — как пробка на воде, — сказал я.

Она покачала головой.

— Ты вообще совсем другой, чем думаешь. Ты гораздо прочнее, чем тебе кажется. Я мало встречала в жизни людей, которые настолько заблуждались бы на собственный счет, как ты.

Я снял руки с ее плеч.

— Да-да, милый, это и в самом деле так, — сказала она, кивая в такт своим словам головой. — Ну а теперь идем, отправимся куда-нибудь ужинать.

— Куда же мы пойдем? — спросил я.

— К Альфонсу. Мне надо все это снова увидеть. У меня такое чувство, как будто меня не было вечность.

— Хорошо! — сказал я. — А аппетит у тебя подходящий? К Альфонсу нельзя являться сытым. Вышвырнет вон.

Она рассмеялась.

— Аппетит у меня чудовищный.

— Тогда вперед! — Настроение у меня вдруг поднялось.

Наше появление у Альфонса было триумфальным. Поздоровавшись с нами, он тут же исчез и вскоре вышел в белом воротничке и белой бабочке в зеленую крапинку. Этого он не сделал бы и ради германского кайзера. Он и сам слегка растерялся от столь неслыханных признаков декаданса.

— Итак, Альфонс, чем вы нас порадуете сегодня? — спросила Пат, положив руки на стол.

Альфонс осклабился, выпятив губы, и прищурил глаза.

— Вам повезло! Сегодня есть раки!

Он отступил на шаг, чтобы полюбоваться произведенным эффектом. Мы были восхищены.

— А к ним да по стаканчику молодого мозельского вина! — восторженно прошептал он и снова отступил на шаг. Ответом были бурные аплодисменты, странным образом подхваченные и в дверях. В них вырос ухмыляющийся последний романтик со своим буйным соломенным чубом и облупившимся на солнце носом. —

Эрих Мария Ремарк

Готфрид? — вскричал Альфонс. — Это ты? Лично? Нет, ну что за день! Дай прижать тебя к груди!

— Сейчас будет зрелище, — шепнул я Пат.

Они бросились друг другу в объятия. Альфонс хлопал Ленца по спине так, что звон стоял, будто в кузнице.

— Ганс, — крикнул он затем кельнеру, — тащи сюда «Наполеон»!

Он поволок Готфрида к стойке. Кельнер принес большую бутылку, покрытую пылью. Альфонс доверху наполнил две рюмки.

— Будь здоров, Готфрид, отбивная ты несоленая!

— Будь здоров, Альфонс, каторжная ты морда!

Оба залпом опрокинули свои рюмки.

— Первый класс! — сказал Готфрид. — Коньяк для мадонн!

— Даже стыдно эдак-то его глушить, — подтвердил Альфонс. — Но разве будешь цедить, когда рад! Давай-ка хлопнем еще по одной!

Он разлил коньяк и поднял рюмку.

— За тебя, помидорчик ты мой прокисший!

Ленц засмеялся.

— За тебя, разлюбезный ты мой старикашка Альфонс!

Глаза Альфонса увлажнились.

— Еще по одной! — сказал он с чувством.

— Всегда готов! — Ленц подставил ему свою рюмку. — От коньяка я отказываюсь только в том случае, когда голову не могу оторвать от половицы!

— Вот это по-нашему! — Альфонс налил по третьей.

Отдуваясь, Ленц вернулся к столу. Он вынул свои часы.

— Без десяти восемь «ситроен» был уже в мастерской. Что вы на это скажете?

— Рекорд, — ответила Пат. — Да здравствует Юпп! Я тоже жертвую ему пачку сигарет.

— А ты получишь лишнюю порцию раков! — заявил Альфонс, не отступавший ни на шаг от Готфрида. Потом он вручил нам салфетки величиной со скатерть. —

Снимите свои пиджаки и повяжите себе вот это вокруг шеи. Ведь дама позволит, не правда ли?

— Считаю это даже необходимым, — сказала Пат.

Альфонс обрадованно кивнул головой:

— Вы разумная женщина, я так и знал. Раков нужно вкушать со всеми удобствами. Не опасаясь испачкаться. — Он расплылся в улыбке. — А вы получите, конечно, кое-что поэлегантнее.

Кельнер Ганс принес белоснежный кухонный халат. Альфонс развернул его и помог Пат облачиться.

— Вам идет! — с похвалой отозвался он.

— Крепко, — засмеялась она в ответ.

— Рад, что вы это помните, — благодушно заметил Альфонс. — Просто согревает сердце.

— Альфонс! — Готфрид повязал салфетку так, что концы ее торчали далеко в стороны. — Пока что это напоминает парикмахерскую.

— Сейчас все пойдет как надо. Но сначала немного искусства.

Альфонс подошел к патефону. Вскоре грянул хор пилигримов из «Тангейзера». Мы слушали в тишине.

Едва отзвучали последние звуки, как отворилась дверь из кухни и кельнер Ганс внес дымящуюся миску величиной с детскую ванну. Она была полна раков. Он, пыхтя, поставил ее на стол.

— Принеси-ка и мне салфетку, — сказал Альфонс.

— Ты будешь есть с нами, голубчик? — воскликнул Ленц. — Какая честь!

— Если дама ничего не имеет против.

— Напротив, Альфонс!

Пат отодвинула свой стул, и он занял место рядом с ней.

— Вам же хорошо, что я с вами, — сказал он, слегка смущаясь. — Дело в том, что я приноровился довольно ловко разделывать раков, а для дам это скучное занятие.

Он запустил руку в миску и стал с необычайной скоростью разделывать для нее рака. Он управлялся своими огромными ручищами элегантно и ловко, а Пат оставалось только брать с вилки протянутые ей аппетитные куски.

— Вкусно? — спросил он.

— Изумительно! — Она подняла свой бокал. — Ваше здоровье, Альфонс!

Альфонс торжественно чокнулся с ней и медленно выпил свой бокал. Я посмотрел на нее. Я бы предпочел, чтобы она пила что-нибудь безалкогольное. Она почувствовала мой взгляд.

— Салют, Робби! — сказала она.

Она была на редкость красива и вся светилась радостью.

— Салют, Пат! — сказал я и выпил свой бокал.

— Разве здесь не прекрасно? — спросила она, все еще глядя на меня.

— Здесь чудесно! — Я снова наполнил свой бокал. — Твое здоровье, Пат!

Лицо ее осветилось еще больше.

— Твое здоровье, Робби! Ваше здоровье, Готфрид!

Мы выпили.

— Хорошее винцо, — сказал Ленц.

— «Атсберг» урожая прошлого года, — объяснил Альфонс. — Рад, что ты его оценил!

Он взял из миски второго рака и протянул Пат вскрытую им клешню. Она запротестовала.

— Этого вы должны съесть сами, Альфонс. Иначе вам ничего не достанется.

— Еще успею. Я ведь управляюсь быстрее других.

— Ну хорошо. — Она взяла клешню. Альфонс таял от удовольствия, продолжая угощать ее. Это выглядело так, будто огромный старый сыч кормил в гнезде маленького белого птенчика.

Напоследок мы все выпили по рюмке «Наполеона» и стали прощаться с Альфонсом. Пат была счастлива.

— Все было чудесно! — сказала она. — Я вам так благодарна, Альфонс. Все было замечательно! Правда!

Она протянула ему руку. Альфонс, что-то мыча, руку поцеловал. У опешившего Ленца глаза полезли на лоб.

— Заглядывайте! — сказал Альфонс. — И ты, Готфрид!

На улице под фонарем стоял наш маленький, всеми брошенный «ситроен».

— О! — невольно вырвалось у Пат, и она остановилась. По лицу ее пробежала тень.

— После сегодняшнего достижения я окрестил его «Геркулесом»! — сказал Ленц и распахнул дверцу. — Отвезти вас домой?

— Нет, — сказала Пат.

— Так я и думал. Куда же?

— В бар. Или ты не хочешь, Робби? — обернулась она ко мне.

— Конечно, — сказал я. — Конечно, зайдем еще в бар.

Мы не спеша поехали по улицам. Было тепло и ясно.

За столиками у кафе сидели люди. Слышалась музыка. Пат сидела рядом со мной. Мне вдруг показалось непостижимым, что она может быть больна, и хотя меня бросало в жар от одной этой мысли, я отказывался в это верить...

В баре мы застали Фердинанда и Валентина. Фердинанд был в ударе. Он вскочил и бросился Пат навстречу.

— Диана, — воскликнул он, — возвращающаяся с охоты!

Она улыбнулась. Он обнял ее за плечи.

— Смуглая храбрая амазонка с серебряным луком! Что же мы будем пить?

Готфрид отстранил руку Фердинанда.

— Люди патетические всегда не в ладах с тактом, — произнес он. — Дама прибыла в сопровождении двух кавалеров. Ты этого, кажется, не заметил, старый бизон?

— Романтики всю жизнь составляют не сопровождение, а свиту, — непоколебимо парировал Грау.

Ленц ухмыльнулся и обратился к Пат:

— Предлагаю вашему вниманию нечто особенное. Коктейль «Колибри», бразильский рецепт.

Эрих Мария Ремарк

Он прошел к стойке бара, намешал там всякой всячины и затем вернулся с коктейлем к столу.

— Ну, каков он на вкус? — спросил он.

— Что-то жидковат для Бразилии, — ответила Пат. Готфрид засмеялся.

— А ведь крепкий! На роме и водке.

Я сразу понял, что там нет ни рома, ни водки — фруктовый сок, лимонный, томатный и, может быть, несколько капель «Ангостуры». Коктейль совершенно безалкогольный. Но Пат, к счастью, этого не заметила.

Ей дали подряд три «Колибри», и я видел, насколько ей приятно, что с ней не обращаются как с больной. Через час все мы вышли, в баре остался один Валентин. И об этом позаботился Ленц. Он затащил Фердинанда в «ситроен» и уехал с ним. Так что у Пат не могло возникнуть чувства, будто мы уходим раньше других. Все это было очень трогательно, и все-таки на какое-то время у меня стало так тяжело на душе, хоть вой.

Пат взяла меня под руку. Она шла рядом со мной грациозно и плавно, как всегда, я ощущал тепло ее руки, видел, как по оживленному лицу скользят блики от фонарей, — и, убей бог, не мог себе реально представить, что она больна, днем я это мог еще допустить, но вечерами, когда жизнь становится более нежной и теплой, исполненной обещаний...

— Зайдем еще ко мне? — предложил я.

Она кивнула.

В коридоре нашего пансиона горел свет.

— Черт побери! — сказал я. — Что там еще случилось? Подожди-ка минутку.

Я открыл дверь и заглянул в коридор. Он был пуст, но освещен, как узкая улочка ночью в предместье. Дверь в комнату фрау Бендер была распахнута настежь, и там тоже горел свет. Переднюю, как маленький черный муравей, пересек Хассе, сгибаясь под тяжестью торшера с абажуром из розового шелка. Он переезжал.

— Добрый вечер, — произнес я. — Переезд затянулся?

Он приподнял свое бледное личико с жиденькой щеточкой усов.

— Я всего час как вернулся из конторы. А другого времени на это у меня нет.

— А что, вашей жены нет дома?

Он покачал головой:

— Она у подруги. Слава Богу, у нее теперь есть подруга, с которой она проводит много времени.

Он простодушно улыбнулся и, довольный, потопал дальше. Я впустил Пат.

— Свет не будем зажигать, ладно? — спросил я, когда мы достигли моей комнаты.

— Нет, милый, зажги. На короткое время, а потом снова выключишь.

— Ты ненасытный человек, — сказал я, включив свет. Яркая лампа озарила все багрово-плюшевое великолепие моей комнаты. Я поторопился снова выключить свет.

От деревьев за открытым окном тянуло свежим ночным воздухом, как из леса.

— Хорошо-то как! — сказала Пат, забираясь на подоконник.

— Тебе здесь правда нравится?

— Да, Робби. Здесь летом как в большом парке. Великолепно.

— А ты никогда не обращала внимания на эту комнату, что рядом с моей?

— Нет, а с какой стати?

— Вот этот большой роскошный балкон слева относится к ней. Он со всех сторон закрыт, а напротив нет дома. Если бы ты жила в этой комнате, то могла бы даже без купальника принимать свои солнечные ванны.

— Ну да, если бы я здесь жила...

— Ты можешь здесь поселиться, — просто сказал я. — Как ты видела, комната освобождается.

Она посмотрела на меня и улыбнулась:

— Думаешь, это было бы хорошо для нас? Постоянно быть вместе? На виду друг у друга весь день?

— Мы вовсе не были бы на виду друг у друга весь день, — возразил я. — Ведь днем меня здесь не бывает. Да и вечером часто тоже. Но если бы мы наконец соединились, нам не нужно было бы вечно торчать в кафе и каждый раз так быстро расставаться друг с другом, как будто мы в гостях.

Пат устроилась поудобнее.

— Милый, ты говоришь так, как будто ты все уже обдумал.

— Так и есть, — сказал я. — Я думаю об этом весь вечер.

Она выпрямилась.

— Ты это серьезно, Робби?

— Да, черт побери, — сказал я. — А ты все еще сомневаешься?

Она немного помолчала.

— Робби, — сказала она потом, голос ее прозвучал заметно глуше, чем прежде, — а почему ты заговорил об этом именно сейчас?

— Я заговорил об этом сейчас, — сказал я, замечая, что не могу скрыть волнение, а волновался я потому, что чувствовал: речь у нас идет о гораздо большем, чем комната, — я заговорил потому, что за последние недели мог убедиться, какое это чудо — быть вместе. Я не могу их больше выносить, эти почасовые встречи! Я хочу больше получать от тебя! Я хочу, чтобы ты постоянно была со мной, мне надоели эти хитроумные прятки любви, они мне противны, они мне не нужны, мне нужна ты, ты и только ты, мне никогда не хватит тебя, и я не хочу обходиться без тебя и минуты.

Я слышал ее дыхание. Она сидела в углу подоконника, обхватив колени руками, и молчала. За деревьями медленно карабкался вверх красный лучик рекламы, осыпая матовым сиянием ее светлеющие в темноте плечи, а затем и юбку, и руки.

— Конечно, ты можешь надо мной смеяться, — сказал я.

— Смеяться? — удивилась она.

— Ну да, потому что я все повторяю: я хочу. Ты ведь тоже в конце концов должна хотеть.

Она подняла глаза.

— Знаешь, Робби, а ты изменился.

— Да?

— Изменился. Это видно из твоих же слов. Ты теперь говоришь: я хочу. Не спрашиваешь так много, как раньше. А просто хочешь.

— Ну, это не так много значит. Ты ведь всегда можешь сказать «нет», сколько бы я ни хотел.

Она внезапно наклонилась ко мне.

— Почему же я должна говорить «нет», — произнесла она нежным, дрогнувшим голосом, — если я тоже хочу?

Я, как-то вдруг опешив, обнял ее за плечи. Ее волосы коснулись моего лица.

— Это правда, Пат?

— Ну конечно, милый.

— Черт возьми, — сказал я, — а я представлял себе все это гораздо сложнее.

Она покачала головой.

— Ну что ты, ведь все зависит только от тебя, Робби...

— Я теперь и сам почти верю в это, — растерянно произнес я.

Она обхватила мою шею рукой.

— Иногда так славно ни о чем не думать. Не решать все самой. Иметь опору. Ах, милый, все это, в сущности, очень просто — не нужно только самим осложнять себе жизнь.

Я на миг стиснул зубы. И это говорит она!

— Верно, — сказал я. — Верно, Пат.

И совсем это было не верно.

Мы постояли еще немного у окна.

— Вещи твои перевезем все до единой. Ты ни в чем не будешь нуждаться, — сказал я. — Заведем себе даже чайный столик. Фрида его освоит.

Эрих Мария Ремарк

— Чайный столик у нас уже есть, милый. Ведь это мой.

— Тем лучше. В таком случае завтра же начну тренировать Фриду.

Она прильнула головой к моему плечу. Я почувствовал, что она устала.

— Проводить тебя домой? — спросил я.

— Сейчас. Прилягу только немного.

Она лежала на постели спокойно и молча, как будто спала. Но глаза ее были открыты, и порой в них пробегал отблеск рекламы, скользившей по потолку и стенам наподобие северного сияния. За окном все стихло. Только в квартире временами было слышно, как Хассе возится с остатками своих надежд, своего брака и своей жизни.

— Оставайся сразу здесь, — сказал я.

Она приподнялась на постели.

— Только не сегодня, милый...

— А мне бы хотелось, чтобы ты осталась...

— Завтра...

Она встала и бесшумно прошлась по темной комнате. Я вспомнил о том дне, когда она осталась у меня впервые. Тогда она вот так же бесшумно бродила по комнате и одевалась в серых сумерках рассвета. Не знаю почему, но мне показалось, что в этом есть что-то поразительно трогательное и естественное, что-то почти потрясающее, словно отзвук каких-то далеких, канувших в Лету времен, словно немое повиновение закону, которого никто больше не знает.

Она вернулась ко мне из темноты и взяла мое лицо в ладони.

— Хорошо мне было у тебя, милый. Очень хорошо. Я так рада, что ты есть.

Я ничего не ответил. Я не мог ничего ответить.

Я проводил ее домой и снова пошел в бар. Там был Кестер.

— Садись, — сказал он. — Как дела?

— Да не особенно, Отто.

— Выпьешь чего-нибудь?

— Если я начну пить, то выпью много. А этого я не хочу. Обойдется и так. Лучше бы мне заняться чем-нибудь еще. Готфрид сейчас на такси?

— Нет.

— Отлично. Тогда я покатаюсь несколько часиков.

— Я провожу тебя, — сказал Кестер.

Я взял в гараже машину и простился с Отто. Потом поехал на стоянку. Впереди меня уже были две машины. Позже подъехали Густав и Томми, актер. Вот обе передние машины ушли. Вскоре зафрахтовали и меня — некая девица пожелала в «Винету».

«Винетой» именовался популярный дансинг с телефонами на столах, пневматической почтой и прочими штучками для провинциалов. Помещался он на темной улице, в стороне от других увеселительных заведений.

Мы остановились. Девушка порылась в сумочке и протянула мне пятидесятимарковую бумажку. Я пожал плечами:

— К сожалению, у меня нет сдачи.

Подошел швейцар.

— Сколько я вам должна? — спросила девушка.

— Марку семьдесят.

Она обратилась к швейцару:

— Вы не заплатите за меня? Я рассчитаюсь с вами у кассы. Пойдемте.

Швейцар распахнул дверь и прошел с ней к кассе. Потом вернулся.

— Вот...

Я пересчитал деньги.

— Здесь марка пятьдесят...

— Не мели чепухи. Или у тебя еще молоко на губах не обсохло? Двадцать пфеннигов полагаются швейцару. Так что катись!

Бывало, что таксисты давали швейцарам на чай. Но это бывало, когда те приводили им выгодных клиентов, а не наоборот.

— Молоко-то как раз обсохло. Поэтому я получу марку семьдесят.

— Ты получишь в рыло! — рявкнул он. — Мотай, раз сказано! Я здесь не первый год и порядки знаю.

Дело было не в двадцати пфеннигах. Просто я не люблю, когда меня надувают.

— Не пой мне арии, — сказал я. — Отдавай остальные.

Швейцар ударил так резко, что я не успел прикрыться. Увернуться мне в машине и вовсе было некуда. Я врезался головой в баранку. В шоке отпрянул назад. Голова гудела, как барабан, из носа текло. Передо мной маячил швейцар.

— Навесить тебе еще, ты, труп кикиморы?

Я в долю секунды взвесил свои шансы. Ничего нельзя было сделать. Он был сильнее. Чтобы поймать такого на удар, нужно действовать неожиданно. Бить, сидя в машине, нельзя — удар не будет иметь силы. А пока вылезу, он трижды собьет меня с ног. Я смотрел на него. Он дышал мне в лицо пивным перегаром.

— Еще разок врежу — и жена твоя овдовеет.

Я смотрел на него. Только смотрел, не шевелясь, в это широкое, сытое мурло, пожирая его глазами. Я понимал, куда нужно бить, я был от ярости как стальная пружина. Но я не двигался. А только рассматривал эту харю, как в увеличительное стекло, — близко, отчетливо, крупным планом, каждый волосок щетины, каждую пору красной, обветренной кожи...

Блеснула каска полицейского.

— Что здесь происходит?

Швейцар придал лицу угодливое выражение.

— Ничего, господин вахмистр.

Полицейский посмотрел на меня.

— Ничего, — сказал я.

Он переводил взгляд с меня на швейцара.

— Ведь у вас кровь идет.

— Ударился.

Швейцар отступил на шаг. В его глазах играла усмешка. Он решил, что я просто побоялся донести на него.

— Тогда проезжайте, — сказал полицейский.

Я дал газ и поехал обратно на стоянку.

— Ну и видок у тебя, — сказал Густав.

— Пустяки, только нос, — ответил я и рассказал, как все было.

— Пойдем-ка в трактир, — сказал Густав. — Недаром я был санитаром на фронте. Какое, однако, свинство бить человека, когда он сидит.

Он отвел меня на кухню, потребовал льда и с полчаса возился со мной.

— Ну вот, — заявил он наконец, — теперь не останется и следа. Ну а как черепок? Не беспокоит? Тогда не будем терять времени.

Подошел Томми.

— Это такой верзила из «Винеты»? Бузила известный. Куражится, потому что ни разу не проучили.

— Ну, теперь он схлопочет, — сказал Густав.

— Да, но только от меня, — сказал я.

Густав недовольно взглянул на меня.

— Пока ты вылезешь из машины...

— А я кое-что придумал. Не получится — ты успеешь вмешаться.

— Ладно.

Я надел фуражку Густава, к тому же мы сели в его машину, чтобы усыпить внимание швейцара. Да и не разглядит он много в такой-то темноте.

Мы подъехали. На улице не было ни души.

Густав выскочил из машины, помахивая двадцатимарковой купюрой.

— Проклятие, опять нет мелких денег! Швейцар, разменяете? Сколько нужно? Марку семьдесят? Отдайте же ему, а я сейчас.

Он сделал вид, будто направился к кассе. Швейцар покашливая приблизился ко мне и протянул марку пятьдесят. Я продолжал держать вытянутую руку.

— Катись! — буркнул он.

— Гони монету, пес шелудивый! — рявкнул я.

На секунду он остолбенел. Потом слегка облизнул губы и вкрадчиво произнес:

— Пеняй на себя. Запомнишь надолго!

Он размахнулся. Он наверняка нокаутировал бы меня, но я был начеку: отклонился, пригнувшись, и его кулак со свистом пришелся на острые грани стальной заводной ручки, которую я незаметно держал наготове в левой руке. Швейцар взвыл и отскочил, тряся в воздухе рукой. Он шипел от боли, как паровая машина, и стоял совершенно открыто.

Я вылетел из машины.

— Узнал, скотина? — выдохнул я и ударил его в живот.

Он свалился.

— Один... два... три... — стоя у кассы, начал считать Густав.

При счете «пять» швейцар поднялся, глядя на меня остекленевшими глазами. Я снова до мельчайших деталей видел перед собой его физиономию, эту здоровую, широкую, глупую, подлую харю, видел его всего, этакого здорового, крепкого вахлака, этого борова, у которого никогда не будут болеть легкие; и я вдруг почувствовал, как багровая пелена застилает мне мозг и глаза, и я рванулся вперед и ударил, еще и еще, я бил и бил, вколачивая все, что накопилось во мне за эти дни и недели, в это здоровое, широкое, мычащее рыло, пока меня не оттащили...

— Опомнись, ты убьешь его!.. — кричал мне Густав.

Я пришел в себя, огляделся. Швейцар, истекая кровью, барахтался у стены. Вот он будто надломился, упал на четвереньки и, напоминая в своей сверкающей ливрее гигантское насекомое, пополз в сторону входа.

— Ну, теперь у него надолго пропадет охота драться, — сказал Густав. — Однако пора давать деру, пока никого нет. Это уже называется нанесением тяжелых телесных повреждений.

Мы бросили деньги на мостовую, сели в машину и уехали.

— А что, у меня тоже идет кровь? — спросил я. — Или это его?

— Опять нос, — сказал Густав. — У него прошел один красивый удар слева.

— А я даже не заметил.

Густав рассмеялся.

— А знаешь, — сказал я, — на душе как-то полегчало.

XVIII

Наше такси стояло перед баром. Я зашел туда, чтобы сменить Ленца, взять у него ключ и документы. Готфрид вышел со мной на улицу.

— Как с выручкой сегодня? — спросил я.

— Так себе, — ответил он. — То ли слишком много развелось такси, то ли слишком мало людей стало, которые ездят на такси. А у тебя как?

— Плохо. Простоял почти всю ночь, не наскреб и двадцати марок.

— Печальные времена! — Готфрид вскинул брови. — Ну так ты сегодня, видимо, не очень торопишься?

— Нет, а почему ты спрашиваешь?

— Может, подбросишь меня тут неподалеку...

— Лады. — Мы сели — А куда тебе? — спросил я.

— К собору.

— Куда, куда? — переспросил я. — Я, вероятно, ослышался? Мне померещилось, будто ты сказал к собору.

— Нет, сын мой, ты не ослышался. Именно к собору!

Я удивленно посмотрел на него.

— Ничему не удивляйся, а поезжай, — сказал Готфрид.

— Ну-ну.

Мы поехали.

Собор находился в старой части города, на просторной площади, сплошь окруженной домами духовных особ. Я остановился у главного портала.

— Дальше, — сказал Готфрид. — Вокруг.

Он велел остановить у небольшого входа с тыловой стороны собора и вылез из машины.

— Ты, кажется, хочешь исповедаться, — сказал я. — Желаю успеха.

— Пойдем-ка со мной, — ответил он.

Я рассмеялся.

— Только не сегодня. С утра уже помолился. Обычно мне этого хватает на весь день.

— Не болтай глупости, детка! Пойдем со мной. Сегодня я щедрый, покажу тебе кое-что.

Меня разобрало любопытство, и я последовал за ним. Мы вошли через какую-то маленькую дверь и сразу же очутились в крытой галерее внутреннего монастырского двора. Длинные ряды арок, опиравшихся на серые гранитные колонны, образовывали большой прямоугольник с садиком внутри. В середине помещался большой полуразрушенный от времени крест с фигурой Спасителя. По сторонам были каменные барельефы с изображением мучительных страстей Господних. Перед каждым изображением стояла старая скамья для молящихся. Сад одичал и цвел буйным цветом.

Готфрид показал мне рукой на несколько могучих кустов белых и красных роз.

— Вот что я хотел тебе показать! Узнаешь?

Я остановился в изумлении.

— Конечно, узнаю, — сказал я. — Так вот где ты снял урожай, старый потрошитель церквей!

Неделю назад Пат переехала в пансион фрау Залевски, и в тот же день вечером Ленц прислал ей с Юппом огромный букет роз. Их было столько, что Юппу пришлось дважды спускаться к машине, каждый раз возвращаясь с полной охапкой. Я уже тогда ломал себе голову, гадая, где Готфрид мог их раздобыть, я ведь знал его принцип — цветов не покупать. А в городских парках я таких роз не видел.

— Идея стоящая! — признал я. — До этого надо было додуматься!

Готфрид заулыбался:

— Здесь не сад, а золотая жила! — Он торжественно положил мне руку на плечо. — Беру тебя в долю! Я полагаю, теперь тебе это будет особенно кстати.

— Почему именно теперь? — спросил я.

— Потому что городские насаждения как-то заметно опустели в последнее время. А ведь они были единственным пастбищем, на котором ты пасся, не так ли?

Я кивнул.

— Кроме того, — продолжал Готфрид, — ты теперь вступаешь в период, когда сказывается разница между мещанином и благородным кавалером. Мещанин чем дольше знает женщину, тем меньше оказывает ей знаков внимания. Кавалер действует противоположно. — Он сделал широкий жест рукой. — А с этаким-то садом ты можешь переплюнуть всех кавалеров!

Я рассмеялся.

— Все это хорошо, Готфрид, — сказал я. — Но каково, если поймают? Удирать отсюда непросто, а люди набожные, чего доброго, квалифицируют мои действия как осквернение святыни.

— Юный друг мой, — произнес Ленц, — разве ты здесь кого-нибудь зришь? После войны люди предпочитают ходить на политические собрания, а не в церковь.

Это было верно.

— Ну а как же пасторы? — спросил я.

— Пасторам нет дела до цветов, иначе они ухаживали бы за садом. А Господу Богу сие будет только угодно, ежели ты порадуешь кого-нибудь цветами. Он-то не из скряг. Это старый солдат.

— Тут ты прав! — Я окинул взором огромные старые кусты. — На ближайшие недели я обеспечен, Готфрид.

— Больше чем на недели. Тебе повезло. Это очень устойчивый и долгоцветущий сорт роз. Их тебе хватит по меньшей мере до сентября. А там пойдут астры и хризантемы. Идем, я тебе заодно покажу.

Мы пошли по саду. Розы источали дурманящий аромат. Тучами с цветка на цветок перелетали гудящие рои пчел.

— Посмотри-ка на них, — сказал я, останавливаясь. — Они-то как попали сюда? В самый центр города? Ведь поблизости не может быть никаких ульев. Разве что пасторы держат их на крыше?

— Нет, брат мой, — ответил Ленц. — Могу побиться об заклад, что они прилетают с какого-нибудь крестьянского хутора. Просто они хорошо знают свой путь. — Он прищурил глаза. — В отличие от нас, не так ли?

Я пожал плечами:

— Может, и знаем. Хоть какой-то отрезок. Насколько нам это дано. А ты не знаешь?

— Нет. Да и не хочу знать. Всякие там цели делают жизнь буржуазной.

Я взглянул на башню собора. Она отливала зеленым шелком на фоне небесной голубизны, бесконечно старая и безмятежная, в подвижном венчике ласточек.

— Как здесь тихо, — сказал я.

Ленц кивнул.

— Да, старичок, здесь-то и понимаешь, что тебе, в сущности, всегда не хватало одного-единственного, чтобы стать хорошим человеком, — времени. Не так ли?

— Времени и покоя, — ответил я. — Покоя не хватало тоже.

Он засмеялся.

— Теперь слишком поздно! Теперь никакого покоя мы бы не вынесли. Поэтому — вперед! То бишь назад к привычной сутолоке!

Высадив Ленца, я вернулся на стоянку. По пути проехал и кладбище. Я знал, что Пат в это время лежит в своем шезлонге на балконе, и, проезжая мимо, несколько раз посигналил. Никто, однако, не показался, и я поехал дальше. Зато там я увидел фрау Хассе, плывшую по улице в своей напоминавшей фату шелковой пелерине. Она повернула за угол. Я поехал за ней, чтобы спросить, не нужно ли ее куда-нибудь подвезти. Но, добравшись до перекрестка, я увидел, как она садится в машину, стоявшую за углом. Это был довольно-таки обшарпанный лимузин образца тысяча девятьсот двадцать третьего года, который немедленно затарахтел и тронулся. За рулем сидел мужчина с утиным носом в броском клетчатом костюме.

Я довольно долго смотрел вслед машине. Вот что, значит, бывает, когда женщина подолгу сидит дома одна. Я в глубокой задумчивости поехал на остановку, где присоединился к веренице ожидающих клиентов такси.

Солнце накалило крышу машины. Очередь двигалась медленно. Я подремывал, пытался даже уснуть. Однако «умыканье» фрау Хассе не давало мне покоя. Конечно, у нас все по-другому, но ведь Пат в конце концов тоже весь день сидит дома одна.

Я вылез из машины и направился вперед, к Густаву.

— На-ка, выпей, — предложил он мне, протягивая термос. — Напиток холодный, просто чудо! Собственное изобретение! Кофе со льдом. Держится в таком виде часами при любой жаре. Да, Густав — человек практичный!

Я выпил стаканчик.

— Раз уж ты такой практичный, — сказал я, — то подскажи мне, чем занять женщину, которая много времени проводит одна.

— Нет ничего проще! — Густав взглянул на меня с видом превосходства. — Чудило ты, Роберт! Ребенок или собака! Спросил бы что-нибудь посложнее!

— Собака! — опешил я от изумления. — Черт побери, конечно, собака! Ты прав! У кого есть собака, тот не одинок.

Я предложил ему сигарету.

Эрих Мария Ремарк

— Послушай, а ты, случайно, не в курсе, где их берут? Вряд ли такое добро теперь дорого.

Густав укоризненно покачал головой:

— Нет, Роберт, ты и в самом деле не представляешь, кого имеешь в моем лице. Ведь мой будущий тесть — второй секретарь ферейна, объединяющего владельцев доберман-пинчеров! Разумеется, ты получишь щенка самых лучших кровей, и даже бесплатно. Есть у нас как раз один помет, четыре плюс два, бабушка — медалистка Герта фон дер Тоггенбург.

Густав был из тех, кто родился в рубашке. Отец его невесты не только разводил доберманов, но и содержал трактир — «Новую келью»; а невеста его, помимо всего прочего, была владелицей плиссировочной мастерской. Позиции Густава благодаря этому были самые первоклассные. У тестя он столовался на дармовщинку, а невеста стирала и гладила ему рубашки. Он не торопился с женитьбой. Ведь тогда у него прибавилось бы забот.

Я объяснил Густаву, что доберман — это не совсем то, что нужно. Слишком уж крупен, да и характер ненадежный. Густав недолго раздумывал. Как бывалый вояка, он привык действовать немедленно.

— Пойдем со мной, — сказал он. — На разведку. Есть у меня кое-что на примете. Только ты не встревай в мои переговоры.

— Ладно.

Он привел меня к небольшой лавке. В витрине были выставлены аквариумы с водорослями. Тут же в ящике сидели две понурые морские свинки. По бокам висели клетки, в которых неутомимо резвились чижики, зяблики, канарейки.

К нам вышел небольшой кривоногий человечек в коричневой вязаной жилетке. Водянистые глаза, поблекшая кожа лица и целый фонарь вместо носа — видать, заядлый поклонник пива и шнапса.

— Скажи-ка, Антон, как поживает Аста? — спросил Густав.

— Второй приз и почетная грамота в Кёльне, — ответил Антон.

— Какая подлость! — воскликнул Густав. — Отчего же не первый?

— Первый они сунули Удо Бланкенфельзу, — буркнул Антон. — Оборжаться можно! Жулики!

Где-то в глубине лавки слышалось тявканье и скулеж. Густав прошел туда. И тут же вернулся, держа за шиворот двух маленьких терьеров — в левой руке черно-белого, в правой — красновато-бурого. Он незаметно встряхнул того, что был в правой. Я взглянул на него: да, подходящий.

Щенок был красив на загляденье. Лапки прямые, тельце квадратное, головка прямоугольная. Вид лихой и смышленый. Густав выпустил щенков из рук.

— Смешной метис, — сказал он, показывая на красновато-бурого. — Откуда он у тебя?

Антон сказал, что ему оставила его одна дама, уехавшая в Южную Америку. Густав разразился недоверчивым смехом. Антон, обидевшись, полез за родословной, восходившей аж к Ноеву ковчегу. Густав только махнул рукой и стал выказывать интерес к черно-белому щенку. Антон потребовал сто марок за бурого. Густав предложил пять. Его не устраивал прадедушка. Да и хвост вызывал сомнения. Уши тоже были не вполне. Вот черно-белый — тот был на все сто.

Я стоял в углу и слушал. Вдруг кто-то дернул меня за шляпу. Я с удивлением обернулся. В углу на шесте сидела маленькая сгорбленная обезьянка с рыжеватой шерстью и грустной мордочкой. У нее были черные круглые глазки и рот в озабоченных старушечьих складках. Она была опоясана кожаным ремнем, соединенным с цепью. Маленькие черные руки ее до ужаса походили на человечьи.

Я стоял спокойно, не шевелясь. Обезьянка медленно приблизилась ко мне по шесту. При этом она неотрывно смотрела на меня, без недоверия, но каким-то странным, отрешенным взглядом. Наконец она осторожно протянула лапу. Я подставил ей палец. Она сначала отпрянула назад, но потом взяла его. Было так странно ощущать эту прохладную детскую ручку, стиснувшую мой палец. Казалось, что в этом жалком тельце заключен несчастный, немотствующий человек, который хочет выйти наружу. Его взгляд, полный смертельной тоски, нельзя было вынести долго.

Отдуваясь, Густав выбрался тем временем из леса родословных дерев.

— Стало быть, по рукам, Антон, получишь за него щенка добермана от Герты. Лучшая сделка за всю твою жизнь! — Потом он обратился ко мне: — Возьмешь его сразу?

— А сколько он стоит?

— Нисколько. Я выменял его на добермана, которого подарил тебе раньше. Да, брат, Густав умеет обделывать дела! Густав — золото, а не парень!

Мы договорились, что я заеду за щенком попозже, когда буду возвращаться из рейса.

— Ты хоть представляешь себе, что заполучил? — спросил Густав, когда мы вышли. — Это же ирландский терьер! Большая редкость! Чистейших кровей, без единого изъяна! Да еще родословная такая, что ты, раб Божий, должен кланяться этой скотине в пояс, когда захочешь поговорить с ней.

— Густав, — сказал я, — ты оказал мне великую услугу. Пойдем-ка выпьем за это дело лучшего коньяку, который только найдется.

— Только не сегодня! — заявил Густав. — Сегодня у меня должна быть твердая рука. Иду вечером в наш кегельбан. Обещай, что ты как-нибудь сходишь со мной! Там очень приличные люди, есть даже один обер-постсекретарь.

— Как-нибудь схожу, — сказал я. — Даже если там не будет обер-постсекретаря.

Около шести я вернулся в мастерскую. Кестер поджидал меня.

— Сегодня днем звонил Жаффе. Просил тебя позвонить.

Я обомлел.

— Он сказал что-нибудь, Отто?

— Нет, ничего особенного. Сказал только, что принимает до пяти у себя, а потом поедет в больницу Святой Доротеи. Так что тебе надо звонить туда.

— Хорошо.

Я пошел в контору. Там было тепло и душно, но меня бил озноб, и телефонная трубка дрожала в моей руке.

— Не дури, — сказал я самому себе и покрепче уперся локтем в стол.

Я дозвонился не скоро.

— У вас есть время? — спросил Жаффе.

— Да.

— В таком случае не откладывая приезжайте. Я буду здесь еще в течение часа.

Я хотел спросить его, не случилось ли чего с Пат. Но так и не решился.

— Хорошо, — сказал я, — через десять минут я буду у вас.

Я нажал на рычаг и тут же позвонил домой. Сняла трубку Фрида. Я попросил позвать Пат.

— Не знаю, дома ли, — последовал недовольный ответ. — Сейчас гляну.

Я ждал. Голову распирало от горячего дурмана. Время тянулось бесконечно. Наконец в трубке послышался шорох, а за ним голос Пат:

— Робби?

На миг я закрыл глаза.

— Как дела, Пат?

— Хорошо. Сижу на балконе, читаю. Книжка интересная — не оторвешься.

— Книжка интересная, вот оно что... — сказал я. — Это прекрасно. Я только хотел сказать, что сегодня приду чуточку позже. Ты уже дочитала свою книгу?

— Нет, я на самой середине. На несколько часов еще хватит.

— А, ну я буду значительно раньше. А ты читай пока.

Я посидел еще немного в конторе. Потом поднялся.

— Отто, — сказал я, — можно взять «Карла»?

— Конечно. Если хочешь, я поеду с тобой. Мне здесь нечего делать.

— Не стоит. Ничего не случилось. Я уже звонил домой.

«Какое небо, — думал я, когда «Карл» пулей летел по улице, — какое чудесное небо вечерами над крышами! Как богата и прекрасна жизнь!»

Мне пришлось немного подождать Жаффе. Сестра провела меня в маленькую комнату, где можно было занять себя старыми журналами. На подоконнике выстроились цветочные горшки с вьющимися растениями. Вечные журналы в коричневых обложках и вечно унылые вьющиеся растения — неизбежная принадлежность приемных врачей и больниц.

Вошел Жаффе. На нем был белоснежный халат, на котором еще не разгладились складки от утюжки. Но когда он подсел ко мне, я заметил на внутренней стороне правого рукава маленькое алое пятнышко крови. Я немало повидал крови в своей жизни, но это крохотное пятнышко подействовало на меня куда более угнетающе, чем все пропитанные кровью повязки. И моей уверенности как не бывало.

— Я обещал вам рассказать, как обстоят дела у фройляйн Хольман, — сказал Жаффе.

Я кивнул, глядя на пеструю плюшевую скатерть. Я не мог оторвать глаз от переплетения шестиугольников на ней, про себя идиотски решив, что все оборвется, если только я не моргну до тех пор, пока Жаффе заговорит снова.

— Два года назад она шесть месяцев провела в санатории. Вы знаете об этом?

— Нет, — сказал я, по-прежнему глядя на скатерть.

— После этого ее состояние улучшилось. Теперь я ее тщательно исследовал. Этой зимой ей непременно следует снова поехать туда. Ей нельзя оставаться в городе.

Я все еще смотрел на шестиугольники. Они уже начали расплываться и танцевать у меня перед глазами.

— Когда нужно ехать? — спросил я.

— Осенью. Самое позднее — в конце октября.

— Значит, кровотечение не было случайным?

— Нет.

Я оторвал глаза от скатерти.

— Вероятно, мне не нужно рассказывать вам о том, — продолжал Жаффе, — что эта болезнь непредсказуема. Год назад казалось, что процесс остановился, произошло инкапсулирование, и можно было предположить, что очаг закрылся. И так же, как недавно процесс неожиданно возобновился, он может в любой момент столь же внезапно прекратиться. Это не просто слова — так действительно бывает. Я сам наблюдал случаи удивительного исцеления.

— Но и ухудшения тоже?

Он посмотрел на меня.

— И это тоже, конечно.

Он стал входить в детали. Оба легкие были поражены, правое меньше, левое больше. Потом, прервавшись, он позвонил в звоночек. Появилась сестра.

— Принесите-ка мой портфель.

Сестра принесла то, что требовали. Жаффе вынул из портфеля два огромных похрустывающих конверта с фотоснимками. Он извлек их и поднес к окну.

— Так виднее. Это рентгеновские снимки.

На прозрачной серой пластинке я увидел сплетения позвоночника, лопатки, ключицы, плечевые суставы и плоские сабли ребер. Но я увидел больше — я увидел скелет. Он как темный призрак проступал на фоне бледных, расплывающихся пятен снимка. Я увидел скелет Пат. Скелет Пат.

Взяв пинцет, Жаффе стал указывать мне на отдельные линии и пятна, объясняя, что они значат. Педантизм ученого овладел им настолько, что он даже не за-

Эрих Мария Ремарк

метил, что я не смотрю на снимок. Наконец он обратился ко мне:

— Вы поняли?

— Да, — сказал я.

— А что же у вас такой вид?

— Нет, нет, ничего, — сказал я, — просто я плохо вижу.

— Ах вот что. — Он поправил очки. Потом снова засунул снимки в конверты и испытующе посмотрел на меня. — Не забивайте себе голову бесполезными размышлениями.

— Я этого и не делаю. Но что за напасть проклятая! Миллионы людей здоровы! Почему именно она должна быть больна?

Жаффе помолчал.

— На этот вопрос вам никто не ответит, — сказал он потом.

— Да, — воскликнул я в порыве горького и слепого бешенства, — на этот вопрос никто не ответит! Разумеется! Кто в ответе за людские страдания и смерть! Вот ведь проклятие! Главное — ничего нельзя сделать.

Жаффе долго смотрел на меня.

— Простите, — сказал я. — Но я не умею обманывать себя. Вот в чем весь ужас.

Он продолжал смотреть на меня.

— У вас есть немного времени? — спросил он.

— Да, — сказал я. — Времени у меня достаточно.

Он встал.

— У меня сейчас вечерний обход. Мне хотелось бы, чтобы вы пошли со мной. Сестра даст вам белый халат. Пациенты посчитают вас моим ассистентом.

Я не мог понять, чего он хочет, но покорно взял халат, который протянула мне сестра.

* * *

Мы шли длинными коридорами. Сквозь широкие окна в них проникал розовый закат. Свет был мягкий, приглушенный, призрачный и парящий. Некоторые окна были открыты. В них лился запах цветущих лип.

Жаффе открыл одну из дверей. Навстречу нам ударил удушливый, гнилостный запах. Женщина с чудесными волосами цвета старинного золота, испещренными солнечными бликами, с усилием подняла руку. Чистый лоб, по-благородному узкая голова. Однако под самыми глазами начиналась повязка, доходившая до рта. Жаффе осторожно снял ее. Я увидел, что у женщины не было носа. На месте носа зияла кроваво-красная рана, покрытая струпьями, с двумя дырочками посередине. Жаффе снова наложил повязку.

— Все хорошо, — мягко сказал он женщине и повернулся к выходу.

Он прикрыл за собой дверь. В коридоре я задержался, уставившись на вечереющее небо за окном.

— Пойдемте же! — сказал Жаффе и первым вошел в следующую палату.

Нас встретили тяжелое дыхание и стоны метавшегося в жару человека. То был мужчина с лицом оловянного цвета, на котором странно выделялись яркие алые пятна. Его рот был широко раскрыт, глаза повылезали из орбит, а руки беспокойно бегали по одеялу. Он был без сознания. На доске с отметками температуры устойчиво держалась цифра сорок. У его постели сидела сестра и читала. Когда вошел Жаффе, она отложила книгу и встала. Он бросил взгляд на доску и покачал головой:

— Двустороннее воспаление легких плюс плеврит. Вот уже неделю сражается за свою жизнь, как бык. Рецидив. Слишком рано вышел на работу. Жена и четверо детей. Безнадежен.

Он прослушал легкие больного и проверил его пульс. Сестра помогала ему. При этом она уронила на пол свою книгу. Я поднял ее и увидел, что это была поваренная книга. Руки больного непрерывно, как пауки, елозили по одеялу, издавая царапающий звук — единственный в тишине комнаты.

— Останьтесь здесь на ночь, сестра, — сказал Жаффе.

Мы вышли в коридор. Розовый закат за окном сгустился. Теперь он плавал в окнах, как облако.

Эрих Мария Ремарк

— Ну и свет, будь он неладен, — сказал я.

— Почему? — спросил Жаффе.

— Очень уж это все не сочетается. Одно с другим.

— Почему же? — сказал Жаффе. — Сочетается.

В следующей палате хрипела женщина. Ее доставили днем с тяжелым отравлением вероналом. Накануне случилось несчастье с ее мужем. Он сломал позвоночник, и его, орущего от боли и в полном сознании, принесли домой, где он и умер ночью.

— Она выживет? — спросил я.

— Вероятно.

— А зачем ей жить?

— За последние годы у меня было пять подобных случаев, — сказал Жаффе. — И только одна попыталась покончить с собой вторично. Газом. Она умерла. Остальные живы, а две так и вовсе вышли замуж вторично.

В следующей палате лежал мужчина, который был парализован уже двенадцать лет. У него была восковая кожа, жидкая черная борода и огромные тихие глаза.

— Как дела? — спросил Жаффе.

Мужчина сделал неопределенный жест рукой. Потом показал на окно.

— Взгляните, какое небо. Будет дождь. Я это чувствую. — Он улыбнулся. — Когда идет дождь, лучше спится.

Перед ним на одеяле лежала кожаная шахматная доска с дырочками для фигур. Тут же кипа газет и несколько книг.

Мы пошли дальше. Я видел совершенно истерзанную родами молодую женщину с синими губами и глазами, в которых застыл ужас; видел ребенка-калеку с недоразвитыми вывернутыми ножками и водянкой головы; мужчину, у которого вырезали желудок; похожую на сову старушку, горько плакавшую оттого, что родные не желали заботиться о ней, ибо она, по их мнению, слишком уж зажилась на свете; слепую, истово верившую в то, что снова прозреет; пораженного сифилисом ребенка с кровоточащей сыпью и его отца, сидевшего у постели; женщину, у которой утром отняли вторую грудь, и другую, скрюченную ревматизмом суставов; и третью, у которой вырезали яичники; рабочего с раздавленными почками... Палата сменялась палатой, и в каждой палате было одно и то же — почти безжизненные лица, стонущие, изуродованные тела, сведенные судорогой или парализованные, какой-то клубок, какая-то нескончаемая цепь страданий, страха, покорности, боли, отчаяния, надежды, горя; и всякий раз, когда мы закрывали дверь в палату, нас внезапно снова окутывал розовый свет этого нездешнего вечера, всякий раз ужасы больничных казематов сменяло это нежное облако из мягкого, отливающего пурпуром сияния, о котором нельзя было определенно сказать, чего в нем заключено больше — убийственной насмешки или непостижного человеческому уму утешения.

Жаффе остановился у входа в операционный зал. В матовое стекло двери бил яркий свет. Две сестры вкатили в зал плоскую каталку. На ней лежала женщина. Я встретился с ней взглядом. Но она меня словно не видела. Ее взгляд был устремлен куда-то неизмеримо дальше меня. Но я даже вздрогнул от этого взгляда — столько в нем было твердой решимости и спокойствия.

Теперь вдруг лицо Жаффе показалось мне страшно усталым.

— Не знаю, правильно ли я поступил, показав вам все это, — сказал он, — но мне казалось, мало толку утешать вас одними словами. Вы бы все равно мне не поверили. А теперь вы убедились, что многие из этих людей поражены куда более тяжелыми болезнями, чем Пат Хольман. У большинства из них не осталось ничего, кроме надежды. И все-таки многие из них выживут. Снова будут здоровы. Вот это я и хотел вам показать.

Я кивнул.

— Это было правильно, — сказал я.

— Девять лет назад умерла моя жена. Ей было двадцать пять лет. Никогда ничем не болела. Грипп. — Он немного помолчал. — Вы понимаете, почему я это вам говорю?

Я снова кивнул.

— Ничего нельзя знать заранее. Смертельно больной может пережить здорового. Жизнь — странная штука.

Теперь я увидел на лице Жаффе множество морщин.

Подошла сестра и что-то прошептала ему. Он резко выпрямился и кивком головы указал на операционный зал.

— Мне нужно туда. Ни в коем случае не показывайте Пат, что вы удручены. Это теперь самое важное. Сможете?

— Да, — сказал я.

Он пожал мне руку и быстро прошел с сестрой через стеклянную дверь в сверкавший меловой белизной зал.

Я медленно спускался по бесконечным ступеням. Чем ниже я спускался, тем темнее становилось в здании, а на втором этаже уже горел электрический свет. Когда я вышел на улицу, то еще успел застать словно бы последний вздох розового облачка на горизонте. Тут же оно погасло, и небо стало серым.

Какое-то время я сидел в машине, отрешенно уставившись в одну точку. Потом встряхнулся и поехал назад в мастерскую. Кестер ждал меня у ворот. Я заехал во двор и вышел из машины.

— Ты уже знал об этом? — спросил я.

— Да. Но Жаффе сам хотел тебе это сказать.

Я кивнул.

Кестер смотрел на меня.

— Отто, — сказал я, — я не ребенок и понимаю, что еще не все потеряно. Но сегодня вечером мне, наверное, будет трудно ничем не выдать себя, если я останусь с Пат наедине. Завтра такой проблемы уже не будет. Завтра я буду в порядке. А сегодня... Может, сходим все вместе куда-нибудь вечером?

— Само собой, Робби. Я и сам думал об этом и даже предупредил Готфрида.

— Тогда дай мне еще раз «Карла». Поеду домой, заберу Пат, а через час заеду за вами.

— Хорошо.

И я отправился дальше. Уже когда был на Николайштрассе, вспомнил про собаку. Повернул и поехал за ней.

В окнах лавки было темно, но дверь была открыта. Антон сидел в глубине помещения на походной кровати. В руке у него была бутылка.

— Посадил меня Густав в кучу дерьма! — сказал он, обдав меня винным перегаром.

Терьер бросился мне навстречу, запрыгал, обнюхал, лизнул мне руку. В косом свете, падавшем с улицы, глаза его отливали зеленым цветом. Антон, покачнувшись, встал и внезапно заплакал.

— Прощай, собачка, вот и ты уходишь... все уходят... Тильда подохла... Минна ушла... Скажите, мистер, на кой шут живет наш брат на свете?

Только этого мне не хватало! Маленькая безрадостная электрическая лампочка, которую он теперь включил, гнилостный запах аквариумов, тихий шорох черепах и птиц, низенький одутловатый человечек — ну и лавчонка!

— Ну, толстопузые — это понятно, а наш-то брат, а, мистер? Зачем мы-то живем, горемыки-пинчеры?

Обезьянка жалобно взвизгнула и стала бешено метаться по своему шесту. По стене прыгала ее огромная тень.

— Коко, — всхлипнул человечек, уставший от одиноких возлияний в кромешной тьме, — единственный мой, иди сюда! — Он протянул обезьяне бутылку. Она вцепилась в нее обеими руками.

— Вы погубите эту тварь, если будете давать ей спиртное, — сказал я.

— Ну и пусть, мистер, — пробормотал он, — годом-двумя больше или меньше на цепи... один шут, сударь... один шут...

Я взял щенка, прижавшегося ко мне теплым комочком, и вышел. На улице я опустил его на тротуар. Грациозно прыгая на мягких лапах, он побежал за мной к машине.

Я приехал домой и осторожно поднялся наверх, ведя собаку на поводке. В коридоре я остановился перед зеркалом. В моем лице не было ничего необычного. Я постучался к Пат, слегка приоткрыл дверь и пустил щенка.

Оставаясь в коридоре, я крепко держал поводок и ждал. Но вместо голоса Пат я неожиданно услыхал бас фрау Залевски:

— Силы небесные!

На душе у меня отлегло, и я заглянул в комнату уже смелее. Я боялся первых минут наедине с Пат, теперь же положение облегчалось — фрау Залевски была надежным амортизатором. Она величественно восседала за столом с чашкой кофе и колодой карт, разложенных в особом мистическом порядке. Пат, пристроившись рядом, с горящими глазами внимала предсказаниям.

— Добрый вечер, — сказал я, радуясь такому обороту.

— А вот и он, — с достоинством произнесла фрау Залевски. — Недлинная дорога в вечерний час, а рядом король темной масти из казенного дома.

Собачка рванулась с поводка и с лаем проскочила между моих ног на середину комнаты.

— Боже мой! — воскликнула Пат. — Да ведь это ирландский терьер!

— Какие познания! — сказал я. — А я вот еще два часа назад не имел об этой породе никакого понятия.

Пат наклонилась к щенку, который радостно кинулся к ней, стараясь ее лизнуть.

— А как его зовут, Робби?

— Не имею представления. Вероятно, Коньяк или Виски, судя по тому человеку, которому он принадлежал.

— А теперь он принадлежит нам?

— Насколько вообще живое существо может принадлежать кому-либо.

Пат вся зашлась от восторга.

— Назовем его Билли, ладно, Робби? У моей мамы была в детстве собака, которую звали Билли. Она мне часто о ней рассказывала.

— Так я, стало быть, угадал? — сказал я.

— А это чистоплотный пес? — спросила фрау Залевски.

— У него родословная как у князя, — откликнулся я. — А князья — народ чистоплотный.

— Но не в детском возрасте. Сколько ему, кстати?

— Восемь месяцев. Это соответствует шестнадцатилетнему возрасту у человека.

— Он не выглядит особенно чистоплотным, — заявила фрау Залевски.

— Просто его надо помыть, вот и все.

Пат выпрямилась и положила руку на плечо фрау Залевски. Я обомлел.

— Я всегда мечтала завести собаку, — сказала она. — Нам можно ее оставить, не правда ли? Ведь вы не возражаете?

Впервые с тех пор, как я ее знал, матушка Залевски пришла в замешательство.

— Ну, по мне так... как вам будет угодно, — ответила она. — Оно и по картам так выходило. Сюрприз от короля, хозяина дома.

— А было ли в картах, что мы уходим сегодня вечером? — спросил я.

Пат засмеялась.

— Ну, до этого мы еще не дошли, Робби. У нас шла речь о тебе.

Фрау Залевски встала и собрала свои карты.

— Картам можно верить, а можно не верить, и можно верить наоборот, как покойный Залевски. У него девятка пик, вестница беды, всегда приходилась на водную стихию. Вот он и думал, что ему нужно остерегаться воды. А грозили ему шнапс да пильзенское пиво.

Эрих Мария Ремарк

— Пат, — сказал я, когда она вышла, и крепко обнял свою подругу, — какое это чудо — прийти домой и найти там тебя. Для меня это всякий раз как приятная неожиданность. Когда я преодолеваю последние ступеньки и открываю дверь, я с ужасом думаю: а вдруг это все неправда и тебя нет?

Она с улыбкой смотрела на меня. Она почти никогда не отвечала, когда я говорил ей что-нибудь в этом роде. Я и представить себе не мог, чтобы это было иначе, да я бы и не вынес этого — я считал, что женщина не должна говорить мужчине, что любит его. У Пат в таких случаях становились сияющие, счастливые глаза, и это было лучшим ответом, чем любые слова.

Я долго держал ее в своих объятиях, чувствуя теплоту ее кожи, свежесть ее дыхания, и пока я обнимал ее, всякие страхи исчезли, тьма отступила, и ничего не осталось, кроме нее, живой, дышащей, и ничто не было потеряно.

— Мы что, в самом деле куда-нибудь пойдем, Робби? — спросила она, прижавшись лицом к моему лицу.

— И даже все вместе, — ответил я. — Кестер с Ленцем к нам присоединятся. «Карл» уже стоит у дверей.

— А как же Билли?

— Билли, разумеется, с нами. Иначе куда нам девать объедки! Или ты уже поужинала?

— Нет еще. Ждала тебя.

— Ты не должна меня ждать. Никогда. Ждать — это ужасно.

Она покачала головой:

— Тебе этого не понять, Робби. Ужаснее всего, когда нечего или некого ждать.

Она зажгла лампочку перед зеркалом.

— Ну, тогда мне пора начинать одеваться, а то не успею. Ты переоденешься?

— Потом, — сказал я, — я ведь делаю это быстро. Посижу пока здесь.

Я подозвал собаку и уселся в кресле у окна. Я любил потихоньку сидеть здесь, наблюдая, как Пат одевается. Никогда не ощущал я всей тайны вечно чуждой нам женской природы острее, чем в такие минуты бесшумного скольжения ее перед зеркалом, когда, священнодействуя перед ним, она впадала в эту особенную пристальную задумчивость и самозабвенную отрешенность, когда она вся отдавалась бессознательному самоощущению пола. Невозможно было себе представить, чтобы женщина могла одеваться, смеясь и болтая, а если такое бывало, значит, этой женщине недоставало какого-то тайного и невнятного, вечно ускользающего обаяния. Я любил у Пат ее мягкие и в то же время ловкие движения перед зеркалом; до дрожи умиления любил наблюдать, как касается она волос или как осторожно и чутко, будто копье, нацеливает на свои брови карандаш. В такие минуты в ней было что-то от лани и гибкой пантеры и что-то от амазонки перед битвой. Она переставала замечать что-либо вокруг себя, ее лицо, когда она внимательно и спокойно подносила его к зеркалу, делалось серьезным и собранным, и казалось, что это не отражение смотрит на него оттуда, что это две живые, настоящие женщины из тьмы тысячелетий отважно и испытующе вглядываются друг в друга своими древними и всеведающими очами.

Через открытое в сторону кладбища окно вливалось свежее дыхание вечера. Я сидел, как любил, очень тихо; нет, я не забыл о том, что было под вечер, я все помнил точно, но когда я смотрел на Пат, я чувствовал, что тупая печаль, камнем во мне осевшая, вновь и вновь захлестывается какой-то дикой надеждой, как они сменяют друг друга наподобие странного хоровода — то печаль, то надежда, то ветер, то вечер, то красивая девушка среди помноженных зеркалом светильников; и внезапно меня охватило мгновенное и странное ощущение, что это и есть жизнь, жизнь настоящая и глубокая, а может быть, даже и счастье — то есть любовь с изрядной примесью горькой печали, страха и немого прозрения.

XIX

Я стоял в хвосте очереди на стоянке и ждал, когда она продвинется. Подъехал Густав и пристроился за мной.

— Ну как поживает твой щен? — спросил он.

— Великолепно, — сказал я.

— А сам?

Я только недовольно махнул рукой.

— Я бы тоже чувствовал себя великолепно, если бы побольше получал. Представь, за весь день всего две поездки по полмарки.

Он кивнул:

— С каждым днем все хуже. Да и все становится хуже. Что-то еще будет!

— А мне позарез нужны деньги! — сказал я. — Много денег! Именно теперь!

Густав почесал подбородок.

— Много денег!.. — Он посмотрел на меня. — Теперь это не очень реально. Башли на дороге не валяются, Роберт. Нужно комбинировать. Как ты насчет тотализатора? Сегодня как раз скачки. Я в курсе дела. Недавно хапанул двадцать восемь к одному на Аиде.

— Да мне хоть что. Лишь бы какие-нибудь шансы.

— А ты когда-нибудь играл?

— Нет.

— Тогда рука твоя легкая! Это уже кое-что. — Он взглянул на часы. — Ну что, едем? Как раз успеем.

— Едем!

После истории с собакой я испытывал к Густаву большое доверие.

Кассы, в которых оформлялись пари, помещались в довольно большом зале. Справа была сигарная лавка, слева тотализатор. Витрины пестрели зелеными и розовыми полосами спортивных газет и объявлениями о скачках. Вдоль одной стены тянулась стойка с несколькими письменными приборами. Там лихорадочно орудовали трое мужчин. Один что-то орал в телефон, второй сновал между окошком кассы и стойкой с какими-то бумажками в руках, а третий, сдвинув котелок далеко на затылок и перекатывая в зубах толстую, черную, изжеванную сигару бразильских сортов, стоял без пиджака, с засученными рукавами рубашки у стойки и записывал ставки. Рубашка на нем была ярко-лилового цвета.

К моему удивлению, народу здесь было много. Преобладали люди маленькие — ремесленники, рабочие, мелкие служащие, было несколько проституток и сутенеров. Уже в дверях нас остановил некий господин в грязных серых гамашах, сером котелке и обтрепанном сером сюртуке.

— Фон Билинг. Консультант. Успех гарантирую. Не желаете, господа?

— На том свете, — огрызнулся мгновенно преобразившийся здесь Густав.

— Всего пятьдесят пфеннигов, — канючил Билинг. — Лично знаком с тренерами. Еще с прежних времен, — добавил он, поймав мой взгляд.

Густав тем временем уже штудировал вывешенные объявления.

— А когда придет бюллетень из Отейля? — крикнул он парням за стойкой.

— В пять, — отрывисто квакнул младший из них.

— М-да, Филомена — стервоза что надо, — бормотал Густав. — Знаем ее державный галоп... — Он уже взмок от волнения. — А следующие-то где? — спросил он.

— В Хоппегартене, — сказал кто-то рядом с ним. Густав снова погрузился в чтение.

— Для начала поставим по две монеты каждый на Тристана. И победим! — заявил он мне.

— А ты что-нибудь петришь в этом? — спросил я.

— Что-нибудь? — парировал он мой вопрос. — Да я каждую царапину знаю на каждой подкове.

— И при этом ставите на Тристана? — сказал кто-то рядом с нами. — Прилежная Лизхен, друзья, — вот единственный шанс! Я знаком с Джонни Бернсом лично.

— А я, — ответствовал Густав, — владелец конюшни Прилежной Лизхен собственной персоной. Так что мне лучше знать.

Он сообщил наши ставки человеку за стойкой. Мы получили квитанцию и протиснулись в небольшое кафе, где стояло несколько столиков и стульев. Над нашими головами порхали клички и прозвища лошадей и жокеев. Двое рабочих спорили о достоинствах скаковых лошадей в Ницце, два почтальона вникали в сообщение о погодных условиях в Париже, а некий кучер громко хвастал тем, что был когда-то наездником. Только какой-то толстяк с прической бобриком невозмутимо сидел за столом, уплетая одну булочку за другой. На него жадно смотрели двое мужчин, стоявших у стены. В руках у них было по квитанции, но по их впалым щекам можно было догадаться, что они давно уже ничего не ели.

Пронзительно зазвонил телефон. Все навострили уши. Младший из троих парней за стойкой выкрикивал клички лошадей. О Тристане ни слуху ни духу.

— Проклятие, — сказал Густав и покраснел. — Соломон всех обставил. Кто бы мог этого ожидать? Только не вы! — гневно выкрикнул он «Прилежной Лизхен». — Ваша тоже была черт-те где, далеко под чертой...

Около нас снова всплыл фон Билинг.

— Ах, господа, ну что бы вам меня слушать! Я бы назвал Соломона! Только Соломона! Не угодно ли в следующем забеге...

Густав повернулся к нему спиной. Он уже успокоился и затеял с «Прилежной Лизхен» профессиональный разговор.

— А вы разбираетесь в лошадях? — спросил меня Билинг.

— Нет, я здесь впервые, — сказал я.

— Тогда ставьте! Ставьте! Но только сегодня, — добавил он шепотом, — и никогда больше. Послушайте меня. Ставьте! Все равно на кого — на Короля Лира или Серебристого Мотылька, а может, и на Лёр Блё. Я ничего не хочу на вас заработать. Выиграете — дадите мне какую-нибудь мелочь...

У него аж дрожал подбородок от азарта. Я и по покеру знал, что новички, как правило, выигрывают.

— Ладно, — сказал я, — а на кого ставить?

— На кого хотите, на кого хотите...

— Лёр Блё звучит недурственно, — сказал я, — итак, десять марок на Лёр Блё.

— Ты что, рехнулся? — спросил меня Густав.

— Нет, — сказал я.

— Десять монет на эту клячу, которую давно пора пустить на колбасу?

«Прилежная Лизхен», только что обозвавший Густава живодером, на сей раз горячо его поддержал:

— Тоже мне выискал! Лёр Блё! Да ведь это корова, а не лошадь, голубчик! Да Майский Сон на двух ногах сделает с ней что захочет! На что хоть ставка-то? Неужто на первое место?

Билинг, делая мне знаки, заклинающе смотрел на меня.

— На первое место, — сказал я.

— Ну, этого можно оттаскивать, — презрительно хмыкнул «Прилежная Лизхен».

— Ну ты даешь! — Густав тоже посмотрел на меня как на туземца. — Джипси Вторая! Это же ясно как день.

— Нет, остаюсь при своей Лёр Блё, — заявил я. — Менять ставку теперь — значило бы поступать против всех неписаных правил везения.

Мужчина в лиловой рубашке передал мне мою квитанцию. Густав и «Прилежная Лизхен» смотрели на меня как на прокаженного. Обдав меня презрением, они дружно двинулись к окошку, и там под совместный гогот и перекрестные насмешки, в которых все же чувствовалось взаимное уважение знатоков, один поставил на Джипси Вторую, а другой на Майский Сон.

В этот миг в толпе вдруг кто-то упал. Это был один из тех двух тощих мужчин, что стояли у столиков. Он скользнул по стене и глухо ударился головой об пол. Оба

304 Эрих Мария Ремарк

почтальона подняли его и усадили на стул. Он побелел как полотно и жадно ловил воздух ртом.

— Елки-палки! — сказала одна из проституток, пышная брюнетка с гладкой прической и низким лбом. — Да принесите же ему воды.

Меня поразило, насколько мало интереса проявили в толпе к человеку, упавшему в обморок. Большинство лишь взглянули в его сторону и тут же отвернули головы к тотализатору.

— Тут это часто бывает, — сказал Густав. — Безработные. Просаживают все до последнего пфеннига. И играют рисково — хотят сразу сорвать большой куш.

Извозчик принес из сигарной лавки стакан с водой. Чернявая проститутка намочила свой платок и вытерла мужчине лоб и виски. Он вздохнул и неожиданно открыл глаза. В том, как его глаза снова зажглись на совершенно потухшем лице, было что-то жуткое — словно сквозь прорези застывшей алебастровой маски с холодным любопытством проглянуло новое, неизвестное существо.

Девица взяла стакан с водой и дала ему напиться. При этом она поддерживала его рукой, как ребенка. Потом она отняла булочку у безучастного обжоры с прической бобриком.

— На-ка, поешь... да не спеши, не спеши ты так... палец мне откусишь... Вот, а теперь запей...

Бобрик только покосился вослед уплывшей булочке, но ничего не сказал. Кровь постепенно приливала к лицу несчастного. Он пожевал еще немного и, покачавшись, поднялся. Девица довела его до двери. Потом, воровато оглянувшись, открыла сумочку.

— На вот... а теперь проваливай отсюда... Тебе жрать надо, а не на скачках играть...

Один из сутенеров, все это время стоявший к ней спиной, теперь повернулся. У него было хищное птичье лицо с оттопыренными ушами, лаковые туфли, спортивная шапочка.

— Сколько ты ему дала? — спросил он.

— Десять пфеннигов.

Он ударил ее локтем в грудь.

— Небось больше! В другой раз не давай без спросу.

— Не делай столько шума, Эде, — сказал другой сутенер.

Проститутка достала помаду и стала красить губы.

— Но ведь надо по-честному, — сказал Эде.

Проститутка промолчала.

Зазвенел телефон. Наблюдая за Эде, я не обратил на это внимания.

— Ну, пруха так пруха! — услыхал я вдруг громовой голос Густава. — Это уже не везение, а черт его знает что! А, господа? Каково? — Он ударил меня по плечу. — Нет, ты понял, а? Слупил сто восемьдесят марок! Твоя кляча с этой немыслимой кличкой всех обскакала! Ты понял, чудило?

— Что, в самом деле? — спросил я.

Человек в роскошного цвета рубахе и с изжеванной бразильской сигарой в зубах кисло кивнул и взял у меня квитанцию.

— Кто это вам посоветовал? — спросил он.

— Я! — поспешно выкрикнул Билинг. Он протиснулся ко мне, отвешивая мелкие поклоны, выжидательно глядя в глаза и гнусно, униженно улыбаясь. — Это все я, с вашего позволения... У меня связи...

— Ну, знаешь ли... — Распорядитель даже не взглянул на него и выплатил мне деньги.

На мгновение в зале воцарилась полная тишина. Все смотрели на меня. Даже отрешенный от мира обжора и тот поднял голову. Я спрятал деньги.

— А теперь прекращайте! — прошептал Билинг. — Прекращайте! — На лице его выступили красные пятна. Я сунул ему десять марок.

Густав, ухмыляясь, двинул кулачищем мне под ребро.

— Ну что я тебе говорил? Слушай Густава — будешь деньги грести лопатой!

Я не стал напоминать бывшему ефрейтору санитарной службы о Джипси Второй. Впрочем, он и сам не вспомнил о ней.

— Пошли отсюда, — сказал он, — настоящим артистам сегодня здесь делать нечего.

В дверях кто-то дернул меня за рукав. То был «Прилежная Лизхен».

— А на кого вы рекомендуете ставить в мемориале Масловского! — подобострастно спросил он.

— Только на «В лесу родилась елочка» и ни на кого больше, — ответил я и отправился с Густавом в ближайшую пивную, чтобы пропустить стаканчик за здоровье Лёр Блё.

Час спустя я все-таки проиграл тридцать марок. Не смог удержаться. Но потом все же бросил. Прощаясь, Билинг сунул мне в руку какой-то листок.

— Если вам что-нибудь понадобится! Или вашим знакомым. Я все устрою. — Листок оказался рекламой подпольных порнографических кинешек. — Посредничаю также при продаже поношенной одежды, — крикнул он мне вслед. — За наличный расчет!

В семь часов я поехал обратно в мастерскую. «Карл» стоял на дворе с ревущим мотором.

— Ты вовремя, Робби, — сказал Кестер. — Мы как раз собираемся прокатиться за город — испытать его. Садись!

Вся наша фирма выстроилась в полной готовности. Дело было в том, что Отто предстояло через две недели принять участие в гонках по горным дорогам. В связи с этим он внес в машину кое-какие усовершенствования. Теперь предстояло сделать первую пробную поездку.

Мы сели в машину. Юпп в своих огромных гоночных очках занял место рядом с Кестером. Его хватил бы удар, если б он остался дома. Мы с Ленцем сели сзади.

«Карл» рванулся с места. Мы выехали на загородное шоссе и развили скорость в сто сорок километров. Мы с Ленцем прильнули к передним сиденьям — ветер был такой, что, казалось, вот-вот оторвет голову. Тополя по обе стороны дороги слились в одну сплошную линию, колеса свистели, а чудесный рев мотора пронизывал нас до печенок, как яростный зов свободы.

Минут через пятнадцать мы увидели перед собой черную точку, которая быстро увеличивалась в размере. Это была довольно большая машина, шедшая со скоростью от восьмидесяти до ста километров. Она ехала, виляя из стороны в сторону. А поскольку шоссе было довольно узким, Кестеру пришлось сбавить скорость. Когда до машины оставалось метров сто и мы уже собирались сигналить, мы вдруг заметили, как по боковой дороге справа наперерез нашей кавалькаде мчится мотоциклист, — мелькнув, он тут же скрылся за живой изгородью у перекрестка.

— Черт бы его побрал! — воскликнул Ленц. — Сейчас что-то будет!

В тот же миг мы увидели, что мотоциклист выскочил на дорогу метрах в двадцати перед впереди идущей машиной. Вероятно, он недооценил скорость машины и поэтому попытался с ходу, едва выйдя из поворота, оторваться от нее. Машина взяла резко влево, чтобы избежать столкновения, но и мотоцикл сместился в левую сторону. Тогда машина круто рванула вправо, зацепив крылом мотоцикл. Тот перевернулся в воздухе, а водитель, перелетев через руль, упал на асфальт. От удара машина качнулась вправо, выскочила в кювет и, сбив по пути дорожный знак и смяв фару, с грохотом врезалась в дерево.

Все это произошло за несколько секунд. У нас была еще приличная скорость, и в следующее мгновение мы оказались на месте происшествия. Завизжали колеса. Кестер, чуть не подняв «Карла», как норовистую лошадь, на дыбы, бросил его в узкий коридор между валявшимся мотоциклистом, его мотоциклом и стоявшей боком и уже дымившейся машиной; при этом он едва не задел левым колесом руку упавшего, а правым —

Эрих Мария Ремарк

задний бампер машины. Затем мотор заревел ровнее, и «Карл» снова вышел на прямую; взвизгнули тормоза, и все стихло.

— Отлично сделано, Отто! — сказал Ленц.

Мы побежали назад. Распахнули дверцы машины. Мотор еще работал. Кестер тут же выдернул ключ зажигания. Двигатель, попыхтев, замер, и мы услышали стоны. Все до единого стекла тяжелого лимузина были разбиты вдребезги. Внутри в полумраке виднелось окровавленное лицо женщины. Рядом с ней был мужчина, зажатый между рулем и сиденьем. Сначала мы вытащили женщину и положили ее на дорогу. Ее лицо было сплошь в порезах, в нем торчало еще несколько осколков, и кровь лилась беспрерывно. Еще хуже обстояло дело с правой рукой. Рукав белого жакета обагрился кровью, капавшей бесперебойно. Ленц разрезал его. Кровь хлынула потоком, потом стала вытекать толчками. Была перерезана вена. Ленц сделал жгут из носового платка.

— Займитесь мужчиной, тут я и сам справлюсь, — сказал он. — Надо поскорее добраться до ближайшей больницы.

Чтобы освободить мужчину, нужно было отвинтить спинку сиденья. По счастью, инструменты у нас были с собой, и дело спорилось. Мужчина тоже истекал кровью; кроме того, у него, по-видимому, было поломано несколько ребер. Когда мы вытащили его из машины и поставили на ноги, он со стоном упал. Оказалось, что у него сильно повреждено и колено. Помочь на месте мы ему не могли.

Кестер подъехал на «Карле» задним ходом вплотную к месту аварии. Увидев подъезжающую машину, женщина забилась в истерике от страха, хотя «Карл» ехал очень медленно. Мы откинули назад спинку переднего сиденья и таким образом смогли уложить мужчину. Женщину пристроили сзади. Я встал рядом с ней на подножку, Ленц на другой стороне точно так же поддерживал мужчину.

— Оставайся здесь и последи за машиной, Юпп, — сказал Ленц.

— А куда же подевался мотоциклист? — спросил я.

— Смылся, пока мы возились с машиной, — сказал Юпп.

Мы медленно двинулись вперед. Неподалеку от ближайшей деревни находился небольшой санаторий. Мы не раз видели его, когда проезжали мимо. Невысокие белые корпуса на зеленом холме. Насколько нам было известно, то было частное психиатрическое заведение для богатых пациентов, нуждающихся в отдыхе и легком лечении. Однако наверняка там был и врач, и все необходимое для перевязки.

Мы въехали на холм и позвонили у ворот. К нам вышла очень хорошенькая сестра. Она побледнела, увидев кровь, и убежала обратно. Тут же вышла другая сестра, намного старше.

— Сожалею, — сразу же сказала она, — но мы не приспособлены для оказания первой помощи. Вам придется поехать в больницу имени Вирхова. Это недалеко отсюда.

— Это в часе езды отсюда, — возразил Кестер.

Сестра взглянула на него ледяными глазами.

— Мы не приспособлены. И врача у нас нет...

— В таком случае вы нарушаете закон, — заявил Ленц. — В частных заведениях вашего образца постоянно должен быть врач. Вы мне позволите воспользоваться вашим телефоном? Я хотел бы поговорить с полицейским управлением и редакцией газеты.

Сестра заколебалась.

— Я полагаю, вам незачем волноваться, — холодно сказал Кестер. — Ваши труды будут, конечно же, хорошо оплачены. Прежде всего нам нужны носилки. А врача вы, вероятно, сумеете разыскать.

Она все еще не могла решиться.

— Носилки, — заметил Ленц, — а также перевязочный материал тоже вменяются вам законом...

— Да, да, — перебила она его, по-видимому, обескураженная столь обстоятельным знанием законов, — сейчас я пришлю кого-нибудь...

Она исчезла.

— Ну и дела! — сказал я.

— То же самое с тобой может случиться и в городской больнице, — хладнокровно заметил Ленц. — Сначала деньги, потом всевозможная бюрократическая канитель, а уж только потом помощь.

Мы вернулись к машине и помогли женщине выйти. Она ничего не говорила, все только смотрела на свои руки. Мы отвели ее в небольшую ординаторскую на первом этаже. Потом появились носилки для мужчины. Мы положили его, понесли. Он застонал:

— Одну минутку...

Мы посмотрели на него. Он закрыл глаза.

— Я не хотел бы, чтобы об этом узнали... — с трудом произнес он.

— Вы ни в чем не виновны, — сказал Кестер. — Мы хорошо видели, как все произошло, и охотно подтвердим это в качестве свидетелей.

— Не в этом дело, — сказал мужчина. — Я по другим причинам не хочу, чтобы это стало известно. Вы понимаете... — Он посмотрел на дверь, за которой скрылась женщина.

— Тогда вы как раз там, где надо, — заметил Ленц. — Здесь частная лечебница. Вот только машину вашу надо убрать прежде, чем ее обнаружит полиция.

Мужчина приподнялся на локте.

— Не могли бы вы сделать еще и это? И позвонить в ремонтную мастерскую? И пожалуйста, оставьте свой адрес! Я бы хотел... Ведь я вам обязан...

Кестер молча махнул рукой.

— Нет-нет, — сказал мужчина, — я все-таки хотел бы знать...

— Все решается очень просто, — сказал Ленц. — Мы сами владеем ремонтной мастерской и специализируемся на машинах вроде вашей. Мы ее сразу же заберем, если вы не возражаете, и приведем в порядок. Тем самым будет оказана помощь вам, а в каком-то смысле и нам.

— Очень рад, — сказал мужчина. — Не угодно ли, вот мой адрес... Я сам приеду тогда за машиной. Или пришлю кого-нибудь.

Кестер сунул визитную карточку в карман, и мы внесли его в помещение. Между тем появился и врач, совсем молодой человек. Он вытер кровь с лица женщины, и теперь стали видны глубокие порезы на нем. Женщина приподнялась, опираясь на здоровую руку, и стала всматриваться в стенки блестящего никелевого тазика, стоявшего на перевязочном столе.

— О! — только и произнесла она сдавленным голосом и с глазами, полными ужаса, повалилась назад.

Мы отправились в деревню на поиски какой-либо мастерской. Одолжили у кузнеца трос и крюки для буксировки, пообещав ему двадцать марок. Но он все же заподозрил подвох и захотел сам взглянуть на машину. Мы взяли его с собой и поехали к месту аварии.

Юпп стоял посередине дороги и махал нам рукой. Но мы и без него поняли, что случилось. У обочины стоял старый «мерседес» с высоким кузовом, и четверо мужчин прилаживали к нему буксирное устройство.

— Вовремя мы поспели, — заметил Кестер.

— Это братья Фогт, — сказал кузнец. — С ними опасно связываться. Местные. Им что в рот попало, то, считай, пропало...

— Ну, это мы посмотрим, — сказал Кестер.

— Я им уже все объяснил, господин Кестер, — прошептал Юпп. — Наглые конкуренты. Хотят ремонтировать ее у себя.

— Ладно, Юпп. Побудь пока здесь.

Кестер подошел к самому здоровому из четверки и заговорил с ним. Он объяснил ему, что у нас все права на эту машину.

— У тебя есть при себе что-нибудь твердое? — спросил я Ленца.

— Только связка ключей, но она мне самому пригодится. Возьми разводной ключ.

— Нет, — сказал я, — так недолго и изувечить. Жаль, что на мне такие легкие туфли. Все-таки драться ногами — это самое лучшее.

— Вы поучаствуете? — спросил Ленц кузнеца. — Тогда нас будет поровну.

— Какое там! Они завтра же разнесут мою лавочку в щепы. Я буду придерживаться строгого нейтралитета.

— Тоже правильно, — сказал Готфрид.

— Я поучаствую, — сказал Юпп.

— Посмей только! — сказал я. — Твое дело следить за дорогой. Дашь нам знать в случае чего.

Кузнец отошел от нас в сторонку, как бы подчеркивая свой строгий нейтралитет.

— Ты нам тут не свисти! — послышался в этот момент грубый голос самого здорового из братьев. — Кто успел, тот и съел, понял? — кричал он на Кестера. — И хватит трепаться! Проваливайте!

Кестер снова объяснил ему, что машина наша. Он предложил старшему Фогту отвезти его в санаторий, чтобы тот сам мог удостовериться в этом. Здоровяк только презрительно ухмыльнулся. Мы с Ленцем подошли поближе.

— А вам что, тоже захотелось в больницу? — бросил нам Фогт.

Кестер, ни слова не говоря, подошел к разбитой машине. Три остальных Фогта выпрямились и встали плотнее друг к другу.

— Дайте-ка буксирный трос, — сказал нам Кестер.

— Да ты что? — сказал здоровяк, который был на голову выше Кестера.

— Весьма сожалею, — сказал Кестер, — но машину заберем мы.

Мы с Ленцем придвинулись еще ближе, держа руки в карманах. В тот же миг Фогт отшвырнул его ударом ноги в сторону. Отто был к этому готов: падая, он успел схватить Фогта за ногу и повалить его. Быстро вскочив затем на ноги, он ударил головой в живот следующего Фогта, замахнувшегося на него ручкой от домкрата. Тот пошатнулся и тоже упал. В ту же секунду мы с Ленцем бросились на двоих оставшихся. Я напоролся на прямой удар — не сильный, но из носа пошла кровь, а я свой удар смазал: кулак скользнул по жирному подбородку противника. Тут же я получил удар в глаз и упал, да так неудачно, что подвернулся под руку тому Фогту, которого сбил ударом головы Отто. Теперь он, схватив меня за горло, прижал мою голову к асфальту. Я напряг мускулы шеи, не давая себя задушить, а сам пытался вывернуться, сбросить его с себя с помощью ног. Но, на мою беду, мои ноги придавили своими телами Ленц с его Фогтом: сцепившись, они рухнули наземь как раз на меня. Высвободиться не удавалось. Дышать становилось все труднее — на шею давили, а из носа шла кровь. Постепенно перед глазами моими все поплыло, физиономия Фогта затряслась, как желе, замелькали какие-то тени. Почти теряя сознание, я вдруг заметил рядом с собой Юппа; стоя на коленях в кювете, он спокойно и внимательно следил за нашей судорожной борьбой и, дождавшись мига, когда оба мы замерли, ударил Фогта молотком по запястью. После второго удара Фогт выпустил меня и с яростным воплем, приподнимаясь с земли, бросился на Юппа, который ловко уклонился и еще раз смачно ударил его молотком по пальцам, а потом и по голове. Я вскочил на ноги, навалился на Фогта и, в свою очередь, стал душить его за горло. В эту секунду воздух содрогнулся от звериного вопля, а затем раздался жалобный стон: «Отпусти! Да отпусти же!»

То был Фогт-старший. Поймав его руку, Кестер резко завел ее за спину. Фогт ткнулся головой в землю, а Кестер, упершись коленом ему в спину, продолжал закручивать руку. Одновременно он придвигался коленом к его затылку. Фогт уже просто выл, но Кестер знал, что кончать этого малого нужно по-настоящему, иначе покоя не будет. Он рывком вывихнул ему руку и лишь после этого отпустил. Фогт не поднимался. Я оглядел поле сражения. Один из Фогтов еще держался на ногах, но вопли старшего брата буквально парализовали его.

— Убирайтесь, а не то добавим, — сказал ему Кестер.

Напоследок я еще раз стукнул своего Фогта головой об асфальт и после этого отпустил его. Ленц уже стоял около Кестера. Куртка его была порвана, из угла рта текла кровь. В его поединке не было победителя, так как противник, хоть и был весь в крови, тоже еще держался на ногах. Однако поражение старшего брата решило все. Младшие братья не смели теперь и пикнуть. Они помогли старшему встать на ноги и пошли к своей машине. Потом менее всех пострадавший вернулся за домкратом. Он покосился на Кестера с таким ужасом, будто перед ним был сам дьявол. Затем «мерседес» затарахтел и отъехал.

Как из-под земли вырос кузнец.

— Они свое схлопотали, — сказал он. — Давно с ними такого не приключалось. Старший-то уже отсидел за убийство.

Никто ему не ответил. Кестер вдруг весь передернулся.

— Свинство есть свинство, — сказал он. Потом повернулся. — А теперь за дело!

— Я уж при деле, — заявил Юпп, подтаскивая буксирный трос.

— Поди-ка сюда, — сказал я ему. — С сегодняшнего дня ты у нас унтер-офицер и можешь начинать курить сигары.

Мы приподняли остов разбитой машины и, поставив ее передними колесами на задний бампер «Карла», закрепили тросом.

— А не повредит ли это «Карлу», как ты думаешь? — спросил я Кестера. — В конце концов, «Карл» — скаковая лошадь, а не вьючный осел.

Отто покачал головой:

— Тут ведь недалеко. И дорога ровная.

Ленц сел в пострадавшую машину, и мы медленно тронулись в путь. Прижимая платок к носу, я поглядывал на вечереющие поля и закатывающееся солнце. На всем лежала печать неправдоподобного, ничем не смущаемого покоя, и ясно чувствовалось, что природе глубоко безразлично, чем занят на свете злобный муравейник, именуемый человечеством. Куда больше важности было в том, что облака сгрудились теперь, как златоглавые горы, что с горизонта не торопясь наплывали лиловые тени сумерек, что жаворонки, падая с безграничных небесных высот, приникали к земным своим норам и что постепенно опускалась на землю ночь.

Мы въехали в наш двор. Ленц выбрался из развалины и снял перед ней шляпу.

— Будь благословен, убогий странник! Тебя привело сюда несчастье, однако ж нам ты, если мерить на самый первый, но преисполненный любви глазок, принесешь от трех до трех с половиной тысяч. А теперь попрошу стакан доброй вишневки да кусок мыла — надо ведь покончить с воспоминаниями о досточтимом семействе Фогтов!

Мы все выпили по стакану, а потом сразу же приступили к разборке машины на возможно большее количество деталей. Дело было в том, что заказа самого владельца машины зачастую оказывалось недостаточно — являлись представители страхового общества и забирали ее в одну из своих мастерских. Поэтому чем больше мы разберем, тем лучше. Расходы на сборку будут тогда столь высоки, что выгоднее оставить машину у нас. Вот мы и работали до полной темноты.

— Ты еще поедешь сегодня на такси? — спросил я Ленца.

— Исключено, — сказал Готфрид. — Ни в коем случае нельзя преувеличивать значение заработка. На сегодня с меня вполне достаточно этой страдалицы.

Эрих Мария Ремарк

— А с меня нет, — сказал я. — Раз ты не едешь, то я сам пощиплю тогда травку у ночных заведений между одиннадцатью и двумя.

— Оставь, — сказал Ленц улыбаясь. — Посмотри лучше на себя в зеркало. Что-то не везет тебе с носом в последнее время. А к человеку с таким фонарем, как у тебя, никто и не сядет. Ступай-ка домой да сделай компресс.

Он был прав. С таким носом действительно нельзя было ехать. Поэтому я вскоре простился со всеми и отправился домой. По дороге я встретил Хассе и до самого дома шел с ним. Вид у него был неряшливый и несчастный.

— Что-то вы похудели, — сказал я.

Он кивнул и рассказал мне, что практически перестал толком ужинать. Жена что ни день пропадает у приятельниц, которых с недавних пор себе завела, домой возвращается поздно. Он, конечно, рад, что она нашла себе развлечение, но самому готовить еду вечерами не хочется. Да и устает он за день так, что пропадает охота даже к еде.

Я искоса поглядывал на него, пока он, опустив плечи, вышагивал рядом. Может, он и вправду верил в то, что говорил, но все равно слушать все это было ужасно. Ведь всего толики прочности и толики денег хватило бы, чтобы поддержать, спасти этот брак и эту кроткую, неприметную жизнь. Я думал о том, что таких людей, которые нуждаются в толике прочности и толике денег, миллионы. Вся жизнь человека каким-то чудовищным образом скукожилась, испоганилась, превратилась в жалкую борьбу за голое выживание. Я вспомнил о сегодняшней драке, вспомнил о том, что видел и что сам делал в последнее время, а потом вспомнил о Пат и вдруг с ужасающей ясностью осознал, что одно с другим никак не совместимо. Разница была слишком велика, жизнь стала слишком дрянной и грязной для счастья, оно не могло длиться долго, в него нельзя было верить, оно — временная стоянка, а не пристань.

Мы поднялись по лестнице и открыли дверь. В прихожей Хассе остановился.

— Ну что ж, тогда до свидания.

— Вы хоть сегодня поешьте чего-нибудь, — сказал я.

Он покачал головой и слабо улыбнулся, словно прося за что-то прощения. Потом прошел в свою пустую, темную комнату. Я посмотрел ему вслед и двинулся дальше по коридорной кишке. Вдруг послышалось пение. Я остановился, прислушался. То был вовсе не патефон Эрны Бениг, как я сначала подумал, то был голос Пат. Она была одна в комнате и пела. Я взглянул на дверь, за которой скрылся Хассе, потом снова подался вперед, прислушался и невольно, борясь с внезапным ознобом, сжал руки — да, черт возьми, пускай это лишь временная стоянка, а не пристань, пускай расхождений будет в тысячу раз больше, чтобы невозможно было в счастье поверить, — как раз потому в него и невозможно было поверить, — именно поэтому-то оно так ошеломляюще ново и с такой силой захватывает!

Пат не слышала, как я вошел. Она сидела на полу перед зеркалом и примеряла маленькую черную шляпку. Рядом на ковре стояла лампа. Вся комната тонула в теплом, золотистых тонов полумраке, и только ее лицо было ярко освещено. Она придвинула к себе стул, с которого свисал кусок шелка. На сиденье стула поблескивали ножницы.

Я застыл в дверях, наблюдая, с какой серьезностью она возится со своей шляпкой. Она любила сидеть на полу, и я нередко, возвращаясь вечером, находил ее прикорнувшей где-нибудь в углу с книгой в руках, а рядом собака.

Собака, и теперь лежавшая рядом с ней, слегка заворчала. Пат подняла глаза и увидела меня в зеркале. Она улыбнулась, и мне сразу же показалось, что в мире стало светлее. Я прошел через комнату, опустился за ней на колени и наконец-то — после всей этой грязи, которую нанесло за день, — прижался губами к ее теплому, мягкому затылку.

Она повертела в воздухе своей черной шляпкой.

— Я тут кое-что переделала, милый. Тебе нравится?

— Не шляпа, а верх совершенства, — сказал я.

— Но ведь ты даже не взглянул на нее! Видишь, я срезала поля сзади, а спереди подвернула их наверх.

— Все я вижу, — сказал я, зарываясь лицом в ее волосы. — Шляпа такая, что парижские модельеры умерли бы от зависти, если б могли ее видеть.

— Ах, Робби! — Она, смеясь, отодвинула меня своим затылком. — Ты в этом ничего не смыслишь! Ты хоть замечаешь вообще, как я одета?

— Я замечаю каждую мелочь, — заявил я, устраиваясь к ней поближе, однако же так, чтобы нос оставался в тени.

— Вот как? Тогда скажи, в чем я была вчера вечером?

— Вчера? — Я задумался. Я и в самом деле не помнил.

— Так я и думала, милый! Ты вообще почти ничего не знаешь обо мне.

— Это верно, — сказал я. — Но ведь в этом вся прелесть. Чем больше люди знают друг друга, тем меньше они друг друга понимают. И чем ближе они знакомятся друг с другом, тем более чужими они становятся. Возьми хоть семейство Хассе для примера: они знают друг о друге все и ненавидят друг друга больше, чем любые чужие люди.

Она водрузила на голову свою черную шляпку и стала примерять ее перед зеркалом.

— Все это верно только наполовину, Робби.

— Ну, это касается любой истины, — возразил я. — Дальше половины нам никогда не удается продвинуться. На то мы и люди. Мы и с половинными-то истинами умудряемся делать столько глупостей. А знай мы истину целиком, мы вообще не могли бы жить.

Она сняла шляпку и отложила ее в сторону. Потом повернулась ко мне и увидела мой нос.

— Что это с тобой? — спросила она испуганно.

— Ничего страшного. Распухло немного, только и всего. Работал под машиной, и что-то брякнулось мне прямо на нос.

Она недоверчиво посмотрела на меня.

— И где ты опять пропадал? Ты ведь никогда ничего не рассказываешь мне. Я о тебе знаю так же мало, как и ты обо мне.

— Оно и к лучшему, — сказал я.

Она принесла тазик с водой и полотенце и сделала мне компресс. Потом присмотрелась к моему лицу внимательнее.

— Похоже на удар. И шея у тебя поцарапана. Опять у тебя было какое-то приключение, милый.

— Самое большое приключение сегодня мне еще предстоит, — сказал я.

Она с удивлением посмотрела на меня.

— Так поздно, Робби? Что же ты собираешься делать?

— Я собираюсь остаться здесь! — сказал я и, отбросив компресс, обнял ее. — Я остаюсь на весь вечер с тобой!

XX

Август был теплый и ясный, да и в сентябре погода держалась еще почти летняя; но потом, с конца сентября, зарядили дожди, тучи надолго обложили город. С крыш текло, ветер усилился, и когда я однажды проснулся ранним воскресным утром и подошел к окну, то увидел, что листва на кладбищенских деревьях покрылась пятнами охры и перепрела кое-где так, что проступили голые ветви.

Я какое-то время постоял у окна. Странное это было состояние в последние месяцы — с тех пор как мы вернулись из нашей поездки к морю, я постоянно, всякий час помнил, что осенью Пат надо уехать, но помнил об этом так, как мы помним о многом: о том, что годы проходят, что мы стареем и что мы не будем жить вечно. Настоящее всегда оказывалось сильнее, оно поглощало все

　　　　　　　　　　Эрих Мария Ремарк

мысли, и пока Пат была здесь, а деревья вовсю зелене-
ли, такие слова, как «осень», и «отъезд», и «прощание»,
были не более чем бледные тени на горизонте, которые
лишь подчеркивали счастье близости и пока еще для-
щейся совместной жизни.

Я смотрел на мокрое, залитое дождем кладбище, на
покрытые опавшими темными листьями надгробия. Туман, как бледный вампир, высосал за ночь всю зелень
из листьев; пожухлые и безжизненные, они бессильно
повисли на ветках, и каждый порыв то и дело набегав-
шего ветра срывал все новые и новые листья и гнал их
перед собой, — и, как острая, режущая боль, накатило
на меня внезапное чувство предстоящей разлуки, которая была близка, которая была реальна, так же реальна,
как эта вот осень, дохнувшая на деревья и оставившая
на них свои охряные следы.

Я подошел к двери в смежную комнату, остановился,
прислушался. Пат еще спала. Она спала спокойно, не
кашляла. На миг меня пронзила надежда — мне пред-
ставилось, как не сегодня завтра позвонит Жаффе и скажет, что уезжать ей не нужно; но тут же вспомнились
ночи, когда я слышал тихий посвист ее дыхания и эти
просевшие регулярные хрипы — вжик, вжик! — как звуки тонкой далекой пилы, и надежда моя как вспыхнула, так и угасла.

Я вернулся к окну и стал снова смотреть на дождь.
Потом подсел к письменному столу и принялся пере-
считывать деньги, которые у меня там лежали. Я начал
было прикидывать, на сколько дней их хватит Пат, но
только расстроился и снова запер их в ящик.

Я посмотрел на часы. Было около семи. Пат будет
спать еще часа два. Я быстро оделся, чтобы еще немного поездить. Все лучше, чем торчать здесь наедине со
своими мыслями.

Я пошел в мастерскую, выкатил такси и не торопясь
поехал по улицам. Было безлюдно. Бесконечные и унылые ряды казарм на рабочих окраинах походили на ко-

лонны понурых, сгорбившихся под дождем проституток. Стены домов покрылись грязью и облупились, мутные окна хмуро поблескивали в серについて утреннем свете, а штукатурка обветшалых каменных оград, словно изъеденная язвами, была вся в глубоких желтовато-серых дырах.

Я проехал в старую часть города, к собору. Остановив машину у небольшого заднего входа, я вышел. Сквозь тяжелую дубовую дверь донеслись приглушенные звуки органа. Было время утренней мессы, и по органной мелодии я понял, что освящение святых даров едва началось и, таким образом, будет длиться еще минут двадцать, а раньше этого времени никто из собора не выйдет.

Я прошел в сад, расположенный внутри галереи. Свет здесь был совсем тусклый. С кустов непрерывно текло, но на многих из них еще были цветы. Мой плащ был довольно широк, под ним легко было прятать срезанные ветки. Несмотря на воскресный день, никого поблизости не было, и я без помех отнес в машину первую охапку роз. Потом вернулся в сад за второй. И когда ее уже набрал, услышал в галерее чьи-то шаги. Крепко прижав к себе локтем букет, спрятанный под плащом, я застыл в молитвенной позе перед одним из святых изображений.

Шаги приблизились, но не проследовали дальше, а замерли. Мне вдруг стало жарко. Я постоял перед каменным изваянием в задумчивой созерцательной позе, перекрестился и медленно перешел к следующему, подальше от галереи. Шаги последовали за мной и снова замерли. Я не знал, что делать. Сразу двигаться дальше я теперь не мог — надо было по крайней мере выждать время, необходимое для прочтения молитвы «Отче наш» и десятка молитв «Аве Мария», иначе я тут же выдал бы себя. Поэтому я остался на месте, но позволил себе слегка оглянуться, как бы выражая сдержанно горестное сожаление по поводу неуместного посягательства на благоговение минуты.

Увидев перед собой благодушное округлое лицо пастора, я вздохнул с облегчением. Я почел себя уже спасенным, ибо знал, что он не прервет моих молитв, как вдруг я с ужасом обнаружил, что достиг конца барельефа с изображением страстей Господних. Как бы истово я теперь ни молился, через несколько минут я должен был закончить, чего он, по-видимому, ожидал. Тянуть дальше не имело смысла. Поэтому я медленно и с безразличным видом двинулся к выходу.

— Доброе утро, — произнес священник. — Хвала Господу Иисусу Христу!

— Во веки веков, аминь! — ответствовал я, как подобает благочестивому католику.

— Редко кого встретишь здесь в эту пору, — ласково сказал он, глядя на меня голубыми детскими глазами.

Я пробормотал что-то невнятное.

— К сожалению, теперь это редко, — продолжал он с легким вздохом. — И почти не видно мужчин, молящихся в этом месте. Потому-то возрадовался я и заговорил с вами. Должно быть, какая-нибудь особая нужда привела вас сюда в столь ранний час и в такую погоду, какое-нибудь особое пожелание...

«Желание у меня одно — чтобы ты поскорее шел отсюда», — подумал я, испытывая все же некоторое облегчение. Было очевидно, что цветы он пока не заметил. Теперь нужно было поскорее отделаться от него, пока он не успел обратить на них внимание.

Он снова улыбнулся мне.

— Я сейчас буду служить мессу и охотно включу вашу просьбу в свои молитвы.

— Спасибо, — пролепетал я в изумленном смущении.

— Итак, должен ли я молиться за упокой души усопшего человека?

Я растерянно посмотрел на него и чуть не выронил цветы.

— Нет, — сказал я, прижимая их под плащом покрепче.

Он продолжал выжидательно смотреть на меня своими прозрачными глазками, не ведавшими злого умысла. Вероятно, ждал, что я объясню наконец, чего желаю от Бога. Но мне на ум не приходило ничего путного да и не хотелось еще больше втягиваться в обман. Поэтому я молчал.

— Стало быть, я помолюсь о помощи неизвестному человеку, нуждающемуся в ней, так? — сказал он наконец.

— Да, — ответил я, — если вы будете так добры. Очень вам благодарен.

Он махнул рукой, улыбнувшись:

— Не стоит благодарности. Все мы в руце Божьей. — Он еще посмотрел на меня, склонив голову как-то набок, и мне почудилось, что по лицу его пробежала тень. — Главное, верьте, — сказал он. — И Отец Небесный поможет. Всенепременно. Он помогает и тогда, когда мы этого не понимаем. — Затем он кивнул мне и ушел.

Я смотрел ему вслед до тех пор, пока не услышал, как за ним захлопнулась дверь. «Ах, — думал я, — если б все было так просто! Он поможет, всенепременно! А помог он Бернхарду Визе, когда тот валялся с простреленным животом и орал на весь Хоутхольстерский лес, помог Качинскому, погибшему в Хандзееме, оставив больную жену и ребенка, которого он ни разу не видел, помог Мюллеру, и Лееру, и Кеммериху, помог малышу Фридману, и Юргенсу, и Бергеру, и миллионам других? Нет, черт возьми, многовато пролито крови на этой земле, чтобы можно было сохранить веру в Отца Небесного!»

Я отвез цветы домой, потом отогнал машину в мастерскую и пошел обратно. Из кухни доносился запах свежезаваренного кофе, и было слышно, как там возится Фрида. Как ни странно, но запах кофе придал мне бодрости. Я и по фронту помнил — лучше всего утешают не какие-нибудь значительные вещи, а сущие пустяки и мелочи.

Эрих Мария Ремарк

Едва за мной щелкнула входная дверь, как в коридор пулей вылетел Хассе. Лицо его было опухшим и желтым, воспаленные глаза покраснели, он выглядел так, будто спал прямо в костюме. Увидев меня, он не смог скрыть на своем лице величайшее разочарование.

— Ах, это вы, — пробормотал он.

Я с удивлением посмотрел на него.

— А вы что, поджидаете кого-нибудь в такую рань?

— Да, — тихо сказал он. — Жену. Она еще не вернулась. Вы ее не видели?

Я покачал головой.

— Я только час как ушел.

Он кивнул.

— Я подумал — вдруг вы ее где-нибудь видели...

Я пожал плечами.

— Придет, видимо, позже. Вы не пробовали звонить?

Он взглянул на меня как-то робко.

— Она ушла с вечера к своим знакомым, а я не знаю точно, где они живут.

— А их фамилию вы знаете? Адрес можно было узнать через справочное бюро.

— Я запрашивал. В справочнике такой фамилии не оказалось.

У него был вид как у побитой собаки.

— Она вечно делала тайну из своих знакомств, а стоило мне о ком-нибудь спросить, как она сразу злилась. Ну, я перестал и спрашивать. Я был рад, что у нее есть куда пойти. Она же все время говорила, что я хочу лишить ее и этой маленькой радости.

— Может, она придет еще, — сказал я. — То есть я даже уверен, что она скоро придет. А вы позвонили на всякий случай в «Скорую помощь» и в полицию?

Он кивнул:

— Звонил. Они тоже ничего не знают.

— Вот видите, — сказал я. — В таком случае вам нечего волноваться. Может быть, она неважно почувствовала себя вечером и решила остаться на ночь. Такое ведь часто бывает. А часа через два или три она скорее всего будет дома.

— Вы думаете?

Кухонная дверь отворилась, и показалась Фрида с подносом.

— А это для кого? — спросил я.

— Для фройляйн Хольман, — ответила она, сразу же раздражаясь от одного моего вида.

— А что, она уже встала?

— Да уж, должно быть, встала, — ехидно заметила Фрида, — раз позвонила, чтобы ей несли завтрак.

— Благослови вас Господь, Фрида, — сказал я. — По утрам вы иногда бываете просто сахар! Не могли бы вы преодолеть себя и заодно уж и мне сварить кофе?

Она что-то буркнула и двинулась по коридору, вихлянием бедер выказывая все свое презрение. Это она умела. Никто из моих знакомых не мог с ней в этом сравниться.

Хассе застыл в ожидании. Мне вдруг стало стыдно, когда я, обернувшись, увидел, что он преданно и безмолвно стоит рядом.

— Через час-полтора, вот увидите, вы уже забудете обо всех своих тревогах, — сказал я и протянул ему руку.

Он не взял ее, а как-то странно посмотрел на меня.

— Может, нам поискать ее? — тихим голосом спросил он.

— Но ведь вы не знаете, где она.

— Может, все-таки попробовать? — повторил он. — На вашей машине? Я, разумеется, все оплачу, — быстро выпалил он.

— Речь не об этом, — сказал я. — Но только это совершенно безнадежно. Ну куда мы поедем? В какую сторону? Да ведь и не на улице же она в это время.

— Не знаю, — так же тихо сказал он. — Я только думал, что можно попробовать ее поискать.

Фрида с пустым подносом проследовала обратно.

— Мне нужно идти, — сказал я. — Кроме того, я думаю, что вы тревожитесь понапрасну. Несмотря на это, я охотно помог бы вам, но фройляйн Хольман должна скоро уехать, и я хотел бы провести этот день с ней. Вероятно, это ее последнее воскресенье здесь. Вы ведь понимаете?

Он кивнул.

Мне было жалко смотреть на него, но я торопился к Пат.

— Если вы все же хотите немедленно ехать на поиски, — продолжал я, — вы можете взять такси на улице, но я вам этого не советую. Подождите лучше еще немного. А потом я позвоню своему другу Ленцу, и он отправится с вами на поиски.

Мне казалось, что он ничего не слышит.

— А вы не видели ее сегодня утром? — внезапно спросил он.

— Нет, — ответил я удивленно. — А то бы я сразу вам об этом сказал.

Он снова кивнул и, не говоря больше ни слова, с отсутствующим видом ушел к себе в комнату.

Пат уже побывала у меня и нашла розы. Она рассмеялась, когда я вошел.

— Робби, — сказала она, — меня тут Фрида лишила наивности. Она утверждает, что свежие розы по воскресеньям в это время наверняка попахивают воровством. Кроме того, она говорит, что этот сорт не водится в окрестных магазинах.

— Думай что хочешь, — сказал я. — Главное, что они доставляют тебе радость.

— Теперь еще большую, милый. Раз ты добыл их, подвергая себя опасности!

— Еще какой! — Я вспомнил о пасторе. — Но почему ты так рано встала?

— Не могла больше спать. Снились такие ужасы, что продолжать не хотелось.

Я внимательно посмотрел на нее. Вид у нее был усталый, под глазами — тени.

— С каких это пор тебе снятся кошмары? — спросил я. — До сих пор я думал, что это по моей части.

Она покачала головой.

— Ты уже заметил, что на дворе осень?

— У нас это называли «бабьим летом», — сказал я. — Ведь еще цветут розы. Просто идет дождь, вот все, что я вижу.

— Идет дождь, — повторила она. — Он идет уже слишком долго, милый. Иногда проснусь по ночам и мне кажется, что я уже потонула под потоками дождя.

— Ты должна приходить ко мне по ночам. Тогда у тебя не будет таких мыслей. Да и как приятно быть вместе, когда в комнате темно, а за окном идет дождь.

— Возможно, — сказала она, прижимаясь ко мне.

— Люблю, когда по воскресеньям идет дождь, — сказал я. — Тогда больше ценишь то, что у тебя хорошо. Мы вместе, у нас теплая красивая комната — и целый день впереди; по-моему, это немало.

Ее лицо прояснилось.

— Да, у нас все хорошо, не правда ли?

— На мой взгляд, просто чудесно. Как вспомню, что было раньше, — Боже мой! Вот уж не думал, что мне будет когда-нибудь так хорошо.

— Как хорошо, что ты это говоришь. Я тогда в это верю. Говори это чаще.

— Разве я не часто это говорю?

— Нет.

— Может быть, — сказал я. — По-моему, я не очень-то нежен. Не знаю почему, но я просто не способен на это. А ведь я бы очень хотел быть нежным.

— Тебе это и не надо, милый. Я ведь и так понимаю тебя. Только иногда вдруг так захочется, чтобы ты это сказал.

— Я теперь буду повторять это часто, все время. Как бы по-дурацки это ни выглядело.

— Что значит по-дурацки? — сказала она. — В любви нет ничего дурацкого.

Эрих Мария Ремарк

— И слава Богу, что нет, — сказал я. — Иначе она бог знает во что превратила бы человека.

Мы позавтракали вместе, а потом Пат снова легла в постель. Такой режим установил Жаффе.

— Ты побудешь со мной? — спросила она из-под одеяла.

— Если хочешь, — ответил я.

— Я-то хочу, но ты же не обязан...

Я сел к ней на кровать.

— Я не то имел в виду. Ты ведь говорила, что не любишь спать, когда на тебя смотрят.

— Раньше так оно и было, но теперь, знаешь, мне иногда страшно одной...

— И со мной такое бывало, — сказал я. — В госпитале, после операции. Я тогда боялся спать по ночам. Держался до самого утра, не смыкая глаз, — читал или думал о чем-нибудь, и только когда наступал рассвет, я засыпал. Но это проходит.

Она прижалась лицом к моей ладони.

— Это от страха, что заснешь и не проснешься, Робби...

— Да, — сказал я, — но поскольку все-таки просыпаешься, то это проходит. Можешь убедиться в этом на моем примере. Мы всегда просыпаемся, всегда возвращаемся назад — хотя и не на то самое место.

— В том-то и дело, — сказала она уже несколько сонным голосом и закрывая глаза. — Этого-то я и боюсь. Но ведь ты последишь, чтобы я вернулась куда надо, правда?

— Послежу, — сказал я и провел рукой по ее лбу и волосам, которые тоже казались усталыми. — Я ведь солдат бывалый и бдительный.

Дыхание ее сделалось глубже, она слегка повернулась на бок. Через минуту она уже крепко спала.

Я опять сел к окну и уставился на дождь. Это был сплошной серый ливень, в мутной бесконечности которого наш дом казался маленьким островком. На душе у меня скребли кошки — редко случалось, чтобы Пат с утра предавалась унынию и печали. Но потом я стал думать о том, что еще на днях она была веселой и оживленной и, может быть, снова будет такой, когда проснется. Я знал, что она много думает о своей болезни, знал я от Жаффе и о том, что ее состояние пока не улучшилось, — но я столько видел на своем веку мертвых, что любая болезнь была для меня все-таки жизнью и надеждой. Я знал, что можно умереть от ранения, этого я повидал немало, но именно поэтому мне было трудно поверить, что человека может унести и болезнь, при которой человек внешне остается невредимым. Вот почему минуты растерянности и тревоги никогда не длились у меня подолгу.

В дверь постучали. Я прошел через комнату и открыл. На пороге стоял Хассе. Приложив палец к губам, я тихонько вышел в коридор.

— Простите, — пробормотал он.

— Зайдите ко мне, — сказал я и открыл дверь в свою комнату.

Хассе в комнату не вошел. Его побелевшее как мел лицо все как-то ужалось.

— Я только хотел сказать вам, что нам не нужно никуда ехать, — произнес он, едва шевеля губами.

— Зайдите же, — пригласил я его, — фройляйн Хольман спит, у меня есть время.

В руках он держал какое-то письмо. Вид у него был как у человека, которого ранили из ружья, но который еще надеется, что его просто толкнули.

— Лучше прочитайте сами, — сказал он и протянул мне письмо.

— Вы уже пили кофе? — спросил я.

Он покачал головой.

— Читайте письмо...

— Хорошо. А вы тем временем пейте кофе.

Я вышел на кухню и попросил Фриду принести кофе. Потом прочел письмо. Оно было от фрау Хассе и состояло всего из нескольких строк. Она сообщала ему, что хочет еще получить кое-что от жизни и поэтому не вернется. Есть человек, который понимает ее лучше, чем Хассе. Пусть он ничего не предпринимает, это бесполезно, она все равно не вернется. Да и для него самого так будет лучше. Отпадут заботы о том, хватит или не хватит жалованья. Часть своих вещей она взяла с собой, за остальными она кого-нибудь пришлет.

Письмо было ясное и деловое. Я сложил его и вернул Хассе. Он смотрел на меня с таким видом, будто все теперь зависело от меня.

— Что же теперь делать? — спросил он.

— Для начала выпейте эту чашку и съешьте чего-нибудь, — сказал я. — Не стоит суетиться и убиваться. Сейчас все обдумаем. Постарайтесь прежде всего успокоиться, иначе вы не сможете принять толковое решение.

Он послушно выпил кофе. Рука его дрожала, есть он не мог.

— Что же теперь делать? — снова спросил он.

— Ничего, — сказал я. — Надо подождать.

Он махнул рукой.

— А что бы вы хотели сделать? — спросил я.

— Не знаю. Сам не могу сообразить.

Я помолчал. Трудно было что-нибудь посоветовать. Я мог только попытаться его успокоить, а уж решить он должен был сам. Он больше не любил жену, о чем нетрудно было догадаться, но он привык к ней, а привычка для бухгалтера значит подчас больше, чем даже любовь.

Через некоторое время он заговорил, но так сбивчиво и путано, что сразу стало ясно, насколько он растерян. Потом стал упрекать себя. По ее адресу он не сказал ни слова худого. Он все пытался внушить себе, что сам во всем виноват.

— Хассе, — сказал я, — вы говорите глупости. В таких вещах не бывает ни правых, ни виноватых. Жена ушла от вас, а не вы от нее. Вы не должны себя упрекать.

— Нет, я виноват, — возразил он, разглядывая свои руки. — Виноват, что ничего не добился в жизни.

— Чего не добились?

— Ничего не добился. А значит, и виноват.

Я с удивлением взглянул на маленькую жалкую фигурку, утонувшую в плюшевом кресле.

— Хассе, — сказал я спокойно, — это может быть причиной, но не виной. Кроме того, до сих пор вам все удавалось.

Он решительно покачал головой:

— Нет, нет, это я довел ее до безумия своим вечным страхом перед увольнением. И это я ничего не добился! Что я мог ей предложить?! Ничего...

Он впал в тупое забытье. Я поднялся за бутылкой коньяка.

— Выпьем немного, — сказал я. — Ведь еще не все потеряно.

Он поднял голову.

— Еще не все потеряно, — повторил я. — Окончательно теряют человека, только когда он мертв.

Он поспешно кивнул и схватил стакан. Но тут же снова поставил его на стол, не выпив.

— Вчера меня назначили начальником канцелярии, — тихо сказал он. — Старшим бухгалтером и начальником канцелярии. Управляющий сказал мне об этом вечером. Меня назначили потому, что в последние месяцы я много работал сверхурочно. У нас слили две канцелярии. Другого начальника уволили. Я буду получать на пятьдесят марок больше. — Он взглянул на меня с внезапным отчаянием. — Как вы думаете, она бы осталась, если б знала об этом?

— Нет, — сказал я.

— На пятьдесят марок больше. Я мог бы отдавать их ей. И она могла бы себе что-нибудь покупать. К тому же у меня тысяча двести марок в банке! Для чего же я их копил? Ведь я хотел, чтобы у нее что-нибудь было на черный день. А теперь выходит, что она ушла из-за того, что я копил.

Он опять уставился перед собой.

— Хассе, — сказал я, — по-моему, все это не так уж связано одно с другим, как вам кажется. И старайтесь поменьше об этом думать. Для вас сейчас важно продержаться первые дни. Потом положение прояснится, и вы будете лучше знать, что надо делать. А может, ваша жена сегодня вечером или завтра утром вернется. Она ведь тоже думает обо всем этом, как и вы.

— Она не вернется, — заявил он.

— Этого вы не можете знать.

— Если бы ей сказать, что я теперь получаю больше жалованья и что мы могли бы поехать в отпуск на сэкономленные деньги...

— Вы еще сможете ей все это сказать. Люди ведь не расстаются просто так.

Меня поражало, что он даже ни разу не вспомнил о том, что у него был соперник. Но до этого, видимо, просто еще не дошло; он думал только о том, что жена ушла, а все остальное было для него как в тумане. Я бы охотно ему сказал, что через несколько недель он еще, может статься, будет радоваться тому, что она ушла, но теперь, когда у него был такой потерянный вид, это прозвучало бы слишком жестоко. Истина всегда представляется раненому чувству жестокой, невыносимой.

Я еще занимал его какое-то время разговорами, чтобы только дать ему выговориться. Я ничего не добился — с мертвой точки его было не сдвинуть, но мне показалось, что он стал спокойнее. Он выпил коньяка. Потом меня позвала Пат.

— Одну минутку! — сказал я и поднялся.

— Да-да, — сказал он, как послушный мальчик, и поднялся вместе со мной.

— Останьтесь, я скоро вернусь.

— Простите...

— Я мигом, — сказал я и прошел к Пат.

Она сидела на постели, вид у нее был свежий, здоровый.

— Я чудесно выспалась, Робби! Наверняка уже полдень.

— Ты спала всего только час, — сказал я, показывая ей часы.

Она посмотрела на циферблат.

— Тем лучше, значит, у нас впереди еще много времени. Я сейчас встану.

— Хорошо. Я загляну к тебе минут через десять.

— У тебя гости?

— Хассе, — сказал я. — Но это ненадолго.

Я вернулся к себе, но Хассе уже не было. Я открыл дверь в коридор, но и там было пусто. Я вышел в коридор и постучал в его дверь. Никто не ответил. Я приоткрыл дверь и увидел, что он стоит перед шкафом. Несколько ящиков были выдвинуты.

— Хассе, — сказал я, — примите снотворное, лягте в постель и постарайтесь прежде всего крепко выспаться. Вы сейчас не в себе.

Он медленно повернулся ко мне.

— Быть всегда одному, каждый вечер! Торчать здесь одному, как вчера, — вы только представьте.

Я сказал ему, что все еще может измениться и что на свете много людей, которые по вечерам сидят дома одни. Он ничего не ответил. Я еще раз сказал, что ему надо лечь спать, может быть, завтра все окажется не таким уж и мрачным, а его жена опять будет дома. Он кивнул и пожал мне руку.

— Я загляну к вам еще вечером, — сказал я и с чувством большого облегчения ушел.

Перед Пат лежала газета.

— Сегодня утром, Робби, мы могли бы сходить в музей, — предложила она...

— В музей? — переспросил я.

— Да. На выставку персидских ковров. Ты, наверное, не слишком часто бывал в музеях?

— Ни разу в жизни! — заявил я. — Да и что мне там делать?

— Тут ты прав, — сказала она со смехом.

— Но это ничего не значит. — Я встал. — В дождливую погоду можно предпринять что-нибудь и для своего образования.

Мы оделись и вышли. Воздух на улице был великолепен. Пахло лесом и сыростью. Когда мы проходили мимо «Интернационаля», я сквозь открытую дверь увидел Розу, сидевшую перед стойкой. Перед ней была чашка шоколада, как всегда по воскресеньям. На столе лежал небольшой сверток. Вероятно, она, как всегда, собиралась навестить свое чадо. Я давно уже не был в «Интернационале», и мне показалось странным, что Роза равнодушно посиживает там, как обычно. В моей жизни так много всего изменилось, что я думал, будто и все кругом живут совсем по-другому.

Мы пришли в музей. Я думал, что мы окажемся там в одиночестве, но, к моему удивлению, собралась целая толпа. Я спросил служителя, в чем дело.

— Ни в чем, — пожал он плечами. — Так всегда бывает в дни, когда вход свободен.

— Вот видишь, — сказала Пат, — сколько на свете людей, которые интересуются такими вещами.

Служитель сдвинул фуражку на затылок.

— Не совсем так, сударыня. Ведь это все сплошь безработные. Они приходят не ради искусства, а потому что им нечего делать. А здесь им хоть есть на что поглазеть.

— Вот такое объяснение мне уже понятнее, — сказал я.

— Теперь еще что, — сказал служитель. — Вы бы пришли к нам зимой! Яблоку упасть негде, вот какое дело! А все потому, что у нас топят.

Мы прошли в зал, где висели ковры. Зал был на отшибе, и в нем стояла тишина. Сквозь высокие окна был виден сад, в котором рос огромный платан. Он был уже весь желтый, и оттого приглушенный свет в зале отдавал желтоватым цветом.

Ковры производили сильное впечатление. Среди них было два образца шестнадцатого века с изображением зверей, несколько персидских и два-три польских шелковых ковра в нежных розовых тонах с изумрудно-зеленым бордюром. Солнце и время подернули их яркие цвета мягкой патиной, так что ковры казались большими сказочными пастелями. Они придавали всему помещению такое настроение былых времен и такую гармонию, каких невозможно достичь никакими картинами. Платан в осеннем убранстве на фоне жемчужно-серого неба, взятый в рамку окна, как нельзя лучше соответствовал обстановке и сам походил на старинный ковер.

Побыв тут какое-то время, мы отправились в другие залы музея. Народу тем временем прибавилось еще, и было отчетливо видно, что большинству здесь нечего делать. С бледными лицами, в поношенных костюмах, они, заложив руки за спину, робко передвигались по залам, и по глазам было видно, что мысли их далеки от полотен Ренессанса или безмолвных античных мраморных скульптур. Многие из них сидели на обитых красной кожей скамьях, расставленных в залах. Сидели расслабленно и устало, но всем своим видом показывая, что готовы немедленно уйти, если их прогонят. На их лицах было написано недоумение по поводу того, что на кожаных скамьях можно было рассиживать бесплатно. Они не привыкли получать что бы то ни было даром.

Во всех залах царила тишина; несмотря на большое количество посетителей, не было слышно ни слова, и все же мне казалось, что я наблюдаю за какой-то титанической борьбой, неслышной борьбой людей, которые повержены, но не хотят сдаваться. Их выкинули из сферы труда, устремленности к цели, профессиональных занятий, и вот они заполнили собой тихое пристанище искусства, чтобы не закостенеть в отчаянии. Они думали о хлебе, об одном только хлебе и о работе, но они шли сюда, чтобы хоть на несколько часов убежать от своих мыслей, и вот бесцельно слонялись, волоча ноги и опустив плечи, меж правильных римских голов и прекрасных белоснежных эллинских изваяний — потрясающий контраст, безутешная картина того, чего человечество достигло за тысячи лет и чего оно достичь не смогло: оно создало бессмертные шедевры искусства, но не смогло дать вдоволь хлеба каждому из своих собратьев.

После обеда мы отправились в кино. Когда мы вышли из кинотеатра, небо прояснилось. Оно было светло-бирюзовым и очень прозрачным. На улицах и в магазинах уже горел свет. Мы медленно побрели домой, разглядывая по дороге витрины.

Я задержался перед ярко освещенными стеклами крупного мехового магазина. Вечерами стало уже прохладно, и в витринах было выставлено великое множество отливающих серебром чернобурок и разнообразных зимних пальто. Я взглянул на Пат; на ней по-прежнему был короткий меховой жакет, слишком легкий для холодного времени года.

— Будь я киногероем, я бы сейчас вошел в магазин и выбрал тебе шубу, — сказал я.

Она улыбнулась:

— Какую же?

— Да хоть вот эту! — Я показал на ту, которая показалась мне самой теплой.

Она рассмеялась.

— У тебя недурной вкус, Робби. Это превосходная канадская норка.

— Хочешь ее иметь?

Она посмотрела на меня.

— А ты знаешь, милый, сколько стоит такая шубка?

— Нет, — сказал я, — и не желаю знать. Предпочитаю думать, будто я могу дарить тебе что хочу. Почему это могут делать другие?

Она внимательно посмотрела на меня.

— Но я вовсе не хочу такую шубку, Робби.

— Нет, хочешь, — сказал я, — и ты получишь ее! И ни слова больше об этом. Завтра нам ее пришлют.

Она улыбнулась.

— Спасибо, милый, — сказала она и поцеловала меня посреди улицы. — А теперь твой черед. — Она остановилась перед магазином модной мужской одежды. — Вот этот фрак! Он подойдет к моей норке. И этот цилиндр тоже. Интересно, как ты будешь выглядеть в цилиндре?

— Как трубочист. — Я посмотрел на фрак. Он был пришпилен к стенду, обитому серым бархатом. Я присмотрелся к витрине внимательнее. Да ведь это тот самый магазин, в котором я весной купил себе галстук — в тот самый день, когда впервые был с Пат вдвоем и надрызгался. К горлу вдруг подступил комок, сам не знаю почему. Да, весной — тогда я еще ни о чем и понятия не имел.

Я взял узкую ладонь Пат и прижал ее на секунду к своей щеке.

— К шубке надо еще что-нибудь, — проговорил я наконец. — Одна такая шубка — все равно что автомобиль без мотора. Два-три вечерних платья...

— Вечерние платья, — подхватила она, останавливаясь перед большой витриной, — да, вечерние платья — против этого устоять труднее...

Мы выбрали три чудесных платья. Я видел, что Пат явно оживилась от этой игры. Она уже ушла в нее с головой, ибо вечерние платья были ее слабостью. Мы стали заодно подбирать все, что к платьям необходимо, и Пат оживилась еще больше. Ее глаза загорелись. Я стоял рядом с ней, слушал, что она говорит, смеялся и думал о том, какое это все же проклятие — любить женщину и быть бедным.

— Пойдем, — воскликнул я наконец в порыве какого-то отчаянного веселья, — уж если делать что-нибудь, то до конца! — И я повлек ее к ювелирной лавке. — Вот этот изумрудный браслет! А к нему эти кольца и сережки! И не надо спорить! Изумруд — это твой камень.

— В таком случае ты получишь эти платиновые часы и жемчужные запонки.

— А ты — все, что есть в магазине. На меньшее я не согласен...

Она засмеялась и, запыхавшись, прислонилась ко мне.

— Хватит, милый, хватит! Теперь давай купим себе еще чемоданы, зайдем в бюро путешествий, а потом уло-

Эрих Мария Ремарк

жим вещи и уедем подальше из этого города, от этой осени, от этого дождя...

«Да, — подумал я. — Господи, конечно, да, и тогда ты быстро выздоровеешь!»

— Куда же отправимся? — спросил я. — В Египет? Или еще дальше? В Индию и Китай?

— К солнцу, милый, куда-нибудь к солнцу, на юг, к теплу. Где растут пальмы, где скалы, и белые домики у самого моря, и агавы. Но может, и там идет дождь. Может быть, дождь всюду.

— Тогда мы просто поедем дальше, — сказал я. — Туда, где нет дождей. В тропики, в южные моря.

Мы стояли перед освещенной витриной американо-гамбургского пароходства, в которой была выставлена модель парохода. Он плыл по синим картонным волнам, а за ним простиралась огромных размеров фотография манхэттенских небоскребов. В соседних витринах были вывешены большие пестрые карты с красными линиями пароходных маршрутов.

— И в Америку тоже поедем, — сказала Пат. — В Кентукки, и в Техас, и в Нью-Йорк, и в Сан-Франциско, и на Гавайи. А потом дальше, в Южную Америку. Через Мексику и Панамский канал в Буэнос-Айрес. А затем через Рио-де-Жанейро обратно.

— Да...

Она смотрела на меня сияющими глазами.

— А ведь я никогда там и не был, — признался я. — В тот раз я тебе все насочинял.

— Я знаю, — ответила она.

— Знаешь?

— Ну что ты удивляешься, Робби! Конечно, знаю! Я это сразу же поняла!

— Тогда у меня голова шла кругом. Ошалел от неуверенности в себе, вот и понесло. Я тогда просто спятил.

— А теперь?

— А теперь еще хуже, — сказал я. — Разве не заметно? — Я показал на пароход в витрине. — Дьявольски жаль, что мы с тобой не можем на нем прокатиться.

Три товарища   339

Она улыбнулась и взяла меня под руку.

— Ах, милый, отчего мы не богаты? Уж мы бы сумели отлично распорядиться деньгами! А то ведь как много на свете богатых людей, которые не могут придумать ничего лучшего, как вечно торчать в своих конторах и банках.

— Оттого-то они и богаты, — заметил я. — А если бы разбогатели мы с тобой, то это длилось бы, конечно, недолго.

— И я так думаю. Уж мы бы нашли способ все быстренько потерять.

— Или наоборот — из-за страха все потерять мы так и не сумели бы толком насладиться деньгами. В наше время быть богатым — это профессия. И не такая уж простая.

— Бедные богачи! — сказала Пат. — Тогда, пожалуй, лучше всего вообразить, что мы уже были богаты и успели все потерять. Просто ты обанкротился на прошлой неделе и вынужден был продать все — наш дом, мои драгоценности, свои автомобили. Что ты на это скажешь?

— Что ж, это вполне в духе времени, — ответил я.

Она рассмеялась.

— Тогда в путь! Побредем теперь, два банкрота, в свою меблированную комнатушку и предадимся воспоминаниям о своем славном прошлом.

— Неплохая идея.

Мы медленно пошли дальше по вечерним улицам. Вспыхивали все новые огни. А когда подошли к кладбищу, мы увидели, как по зеленому небу летит самолет с ярко освещенной кабиной. Он летел, одинок и прекрасен, по прозрачному, высокому, одинокому небу, как чудесная птица-мечта из старинной сказки. Мы остановились и смотрели ему вслед до тех пор, пока он не исчез.

Не прошло и получаса после нашего возвращения, как кто-то постучал в мою дверь. Я решил, что это снова Хассе, и встал, чтобы открыть. Оказалось — фрау Залевски. Вид у нее был перепуганный.

— Идемте скорее, — сказала она сдавленным голосом.

— Что случилось?

— Хассе.

Я посмотрел на нее. Она пожала плечами:

— Заперся и не отвечает.

— Минутку.

Я вернулся к Пат и предложил ей лечь отдохнуть, пока я поговорю с Хассе.

— Хорошо, Робби. Я и вправду снова устала.

Я последовал за фрау Залевски по коридору. У дверей Хассе уже собрался почти весь пансион: рыжеволосая Эрна Бениг в пестром кимоно с драконами, — еще две недели назад она была ярко выраженной блондинкой; филателист-бухгалтер в домашней куртке военного покроя; Орлов, бледный и спокойный, только что вернувшийся с вечеринки; Георгий, нервно стучавший в дверь и глухим голосом звавший Хассе, и, наконец, Фрида с глазами, скосившимися от волнения, страха и любопытства.

— Ты давно уже стучишься, Георгий? — спросил я.

— Больше четверти часа, — тут же выпалила Фрида, красная как морковка. — А он-то дома, это точно, он с самого обеда никуда не выходил, только все бегал по комнате взад и вперед, а потом стало тихо.

— Дверь заперта, — сказал Георгий. — Ключ торчит изнутри.

Я посмотрел на фрау Залевски.

— Надо попытаться вытолкнуть ключ и открыть дверь. Второй ключ у вас найдется?

— Сейчас сбегаю, принесу всю связку, — с необычайной готовностью заявила Фрида. — Может, какой подойдет.

Я попросил кусок проволоки, повернул с его помощью ключ и вытолкнул его из замочной скважины. Ключ со звоном упал по другую сторону двери. Фрида вскрикнула и закрыла лицо руками.

— Уносите-ка отсюда подальше ноги, — сказал я ей и стал подбирать ключи. Один из них подошел. Я повернул его и открыл дверь.

В комнате было довольно темно, и в первое мгновение я никого не увидел. Лишь бледноватые пятна кроватей, пустые стулья, запертые дверцы шкафа.

— Вот он стоит! — выдохнула над моим плечом Фрида, снова протиснувшаяся вперед. Ее горячее дыхание обдало меня запахом лука. — Вон там, у окна.

— Нет, нет, — сказал Орлов, который быстро вошел в комнату и тут же вернулся. Он вытолкал меня в коридор и, взявшись за дверную ручку, прикрыл дверь. Затем обратился к остальным: — Вам лучше уйти. Не стоит смотреть на это, — медленно выговорил он немецкие слова с твердым, типично русским акцентом и остался стоять перед дверью.

— О Господи! — пролепетала фрау Залевски, отходя. Отступила на несколько шагов и Эрна Бениг. Только Фрида все пыталась протиснуться вперед и ухватиться за дверную ручку. Орлов оттеснил ее от двери.

— Будет действительно лучше... — снова сказал он.

— Сударь! — завопил вдруг наш финансист, распрямляя грудь. — Да как вы смеете! Вы, иностранец!..

Орлов невозмутимо посмотрел на него.

— Иностранец... — проговорил он. — Иностранец здесь ни при чем. Здесь это не важно...

— Он мертв, да? — не унималась Фрида.

— Фрау Залевски, — сказал я, — я тоже думаю, будет лучше, если здесь останетесь только вы да еще, может быть, мы с Орловым.

— Немедленно позвоните врачу, — сказал Орлов.

Георгий уже снял трубку. Все это длилось не больше пяти секунд.

— Я остаюсь! — заявил побагровевший финансист. — Как немец и мужчина я имею право...

Орлов пожал плечами и снова отворил дверь. Затем он включил свет. Женщины с криком отпрянули назад.

Эрих Мария Ремарк

С иссиня-черным лицом и вывалившимся черным языком в окне висел Хассе.

— Надо обрезать веревку! — крикнул я.

— Не имеет смысла, — сказал Орлов медленно, жестко и печально. — Мне это знакомо, такое лицо... Он уже несколько часов как мертв...

— Надо все-таки попытаться...

— Не надо... Пусть сначала придет полиция.

В ту же секунду раздался звонок. Явился врач, живший по соседству. Он только мельком взглянул на тощее надломленное тело.

— Предпринимать что-либо поздно, — вздохнул он. — Но все же попробуем искусственное дыхание. Немедленно позвоните в полицию и дайте мне нож.

Хассе повесился на толстом витом шнуре из шелка розового цвета — пояске от жениного халата, который он очень ловко прикрепил к крюку над окном, натерев предварительно мылом. Видимо, Хассе встал на подоконник и потом соскользнул с него вниз. Его руки были скрючены судорогой, на лицо было страшно смотреть. Как ни странно, но я отметил, что на нем был другой костюм, не тот, что утром, — он нарядился в свой парадный костюм из синей шерсти. Он также побрился и надел свежее белье. На столе были педантично разложены паспорт, сберегательная книжка, четыре купюры по десять марок, немного серебряной мелочи. Тут же два письма — одно жене, другое в полицию. Около письма к жене лежали серебряный портсигар и обручальное кольцо.

По всей вероятности, он долго и подробно обдумывал каждую мелочь и наводил порядок, ибо комната была прибрана безупречно, а осмотревшись внимательнее, мы обнаружили на комоде еще какие-то деньги и листок бумаги, на котором было написано: «Остаток квартплаты за текущий месяц». Эти деньги он положил отдельно, как будто желал показать, что они идут по другой статье, не связанной с его смертью.

В дверь позвонили, и вошли два человека в штатском. Врач, успевший тем временем снять труп, встал.

— Он мертв, — сказал он. — Самоубийство. Вне всяких сомнений.

Вошедшие ничего не ответили. Закрыв дверь, они внимательно осмотрели комнату, потом извлекли из ящика шкафа несколько писем, сличили почерк с письмами на столе. Тот, что был помоложе, понимающе кивнул головой.

— Кто-нибудь в курсе дела?

Я рассказал, что знал. Он снова кивнул и записал мой адрес.

— Можно его увезти? — спросил врач.

— Я заказал санитарную машину в больнице Шарите, — сказал молодой. — Должна вот-вот быть.

Мы стали ждать машину. В комнате было тихо. Врач опустился на колени возле Хассе. Расстегнув его одежду, он то растирал ему грудь полотенцем, то пытался делать искусственное дыхание. Было слышно, как воздух проникает в мертвые легкие и со свистом вырывается наружу.

— Двенадцатый на этой неделе, — сказал молодой человек.

— И все по той же причине? — спросил я.

— Нет. Из-за безработицы большей частью. Среди них два семейства целиком, в одном трое детей. Газом, разумеется. Когда травятся целыми семьями, то чаще всего газом.

Явились санитары с носилками. Вместе с ними в комнату влезла Фрида. Она так и впилась глазами в жалкое тело Хассе. Ее вспотевшее лицо покрылось алыми пятнами.

— А вам что здесь нужно? — грубо спросил ее тот, что был старше.

Она вздрогнула.

— Должна ведь я дать показания, — проговорила она, заикаясь.

— Вон! — рявкнул он.

Санитары накрыли Хассе одеялом и унесли его. За ними двинулись и оба чиновника. Документы они прихватили с собой.

— Он оставил деньги на погребение, — сказал молодой. — Мы передадим их по назначению. Когда появится жена, передайте ей, пожалуйста, чтобы зашла в полицию. Он завещал ей деньги. Остальные вещи можно пока оставить здесь?

Фрау Залевски кивнула:

— Эту комнату мне уже все равно не сдать.

— Хорошо.

Чиновник откланялся и вышел из комнаты. Мы тоже вышли вслед за ним. Орлов запер дверь и передал ключ фрау Залевски.

— Надо бы поменьше болтать обо всем этом, — сказал я.

— Я тоже так считаю, — сказала фрау Залевски.

— Это относится прежде всего к вам, Фрида, — добавил я.

Фрида словно очнулась от забытья. В ее глазах появился блеск. Она ничего не ответила.

— Если вы скажете хоть слово фройляйн Хольман, — сказал я, — то помогай вам Бог!

— Сама знаю, — ответила она с вызовом, — бедняжка слишком болезненна для таких дел!

Ее глаза так и сверкали. Мне стоило усилий сдержаться, чтобы не влепить ей пощечину.

— Бедный Хассе! — воскликнула фрау Залевски.

В коридоре было совсем темно.

— Вы довольно грубо вели себя по отношению к графу Орлову, — сказал я финансовому жрецу. — Не хотите ли извиниться перед ним?

Старик вытаращил на меня глаза, а затем выпалил:

— Немецкий мужчина не извиняется! И уж меньше всего перед азиатом! — И он с грохотом захлопнул за собой дверь своей комнаты.

— Что это случилось с тихим собирателем марок? — спросил я удивленно. — Ведь он всегда был кроток, как агнец.

— Он уже несколько месяцев не пропускает ни одного предвыборного собрания, — донесся из темноты голос Георгия.

— Ах вот оно что!

Орлов и Эрна Бениг уже ушли. Фрау Залевски внезапно разрыдалась.

— Не принимайте все это так близко к сердцу, — сказал я. — Все равно уже ничего не поправить.

— Это слишком ужасно, — всхлипывала она. — Я должна уехать отсюда, я этого не переживу!

— Переживете, — сказал я. — Однажды мне довелось видеть сотни трупов сразу. Англичан, отравленных газом. И ничего, пережил...

Я пожал руку Георгию и пошел к себе. Было темно. Я невольно посмотрел на окно, прежде чем включить свет. Потом прислушался. Пат спала. Я подошел к шкафу, достал бутылку с коньяком и налил себе рюмку. Коньяк был хороший, и хорошо, что он у меня оказался. Я поставил бутылку на стол. В последний раз из нее угощался Хассе. Я думал о том, что нельзя было оставлять его одного. Я был подавлен, хотя не мог себя ни в чем упрекнуть. Я столько всего повидал в жизни, что давно уже знал: либо вся наша жизнь — один сплошной упрек, либо нам вообще не в чем себя упрекать. Хассе просто не повезло, что все это стряслось в воскресенье. В будний день он пошел бы себе на службу — и, глядишь, все как-нибудь обошлось бы.

Я выпил еще коньяку. Что толку думать об этом? Да и кто может знать, что ему самому еще предстоит? Еще неизвестно, не покажется ли нам завтра счастливчиком тот, кому сегодня мы сочувствуем.

Я услышал, как Пат зашевелилась, и пошел к ней. Она встретила меня открытыми глазами.

— Что же это со мной творится, Робби, просто ужас! — сказала она. — Опять меня разморило.

— Это ведь хорошо, — ответил я.

— Нет! — Она приподнялась на локтях. — Я не хочу столько спать.

— Почему же? А мне вот хочется иногда уснуть и проспать лет пятьдесят.

— И состариться на столько же тебе тоже охота?

— Не знаю. Это можно сказать только потом.

— Ты чем-нибудь огорчен?

— Нет, — сказал я. — Напротив. Я как раз решил, что сейчас мы оденемся и отправимся куда-нибудь, где можно шикарно поужинать. Будем есть все, что ты любишь. И слегка наклюкаемся.

— Хорошо, — ответила она. — Это тоже входит в программу нашего великого банкротства?

— Да, — сказал я. — Входит.

XXI

В середине октября Жаффе пригласил меня к себе. Было десять часов утра, но погода стояла настолько пасмурная, что в клинике еще горел электрический свет. Смешиваясь с сизой мглой за окном, он казался болезненно матовым.

Жаффе сидел один в своей просторной приемной. Он поднял голову при моем появлении, сверкнув бликом на лысине, и угрюмо кивнул в сторону большого окна, по которому хлестал дождь.

— Что вы скажете о погоде, будь она неладна?

Я пожал плечами:

— Надо надеяться, скоро это прекратится.

— Не прекратится.

Он смотрел на меня и молчал. Потом взял карандаш, постучал им по крышке письменного стола и снова положил на место.

— Я догадываюсь, зачем вы меня позвали, — сказал я.

Жаффе буркнул в ответ что-то невнятное.

Немного подождав, я сказал:

— Ей, видимо, уже пора ехать...

— Да...

Жаффе мрачно смотрел перед собой.

— Я надеялся подождать до конца октября. Но в такую погоду... — Он опять потянулся за карандашом.

Дождь скосило порывом ветра и ударило в стекло с треском отдаленной пулеметной очереди.

— Когда же, по-вашему, она должна ехать? — спросил я.

Он взглянул вдруг снизу вверх прямо мне в глаза.

— Завтра.

На секунду мне показалось, что почва уходит у меня из-под ног. Воздух был как вата и застревал в легких. Потом это ощущение прошло, и я спросил, насколько мог спокойно, но каким-то чужим голосом, который долетел до меня как будто издалека:

— Значит, ее состояние резко ухудшилось?

Жаффе решительно покачал головой и встал.

— Если бы оно резко ухудшилось, она вообще не смогла бы никуда ехать, — хмуро заметил он. — Просто ей там будет лучше. В такую погоду опасность подстерегает ее всякий день. Простуда и прочее...

Он взял со стола несколько писем.

— Я уже обо всем позаботился. Вам остается только выехать. Главного врача санатория я знаю со студенческих лет. Очень дельный человек. Я подробно изложил ему все.

Жаффе протянул мне письма. Я взял их, но не спрятал в карман. Взглянув на меня, он встал и положил мне руку на плечо. Его рука была невесомой, как птичье крыло, я почти не ощущал ее.

— Это трудно, — сказал он тихим изменившимся голосом. — Знаю... Поэтому я и тянул, пока было можно.

— Не трудно... — возразил я.

Он махнул рукой.

— Ах, оставьте вы это...

— Нет, — сказал я, — не в том смысле... Я хотел бы знать только одно: она вернется?

Жаффе ответил не сразу. Его узкие глаза отливали темным блеском в желтовато-мутном свете.

— Зачем вам это знать сейчас? — спросил он, выдержав паузу.

— Потому что в противном случае ей лучше не ехать совсем, — сказал я.

Он быстро взглянул на меня.

— Что такое вы говорите?

— Тогда уж ей лучше остаться здесь.

Он уставился на меня.

— А вы понимаете, к чему это неминуемо приведет? — спросил он тихо, но резко.

— Да, — сказал я. — Это приведет к тому, что она умрет не в одиночестве. А что это означает, мне тоже известно.

Жаффе поежился так, будто его охватил озноб. Потом медленно подошел к окну и постоял возле него, глядя на дождь. Потом обернулся и приблизился ко мне почти вплотную с лицом, похожим на маску.

— Сколько вам лет? — спросил он.

— Тридцать, — ответил я, не понимая, куда он клонит.

— Тридцать, — повторил он странным тоном, точно разговаривал сам с собой и даже не понял того, что я ему сказал. — Тридцать, мой Бог! — Он подошел к письменному столу и замер. Подле огромного, залитого стеклянным блеском письменного стола он казался маленьким, потерявшимся, как бы отсутствующим. — Мне скоро шестьдесят, — сказал он, не глядя на меня, — но я не был бы на это способен. Я испробовал бы все средства, даже если бы наверняка знал, что это бессмысленно.

Я молчал. Жаффе застыл на месте. Он словно забыл обо всем на свете. Но вот он очнулся, и маска сошла с его лица. Он улыбнулся:

— Я уверен, что в горах она хорошо перенесет зиму.

— Только зиму? — спросил я.

— Надеюсь, по весне ей можно будет спуститься вниз.

— Надеетесь?.. Что такое надежда?

— Надежда — это все. Во всех случаях жизни — это все. Пока я не могу сказать ничего другого. Все прочее — из области возможного, вероятного. Посмотрим, как она будет чувствовать себя в горах. Но я твердо надеюсь, что весной она сможет вернуться.

— Твердо?

— Да. — Он обошел стол и так сильно пнул ногой выдвинутый ящик, что на столе зазвенели стаканы. — Чертовщина! Поймите же, голубчик, мне и самому тяжело оттого, что я вынужден ее выпроваживать!

Вошла сестра. Жаффе замахал рукой, прогоняя ее. Но она, коренастая, с несуразной фигурой и бульдожьим лицом под седой гривой, не двинулась с места.

— Потом! — раздраженно бросил ей Жаффе. — Зайдите потом.

Недовольная сестра круто повернулась и, выходя, щелкнула выключателем. Свет в комнате внезапно переменился на серовато-молочный. Лицо Жаффе сразу стало мертвенно-бледным.

— Старая ведьма! — в сердцах сказал он. — Собираюсь ее выгнать уже лет двадцать. Дело, однако, знает. — Он повернулся ко мне. — Итак?

— Мы уедем сегодня вечером, — сказал я.

— Сегодня?

— Да. Уж если ехать, то лучше не откладывая. Я отвезу ее. На несколько дней я всегда могу отлучиться.

Он кивнул и пожал мне руку.

Я направился к двери. Путь до нее показался мне очень длинным.

На улице я остановился, заметив, что все еще держу письма в руке. Дождь выстукивал мелкую дробь на конвертах. Я вытер их и сунул в нагрудный карман. Потом огляделся. У здания больницы остановился автобус. Он был переполнен, и из него высыпала целая толпа.

Эрих Мария Ремарк

Девушки в черных блестящих дождевиках перекидывались шутками с кондуктором. Он был молод, белые зубы сверкали на его загорелом лице. «Невозможно, — подумал я, — все это не может быть правдой! Вокруг столько жизни — и вдруг Пат должна умереть?»

Позванивая, автобус тронулся, обдав брызгами тротуар. Я пошел дальше. Надо было еще предупредить Кестера и купить билеты на поезд.

К обеду я был уже дома. Успел сделать все, даже отправил телеграмму в санаторий.

— Пат, — сказал я еще в дверях, — ты успеешь собрать вещи до вечера?

— А что, я должна ехать?

— Да, — сказал я. — Да, Пат.

— Одна?

— Нет. Мы поедем вместе. Я отвезу тебя.

В ее лице вновь появилась краска.

— Когда я должна быть готова? — спросила она.

— Поезд отходит в десять вечера.

— А теперь ты снова куда-то уйдешь?

— Нет. Останусь здесь до самого отъезда.

Она глубоко вздохнула.

— Ну, тогда все просто, Робби. Начнем сразу укладываться?

— У нас еще есть время.

— Я бы хотела сначала заняться вещами. Чтобы покончить с этим.

— Идет.

Я быстро, за полчаса собрал те вещи, которые хотел взять с собой. Потом зашел к фрау Залевски и объявил ей, что вечером мы уезжаем. Я договорился с ней, что с первого ноября комната Пат будет считаться свободной, а впрочем, она может пустить жильцов и раньше. Она собралась было затеять длинный разговор, но я тут же ушел.

Пат стояла на коленях перед своим сундуком-чемоданом, кругом висели ее платья, на кровати лежало белье, она уже укладывала обувь. Я вспомнил, что точно так же она стояла на коленях, когда въехала в эту комнату и распаковывала свои вещи, и мне показалось, что это было бесконечно давно и в то же время будто вчера.

Она подняла голову.

— А серебристое платье возьмешь с собой? — спросил я.

Она кивнула.

— Только вот что делать с другими вещами, а, Робби? С мебелью?

— Я уже говорил с фрау Залевски. Возьму к себе в комнату сколько войдет. Остальное сдадим на хранение спецфирме. До твоего возвращения.

— До моего возвращения... — сказала она.

— Ну да, весной, — сказал я, — когда ты вернешься шоколадная от загара.

Я взялся ей помогать укладывать чемоданы, и к вечеру, когда стемнело, с этим было покончено. Странное дело: вся мебель осталась на прежних местах, только шкафы и ящики опустели, и все же комната показалась мне вдруг голой и сиротливой.

Пат села на кровать. Она выглядела усталой.

— Включить свет? — спросил я.

Она покачала головой.

— Давай посидим немного так.

Я сел рядом с ней.

— Хочешь сигарету? — спросил я.

— Нет, Робби. Ничего больше не хочется. Только посидеть вот так.

Я встал и подошел к окну. Под дождем беспокойно горели фонари. Ветер раскачивал деревья. Под ними медленно шла Роза. Ее высокие сапожки сверкали. С пакетом под мышкой она направлялась к «Интернационалю». Вероятно, в пакете было вязанье — она постоянно вязала что-то своей малышке. За ней прошли Фрицци и Марион, обе в новеньких белых, плотно облегающих фигуру плащах, а через некоторое время проковыляла и Мими, обтрепанная и усталая.

Эрих Мария Ремарк

Я обернулся. Стало уже настолько темно, что я не мог разглядеть Пат. Я только слышал ее дыхание. За деревьями кладбища медленно поползли вверх тусклые огни световых реклам. Налившиеся кровью литеры на рекламах сигарет протянулись над крышами пестрой орденской лентой, заискрились синие и изумрудно-зеленые круглые знаки винных фирм, вспыхнули золотые контуры рекламы бельевого магазина. По стенам и потолку забегали отблески неверного, призрачного сияния. Они мелькали все чаще, и вся комната показалась мне вдруг маленьким водолазным колоколом, затерянным на дне моря, — вокруг него бушевали потоки и лишь изредка долетало далекое отражение яркого, многоцветного мира.

Было восемь часов вечера. На улице загудел клаксон.

— Это приехал на такси Готфрид, — сказал я, — он отвезет нас ужинать.

Я встал, подошел к окну и крикнул, что мы спускаемся. Потом я включил маленькую настольную лампу и пошел в свою комнату. Она показалась мне дьявольски чужой. Я вынул бутылку с ромом и быстро выпил стопку. Потом сел в кресло и уставился на обои. Вскоре я снова встал и подошел к умывальнику, чтобы причесать волосы щеткой. Но я сразу забыл об этом намерении, когда увидел в зеркале свое лицо. Я разглядывал его с холодным любопытством. Потом сжал губы и усмехнулся. Напряженное и бледное лицо в зеркале усмехнулось в ответ. «Эй!» — сказал я одними губами. Затем возвратился к Пат.

— Ну что, пойдем, дружище? — спросил я.

— Да, — ответила Пат, — но я бы хотела еще раз заглянуть в твою комнату.

— Зачем? — сказал я. — Что тебе эта халупа...

— Побудь здесь, — сказала она. — Я сейчас.

Я немного подождал, а потом пошел за ней. Она стояла посреди комнаты и резко вздрогнула, заметив меня.

Такой я ее еще не видел. Такой угасшей. Но это длилось только секунду, потом она снова улыбнулась.

— Пойдем, — сказала она. — Теперь пойдем.

У кухни нас ждала фрау Залевски. Ее седые букли колыхались, а на черном шелковом платье виднелась брошь с изображением блаженной памяти Залевски.

— Приготовились! — прошептал я Пат. — Сейчас тебя затискают.

В ту же секунду Пат уже утонула в необъятном хозяйкином бюсте. Огромное лицо над ней стало подергиваться. Еще немного — и поток слез залил бы Пат с головы до ног: уж когда матушка Залевски принималась плакать, ее глаза превращались в сифоны.

— Извините, — сказал я, — но мы очень торопимся! Нам пора!

— Пора? — Фрау Залевски смерила меня уничтожающим взглядом. — Поезд отходит только через два часа! А вам бы лишь урвать время, чтобы напоить бедную девочку!

Пат не смогла сдержаться и засмеялась.

— Нет, нет, фрау Залевски. Нам еще надо проститься со всеми.

Матушка Залевски недоверчиво покачала головой.

— Ах, фройляйн Хольман, вам кажется, что этот молодой человек — прямо-таки золотой горшок, а на самом деле он всего-навсего позолоченная бутылка из-под водки.

— Прекрасный образ, — заметил я.

— Дитя мое, — фрау Залевски снова заколыхалась от волнения, — возвращайтесь скорее! Ваша комната всегда будет ждать вас. Даже если в ней поселится сам император, ему придется съехать, чтобы освободить ее вам!

— Большое спасибо, фрау Залевски, — сказала Пат. — Большое спасибо за все. И за гадание на картах. Я ничего не забуду.

— Вот и отлично. И отдыхайте как следует! И поправляйтесь!

Эрих Мария Ремарк

— Да, — сказала Пат. — Я буду стараться. До свидания, фрау Залевски. До свидания, Фрида.

Мы вышли. Квартирная дверь захлопнулась за нами. На лестнице был полумрак — несколько лампочек перегорело. Пат молча и тихо спускалась по лестнице своим плавным шагом. У меня было такое чувство, будто кончился отпуск, и вот в серых предрассветных сумерках мы отправляемся на вокзал, чтобы снова ехать на фронт.

Ленц распахнул дверцу такси.

— Осторожно! — сказал он.

Машина была полна роз. Два огромных букета белых и красных роз лежали на задних сиденьях. Я сразу догадался, откуда они, — из церковного сада.

— Последние! — самодовольно заявил Ленц. — Стоили мне немалых усилий. Пришлось выдержать большую дискуссию с пастором.

— Это не такой ли с голубыми детскими глазами? — спросил я.

— А, стало быть, это был ты, брат мой! — воскликнул Готфрид. — О тебе была его повесть. Горькая повесть о разочаровании, каковое он испытал, удостоверившись, в чем была истинная причина горячей молитвы. А уж он было поверил, что набожность среди мужского населения вновь пошла в гору.

— А тебя он что же — так и отпустил с цветами?

— Он дал мне высказаться. А потом взялся помогать мне срезать бутоны.

— Неужели правда? — рассмеялась Пат.

Готфрид ухмыльнулся:

— Ну разумеется. Вам бы полюбоваться этим зрелищем: духовный отец в облачении прыгает в темноте, чтобы достать ветку повыше. Его прямо-таки охватил спортивный азарт. Да он и был, по его рассказам, футболистом, когда учился в гимназии. Правым полусредним, кажется.

— Ты совратил пастора на воровство, — сказал я. — Это обойдется тебе в несколько сотен лет ада. Но где же Отто?

— Он уже у Альфонса. Ведь мы будем ужинать у Альфонса?

— Да, конечно, — сказала Пат.

— Тогда вперед!

Альфонс угостил нас зайцем, нашпигованным печеными яблоками, с красной капустой. А под конец завел патефон и поставил пластинку с хором донских казаков. То была очень тихая песня, сам хор звучал приглушенно, как далекий орган, а над ним возносился одинокий и чистый голос. Мне почудилось, будто отворилась бесшумная дверь, вошел усталый старик, молча присел к столику и стал слушать песню своих юных дней.

— Братцы, — сказал Альфонс после того, как пение, постепенно затихая, растаяло наконец в воздухе, как вздох, — братцы, знаете, о чем я всякий раз вспоминаю, когда слышу это? Я вспоминаю Ипр в семнадцатом году... А ты, Готфрид, еще помнишь тот мартовский вечер с Бертельсманом?..

— Да, — сказал Ленц, — помню, Альфонс. И вечер, и вишни...

Альфонс кивнул.

Кестер поднялся.

— По-моему, пора. — Он взглянул на часы. — Да, надо ехать.

— Еще по рюмке коньяку, — сказал Альфонс. — Настоящий «Наполеон»! Ведь я его притащил ради вас!

Мы выпили коньяк и стали собираться.

— До свидания, Альфонс! — сказала Пат. — Я так любила бывать здесь. — Она протянула ему руку.

Альфонс покраснел. Он сжимал ее руку своими лапищами.

— Так вы это... ежели что... дайте знать. — Он выглядел крайне смущенно. — Ведь вы теперь тоже наша. Вот уж никогда не думал, что когда-нибудь женщина станет нашей...

— Спасибо, — сказала Пат. — Спасибо, Альфонс, Вы не могли бы сказать мне ничего приятнее. До свидания и всего вам доброго.

— До свидания! До скорого!

Кестер с Ленцем проводили нас на вокзал. У нашего дома мы на минутку остановились, и я сбегал за псом. Чемоданы Юпп уже отвез на вокзал.

Мы едва успели на поезд. Как только мы вошли в вагон, он тронулся. Паровоз уже разбегался, когда Готфрид вынул из кармана завернутую во что-то бутылку и протянул мне.

— Возьми-ка, Робби, вот это. В дороге всегда пригодится.

— Спасибо, — сказал я, — распейте ее сегодня сами, братцы. У меня с собой кое-что имеется.

— Возьми! — настаивал Ленц. — Этого добра никогда не бывает достаточно! — Он уже шел рядом с едущим поездом и на ходу бросил мне бутылку. — До свидания, Пат! — крикнул он. — Как разоримся тут, немедленно приедем к вам в горы. Отто — лыжником, я — танцмейстером, Робби — пианистом. Составим с вами ансамбль и будем разъезжать по отелям.

Поезд набрал скорость, и Готфрид отстал. Пат, высунувшись из окна, махала до тех пор, пока вокзал не скрылся за поворотом. Потом она обернулась. Она была очень бледна, и в глазах ее блестели слезы. Я обнял ее.

— Давай-ка выпьем теперь чего-нибудь, — сказал я. — Ты великолепно держалась.

— Настроение у меня, однако, отнюдь не великолепное, — сказала она и попыталась улыбнуться.

— У меня тоже, — признался я. — Поэтому и надо немного выпить.

Я откупорил бутылку коньяка и налил ей в стакан.

— Хорош? — спросил я.

Она кивнула и прильнула к моему плечу.

— Ах, милый, что же теперь будет?

— Ты не должна плакать, — сказал я. — Я так гордился тем, что ты ни разу не заплакала за весь день.

— Да я вовсе не плачу, — возразила она, тряся головой, а по тонкому лицу ее бежали слезы.

— Ну-ка, выпей еще, — сказал я, крепко прижимая ее к себе. — Это только в первый момент тяжело, сейчас все пройдет.

Она кивнула:

— Да, Робби. Не обращай внимания. Сейчас все пройдет. Лучше, чтобы ты совсем этого не видел. Дай мне только побыть немного одной, и я с этим справлюсь.

— Зачем же? Ты мужественно держалась весь день, так что теперь можешь поплакать вволю.

— Я держалась совсем не мужественно. Просто ты этого не заметил.

— Возможно, — сказал я. — Но это тем более похвально.

Она попыталась улыбнуться:

— Почему же, Робби?

— Потому что это означает, что человек не сдается. — Я погладил ее по волосам. — А до тех пор, пока человек не сдается, он сильнее своей судьбы. Старое солдатское правило.

— У меня это не мужество, милый, — пробормотала она. — У меня это просто страх. Жалкий страх перед последним и великим страхом.

— Это и есть мужество, Пат.

Она прислонилась ко мне.

— Ах, Робби, ты ведь даже не знаешь, что такое страх.

— Знаю, — сказал я.

Дверь в купе отворилась. Проводник потребовал наши билеты. Я протянул их ему.

— Спальное место для дамы? — спросил он.

Я кивнул.

— Тогда вам нужно пройти в спальный вагон, — сказал он Пат. — В других вагонах ваш балет недействителен.

— Хорошо.

— А собаку нужно сдать в багажный вагон, — заявил он. — Там есть специальное купе для собак.

— Отлично, — сказал я. — Где же находится спальный вагон?

— Третий вагон направо. А багажный вагон в самом начале.

Он ушел. На его груди болтался небольшой фонарик. Как у шахтера где-нибудь в подземных коридорах.

— Придется переселяться, Пат, — сказал я. — Билли я уж как-нибудь доставлю тебе контрабандой. В багажном вагоне ему нечего делать.

Для себя я не взял спального места. Мне-то ничего не стоило просидеть ночь в углу купе. А это обходилось куда дешевле.

Чемоданы Пат уже были в спальном вагоне, куда их доставил Юпп. Купе было маленькое, уютное, обитое красным деревом. У Пат была нижняя полка. Я спросил у проводника, занято ли также верхнее место.

— Да, — сказал он. — От Франкфурта.

— А когда мы будем во Франкфурте? — спросил я.

— В половине третьего.

Я дал ему на чай, и он скрылся в своем отделении.

— Через полчаса я приду к тебе вместе с собакой, — сказал я Пат.

— Но ведь с собакой нельзя, проводник-то в вагоне.

— Ничего, как-нибудь. Ты только не запирай дверь.

Я пошел обратно мимо проводника, который внимательно посмотрел на меня. На следующей станции я вышел с собакой и пошел по платформе вдоль поезда. Миновав спальный вагон, я остановился и стал ждать. Вскоре проводник вышел поболтать с главным кондуктором. Тогда я вскочил в вагон, прошмыгнул к спальным купе и явился к Пат, никем не замеченный.

На ней был мягкий белый халат, и выглядела она замечательно. Ее глаза блестели.

— Все, я с этим справилась, Робби, — сказала она.

— Молодец. Но не хочешь ли прилечь? А то очень уж тут тесно. А я сяду к тебе на постель.

— Да, но... — Она нерешительно показала на верхнюю полку. — А что как откроется дверь и перед нами предстанет некто из союза призрения падших девиц?..

— До Франкфурта еще далеко, — сказал я. — Я буду начеку. Не засну.

Незадолго до Франкфурта я вернулся в свое купе. Прикорнул у окна и попытался вздремнуть. Но во Франкфурте сел мужчина с моржовыми усами, который немедленно раскрыл чемодан и принялся есть. Он чавкал так, что уснуть я не мог, а длилась трапеза около часа. Затем морж вытер усы, растянулся и задал такой концерт, какого мне еще не приходилось слышать. То был не просто храп, то было настоящее завывание, прерываемое отрывистыми стонами, тяжелыми вздохами и затяжным бульканьем. Я не мог уловить в этом никакой системы, настолько все было разнообразно. К счастью, в половине шестого он вышел.

Когда я проснулся, за окном все было бело. Снег падал крупными хлопьями, а само купе было погружено в какой-то нереальный сумеречный свет. Мы уже проезжали горы. Было почти девять часов. Потянувшись, я вышел умыться и побриться. Когда я вернулся, в купе была Пат. Вид у нее был свежий.

— Хорошо спала? — спросил я.

Она кивнула.

— А кем оказалась грозная ведьма на верхней полке?

— Молоденькой и хорошенькой девушкой. Ее зовут Хельга Гутман, и она едет в тот же санаторий, что и я.

— В самом деле?

— Да, Робби. Но ты спал плохо, это заметно. Тебе нужно как следует позавтракать.

— Только кофе, — сказал я. — Кофе и немного вишневки.

Мы отправились в вагон-ресторан. У меня вдруг поднялось настроение. Все выглядело не так мрачно, как вчера вечером.

Хельга Гутман уже сидела за столиком. Это была стройная, живая девушка южного типа.

Эрих Мария Ремарк

— Какое странное совпадение, — сказал я. — Одно купе — и один санаторий.

— Не такое уж и странное, — возразила она.

Я посмотрел на нее. Она рассмеялась.

— В это время года вся стая собирается снова. Вот и эти все, — она указала рукой в угол вагона, — едут туда же.

— Откуда вы знаете? — спросил я.

— Я их всех знаю по прошлому году. Там, в горах, все друг друга знают.

Подошел кельнер и принес кофе.

— Принесите мне еще большую порцию вишневки, — сказал я.

Надо было чего-нибудь выпить. Все вдруг стало так просто. Вот сидят люди и тоже едут в санаторий, даже во второй раз, и едут с таким видом, будто все это для них не более чем прогулка. Нелепо так бояться. Пат вернется, как возвращаются все эти люди. Я вовсе не думал о том, что всем этим людям снова приходится ехать в горы, мне было достаточно знать, что оттуда можно вернуться и прожить еще целый год. А за год много всего может произойти. Наше прошлое приучило нас смотреть на жизнь близорукими глазами.

Мы приехали к вечеру. Погода совершенно прояснилась, солнце искрило золотом заснеженные поля, а небо было таким голубым, каким мы его не видели уже несколько недель. На вокзале было много встречающих. Они что-то кричали и махали руками, а прибывающие махали им из поезда в ответ. Хельгу Гутман встречали хохотушка-блондинка и двое мужчин в светлых брюках-гольф. Хельга была непоседлива и возбуждена, как будто вернулась домой после долгого отсутствия.

— До встречи наверху! — крикнула она нам, садясь со своими друзьями в сани.

Толпа быстро рассеялась, и через несколько минут мы остались одни на перроне. К нам подошел носильщик.

— Какой отель? — спросил он.

— Санаторий «Лесной покой», — ответил я.

Он кивнул и помахал рукой кучеру. Вместе они погрузили чемоданы в голубые сани, в которые были запряжены две белые лошади. Их головы были украшены султанами из пестрых перьев, а пар из ноздрей окутывал их головы перламутровым облаком.

Мы сели в сани.

— Вас доставить к фуникулеру или поедете на санях до самого верха? — спросил кучер.

— А сколько ехать на санях?

— Полчаса.

— Тогда на санях.

Кучер щелкнул языком, и мы тронулись. Выбравшись из поселка, дорога зигзагами полезла в горы. Санаторий был на возвышенности, повисшей над поселком. Это было вытянутое белое здание с длинными рядами окон. Перед каждым окном помещался балкон. На крыше развевался флаг на слабом ветру. Я ожидал, что все в этом здании окажется похожим на больницу, но обстановка, по крайней мере на первом этаже, напоминала скорее отель. В холле горел камин, а на нескольких столиках стояла чайная посуда.

Мы зашли в контору к администратору. Служитель внес наш багаж, а некая пожилая дама объяснила, что у Пат комната семьдесят девять. Я спросил, не могу ли я также получить комнату на несколько дней.

Она покачала головой:

— Только не в санатории. Во флигеле — пожалуйста.

— А где он?

— Тут же рядом.

— Хорошо, — сказал я, — тогда отведите мне там комнату и распорядитесь отнести туда мой багаж.

На совершенно бесшумном лифте мы поднялись на второй этаж. Здесь уже все гораздо больше напоминало больницу. Правда, весьма комфортабельную больницу, но все же больницу. Белые коридоры, белые двери, все сверкает стеклом, никелем и чистотой. Нас встретила сестра-хозяйка.

— Фройляйн Хольман?

— Да, — сказала Пат. — Комната семьдесят девять, не так ли?

Сестра-хозяйка кивнула и, пройдя вперед, открыла дверь.

— Вот ваша комната.

Это было светлое помещение средних размеров. В широком окне сияло заходящее солнце. На столе стоял букетик из желтых и красных астр, а за окном простирались сверкавшие на солнце снежные склоны, в которые поселок закутывался как в белое одеяло.

— Тебе нравится здесь? — спросил я Пат.

Она задержала на мне взгляд.

— Да, — ответила она, помедлив.

Служитель внес чемоданы.

— Когда мне на осмотр? — спросила Пат сестру.

— Завтра утром. А сегодня вам лучше пораньше лечь спать, чтобы хорошенько отдохнуть.

Пат сняла шубку и положила ее на застеленную белым кровать, над которой висел незаполненный температурный лист.

— В комнате нет телефона? — спросила она.

— Есть розетка, — ответила сестра. — Телефон можно поставить.

— Я должна еще что-нибудь делать? — спросила Пат.

Сестра покачала головой:

— Сегодня нет. Режим вам будет назначен только после завтрашнего обследования. Оно состоится в десять часов. Я зайду за вами.

— Спасибо, сестра, — сказала Пат.

Сестра ушла. Служитель замешкался в дверях. Я дал ему на чай, и он тоже ушел. В комнате вдруг стало очень тихо. Пат стояла у окна и смотрела на закат. Ее голова вырисовывалась темным силуэтом на ярком фоне.

— Ты устала? — спросил я.

Она обернулась.

— Нет.

— Но вид у тебя усталый, — сказал я.

— Я по-другому устала, Робби. Но на это у меня еще много времени.

— Хочешь переодеться? — спросил я. — Или спустимся вниз на часок? По-моему, лучше посидеть еще немного внизу.

— Да, — сказала она. — Лучше.

Мы спустились на бесшумном лифте вниз и расположились за одним из столиков в холле. Вскоре появилась и Хельга Гутман со своими друзьями. Они подсели к нам. Хельга Гутман была очень возбуждена и как-то неестественно весела, но я был рад, что она с нами и что у Пат уже есть здесь знакомые. Первый день в таких условиях — всегда самый трудный.

XXII

Через неделю я поехал обратно. Прямо с вокзала отправился в мастерскую. Пришел я туда вечером; все еще лил дождь, и мне казалось, что прошел уже год с тех пор, как мы с Пат уехали.

Кестер с Ленцем сидели в конторе.

— Вовремя ты, — сказал Готфрид.

— А что случилось? — спросил я.

— Дай ему сначала войти, — сказал Кестер.

Я сел рядом с ними.

— Как дела у Пат? — спросил Отто.

— Хорошо. Насколько это вообще возможно. Ну а теперь выкладывайте, что тут случилось?

Речь шла о той машине, которую мы увезли после аварии на шоссе. Мы ее отремонтировали и сдали две недели назад. И вот вчера Кестер пошел получать за нее деньги. Оказалось, что человек, которому она принадлежала, за это время разорился и автомобиль подлежит распродаже вместе с остальными вещами.

— Так ведь это не страшно, — сказал я. — Будем иметь дело со страховой компанией.

— Вот и мы так думали, — сухо сказал Ленц. — А машина, оказывается, не застрахована!

— Проклятие! Это правда, Отто?

Кестер кивнул:

— Я только сегодня об этом узнал.

— А мы еще нянчились с этим голубчиком, что твои сестры милосердия, да еще в драку ввязались из-за его драндулета, — проворчал Ленц. — И все для того, чтобы нагреть себя на четыре тысячи марок.

— Ну кто же мог знать! — сказал я.

Ленц вдруг стал хохотать.

— Нет, это просто цирк!

— Что же теперь делать, Отто? — спросил я.

— Я заявил о нашей претензии распорядителю аукциона. Да боюсь, из этого ничего не выйдет.

— Прогорим с нашей лавочкой — вот и все, что выйдет, — сказал Готфрид. — Финансовое управление давно уже точит на нас зуб из-за налогов.

— Не исключено, — согласился с ним Кестер.

Ленц встал.

— Стойкость и выдержка в трудных ситуациях — вот что украшает солдата. — Он подошел к шкафу и достал коньяк.

— С коньяком мы способны даже на подвиг, — сказал я. — Если не ошибаюсь, это у нас последняя приличная бутылка.

— Подвиги, мой мальчик, — заметил Ленц назидательно, — уместны в тяжелые времена. А у нас времена отчаянные. И единственное, что тут еще годится, — это юмор.

Он выпил свою стопку.

— Ну вот, а теперь я, пожалуй, оседлаю нашего старика Росинанта да попробую вытрясти из него хоть немного мелочи.

Он пересек темный двор, сел в такси и уехал. Мы с Кестером посидели еще немного вдвоем.

— Какая невезуха, Отто, — сказал я. — Нам дьявольски не везет в последнее время.

— Я приучил себя думать не более того, чем это необходимо для текущего дела, — сказал Кестер. — Дай Бог, чтобы и на это хватало. Ну, как там в горах?

— Если бы не эта болезнь, там был бы рай. Снег и солнце.

Он поднял голову.

— Снег и солнце. Звучит довольно-таки неправдоподобно, а?

— Да. Чертовски неправдоподобно. Но там, наверху, все как в сказке.

Он взглянул на меня.

— Что ты собираешься делать вечером?

Я пожал плечами:

— Для начала отволоку чемодан домой.

— Мне еще надо отлучиться на часик. Зайдешь потом в бар?

— Само собой, — сказал я. — Куда я денусь?

Я съездил на вокзал за чемоданом и отвез его домой. Дверь я постарался открыть без малейшего шума — очень уж не хотелось ни с кем говорить. Мне удалось прошмыгнуть к себе, не попав на глаза фрау Залевски. Какое-то время я посидел, разглядывая свою комнату. На столе лежали письма и газеты. В конвертах были одни только рекламные проспекты. Мне ведь никто не писал. «Теперь это изменится», — подумал я.

Потом я встал, умылся, переоделся. Чемодан я не стал распаковывать — хотелось иметь хоть какое-то дело, когда вернусь. Не заглянул я и в комнату Пат, хотя знал, что в ней никто не живет. Я тихонько прокрался по коридору и вздохнул с облегчением, когда оказался на улице.

Я пошел перекусить в кафе «Интернациональ». В дверях со мной поздоровался кельнер Алоис.

— Никак вспомнили о нас?

— Да, — сказал я. — В конце концов все ведь возвращается на круги своя.

Эрих Мария Ремарк

Роза с девицами сидела за большим столом. Сбор был почти полный — у них был как раз перерыв между первым и вторым обходами.

— Бог мой, да это Роберт, — сказала Роза. — Редкий гость.

— Только не спрашивай меня ни о чем, — сказал я. — Главное, что я опять здесь.

— То есть как? Ты опять будешь заглядывать сюда часто?

— Вероятно.

— Ничего, не расстраивайся, — сказала она, посмотрев на меня. — Все проходит.

— Что верно, то верно, — сказал я. — Самая надежная истина на свете.

— Ясное дело, что так, — сказала Роза. — Вон Лили тоже может немало порассказать на этот счет.

— Лили? — Только теперь я заметил ее рядом с Розой. — А ты что тут делаешь? Ты ведь замужем и должна сидеть дома при своей мастерской бытового оборудования. Так?

Лили ничего не ответила.

— Мастерская, как же, — насмешливо сказала Роза. — Пока у нее еще были денежки, все шло как по маслу. Лили — сокровище, Лили — прелесть, а на прошлое нам наплевать! Да только вся эта благодать длилась ровно полгода! А как выскреб муженек все до последнего пфеннига да расцвел на ее деньги, так и заявил вдруг, что не потерпит жену-проститутку. — Роза задыхалась от негодования. — Он, видите ли, ничего об этом не знал! И был крайне шокирован ее прошлым! Настолько, что это явилось причиной развода. А денежки, конечно, уплыли.

— Сколько же было денег? — спросил я.

— Да уж немало, целых четыре тысячи! Можешь себе представить, со сколькими свиньями ей пришлось переспать, чтобы их собрать!

— Опять четыре тысячи, — сказал я. — Эта цифра сегодня прямо-таки висит в воздухе.

Роза посмотрела на меня с недоумением.

— Сыграй лучше что-нибудь, — сказала она, — глядишь, поднимется настроение.

— Ладно, раз уж мы все снова сошлись...

Я сел за пианино и сыграл несколько модных мелодий. Играя, я думал о том, что денег у Пат, чтобы заплатить за санаторий, хватит только до конца января и что теперь мне нужно зарабатывать больше, чем раньше. Я механически бил по клавишам и косил глазом на Розу и Лили. Роза слушала самозабвенно, а окаменевшее от непосильного разочарования лицо Лили было более холодным и безжизненным, чем посмертная маска.

Кто-то вдруг вскрикнул, и я очнулся от своих мыслей. Роза вскочила, от мечтательности на ее лице не осталось и следа — шляпа съехала набекрень, глаза округлились, а из опрокинутой чашки, чего она не замечала, кофе медленной струйкой стекал к ней прямо в раскрытую сумочку.

— Артур! — выдохнула наконец она. — Неужели это ты, Артур?

Я перестал играть. Посреди кафе стоял тощий вертлявый тип в котелке, заломленном на затылок. У него было лицо нездорового желтого цвета, большой нос и слишком маленькая яйцевидная голова.

— Артур! — продолжала восклицать Роза. — Это ты?

— Ну да, а кто ж еще? — буркнул Артур.

— Боже мой, но откуда?

— С улицы, вестимо. Откуда и все.

Артур, хоть и явился после долгого отсутствия, не утруждал себя излишней любезностью. Я разглядывал его с любопытством. Так вот он каков, сказочный принц Розы, отец ее ребенка. Он производил впечатление человека, только что вышедшего из тюрьмы. И ничего такого, что могло бы хоть как-то объяснить, почему Роза пылала к нему такой животной страстью, я заметить не смог. Но может, в этом-то и была загадка. Никогда не

Эрих Мария Ремарк

угадаешь, на что могут польститься женщины, прошедшие огонь, воду и медные трубы.

Ни слова не говоря, Артур взял стакан с пивом, стоявший около Розы, и выпил его. Пока он пил, кадык его тощей, жилистой шеи ездил вверх и вниз, как лифт. Роза смотрела на него сияющими глазами.

— Хочешь еще? — спросила она.

— Отчего ж нет? — бросил он. — Но только большую!

— Алоис! — крикнула Роза кельнеру вне себя от счастья. — Он хочет еще пива!

— Вижу, — вяло откликнулся Алоис и нехотя повернул кран.

— А малышка! Артур, ты ведь еще даже не видел маленькую Эльвиру!

— Слушай, ты! — Маска впервые сошла с лица Артура, и он поднял руку к груди, словно обороняясь. — Насчет этого ты мне голову не морочь! Меня это не касается! Я тебе предлагал избавиться от ублюдка. И я бы на своем настоял, если б меня не... — Тут он помрачнел. — А теперь, знамо дело, нужны деньги и деньги.

— Ну, не так уж и много денег на нее идет, Артур. Она же девочка.

— Девочки тоже обходятся недешево, — сказал Артур, опрокидывая второй стакан пива. — Сбыть бы ее какой-нибудь богатой бабе за известную сумму. Есть такие вывихнутые, что могут удочерить. Единственный выход. — Он оторвался от своих размышлений. — Как у тебя насчет рупий?

Роза с готовностью раскрыла свою залитую кофе сумочку.

— Всего пять марок, Артур, я ведь не могла знать, что ты придешь. Дома-то у меня больше.

Артур с видом паши ссыпал мелочь в карман жилета.

— Сидя задницей на софе, много и не заработаешь, — недовольно процедил он сквозь зубы.

— Сейчас пойду. Да только рано еще. Самый ужин.

— Всякая мелочь может сгодиться, — заявил Артур.

— Иду, иду.

— Что ж... — Артур слегка прикоснулся к котелку, — загляну тогда часиков в двенадцать.

И он развинченной походкой двинулся к выходу. Роза как зачарованная смотрела ему вслед. Он вышел, не оглянувшись и оставив открытой дверь.

— Вот верблюд! — выругался Алоис и закрыл за ним дверь.

Роза с гордостью оглядела нас.

— Ну разве он не чудо? И все как с гуся вода. Где он только пропадал столько времени?

— Да разве не видно по цвету лица? — сказала Валли. — В казенном доме. Ясное дело. Тоже мне разбойник с большой дороги!

— Ты не знаешь его...

— А то я их мало знаю, — сказала Валли.

— Тебе этого не понять. — Роза встала. — Он настоящий мужчина, не какой-нибудь хлюпик. Ну, так я пошла. Приветик!

И она, покачивая бедрами, вышла. Помолодевшая, окрыленная. Он вернулся — человек, который позволял ей отдавать свои деньги, который пропивал их и потом колотил ее. Она была счастлива.

Через полчаса ушли и все остальные. Только Лили с каменным лицом не трогалась с места. Я еще немного побренчал на пианино, потом съел бутерброд и тоже ретировался. Оставаться наедине с Лили было невыносимо.

Я побрел по мокрым темным улицам. У кладбища выстроился отряд Армии спасения. Под звуки тромбонов и труб они пели о небесном Иерусалиме. Я остановился. Внезапно я почувствовал, что один, без Пат, я не выдержу. Уставившись на бледные могильные плиты, я говорил себе, что год назад я был гораздо более одинок, что я тогда даже не был знаком с Пат, а теперь она у меня есть, хотя она временно не со мной, — но все было напрасно, я был удручен, подавлен и ничего не мог с этим поделать. Наконец я решил заглянуть до-

Эрих Мария Ремарк

мой, чтобы узнать, нет ли от нее письма. Это было совсем уж нелепо, потому что никакого письма еще быть не могло, — и его действительно не было, но я все-таки решил подняться к себе.

Снова уходя, я столкнулся в дверях с Орловым. Под его распахнутым пальто виднелся смокинг; он, видно, шел в отель на свою танцевальную службу. Я спросил его, не слыхал ли он что-нибудь о фрау Хассе.

— Нет, — сказал он. — Она так и не приходила больше. И в полиции ее не было. Да и будет лучше, если она совсем не придет.

Мы пошли вместе по улице. На углу стоял грузовик с мешками угля. Подняв капот, шофер возился в моторе. Потом он снова залез на сиденье. Как раз когда мы поравнялись с машиной, он запустил мотор и дал сильный газ на холостых оборотах. Орлов вздрогнул. Я взглянул на него. Он побелел как полотно.

— Вы больны? — спросил я.

Он покачал головой, улыбаясь побелевшими губами.

— Нет, но я иногда сильно пугаюсь, когда неожиданно слышу такой шум. Когда в России расстреливали моего отца, тоже запустили мотор грузовика, чтобы не было слышно выстрелов. И все же мы их слышали. — Он снова улыбнулся, как будто извиняясь. — С матерью уже так не церемонились. Ее расстреляли на рассвете в подвале. Нам с братом удалось ночью бежать. У нас еще были бриллианты. Но мой брат замерз по дороге.

— А почему расстреляли ваших родителей? — спросил я.

— До войны мой отец командовал казачьим полком, принимавшим участие в подавлении восстания. Он знал, что этим кончится. И считал, как это говорится, в порядке вещей. Но мать так не считала.

— А вы?

Он устало махнул рукой, словно стирая воспоминания.

— С тех пор столько всего произошло...

— Да, — сказал я, — в этом все дело. Произошло больше, чем может вместить в себя человеческая голова.

Мы подошли к отелю, в котором он работал. В это время из подкатившего «бьюика» выпорхнула дама и с радостным криком бросилась к Орлову. Это была довольно полная, элегантная блондинка лет сорока с одутловатым лицом, не обремененным какими-либо мыслями или заботами.

— Прошу прощения, — сказал Орлов, перебросившись со мной едва заметным взглядом, — дела...

Он отвесил блондинке поклон и поцеловал ей руку.

В баре были Валентин, Кестер и Фердинанд Грау. Ленц пришел чуть позднее. Я подсел к ним и заказал себе полбутылки рома. Чувствовал я себя по-прежнему ни к черту.

В углу расположился Фердинанд, широкий и грузный, с изнуренным лицом и совершенно прозрачными голубыми глазами. Он уже немало перепробовал всякой всячины.

— Робби, малыш, — ударил он меня по плечу, — что это сегодня с тобой?

— Ничего, Фердинанд, — ответил я. — И в этом весь ужас.

Какое-то время он разглядывал меня молча, а потом переспросил:

— Ничего? Но ведь это немало! Ничто — это зеркало, в котором виден весь мир. Ничто — это все.

— Браво! — воскликнул Ленц. — Необычайно оригинальная мысль, Фердинанд!

— Сиди спокойно, Готфрид! — Фердинанд повернул к нему свою могучую голову. — Романтики вроде тебя — всего лишь восторженные попрыгунчики на краю жизни. Делать сенсации из своих заблуждений — это все, на что вы способны. Что тебе, кузнечику, известно о Ничто?

— Ровно столько, чтобы хотелось оставаться кузнечиком, — заявил Ленц. — Приличные люди относятся с почтением к Ничто, Фердинанд. Не роются в нем, как кроты.

Грау уставился на него.

— Твое здоровье, — сказал Готфрид.

— Твое здоровье, — ответил Фердинанд. — Твое здоровье, затычка!

Они осушили бокалы.

— Хотел бы и я быть затычкой, — сказал я. — Чтобы все делать правильно и чтобы все удавалось. Хоть какое-то время.

— Вероотступник! — Фердинанд откинулся в кресле так, что оно затрещало. — Хочешь стать дезертиром? Предать братство?

— Нет, — сказал я, — никого я не хочу предавать. Но мне бы хотелось, чтобы не все у нас шло вкривь и вкось.

Фердинанд подался вперед. Его огромное диковатое лицо дрожало.

— Зато ты наш брат, член нашего ордена — ордена неудачников и недотеп. Зато ты тоже рыцарь бесцельных желаний, беспричинной тоски, безблагодатной любви и бессмысленных самотерзаний! — Он улыбнулся. — Ты член тайного братства, которое скорее подохнет, чем станет делать карьеру, которое скорее проиграет, профинтит, профукает свою жизнь, чем исказит или позабудет недосягаемый образ, — тот образ, брат, который члены ордена носят в сердцах, куда он неистребимо впечатался в те часы, дни и ночи, когда не было ничего, кроме голой жизни и голой смерти.

Он поднял свою рюмку и помахал ею Фреду, стоявшему у стойки.

— Дай мне выпить.

Фред принес бутылку.

— Завести еще патефон? — спросил он.

— Нет, — сказал Ленц. — Выброси его на помойку и принеси нам стаканы побольше. Потом убавь освещение наполовину, выдай нам несколько бутылок и исчезни у себя за перегородкой.

Фред кивнул и выключил верхний свет. Остались гореть только маленькие лампочки под пергаментными абажурами из старинных карт. Ленц наполнил стаканы.

— Выпьем, братцы! За то, что мы живы! За то, что дышим! За то, что мы так сильно чувствуем жизнь, что даже не знаем, что нам с ней делать!

— Так оно и есть, — сказал Фердинанд. — Только тот, кто несчастлив, знает, что такое счастье. А счастливец — все равно что манекен, он только демонстрирует радость жизни, но не владеет ею. Свет не светит на свету, он светит в темноте. Итак — за темноту! Кто хоть раз попал в грозу, посмеется над любым электроприбором. Будь проклята гроза! Будь благословенна искра жизни! И так как мы любим ее, не станем закладывать ее под проценты! Да мы лучше погасим ее! Пейте, братцы! Есть звезды, которые продолжают светить каждую ночь, хотя они разлетелись вдребезги еще десять тысяч световых лет назад! Пейте, пока еще есть время! Да здравствует несчастье! Да здравствует тьма!

Он налил себе полный стакан коньяку и выпил его залпом.

* * *

Ром стучал у меня в висках. Я потихоньку встал и отправился к Фреду в его конторку. Он спал. Я разбудил его и попросил заказать телефонный разговор с санаторием.

— Ждите тут, — сказал он. — В это время соединяют быстро.

Минут через пять телефон зазвонил — санаторий был на проводе.

— Я хотел бы поговорить с фройляйн Хольман, — сказал я.

— Минутку, я соединю вас с дежурной.

К телефону подошла старшая сестра.

— Фройляйн Хольман уже спит.

— А в ее комнате нет телефона?

— Нет.

— А вы не можете разбудить ее?

Возникло короткое молчание.

— Нет. Ей сегодня вообще нельзя вставать.

— Что-нибудь случилось?

— Нет, но она должна лежать несколько дней.

— Так, значит, что-то случилось?

— Нет, нет, но так у нас положено в самом начале. Она должна полежать, попривыкнуть.

Я положил трубку.

— Что, слишком поздно? — спросил Фред.

— Что ты имеешь в виду?

Он показал мне свои часы.

— Время к двенадцати.

— Ах да, — сказал я. — Совсем не надо было звонить. Я вернулся за стол и продолжал пить.

В два часа мы стали расходиться. Ленц повез на такси Валентина и Фердинанда.

— Садись, — сказал мне Кестер и запустил мотор «Карла».

— Да тут два шага всего, Отто. Дойду и пешком.

Он посмотрел на меня.

— Покатаемся немного.

— Лады. — Я сел в машину.

— Садись за руль, — сказал Кестер.

— Ты с ума сошел, Отто. Я не могу ехать, я пьян.

— А я тебе говорю, правь! Под мою ответственность.

— Ну, смотри сам... — сказал я и сел за руль.

Мотор ревел. Руль прыгал в моих руках. Улицы проплывали, качаясь, дома клонились набок, фонари пригибались под дождем.

— Не получается, Отто, — сказал я. — Еще врежусь во что-нибудь.

— Врезайся, — ответил он.

Я взглянул на него. Его открытое лицо дышало спокойствием и собранностью. Он смотрел вперед на дорогу. Я уперся спиной в сиденье и крепче сжал руль.

Стиснул зубы и сощурил глаза. Постепенно очертания улицы прояснились.

— Куда, Отто? — спросил я.

— Дальше. За город.

По одной из городских магистралей мы выбрались на шоссе.

— Включи фары, — сказал Кестер.

Впереди заблестела светло-серая бетонка. Дождь почти перестал, но отдельные капли били мне в лицо, как град. Тяжелый порывистый ветер гнал низкие тучи, из прорех сыпалось на лес серебро. Туман перед моими глазами рассеялся. Энергия мотора переходила через мои руки в тело. Я чувствовал машину как свое продолжение. Взрывы в цилиндрах сотрясали тупую вялость моего мозга. Поршни молотками стучали в крови. Я прибавил газу. Машина пулей летела вперед.

— Быстрее, — сказал Кестер.

Шины засвистели. Загудели телеграфные столбы и деревья, пролетая мимо. Прогромыхала деревня. Сознание полностью прояснилось.

— Больше газу, — сказал Кестер.

— А удержу ли? Дорога-то мокрая.

— Сам почувствуешь. Перед поворотами переключай на третью и не сбавляй газ.

Мотор взревел. Ветер бил мне в лицо. Я пригнулся, спрятав голову под ветровым щитком. И будто провалился в грохочущий двигатель, врос в него, слился в едином вибрирующем напряжении, своими ногами ощутил и колеса, и бетон, и дорогу, и скорость... Во мне словно что-то щелкнуло, и все стало на место; ночь, свистя и воя, вышибла из меня всякий хлам, губы сжались, руки превратились в тиски, и ничего не осталось во мне, кроме шального, отчаянного полета, соединившего лихое беспамятство и самое сосредоточенное внимание.

На очередном повороте задние колеса машины занесло. Я рванул руль в противоположную сторону, еще раз рванул и дал газ. На мгновение мы повисли в воз-

Эрих Мария Ремарк

духе, как воздушный шарик, но потом колеса снова обрели под собой полотно дороги.

— Хорошо, — сказал Кестер.

— Мокрые листья, — пояснил я, чувствуя, как по телу разливается приятная теплота: опасность, стало быть, миновала.

Кестер кивнул:

— Самая пакость по осени на лесных дорогах. Закуришь?

— Да, — сказал я.

Мы остановились и закурили.

— Можно и возвращаться, — сказал затем Кестер.

Приехав обратно в город, я вышел из машины.

— Хорошо, что мы проветрились, Отто. Теперь я в полном порядке.

— В следующий раз покажу тебе другую технику езды на поворотах, — сказал он. — Бросок на тормозе. Но это когда дорога будет посуше.

— Ладно, Отто. Спокойной ночи.

— Спокойной ночи, Робби.

«Карл» рванул с места. Я вошел в дом. Я еле держался на ногах от усталости, но успокоился, развеял душевную тоску.

XXIII

В начале ноября мы продали «ситроен». Денег едва хватало, чтобы с грехом пополам еще держать мастерскую, но вообще-то дела наши с каждой неделей становились все хуже. Люди ставили на зиму свои машины в гараж, чтобы сэкономить на бензине и налогах, так что какие-либо ремонтные работы выпадали все реже. Мы хоть и перебивались кое-как благодаря выручке от такси, но на троих этих денег было в обрез, поэтому я очень обрадовался, когда хозяин «Интернационаля» предложил мне с декабря снова играть у него вечерами на пианино. В последнее время ему везло: мало того что в одной из задних комнат «Интернационаля» проводило свои еженедельные встречи объединение скотопромышленников, этому примеру последовали сначала союз торговцев лошадьми, а там и «Союз друзей кремации во имя общественной пользы». Я, таким образом, мог переложить работу в такси полностью на Ленца и Кестера, что меня вполне устраивало, ибо по вечерам я часто не знал куда деться.

Пат писала регулярно. Я ждал ее писем, но не мог себе представить, как она живет, и иногда в мрачные и слякотные декабрьские дни, когда даже днем не было по-настоящему светло, мне начинало мерещиться, что она давным-давно ускользнула от меня, что все миновало. Мне казалось, что с тех пор, как она уехала, прошла целая вечность, и тогда не верилось, что она вообще вернется. Потом наступали вечера, полные тягостной, дикой тоски, и тут уж ничто не помогало забыться так, как просиживание до утра за бутылкой в обществе проституток и скотопромышленников.

Владелец «Интернационаля» получил разрешение не закрывать свое кафе в ночь под Рождество. Холостяки всех ферейнов затеяли устроить большую пирушку. Председатель объединения скотопромышленников, торговец свиньями Стефан Григеляйт пожертвовал на это дело двух молочных поросят и кучу свиных ножек. Григоляйт уже два года как вдовствовал. Он был человеком покладистого, компанейского нрава, и встречать Рождество в одиночку ему не хотелось.

Владелец кафе раздобыл четырехметровую ель, которую водрузили возле стойки. Роза, непревзойденный специалист по части душевности и уюта, взялась нарядить елку. Ей помогали Марион и мужелюбец Кики, который в силу своих наклонностей тоже обладал чувством прекрасного. Приступив к работе в полдень, эта троица провозилась до вечера и навесила на дерево огромное количество разноцветных стеклянных шаров, свечей и серпантина. И елка получилась на славу. А особое благоволение наряжальщиков к Григоляйту было отмечено множеством марципановых свинок.

После обеда я на часик-другой улегся вздремнуть. Проснулся же затемно и никак не мог сообразить, вечер теперь или утро. Мне что-то снилось, но что именно, я не мог вспомнить. В ушах у меня еще стоял стук двери, с которым захлопнулась за мной какая-то черная дверь в далеком сне. Тут я услышал, что кто-то действительно стучит.

— Кто там? — крикнул я.

— Это я, господин Локамп, — узнал я голос фрау Залевски.

— Войдите, — сказал я. — Не заперто.

Лязгнула ручка двери, и массивная фигура фрау Залевски заполнила дверной проем, освещенный желтым светом из коридора.

— Пойдемте скорее, — прошептала она. — Там пришла фрау Хассе. Я не могу ей сказать.

Я не тронулся с места — еще не пришел в себя.

— Отправьте ее в полицию, — сказал я немного погодя.

— Господин Локамп! — Фрау Залевски заломила руки. — В доме никого нет, кроме вас. Вы должны мне помочь. Ну хотя бы как христианин!

В светлом прямоугольнике двери она казалась пляшущей черной тенью.

— Ладно уж, перестаньте, — сказал я с досадой. — Сейчас приду.

Я оделся и вышел. Фрау Залевски ждала меня в коридоре.

— Она хоть что-нибудь знает? — спросил я.

Фрау Залевски покачала головой, прижимая платок к губам.

— А где она?

— В своей прежней комнате.

У входа в кухню, вся потная от волнения, стояла Фрида.

— На ней шляпа с перьями и брошь с бриллианта-ми, — прошептала она.

— Проследите, чтобы эта облезлая швабра не подслу-шивала, — сказал я фрау Залевски и вошел в комнату.

Фрау Хассе стояла у окна. Когда я вошел, она быстро обернулась. Похоже, она ждала кого-то другого. Идио-тизм, конечно, но я против воли первым делом взглянул на ее шляпу и брошь. Фрида была права, шляпа шикар-ная. Брошь не самого строгого вкуса. В общем, мадам расфуфырилась, явно желая пустить пыль в глаза. Вы-глядела она неплохо, во всяком случае, куда лучше, чем когда жила здесь.

— Что это он, и в сочельник работает, что ли? — не без ехидства спросила она.

— Нет, — ответил я.

— Так где же он? В отпуске?

Она подошла ко мне, покачивая бедрами и обдавая резким запахом духов.

— А зачем он вам нужен? — спросил я.

— Мне нужно взять свои вещи. Поделить пожитки. В конце концов, что-то здесь принадлежит и мне.

— Делить все это нет больше смысла, — сказал я. — Теперь все принадлежит только вам.

Она озадаченно посмотрела на меня.

— Он умер, — сказал я.

Я хотел бы сообщить ей об этом иначе. Не обухом по голове, а после постепенной подготовки. Но я не знал, как начать. Кроме того, в голове у меня еще гу-дело от послеобеденного сна — такого сна, когда, про-будившись, чувствуешь себя так, что хоть накладывай на себя руки.

Фрау Хассе стояла посреди комнаты, и когда я ска-зал ей все это, я почему-то совершенно отчетливо пред-ставил себе, как она сейчас будет падать, и даже увидел, что, падая, она ничего не заденет. Странно, но я дей-ствительно ничего другого не видел и ни о чем другом не думал.

Однако она не упала. Продолжала стоять, глядя на меня. Только перья на ее огромной шляпе задрожали.

— Вот оно что... — произнесла она, — вот оно что...

И вдруг — я даже не сразу понял, что происходит, — эта расфуфыренная, надушенная женщина на моих глазах стала стремительно стареть, как будто время налетело, как буря, и подхватило ее, и каждая секунда была как год. Напряженный вызов исчез, торжество угасло, лицо вмиг одрябло, морщины наползли на него, как черви, и когда, слепо тычась рукой в спинку стула, она осторожно, словно боясь разбить что-то, села, передо мной был совсем другой человек — настолько она выглядела усталой, надломленной, старой.

— От чего он умер? — едва внятно, одними губами спросила она.

— Это случилось внезапно, — сказал я.

Она не слушала меня. Она смотрела на свои руки.

— Что же мне теперь делать? — пробормотала она. — Что же делать?

Я промолчал. Чувствовал я себя отвратительно.

— Но у вас, наверное, есть кто-то, к кому вы можете пойти, — сказал я наконец. — Здесь вам не следует оставаться. Да ведь вы этого и не хотели...

— Теперь все по-другому, — ответила она, не поднимая глаз. — Что же делать?

— Ведь вас кто-нибудь, наверное, ждет. Пойдите к нему и обсудите все с ним. А после Рождества загляните в полицейский участок. Все документы и банковские чеки там. Без этого вы не получите деньги.

— Деньги, деньги, — тупо бормотала она. — Какие деньги?

— Довольно большие деньги. Около тысячи двухсот марок.

Она несколько воспрянула и сверкнула на меня безумными глазами.

— Нет! — взвизгнула она. — Это неправда!

Я не ответил.

— Скажите, что это неправда, — прошептала она.

— Может быть, и неправда. Но может, он откладывал их на черный день?

Она встала. Все в ней теперь изменилось. В движениях появилось что-то автоматическое. Она подошла вплотную ко мне и встала лицом к лицу.

— Нет, это правда, — прошипела она, — я чувствую, это правда! Негодяй! О, какой же он негодяй! Вынудить меня пуститься во все тяжкие, а потом вдруг нате вам! Но я их возьму, возьму и расшвыряю — все в один вечер, расшвыряю, как мусор, чтобы от них не осталось ничего! Ничего! Ничего!

Я молчал. С меня было довольно. С первым потрясением она уже справилась. Теперь она знала, что Хассе умер. Все остальное меня не касалось. Вероятно, она все же рухнула бы, если б узнала, что он повесился. Но это ей еще предстоит. Воскресить Хассе ради нее невозможно.

Она рыдала. Исходила слезами. Плакала тонко и жалобно, как ребенок. Это продолжалось довольно долго. Я дорого дал бы за сигарету. Я не мог видеть слез.

Наконец она умолкла. Вытерла слезы, привычным жестом вытащила серебряную пудреницу и стала пудриться, не глядя в зеркало. Потом спрятала пудреницу, забыв закрыть сумочку на замок.

— Я теперь ничего не могу понять, — сказала она просевшим голосом, — совсем запуталась. Наверное, он был хорошим человеком.

— Да, это так.

Я дал ей еще адрес полицейского участка и сказал, что сегодня он уже закрыт. Мне казалось, что ей лучше не идти туда сразу. На сегодня с нее было довольно.

Когда она ушла, из гостиной вышла фрау Залевски.

— Что, в самом деле никого нет, кроме меня? — раздраженно спросил я.

— Только господин Георг. Что она сказала?

— Ничего.

— И слава Богу.

— Как знать. Иногда лучше выговориться.

— Ее мне не жалко, — с нажимом заявила фрау Залевски. — Ни чуточки.

— Жалость — самая бесполезная вещь на свете, — сердито сказал я. — Обратная сторона злорадства, да будет вам это известно. Который час теперь?

— Без четверти семь.

— В семь я хочу позвонить фройляйн Хольман. Но так, чтобы никто не подслушивал. Это возможно?

— Да ведь нет никого, кроме господина Георгия. Фриду я уже отпустила. Если хотите, можете взять аппарат на кухню. Шнура хватит.

— Ладно.

Я постучал к Георгию. Давно к нему не заглядывал. Он сидел за письменным столом. Вид у него был ужасный. Кругом валялись клочки разорванной бумаги.

— Привет, Георгий, — сказал я, — что это ты тут делаешь?

— Провожу инвентаризацию, — вяло улыбнулся он. — Подходящее занятие на Рождество.

Я поднял один клочок. Это были конспекты лекций по химии.

— Зачем ты их рвешь? — спросил я.

— Нет смысла тянуть дольше, Робби.

Его кожа, казалось, просвечивала. Уши были как восковые.

— Ты сегодня ел что-нибудь? — спросил я.

Он махнул рукой.

— Пустяки. Дело не в этом. Не в еде. Просто я не могу больше. Надо бросать.

— Неужели до того дошло?

— Да.

— Георгий, — сказал я как можно спокойнее. — Взгляни на меня. Не думаешь ли ты, что я в свое время мечтал о том, чтобы играть проституткам на пианино?

Он хрустел пальцами.

— Я знаю, Робби. Но от этого мне не легче. Для меня учеба была всем. А теперь я понял, что учиться нет смысла. Ни в чем теперь нет смысла. Зачем вообще мы живем?

Я невольно расхохотался, хоть он и говорил с горькой серьезностью и вид его был очень жалок.

— Ослиная ты голова! — сказал я. — Тоже мне открытие сделал! Думаешь, ты один такой жутко мудрый? Конечно, смысла нет ни в чем. Мы и не живем вовсе ради какого-то смысла. Слишком это было бы просто. Давай одевайся. Пойдешь со мной в «Интернациональ». Отпразднуем твое превращение в мужчину. До сих пор ты был школьником. Я зайду за тобой через полчаса.

— Нет, — сказал он.

Видно, совсем скис.

— Пойдем, пойдем, — сказал я. — Уж сделай мне такое одолжение. Сегодня мне не хочется торчать там одному.

Он недоверчиво посмотрел на меня.

— Ну, если ты этого хочешь, — сказал он затем, сдаваясь. — В конце концов, не все ли равно?

— Ну вот видишь? — сказал я. — Совсем недурной девиз для начала.

В семь вечера я заказал телефонный разговор с Пат. После этого времени действовал половинный тариф, и я мог говорить вдвое дольше. Я сел на стол в передней и стал ждать. На кухню не пошел. Там пахло зелеными бобами, а совмещать этот запах с разговором с Пат даже по телефону мне не хотелось. Минут через пятнадцать мне дали санаторий. Пат сразу оказалась на проводе. Услышав так близко ее теплый, низкий, неторопливый голос, я до того разволновался, что почти не мог говорить. Меня затрясло как в лихорадке, кровь застучала в висках, и я ничего не мог с этим поделать.

— Боже мой, Пат, — сказал я, — это и в самом деле ты?

Она рассмеялась.

— Где ты сейчас, Робби? В конторе?

— Нет, я сижу на столе у фрау Залевски. Как ты себя чувствуешь?

— Хорошо, милый.

— Ты встала?

— Да. Сижу на подоконнике в своей комнате. На мне белый махровый халат. За окном идет снег.

Я вдруг ясно увидел ее. Увидел, как кружатся снежные хлопья, увидел темную точеную головку, прямые, чуть выступающие вперед плечи, бронзовую кожу...

— О Господи, Пат! — сказал я. — Будь прокляты эти деньги! Если б не они, я бы сел сейчас в самолет и к ночи был бы у тебя.

— Ах, милый мой...

Она замолчала. Я услышал тихие шорохи и гудение провода.

— Ты меня слышишь, Пат?

— Да, Робби. Но лучше не говори со мной так. У меня совсем голова пошла кругом.

— И у меня чертовски кружится голова, — сказал я. — Расскажи, что ты там поделываешь наверху.

Она стала что-то рассказывать, но скоро я перестал вникать в смысл ее слов. Я слушал только ее голос, и пока я так сидел, примостившись в темной передней между кабаньей головой и кухней с ее бобами, мне вдруг почудилось, будто распахнулась дверь и меня подхватила волна тепла и света — ласковая, переливчатая, полная грез, тоски, юных сил. Я уперся ногами в перекладину стола, крепко-крепко прижал трубку к щеке, смотрел на кабанью голову, на открытую дверь кухни и не замечал ничего этого — меня обступило лето, ветер веял над вечерним пшеничным полем, и зеленым светом отливали лесные дорожки. Голос умолк. Я глубоко вздохнул.

— Как хорошо говорить с тобой, Пат. А что ты собираешься делать сегодня вечером?

— Сегодня вечером у нас маленький праздник. Он начинается в восемь. Я как раз одеваюсь, чтобы пойти.

— Что ты наденешь? Серебристое платье?

— Да, Робби. Серебристое платье, в котором ты нес меня по коридору.

— А с кем ты идешь?

— Ни с кем. Это ведь здесь, в санатории. Внизу, в холле. Тут все знают друг друга.

— И тебе будет трудно удержаться, чтобы не наставить мне рога, — сказал я. — Особенно в серебристом платье.

Она засмеялась.

— Только не в нем. У меня с ним связаны определенные воспоминания.

— У меня тоже. Я ведь помню, какое оно производит впечатление. Впрочем, я не хочу ничего знать. Можешь изменить даже, только я не хочу об этом знать. А когда вернешься, будешь считать, что это тебе приснилось, что это забытое прошлое.

— Ах, Робби, — проговорила она медленно, и голос ее стал еще глуше. — Не могу я тебе изменить. Для этого я слишком много думаю о тебе. Ты не знаешь, каково здесь жить. Сверкающая роскошью тюрьма — вот что это такое. Все стараются отвлечься как могут, вот и все. Как вспомню твою комнату, так на меня нападет такая тоска, что я иду на вокзал и смотрю на поезда, прибывающие снизу, вхожу иногда в вагоны или делаю вид, будто встречаю кого-то, — и тогда мне кажется, что я ближе к тебе.

Я стиснул зубы. Никогда еще она со мной так не говорила. Она всегда была застенчива и проявляла свои чувства больше жестами или взглядами, чем словами.

— Я постараюсь как-нибудь навестить тебя, Пат, — сказал я.

— Правда, Робби?

— Да, может быть, в конце января.

Я знал, что вряд ли сумею сделать это, так как в начале февраля надо было снова платить за санаторий. Но я сказал это, чтобы хоть как-то ее подбодрить. Потом можно будет под разными предлогами откладывать свой приезд до того времени, когда она поправится и сама сможет уехать из санатория.

— До свидания, Пат, — сказал я. — И чтобы все у тебя было хорошо, ладно? Будь весела, и тогда мне будет легче. Повеселись сегодня как следует.

— Да, Робби, сегодня у меня счастливый день.

Я кликнул Георгия, и мы отправились в «Интернациональ». Старая прокопченная развалюха была неузнаваема. Ярко горели огни на елке, и их теплый свет отражался в бутылках, бокалах, в меди и никеле стойки. Проститутки, увешанные фальшивыми драгоценностями, с лицами, полными ожидания, чинно сидели в вечерних туалетах за одним из столов.

Ровно в восемь часов в зал строем вошел хор объединенных скотопромышленников. Они выстроились перед дверью по голосам: справа — первый тенор, на другом конце, слева — второй бас Стефан Григоляйт. Вдовец и свиноторговец достал камертон, раздал ноты, и полилось пение на четыре голоса:

> Святая ночь, пролей, пролей небесный мир
> в сердца.
> Приветь ты странника, пролей,
> утешь до смертного конца.
>
> Уж звездный в небе сонм горит, со мной он
> тихо говорит
> И на небо к тебе влечет,
> Как агнца.

— Как трогательно, — сказала Роза, вытирая глаза.

После того как отзвучала вторая строфа, раздались громовые аплодисменты. Хор благодарно раскланялся. Стефан Григоляйт вытер пот со лба.

— Бетховен есть Бетховен, — заявил он. Возражений не последовало. Стефан спрятал носовой платок. — Ну а теперь — к орудию!

Стол был накрыт в большой комнате, отведенной объединению. Посредине на серебряных блюдах, поставленных на маленькие спиртовки, возвышались оба румяных и поджаристых поросенка. Ничему уже больше не удивляясь, они держали в зубах ломтики лимона, а на спинках маленькие зажженные елочки.

Появился Алоис. На нем был свежевыкрашенный фрак, подарок хозяина. Алоис внес полдюжины больших бутылей со штейнхегером и стал наполнять бокалы. С ним вошел и Поттер из общества друзей кремации, задержавшийся на очередном сожжении, которым он руководил.

— Мир сей земле! — провозгласил он с пафосом, пожал руку Розе и сел рядом с ней.

Стефан Григоляйт, сразу же пригласивший Георгия к столу, встал и произнес самую короткую и самую лучшую речь в своей жизни. Он поднял бокал со сверкающим штейнхегером, обвел всех сияющими глазами и воскликнул:

— Будем здоровы!

Затем он снова сел, и Алоис втащил в зал тележку со свиными ножками, квашеной капустой и соленой картошкой. Вошел хозяин с подносом, уставленным высокими стеклянными кружками с золотистым пильзенским пивом.

— Ешь медленнее, Георгий, — сказал я. — Твой желудок должен сначала привыкнуть к жирному мясу.

— Сперва я сам должен ко всему привыкнуть, — сказал он и посмотрел на меня.

— За этим дело не станет, — сказал я. — Нужно только избегать сравнений, тогда все быстро наладится.

Он кивнул и снова склонился над тарелкой.

Внезапно на дальнем конце стола вспыхнула ссора. Послышался громкий каркающий голос Поттера. Он хотел чокнуться с Бушем, табачником, но тот отказался, заявив, что не желает пить, так как хочет побольше съесть.

— А я говорю — чушь! — бранился Поттер. — За едой надо пить! Кто пьет, тот может съесть гораздо больше.

— Глупости! — прогудел Буш, тощий длинный человек с плоским носом и в роговых очках.

Поттер вскочил с места.

— Глупости? И эта говоришь мне ты, филин с трубкой?

— Тихо! — крикнул Стефан Григоляйт. — Никаких ссор на Рождество.

Ему объяснили, из-за чего весь сыр-бор, и он принял соломоново решение — проверить дело на практике. Перед каждым из спорщиков поставили одинаковые миски с мясом, картофелем и капустой. Порции были огромны. Поттеру разрешалось пить что угодно, Буш должен был есть всухомятку. Чтобы придать состязанию особую остроту, было решено заключить пари, а сам Григоляйт вел тотализатор.

Поттер соорудил перед собой настоящий венок из бокалов с пивом и поставил между ними маленькие рюмки с водкой, сверкавшие, как алмазы. Пари были заключены в соотношении три к одному в его пользу. Когда все приготовления были закончены, Григоляйт дал старт...

Буш навалился на еду с ожесточением, низко пригнувшись к тарелке. Поттер вел борьбу в прямой и открытой стойке. Перед каждым глотком он злорадно желал Бушу здоровья, в ответ на что тот лишь свирепо, с ненавистью зыркал на него глазами.

— Мне как-то нехорошо, — сказал Георгий.

— Пойдем со мной.

Я отвел его к туалету и присел в передней, чтобы подождать его. Сладковатый запах свечей смешивался с ароматом потрескивавшей от огня хвои. И вдруг мне почудилось, будто я слышу звук легких шагов, который так люблю, будто ощущаю теплое дыхание и близко-близко перед собой вижу темные глаза...

— Вот наваждение! — пробормотал я, вставая. — Что это со мной?

В этот миг раздался оглушительный рев:

— Поттер!

— Браво, Алоизиус!

Кремация победила.

В задней комнате, окутанной сигарным дымом, разносили коньяк. Я все еще сидел возле стойки. Появились девицы и начали оживленно шушукаться.

— Что у вас там? — спросил я.

— Для нас ведь тоже приготовлены кое-какие сюрпризы, — ответила Марион.

— Ах вот оно что.

Прислонившись головой к стойке, я задумался и попытался представить себе, что теперь делает Пат. Мысленно я видел холл санатория, пылающий камин и Пат за столиком у окна. С ней Хельга Гутман, еще какие-то люди. Все это было страшно давно... Иногда мне казалось: вот проснусь в одно прекрасное утро, и вдруг окажется, что все прошло, позабыто, исчезло. И ничего прочного — даже воспоминаний.

Зазвенел колокольчик. Девицы всполошились, как куры, и побежали в бильярдную. Там стояла Роза с колокольчиком в руке. Она, помахав, и меня поманила к себе. Я подошел. Под небольшой елкой на бильярдном столе были расставлены тарелки, прикрытые шелковистой бумагой. На каждой тарелке лежали карточки с именем и свертки с подарками, которые девушки делали друг другу. Ни одна из них не была забыта. Все это организовала Роза. Подарки ей передавали заранее в упакованном виде, а она разложила их по тарелкам.

— Что же ты не берешь свою тарелку? — спросила меня Роза.

— Какую тарелку?

— Да ведь и для тебя есть подарок.

И в самом деле: на бумажке изящным круглым почерком и даже в два цвета — красный и черный — было выведено мое имя. Яблоки, орехи, апельсины, от Розы — связанный ею свитер, от хозяйки — ядовито-зе-

Эрих Мария Ремарк

леный галстук, от Кики — розовые носки из синтетики, от красотки Валли — кожаный ремень, от кельнера Алоиса — полбутылки рома, от Марион, Лины и Мими общий подарок — полдюжины носовых платков и от хозяина кафе — две бутылки коньяка.

— Братцы, — сказал я, — братцы мои, вот уж не ожидал.

— Сюрприз? — воскликнула Роза.

— Еще какой!

Я стоял среди них смущенный и, черт бы меня побрал, растроганный до глубины души.

— Братцы, — сказал я, — знаете, когда я в последний раз в своей жизни получал подарки? Не могу даже вспомнить. Наверное, еще до войны. Но ведь у меня-то для вас ничего нет.

Последовал взрыв восторга из-за того, что им так блестяще удалась затея.

— Это за то, что ты нам всегда играешь на пианино, — сказала Лина и покраснела.

— Вот-вот, — подхватила Роза. — Может, и сейчас сыграешь? Это и будет твой подарок.

— Сыграю, — сказал я. — Все, что захотите.

— Что-нибудь из времен нашей молодости, — попросила Марион.

— Нет, что-нибудь веселое! — запротестовал Кики.

Его голос потонул в общем гаме — как гомика его вообще не принимали всерьез. Я сел за пианино и начал играть. Все запели:

С юных лет, с юных лет,
Песенка, ты со мной.
Эх, того уже нет,
Что дарило покой.

Хозяйка выключила электрический свет. Теперь горели только неяркие свечи на елке. Тихо булькало пиво из бочки, словно далекий родник в лесу, а плоскостопый Алоис сновал по залу, как черный Пан. Я заиграл второй куплет. Девушки облепили пианино с горящими глазами и самыми добродетельными лицами. Но что это? Кто там рыдает? Ба, да это же Кики, люкецвальдский пижон Кики.

Тихо отворилась дверь из большого зала, и под мелодичный напев гуськом вошел хор во главе с Григоляйтом, курившим черную бразильскую сигару. Певцы встали позади девиц.

> Когда я простился —
> Мир был полон, ура!
> А потом возвратился —
> Ни кола ни двора.

Тихо отзвучал смешанный хор.

— Как это прекрасно, — сказала Лина.

Роза зажгла бенгальские огни. Они с шипением разбрызгивали искры.

— Ну хорошо, а теперь что-нибудь веселое! — крикнула она. — Надо же развеселить Кики.

— И меня тоже, — заявил Стефан Григоляйт.

В одиннадцать часов пришли Кестер и Ленц. Мы сели с Георгием за столик у стойки. Он был бледен, и ему дали несколько ломтиков подсушенного хлеба, чтобы он успокоил живот. Ленц вскоре растворился в шумной компании скотопромышленников. Через четверть часа он выплыл у стойки вместе с Григоляйтом. Скрестив руки, они пили на брудершафт.

— Стефан! — воскликнул Григоляйт.

— Готфрид! — ответил Ленц, и оба выпили по рюмке коньяку.

— Готфрид, завтра я пришлю тебе пакет с кровяной и ливерной колбасой. Годится?

— Еще как годится! — Ленц хлопнул его по спине. — Мой старый добрый Стефан!

Стефан сиял.

— Ты так хорошо смеешься, — восхищенно сказал он, — вот за это люблю. А я чаще грущу, это мой недостаток.

— И мой тоже, — сказал Ленц, — оттого-то я и смеюсь. Иди сюда, Робби, выпьем за нескончаемый мировой смех!

Я подошел к ним.

— А что с этим малым? — спросил Стефан, показывая на Георгия. — Он, похоже, тоже грустит.

— Его легко осчастливить, — сказал я. — Ему бы подошла любая работа.

— Хитрый фокус в наши-то дни, — сказал Григоляйт.

— Любая, — повторил я.

— Теперь все соглашаются на любую работу. — Стефан несколько протрезвел.

— Ему бы семьдесят пять марок в месяц.

— Чушь. Этих денег ему не хватит.

— Хватит, — сказал Ленц.

— Готфрид, — заявил Григоляйт, — я старый пьяница. Согласен. Но работа — дело серьезное. Ее нельзя сегодня дать, а завтра отнять. Это еще хуже, чем женить человека, а на следующий день отнять у него жену. Но если малый честный и работящий и может прожить на семьдесят пять марок, считай, ему повезло. Пусть приходит во вторник в восемь утра. Мне нужен помощник для всякой беготни по делам объединения и все такое прочее. Сверх жалованья буду подкидывать ему время от времени немного мяса. Подкормиться ему, кажется, не мешает.

— Это твердое слово? — спросил Ленц.

— Слово Стефана Григоляйта.

— Георгий, — позвал я. — Поди-ка сюда.

Когда Георгию сказали, в чем дело, он весь задрожал. Я вернулся за стол к Кестеру.

— Послушай, Отто, — сказал я, — если б тебе предложили начать жить сначала, ты бы согласился?

— И чтобы все осталось так, как было?

— Да.

— Нет, — сказал Кестер.

— Я бы тоже не согласился, — сказал я.

XXIV

Это было недели три спустя, холодным январским вечером. Я сидел в «Интернационале» и играл с хозяином в очко. В кафе никого не было, не явились даже проститутки. В городе было неспокойно. По улице то и дело маршировали демонстранты: одни под громовые военные марши, другие под «Интернационал». А там снова тянулись длинные молчаливые колонны с требованиями работы и хлеба на транспарантах. Были слышны бесчисленные шаги на мостовой, они отбивали такт, как огромные неумолимые часы. Под вечер произошло первое столкновение между бастующими и полицией, во время которого двенадцать человек получили ранения; вся полиция была приведена в боевую готовность. На улице то и дело завывали сирены полицейских машин.

— Покоя как не было, так и нет, — сказал хозяин, предъявляя мне свои шестнадцать очков. — С самой войны никакого покоя. А ведь мы тогда только о том и мечтали, чтобы все это кончилось. Мир прямо свихнулся!

Я показал ему, что у меня семнадцать, и взял банк.

— Это не мир свихнулся, — сказал я, — а люди.

Алоис, болевший за хозяина и стоявший за его стулом, запротестовал:

— И никакие они не свихнутые. Просто жадные. Всяк завидует соседу. Добра на свете хоть завались, а большинство людей оказываются с носом. Тут вся штука в распределении, вот и весь сказ.

— Верно, — сказал я, пасуя при двух картах. — Последние тысячелетия вся штука именно в этом.

Хозяин открыл свои карты. Пятнадцать. Он неуверенно взглянул на меня и решил прикупить еще. Пришел туз. Он сдался. Я показал свои карты. У меня было жалких двенадцать очков. Он бы выиграл, если бы остановился на пятнадцати.

— К черту, больше не играю! — в сердцах завопил

Эрих Мария Ремарк

он. — Так нагло блефовать! Я был уверен, что у вас не меньше восемнадцати.

— Плохому танцору, как известно... — прогундосил Алоис.

Я сгреб деньги в карман. Хозяин зевнул и посмотрел на часы.

— К одиннадцати дело идет. Пожалуй, надо закрывать. Все одно никто больше не сунется.

— А вот кто-то и идет, — сказал Алоис.

Дверь открылась. Это был Кестер.

— Что там делается, Отто? Все то же?

Он кивнул:

— Побоище в залах «Боруссии». Двое ранены тяжело, несколько десятков полегче. Около сотни человек арестовано. Дважды была перестрелка в северной части города. Убит один полицейский. Количество раненых мне неизвестно. Теперь, когда идут к концу большие митинги, все только и начнется. Ты тут закончил?

— Да, — сказал я. — Как раз собирались закрывать.

— Ну так пойдем.

Я вопросительно посмотрел на хозяина. Он кивнул.

— Тогда салют, — сказал я.

— Салют, — лениво ответил хозяин. — Поосторожнее там.

Мы вышли. На улице пахло снегом. На мостовой, как белые мертвые бабочки, валялись листовки.

— Готфрид исчез, — сказал Кестер. — Торчит на одном из этих собраний. Я слышал, их будут разгонять, а при этом всякое может случиться. Хорошо бы выудить его оттуда. А то не ровен час... Знаешь ведь, какой у него норов.

— А известно, где он? — спросил я.

— Точно не известно. Но скорее всего на одном из трех главных собраний. Надо объехать все три. Готфрида с его огненной шевелюрой разглядеть нетрудно.

— Лады.

Мы сели в машину и помчались на «Карле» туда, где шло одно из собраний.

На улице стоял грузовик с полицейскими. Кивера были наглухо застегнуты ремешками. В свете фонарей смутно поблескивали стволы карабинов. Из окон свешивались пестрые флаги. У входа толпились люди в униформе. Почти сплошь юнцы.

Мы купили входные билеты и, проигнорировав брошюры, копилки для поборов и листки партийного учета, прошли в зал. Он был битком набит людьми и хорошо освещен — чтобы можно было сразу увидеть всякого, кто подаст голос с места. Мы остановились у входа, и Кестер, у которого было очень острое зрение, стал внимательно рассматривать ряд за рядом.

На сцене стоял коренастый приземистый мужчина, у которого был низкий зычный голос, хорошо слышный в самых дальних уголках зала. Это был голос, который убеждал уже сам по себе, даже если не вслушиваться в то, что он говорил. Да и говорил он вещи, понятные каждому. Держался непринужденно, расхаживал по сцене, размахивал руками. Отпивая время от времени из стакана, отпускал шутки. Но потом вдруг весь замирал и, обратившись лицом к публике, изменившимся резким голосом одну за другой бросал хлесткие фразы — известные всем истины о нужде, о голоде, о безработице, и тогда голос его нарастал, доходя до предельного, громового пафоса при словах: «Так дальше жить нельзя! Перемены необходимы!»

Публика выражала шумное одобрение, она аплодировала и кричала так, словно эти перемены уже наступили. Человек на сцене ждал. Его лицо блестело от пота. А затем мощным, неопровержимым, неотвратимым потоком со сцены полились обещания, это был настоящий, захлестнувший людей ливень обещаний, яростно созидавший над их головами соблазнительный и волшебный купол счастья; это была лотерея, в которой на каждый билет падал главный выигрыш, в которой каждый мог беспрепятственно обрести и личные права, и личное отмщение, и личное счастье.

Эрих Мария Ремарк

Я разглядывал слушателей. То были люди разных профессий — бухгалтеры, мелкие ремесленники, чиновники, изрядное количество рабочих и множество женщин. Они сидели в душном зале, откинувшись назад или подавшись вперед, подставляя сомкнутые ряды голов потоку слов; но странно: как ни разнообразны были лица, на них было одинаковое отсутствующее выражение и одинаковые сонливые взгляды, устремленные в туманную даль, где маячили прельстительные миражи; в этих взглядах была пустота и вместе с тем ожидание чего-то невероятного, что, нахлынув, сразу поглотит все — критику, сомнения, противоречия, проблемы, будни, повседневность, реальность. Человек на сцене знал все, у него на каждый вопрос был ответ, на каждую нужду имелось лекарство. Было приятно довериться ему. Было приятно знать, что есть кто-то, кто думает о тебе. Было приятно этому верить.

Кестер толкнул меня в бок и показал головой в сторону выхода. Я кивнул. Ленца здесь не было. Мы вышли. Стоявшая в дверях охрана посмотрела на нас мрачно и подозрительно. В вестибюле, готовясь войти в зал, строились оркестранты. За ними колыхался лес знамен и эмблем.

— Здорово обставлено, а? — спросил Кестер на улице.

— Первый класс. Говорю это как старый спец по рекламе.

Мы проехали еще несколько кварталов и попали на другое политическое собрание. Другие знамена, другая униформа, другой зал, но в остальном все то же. На лицах такое же выражение неопределенной надежды, веры и пустоты. Перед рядами стульев стол президиума, покрытый белой скатертью. За столом партийные секретари, члены президиума, какие-то ретивые старые девы. Здешний оратор, судя по всему чиновник, был явно слабее предыдущего. Говорил он казенно и скучно, приводил доказательства, цифры; все было толково и верно и все же не так убедительно, как у того, предыдущего, который вообще ничего не доказывал, а лишь утверждал. Партийные секретари за столом президиума устало клевали носом; они отсиживали не первую сотню подобных собраний.

— Пойдем, — сказал через некоторое время Кестер. — Здесь его тоже нет. Впрочем, ничего другого я и не ожидал.

Мы поехали дальше. После духоты переполненных залов воздух казался холодным и свежим. Машина промчалась по улицам и выскочила на набережную канала. В темной воде, тихо плескавшейся о бетонированный берег, отражался маслянисто-желтый свет фонарей. Мимо медленно плыла черная плоскодонная баржа. Буксирный пароходик был в красных и зеленых сигнальных огнях. На палубе залаяла собака, и какой-то человек, пройдя под фонарем, скрылся в люке, озарившемся на секунду золотым светом. Вдоль противоположного берега тянулись ярко освещенные дома западного района. В их сторону выгнулась широкая арка моста. По нему в обе стороны безостановочно двигались автомобили, автобусы и трамваи. Это было похоже не искрящуюся пеструю змею, застывшую над ленивой черной водой.

— Я думаю, надо оставить машину здесь и пройти немного пешком, — сказал Кестер. — Так мы меньше привлечем внимание.

Мы оставили «Карла» под фонарем около пивной. Когда мы выходили из машины, из-под ног у нас сиганула белая кошка. Чуть впереди, под аркой, стояли в передниках проститутки. При нашем приближении они умолкли. В углублении дома прикорнул шарманщик. Какая-то старуха рылась в отбросах на краю тротуара. Мы подошли к огромному грязному дому казарменного типа со множеством флигелей, дворов и проходов. В нижнем этаже помещались лавки, булочная, приемный пункт тряпья и железного лома. На улице перед воротами стояли два грузовика с полицейскими.

Эрих Мария Ремарк

В первом дворе в углу был сооружен деревянный стенд, на котором висело несколько карт звездного неба. За столиком, заваленным бумагами, на небольшом возвышении стоял человек в тюрбане. Над его головой висел плакат: «Астрология, хиромантия, предсказание будущего! Ваш гороскоп обойдется вам всего в пятьдесят пфеннигов!» Вокруг теснилась толпа. Резкий свет карбидного фонаря вырывал из темноты восковое сморщенное личико провидца. Он настойчиво убеждал в чем-то слушателей, которые молча смотрели на него — теми же отсутствующими и потерянными глазами людей, ожидавших чуда, что и у посетителей собраний со знаменами и оркестрами.

— Отто, — сказал я Кестеру, шедшему впереди меня, — теперь я знаю, чего хотят эти люди. Не нужна им никакая политика. Им нужно что-то вроде религии.

Кестер обернулся.

— Ну конечно. Они хотят снова во что-нибудь верить. Все равно во что. Потому-то они такие фанатики.

Во втором дворе мы обнаружили пивную, в которой проходило собрание. Все окна были освещены. Внезапно там раздался какой-то шум, и тут же как по команде откуда-то сбоку во двор вбежало несколько молодчиков в кожаных куртках. Пригибаясь, они под окнами пивной проскользнули к входной двери; передний рванул ее, и все устремились внутрь.

— Ударная группа, — сказал Кестер. — Иди сюда, станем тут у стены, за пивными бочками.

В зале поднялся рев и грохот. В следующее мгновение раздался звон стекла и кто-то вылетел из окна. Тут же распахнулась дверь, и через нее во двор стала вываливаться плотно сбившаяся куча людей. Передних сбили с ног, задние падали на них. Какая-то женщина с истошными криками о помощи побежала к воротам. Затем из пивной выкатилась вторая группа. Люди с ожесточением вцеплялись друг в друга, дрались ножками стульев и пивными кружками. Гигант плотник выдрался из толпы, встал чуть в сторону, и всякий раз, как перед ним оказывалась голова противника, он размахивался и ударял по ней рукой, загоняя противника обратно в свалку. Плотник проделывал это совершенно невозмутимо, точно колол дрова.

В дверях пивной уже застрял новый клубок людей. Среди них, метрах в трех от себя, мы вдруг увидели всклокоченную соломенную шевелюру Готфрида, в которую вцепился какой-то усатый лихач.

Кестер пригнулся и исчез в людском месиве. Через несколько секунд усатый отпустил Готфрида, с выражением крайнего удивления он вскинул руки и рухнул как подрубленное дерево. В следующее мгновение я увидел, как Отто тащит Ленца за шиворот.

Ленц упирался.

— Да отпусти ты меня... ну хоть на минуту, Отто... — задыхался он.

— Не дури, — кричал Кестер, — сейчас полиция явится! Бежим! Вот сюда!

Мы кинулись через двор к темному подъезду. Медлить было нельзя. Во дворе уже раздались пронзительные свистки, замелькали черные кивера, полиция оцепила двор. Скрываясь от облавы, мы взбежали вверх по лестнице. За тем, что происходило дальше, мы наблюдали из окна. Полицейские работали блестяще. Перекрыв все выходы, они вклинились в толпу, расчленили ее и тут же стали выволакивать из нее людей и запихивать их в машины. Одним из первых — плотника, который с ошалелым видом им что-то доказывал. Позади нас стукнула дверь. Высунула голову какая-то женщина в одной сорочке, с голыми худыми ногами и свечой в руке.

— Это ты? — спросила она недовольно.

— Нет, — сказал Ленц, к которому вернулось самообладание. Женщина захлопнула дверь. Ленц осветил карманным фонариком табличку на ней. Ждали здесь Герхарда Пешке, каменотеса.

Внизу все стихло. Полиция отбыла, двор опустел. Мы подождали еще немного и стали спускаться по лестнице. За какой-то дверью в темноте плакал ребенок. Он плакал тихо и жалобно.

— Он прав, что оплакивает нас заранее, — сказал Ленц.

Мы пересекли последний двор. Покинутый всеми астролог стоял у карт звездного неба.

— Не желаете получить гороскоп, господа? — крикнул он. — Или узнать будущее по руке?

— Валяй, — сказал Готфрид и протянул ему руку.

Астролог какое-то время изучал ее.

— У вас порок сердца, — заявил он затем решительно. — Чувства у вас развиты сильно, но линия разума очень коротка. Зато вы музыкальны. Вы человек мечтательный, но как супруг никуда не годитесь. И все же я нахожу здесь троих детей. Вы дипломат по натуре, у вас скрытный характер, жить будете долго, до восьмидесяти лет.

— Вот это верно, — сказал Готфрид. — Моя фройляйн матушка тоже всегда говорила: кто зол, тот проживет долго. Мораль — это человеческая выдумка, а вовсе не сумма жизненного опыта.

Он заплатил астрологу, и мы пошли дальше. Улица была пустынна. Дорогу нам перебежала черная кошка. Ленц ткнул в ее сторону пальцем.

— Теперь, однако, полагается поворачивать оглобли обратно.

— Пустяки, — сказал я. — До этого нам попалась белая. Так что одна уравновешивает другую.

И мы пошли дальше. По другой стороне улицы навстречу нам шли четверо молодых парней. Один из них был в новеньких кожаных крагах светло-желтого цвета, остальные в сапогах военного образца. Они внезапно остановились и уставились на нас.

— Вот он! — крикнул вдруг малый в крагах и бросился через улицу к нам. В следующее мгновение прогремели два выстрела, малый отскочил в сторону, и вся четверка пустилась наутек. Я увидел, как Кестер хотел было рвануться за ними, но тут же как-то странно осел, издал дикий сдавленный вопль и, выбросив вперед руки, попытался подхватить Ленца, рухнувшего на брусчатку.

Сначала мне показалось, что Ленц просто упал, потом я увидел кровь. Кестер распахнул куртку и разодрал на Ленце рубашку; кровь хлестала струей. Я зажал рану носовым платком.

— Побудь здесь, я сбегаю за машиной! — крикнул Кестер и побежал.

— Готфрид, — сказал я, — ты слышишь меня?

Лицо Ленца посерело. Глаза были полузакрыты. Веки не шевелились. Одной рукой я поддерживал его голову, другой — крепко прижимал платок к ране. Я стоял возле него на коленях, пытаясь уловить хоть вздох или всхрип, но не слышал ничего — и кругом тишина, нигде ни звука, бесконечная улица, бесконечные ряды домов, бесконечная ночь, — я слышал только, как на камни тихо струилась кровь, и я знал, что так уже было однажды и что это не могло быть правдой.

Подлетел на машине Кестер. Он откинул спинку левого сиденья. Мы осторожно подняли Готфрида и уложили его. Я вскочил в машину, и Кестер помчался. Мы подъехали к ближайшему пункту «Скорой помощи». Осторожно затормозив, остановились.

— Посмотри, есть ли там врач, — сказал Кестер. — Иначе придется ехать дальше.

Я вбежал в помещение. Навстречу мне попался санитар.

— Есть тут врач?

— Да. Вы привезли кого-нибудь?

— Да. Пойдемте со мной. Возьмите носилки.

Мы положили Готфрида на носилки и внесли его. Врач с закатанными рукавами был уже наготове.

— Сюда! — показал он рукой на плоский стол.

Мы поставили носилки на стол. Врач опустил лампу, приблизив ее к самой ране.

— Что это?

— Револьвер.

Эрих Мария Ремарк

Он взял ватный тампон, вытер кровь, пощупал пульс, выслушал сердце и выпрямился.

— Поздно. Сделать ничего нельзя.

Кестер уставился на него.

— Но ведь пуля прошла совсем по краю, ведь это не может быть опасно!

— Здесь две пули, — сказал врач.

Он снова вытер кровь. Мы наклонились. Наискось и пониже от той раны, из которой текла кровь, мы увидели другую — маленькое темное отверстие около сердца.

— Он умер, по-видимому, почти мгновенно, — сказал врач.

Кестер выпрямился, не отрывая глаз от Готфрида. Врач закрыл раны тампонами и заклеил их полосками пластыря.

— Хотите умыться? — спросил он меня.

— Нет, — ответил я.

Теперь лицо Готфрида пожелтело, запало. Рот слегка искривился, глаза были полузакрыты, один чуть больше другого. Он смотрел на нас. Он непрерывно смотрел на нас.

— Как же это случилось? — спросил врач.

Никто ему не ответил. Готфрид смотрел на нас. Неотрывно смотрел на нас.

— Его можно оставить здесь, — сказал врач.

Кестер пошевелился.

— Нет, — возразил он, — мы его заберем.

— Это запрещено, — сказал врач. — Мы обязаны позвонить в полицию. И в уголовный розыск. Надо ведь сразу же предпринять все возможное, чтобы найти преступника.

— Преступника? — Кестер с недоумением посмотрел на врача. Но потом сказал: — Хорошо, я поеду за полицией.

— Вы можете позвонить. Тогда они приедут скорее.

Кестер медленно покачал головой:

— Нет. Я лучше поеду.

Он вышел, и я услышал, как затарахтел мотор «Карла». Врач пододвинул мне стул.

— Не хотите ли пока посидеть?

— Спасибо, — сказал я и остался стоять. Яркий свет все еще падал на окровавленную грудь Готфрида. Врач поднял лампу повыше.

— Как же это случилось? — снова спросил он.

— Не знаю. Видимо, обознались.

— Он воевал? — спросил врач.

Я кивнул.

— Это видно по шрамам, — сказал он. — И рука у него прострелена. Он был ранен несколько раз.

— Да, четыре раза.

— Какая подлость, — сказал санитар. — Молокососы паршивые. Они-то в ту пору еще лежали в пеленках.

Я не ответил. Готфрид смотрел на меня. Смотрел неотрывно.

Прошло много времени, прежде чем вернулся Кестер. Он вернулся один. Врач отложил газету, за которой коротал время.

— Приехали сотрудники полиции? — спросил он.

Кестер молча стоял посреди комнаты. Он не слышал вопроса.

— Полиция здесь? — снова спросил врач.

— Да, — проговорил Кестер. — Полиция. Надо позвонить, чтобы они приехали.

Врач посмотрел на него, но ничего не сказал и направился к телефону. Несколько минут спустя явились два полицейских чиновника. Они сели за стол, и один из них стал записывать сведения о Готфриде. Не знаю почему, но теперь, когда он был мертв, мне казалось нелепостью говорить о том, как его звали, когда он родился и где жил. Я не мог оторвать глаз от огрызка черного карандаша, который чиновник то и дело слюнявил, и отвечал машинально.

Второй чиновник вел протокол. Кестер давал необходимые показания.

Эрих Мария Ремарк

— Вы можете приблизительно описать убийцу? — спросил чиновник.

— Нет, — ответил Кестер. — Не обратил внимания. Я мельком взглянул на него. И подумал о желтых крагах и униформе.

— Вы можете сказать, к какой политической партии он принадлежал? Вы не заметили каких-либо значков или формы?

— Нет, — сказал Кестер. — До того как раздались выстрелы, я ни на кого не обращал внимания. А потом, — он на секунду запнулся, — потом я был занят моим товарищем.

— Вы принадлежите к какой-либо политической партии?

— Нет.

— Я спросил потому, что вы назвали его своим товарищем...

— Он мой товарищ по фронту, — сказал Кестер.

Чиновник обратился ко мне:

— А вы можете описать убийцу?

Кестер пристально посмотрел мне в глаза.

— Нет, — сказал я. — Я тоже ничего не видел.

— Странно, — заметил чиновник.

— Мы были заняты разговором и не смотрели по сторонам. Все произошло очень быстро.

Чиновник вздохнул.

— Тогда мало надежды, что нам удастся их поймать. Он дописал протокол.

— Можно нам взять его с собой? — спросил Кестер.

— Собственно говоря... — Чиновник взглянул на врача. — Причина смерти сомнений не вызывает?

Врач кивнул:

— Я уже составил акт.

— А где пуля? Пулю я должен взять с собой.

— Пуль две. Обе остались в теле. Мне пришлось бы... Врач колебался.

— Мне нужны обе, — сказал чиновник. — Я должен убедиться, что они выпущены из одного и того же оружия.

— Ладно, — сказал Кестер в ответ на вопросительный взгляд врача.

Санитар поправил носилки и опустил лампу. Врач взял инструменты и ввел пинцет в рану. Первую пулю он извлек быстро, она засела неглубоко. Чтобы достать вторую, пришлось сделать надрез. Он поднял до локтей резиновые перчатки, взял зажимы и скальпель. Кестер быстро подошел к носилкам и закрыл Готфриду глаза. Я отвернулся, услышав тихий звук от надреза скальпелем. Меня так и подмывало броситься к врачу и оттолкнуть его, мне казалось, что Готфрид только в обмороке и что именно теперь врач его действительно убивает... Но я тут же опомнился — мы достаточно повидали мертвецов, чтобы не ошибаться.

— Вот она, — сказал врач, выпрямляясь. Он вытер пулю и передал ее чиновнику.

— Такая же в точности. Обе из одного оружия, не правда ли?

Кестер наклонился и внимательно рассмотрел маленькие, тускло поблескивавшие пули, перекатывавшиеся на ладони чиновника.

— Да, — сказал он.

Чиновник завернул их в бумагу и сунул в карман.

— Вообще-то не полагается, — сказал он затем, — но раз вы хотите забрать его домой... Суть дела не вызывает сомнений, не правда ли, господин доктор? — Врач кивнул. — К тому же вы и судебный врач, — продолжал чиновник, — так что в случае чего... Словом, как хотите... Вот только если завтра пожалует комиссия...

— Я знаю, — сказал Кестер. — Все останется как есть.

Полицейские ушли. Врач снова заклеил раны Готфрида.

— Как вы его возьмете? — спросил он. — С носилками? Только пришлите их завтра же обратно.

— Да, спасибо, — сказал Кестер. — Пойдем, Робби.

Эрих Мария Ремарк

— Я помогу вам, — сказал санитар.

Я покачал головой:

— Не надо, мы сами.

Мы взяли носилки, вынесли их и положили на оба левых сиденья — спинку переднего мы откинули назад. Санитар и врач вышли на крыльцо и наблюдали за нами. Мы накрыли Готфрида его пальто и поехали. Через минуту Кестер повернулся ко мне.

— Давай-ка проедем еще раз по тем улицам. Я уже был там, да, видать, слишком рано. Может, теперь их встретим.

Незаметно начался снег. Кестер вел машину почти бесшумно. Он выжимал сцепление и часто выключал зажигание. Он не хотел, чтобы нас слышали, хотя четверка, которую мы искали, не могла знать, что у нас машина. В конце концов наш автомобиль превратился в белое привидение, бесшумно скользившее в густеющем снегопаде. Я вынул из ящика с инструментами молоток и положил его рядом с собой, чтобы сразу пустить в дело, как только выскочу из машины.

Мы ехали по улице, где это случилось. Под фонарем еще чернело пятно крови. Кестер выключил фары. Мы продвигались вдоль самого тротуара, наблюдая за улицей. Никого не было видно. И только из освещенной пивной доносился галдеж.

Кестер остановил машину у перекрестка.

— Подожди меня здесь, — сказал он. — Я загляну в пивную.

— Я пойду с тобой, — сказал я.

Он посмотрел на меня тем взглядом, который запомнился мне еще с тех пор, когда он один уходил в разведку.

— В пивной это не годится, — сказал Кестер, — там он еще, чего доброго, улизнет. Я только гляну, нет ли его. А уж тогда будем караулить. Побудь здесь с Готфридом.

Я кивнул, и Отто исчез в снежной пороше. Хлопья снега били мне в лицо и таяли на ресницах. Мне вдруг стало не по себе оттого, что Готфрид укрыт так, будто он уже не с нами, и я стянул пальто с его головы. Теперь снег падал и на его лицо, на глаза и губы, но не таял. Я вынул платок, смахнул снег с его головы и снова натянул на нее пальто.

Вернулся Кестер.

— Нету?

— Нет, — сказал он, садясь за руль. — Проедем-ка еще по соседним улицам. Я чувствую, что мы можем встретить их в любую минуту.

Мотор привычно взревел, но тут же осекся. Мы бесшумным призраком крались сквозь белую взвихренную ночь от одной улицы к другой; на поворотах я придерживал тело Готфрида от падений; время от времени мы останавливались в сотне метров от какой-нибудь пивной, и Кестер вприпрыжку бежал назад, чтобы ее проверить. Он был во власти мрачного, холодного бешенства, он даже не думал о том, что сначала надо отвезти Готфрида; он кружил и кружил по улицам, потому что был уверен, что мы вот-вот встретим тех четверых.

Вдруг далеко впереди на длинной пустынной улице мы и впрямь заметили темную группу людей. Кестер тут же выключил освещение, и мы тихо, с потушенным светом стали нагонять их. Занятые разговором, они нас не слыхали.

— Их четверо, — шепнул я Кестеру.

В то же мгновение мотор взревел, и машина, пролетев метров двести, выскочила боком на тротуар и, заскрежетав тормозами, остановилась как вкопанная на расстоянии метра от четырех насмерть перепуганных прохожих.

Кестер уже наполовину высунулся из машины, его тело было готово к броску, как стальная пружина, а лицо было неумолимо, как смерть.

Перед нами оказались четверо безобидных пожилых обывателей. Один из них был пьян. Опомнившись, они стали браниться. Кестер им ничего не ответил. Мы поехали дальше.

— Отто, — сказал я, — сегодня нам его не найти. Вряд ли он сунется на улицу.

— Да, пожалуй, — не сразу ответил он и развернул машину.

Мы поехали к нему домой. У его комнаты был отдельный вход, так что нам не нужно было никого будить. Когда мы вышли из машины, я сказал:

— Почему ты не сообщил его приметы этим парням из полиции? Все-таки у нас были бы помощники. Ведь мы то его достаточно хорошо разглядели.

Кестер посмотрел на меня.

— Потому что это дело наше, а не полиции. Неужели ты думаешь, — перешел он на сдавленный шепот, от которого стало страшно, — что я отдам его полиции? Чтобы он схлопотал пару лет тюрьмы? Сам знаешь, чем кончаются такие процессы! Эти парни прекрасно знают, что строго их не накажут. Как бы не так! Да если даже полиция найдет его, я заявлю, что это не он. И сам с ним разберусь. Понял? Готфрид мертв, а он жив! Не будет этого!

Мы вытащили из машины носилки, пронесли их сквозь ветер и пургу в дом — все было так, будто мы еще где-то во Фландрии и вот принесли убитого товарища с переднего края.

Мы купили гроб и место для могилы на общинном кладбище. Готфрид, когда, бывало, об этом заходила речь, часто говорил, что крематорий — это не для солдата. Он хотел лежать в земле, на которой прожил свой век.

Похороны состоялись в ясный солнечный день. Мы надели на Готфрида его старую полевую форму, всю в выцветших пятнах крови, с рукавом, изодранным в клочья осколками гранаты. Мы сами прибили крышку гвоздями и снесли гроб вниз по лестнице. Провожающих было немного: Фердинанд, Валентин, Альфонс, бармен Фред, Георгий, Юпп, фрау Штосс, Густав, Стефан Григоляйт и Роза.

У ворот кладбища нам пришлось немного подождать. Впереди были еще две похоронные процессии, которые пришлось пропустить. Одна шла за черной машиной, другая за каретой, в которую были впряжены лошади, укрытые черным и серебряным крепом. За каретой шла бесконечная толпа провожающих, которые оживленно о чем-то беседовали.

Мы сняли гроб с машины и сами опустили его на веревках в могилу. Могильщик был этому рад, так как у него и без нас дел хватало. Был приглашен и священник. Правда, мы не знали, как отнесся бы к этому сам Готфрид, но Валентин сказал, что без этого нельзя. Впрочем, мы просили священника обойтись без надгробной речи. Он должен был прочитать лишь небольшой кусочек из Библии.

Пастор оказался человеком немолодым и близоруким. Подойдя к могиле, он споткнулся о бугор и наверняка свалился бы вниз, если бы Кестер с Валентином его не подхватили. Споткнувшись, он выронил в яму Библию и очки, которые как раз собирался водрузить на нос. Он ошалело смотрел им вслед.

— Не беда, господин пастор, — сказал Валентин, — мы возместим вам потерю.

— Книга-то ничего, — тихо ответил священник, — а вот очки мне нужны.

Валентин выломал ветку из кладбищенской живой изгороди, потом встал на колени у могилы и ухитрился подцепить очки за дужку и вытащить их из венка. Оправа очков была золотая. Может быть, поэтому священнику так хотелось заполучить их обратно. Библия проскользнула под гроб, и достать ее, не подняв гроб наверх, было невозможно. Этого не захотел и сам пастор. Он стоял в полной растерянности.

— Не сказать ли мне вместо этого несколько слов? — смущенно спросил он.

— Не беспокойтесь, господин пастор, — ответил Фердинанд. — Теперь у него там под головой оба Завета.

Вскопанная земля источала острый запах. В одном из комьев копошилась белая личинка. «Вот завалят сейчас могилу, — подумал я, — а она будет жить там внизу, превратится в куколку, а в будущем году, пробившись сквозь почву, выйдет на поверхность. А Готфрид останется мертв. Он угас навсегда». Мы стояли у его могилы, мы знали, что его тело, глаза и волосы еще существуют, правда, они уже изменились, но все же еще существуют, а он, несмотря на это, ушел и больше никогда не вернется. Это было непостижимо. Наша кожа была теплой, наш мозг действовал, а сердце гнало кровь по жилам, мы были такие же, как прежде, как вчера, у нас по-прежнему было по две руки, мы не ослепли, не онемели, все было как всегда, — и вот мы скоро уйдем, а Готфрид останется и никогда уже не сможет пойти за нами. Непостижимо.

Комья земли захлопали по крышке гроба. Могильщик раздал нам лопаты, и мы стали закапывать Готфрида — Валентин, Кестер, Альфонс, я, — как закапывали когда-то своих товарищей там, на фронте. В ушах моих вдруг зазвучала старая солдатская песня, старая печальная солдатская песня, которую он любил напевать:

> Аргоннский лес, Аргоннский лес.
> Кресты отсюда до небес...

Альфонс принес с собой черный крест, простой, деревянный, какие бесконечными рядами стоят во Франции у безымянных могил. Мы укрепили его у изголовья и повесили на него старый солдатский шлем.

— Пошли, — хрипло проговорил наконец Валентин.

— Пошли, — сказал Кестер, но остался на месте. И никто не двинулся с места. Валентин обвел нас всех по очереди взглядом.

— За что? — медленно произнес он. — За что же? Будь проклято все!

Ему не ответили.

Валентин устало махнул рукой.

— Пошли.

И мы направились к выходу по усыпанной гравием дорожке. У ворот нас ждали Фред, Георгий и все остальные.

— Как он умел чудесно смеяться, — сказал Стефан Григоляйт, по лицу которого, гневному и беспомощному, текли слезы.

Я оглянулся. Никто за нами не шел.

XXV

В феврале мы с Кестером в последний раз сидели у себя в мастерской. Мы были вынуждены ее продать и теперь поджидали распорядителя аукциона, которому предстояло пустить с молотка и оборудование, и колымагу-такси. У Кестера обозначился шанс по весне устроиться гонщиком в небольшой автомобильной фирме. Я по-прежнему играл вечерами в кафе «Интернациональ» и пытался подыскать себе еще какую-нибудь работенку днем, чтобы зарабатывать побольше.

Во дворе постепенно собирались какие-то люди. Наконец явился и аукционист.

— Ты выйдешь, Отто? — спросил я.

— С какой стати? Все ведь выставлено, и он в курсе дела.

Вид у Кестера был усталый. Это не бросалось в глаза, но тем, кто знал его хорошо, было заметно, выражение лица стало напряженным и жестким. Вечер за вечером он колесил в одном и том же районе. Он уже давно узнал фамилию типа, убившего Готфрида. Найти его, однако, не удавалось, потому что тот из страха перед полицией переехал на другую квартиру и прятался. Все это разузнал Альфонс. Он тоже пока выжидал. Вполне вероятно, что этот малый и вовсе уехал из города. Но что Кестер и Альфонс выслеживают его, он не знал. Они же рассчитывали, что он снова выползет наружу, как только почувствует себя в безопасности.

— Отто, я все-таки гляну.

— Ладно.

Я вышел во двор. Наши станки и прочее оборудование были расставлены в середине двора. Около стены замерло такси. Мы его хорошенько помыли. Я бросил взгляд на сиденья и колеса. Наша старая дойная корова, как Готфрид нередко называл эту машину. Расставаться с ней было нелегко.

Кто-то стукнул меня по плечу. Я озадаченно обернулся. Передо мной стоял молодой человек нагл逐ватого вида в пальто с поясом. Он вертел бамбуковой тростью и подмигивал мне:

— Хэлло! Никак знакомый!

Я напрягся, чтобы припомнить.

— Гвидо Тисс из «Аугеки»!

— То-то! — самодовольно заявил Гвидо. — И тогда мы встретились у этой же рухляди. Правда, с вами был какой-то мерзкий тип. Я еще чуть было не дал ему по физиономии.

Представив себе, как он дал бы по физиономии Кестеру, я невольно скорчил гримасу. Тисс принял ее за улыбку и тоже осклабился, обнажив довольно скверные зубы.

— Но так и быть, не будем поминать старое — Гвидо ни на кого зла не держит. Помнится, вы тогда отвалили сумасшедшие деньги за этого автомобильного патриарха. Ну и как, был в этом хоть какой-нибудь толк?

— Да, — сказал я, — машина оказалась хорошая.

— Послушали бы меня, — заблеял Тисс, — получили бы больше. И я бы не остался внакладе. Ну да ладно, не будем поминать старое! Простим и забудем! Но сегодня-то мы можем обтяпать дельце. Приберем ее к рукам за пятьсот марок. Верняк! Никто и не сунется. По рукам?

Я все понял. Он, верно, думал, что мы тогда перепродали машину, и не догадывался, что эта мастерская наша. И видимо, считал, что мы хотим снова купить эту же машину.

— Да она еще и сегодня потянет на полторы тысячи, — сказал я. — Даже без учета патента на право использовать ее в качестве такси.

— Вот и я говорю! — с жаром подхватил Гвидо. — Поднимем цену до пятисот. Это сделаю я. Если нам уступят ее за эти деньги — тут же отслюниваю вам три с половиной сотки.

— Этот номер не пройдет, — сказал я. — У меня уже есть покупатель.

— Ну и что... — Он явно не хотел сдаваться.

— Нет, для меня это не имеет смысла, — сказал я и перешел на середину двора. Теперь я знал, что он дойдет и до тысячи двухсот.

Аукционист приступил к делу. Начал он с отдельных предметов оборудования. Они принесли немного. Инструменты — тоже. Настала очередь такси. Первая цена была триста марок.

— Четыреста, — сказал Гвидо.

— Четыреста пятьдесят, — предложил после долгих колебаний один, судя по блузе, слесарь.

Гвидо предложил пятьсот. Аукционист обвел всех взглядом. Человек в блузе молчал. Гвидо подмигнул мне и поднял четыре пальца.

— Шестьсот, — сказал я.

Гвидо с недовольным видом покачал головой и предложил семьсот. Я продолжал поднимать цену. Гвидо отчаянно сражался. Когда дошло до тысячи, он сделал умоляющий жест и на пальцах показал мне, что я могу заработать еще сотню. И предложил тысячу десять марок. Я в ответ назвал тысячу сто. Он покраснел и злобным фальцетом выкрикнул:

— Тысяча сто десять.

Я предложил тысячу сто девяносто марок, ожидая, что он не удержится от тысячи двухсот марок. На этом я решил остановиться.

Но Гвидо уже завелся. Считая, что я над ним издеваюсь, он рассердился и предложил тысячу триста. Я стал лихорадочно соображать. Если бы он на самом деле хотел купить машину, то наверняка остановился бы на тысяче двухстах. Теперь же он явно взвинчивал цену, чтобы досадить мне. Из нашего разговора он, видимо, вынес, что мой предел — тысяча пятьсот, и не видел для себя никакой опасности в этой игре.

Эрих Мария Ремарк

— Тысяча триста десять, — сказал я.

— Тысяча четыреста, — выпалил Гвидо.

— Тысяча четыреста десять, — нерешительно проговорил я, боясь попасть впросак.

— Тысяча четыреста девяносто! — Гвидо смотрел на меня насмешливо и торжествующе. Он был уверен, что здорово насолил мне.

Я выдержал его взгляд и промолчал.

Аукционист спросил раз, другой, поднял молоток. В тот момент, когда Гвидо осознал, что машина принадлежит ему, торжествующая мина на его лице сменилась выражением беспомощного изумления. Он подошел ко мне с совершенно опрокинутым лицом.

— А я-то думал, что вы хотите.

— Нет, — сказал я.

Придя в себя, он почесал затылок.

— Вот проклятие-то! Нелегко будет оправдать перед фирмой такую покупку. Думал, что вы дойдете до полутора тысяч. Но как бы там ни было, а на сей раз я урвал этот ящик у вас из-под носа!

— Это вы как раз и должны были сделать, — сказал я.

Гвидо ошалело смотрел на меня. Только когда из конторы вышел Кестер, он понял все и схватился за голову.

— Бог мой! Так это была ваша машина? Ах я осел, безмозглый осел! Так влипнуть! Так попасться! На такой старый трюк! И это ты, Гвидо! Ладно, не будем поминать старое. Самые ушлые ребята всегда клюют на самую примитивную наживу. В другой раз отыграюсь. За мной не пропадет.

Он сел за руль и поехал. Мы смотрели вслед машине, а на душе у нас скребли кошки.

После обеда зашла Матильда Штосс. Мы должны были рассчитаться с ней за последний месяц. Кестер выдал ей деньги и стал советовать попросить нового владельца мастерской оставить ее на прежнем месте. Нам уже удалось таким образом пристроить у него Юппа. Но Матильда покачала головой:

— Нет, господин Кестер, с меня хватит. Боюсь, уж и спину не разогну.

— А что же вы собираетесь делать? — спросил я.

— Отправлюсь к дочери. Она живет с мужем в Бунцлау. Вы бывали в Бунцлау?

— Нет, Матильда.

— А вы, господин Кестер?

— И я не был, фрау Штосс.

— Странно, — сказала Матильда. — Кого ни спросишь, никто не слыхал про Бунцлау. А ведь моя дочь живет там уже целых двенадцать лет. Она там замужем. Муж у нее секретарь канцелярии.

— Ну, раз так, значит, город Бунцлау действительно существует. Можете не сомневаться. Раз уж там живет секретарь канцелярии...

— Это уж точно. Но все-таки странно, что никто не был в Бунцлау, не так ли?

— Что же вы сами-то ни разу не съездили туда за все эти годы? — спросил я.

Матильда ухмыльнулась:

— О, это долго рассказывать. Но теперь-то я обязательно поеду к внукам. Их уже четверо. И малыш Эдуард поедет со мной.

— Кажется, в тех краях делают отличный шнапс, — сказал я. — Из слив или чего-то в этом роде...

Матильда замахала руками.

— Да в этом-то вся штука и есть. Мой зять, видите ли, абстинент. Это люди такие, которые не пьют. Ни капельки.

Кестер достал с опустевшей полки последнюю бутылку.

— Ну что ж, фрау Штосс, на прощание полагается выпить по рюмочке.

— Это завсегда, — сказала Матильда.

Кестер поставил на стол рюмки и наполнил их. В Матильду ром уходил, как через сито. Ее верхняя губа вздрагивала, усики подергивались.

— Еще по одной? — спросил я.

Эрих Мария Ремарк

— Не откажусь.

Я налил ей доверху большой фужер, и она, выпив, стала прощаться.

— Всего хорошего вам в Бунцлау.

— Спасибо на добром слове. А все-таки странно, что никто не был в Бунцлау, не так ли?

Она, пошатываясь, вышла. Мы постояли еще немного в пустой мастерской.

— Ну, пора и нам, — сказал Кестер.

— Да, — согласился я. — Здесь нам больше делать нечего.

Мы заперли дверь и вышли на улицу. Потом отправились за «Карлом». Его мы продавать не стали. Он стоял поблизости, в гараже. Мы заехали на почту и в банк, где Кестер заплатил налоги по аукциону.

— Пойду теперь спать, — сказал Кестер, выйдя из банка. — А ты к себе?

— Да, я отпросился сегодня на весь вечер.

— Вот и славно, зайду за тобой часиков в восемь.

Мы поужинали в небольшом пригородном трактире и поехали обратно. При въезде в город у нас лопнула передняя шина. Пришлось заменить колесо. «Карл» давно не был на мойке, и я здорово перепачкался.

— Надо бы вымыть руки, Отто, — сказал я.

Поблизости было довольно большое кафе. Мы пошли туда, сели за столик у входа. К нашему удивлению, свободных мест почти не было. Играл женский ансамбль, было шумно и весело. На оркестрантках красовались пестрые бумажные шапочки, многие посетители были в маскарадных костюмах, над столиками порхали ленты серпантина, взлетали воздушные шары, кельнеры с тяжело нагруженными подносами сновали по залу, который так и ходил ходуном под всеобщий галдеж и хохот.

— Что здесь происходит? — спросил Кестер.

Белокурая девушка, сидевшая за соседним столом, осыпала нас целым облаком конфетти.

— Вы что, с луны свалились? — рассмеялась она. — Даже не знаете, что сегодня первый день карнавала?

— Вот оно что! — сказал я. — Ну, тогда пойду помою руки.

В туалет надо было идти через весь зал. У одного из столиков мне преградили путь несколько пьяных мужчин, которые пытались взгромоздить какую-то дамочку на стол, требуя, чтобы она им спела. Та отбивалась и визжала. При этом она опрокинула столик, и вся компания повалилась на пол. Я стоял, ожидая, когда освободится проход, и озираясь. Вдруг меня как будто ударило током. Я оцепенел, кафе куда-то исчезло, я не слышал ни шума, ни музыки, ничего, только мелькали расплывчатые, неясные тени — зато с необыкновенной отчетливостью, резкостью, ясностью предстал один столик, один-единственный столик во всем этом бедламе, а за ним молодой человек в шутовском колпаке, обнимавший за талию какую-то пьяную девицу: человек был с тупыми, стеклянными глазами и очень тонкими губами, а из-под стола высовывались броские, ярко-желтые, начищенные до блеска краги...

Меня, проходя, толкнул кельнер. Я как во хмелю сделал несколько неверных шагов и снова остановился. Стало невыносимо жарко, но меня трясло как в ознобе. Руки намокли. Теперь я различал и остальных, сидевших за столиком, слышал, как они с вызовом что-то пели, отбивая такт пивными кружками. Опять меня кто-то толкнул.

— Не загораживайте, проход, — услышал я.

Я машинально пошел дальше, нашел туалет, стал мыть руки и очнулся, только когда ошпарил их почти кипятком. Тогда я пошел назад.

— Что с тобой? — спросил Кестер.

Я онемел.

— Тебе плохо? — спросил он.

Я покачал головой и посмотрел на соседний столик, за которым сидела строившая нам глазки блондинка.

Вдруг Кестер сделался белым. Его глаза сузились. Он наклонился ко мне.

— Да? — спросил он чуть слышно.

— Да, — ответил я.

— Где?

Я посмотрел в ту сторону.

Кестер медленно поднялся. Так змея принимает боевую стойку.

— Осторожней, — шепнул я. — Не здесь, Отто.

Он отмахнулся одной кистью руки и медленно пошел вперед. Я готов был броситься следом. Тут какая-то женщина повисла у него на шее, нахлобучив ему на голову красно-зеленый бумажный колпак. Но в ту же секунду она вдруг отвалилась, хотя Отто ее даже не коснулся, и озадаченно уставилась на него. Обойдя весь зал, Отто вернулся к нашему столику.

— Смылся, — сказал он.

Я встал, окинул взглядом зал. Кестер был прав.

— По-твоему, он узнал меня? — спросил я.

Кестер пожал плечами. Только теперь он почувствовал, что на нем бумажный колпак, и смахнул его.

— Ничего не понимаю, — сказал я. — Я был в туалете всего одну-две минуты.

— Ты был там более четверти часа.

— Что?.. — Я снова посмотрел в сторону того столика. Остальные тоже ушли. Ушла и девушка, которая была с ними. Если бы он меня узнал, он наверняка исчез бы один.

Кестер подозвал кельнера.

— У вас есть еще один выход?

— Да, вон там, с другой стороны, — на Гардецберг-штрассе.

Кестер достал монету и дал ее кельнеру.

— Пойдем, — сказал он мне.

— А жаль, — с улыбкой произнесла блондинка за соседним столиком. — Такие представительные кавалеры.

Ветер на улице ударил нам в лицо. После душного кафе он показался нам ледяным.

— Ступай домой, — сказал Кестер.

— Их было несколько, — ответил я и сел рядом с ним в машину.

«Карл» рванулся с места. Мы исколесили вдоль и поперек все улицы вокруг кафе, постепенно удаляясь от него, но так никого и не встретили. Наконец Кестер остановился.

— Уполз, — сказал он. — Но ничего. Теперь он от нас не уйдет.

— Отто, — сказал я. — Нам надо оставить это дело.

Он посмотрел на меня.

— Готфрид все равно уже мертв, — сказал я, сам удивляясь тому, что говорю, — и от этого он не воскреснет...

Кестер продолжал смотреть на меня.

— Робби, — медленно произнес он наконец, — не помню теперь, сколько человек я убил. Но помню, как однажды сбил одного мальчишку-англичанина. У него патрон застрял в стволе, и он ничего не мог сделать. Я летел вплотную за ним и ясно видел перепуганное детское лицо и глаза, застывшие от ужаса; у него это был первый боевой вылет, как мы потом узнали, ему только что исполнилось восемнадцать. И вот в это перепуганное, беспомощное, очаровательное детское личико я почти в упор всадил целую пулеметную очередь, так что череп его разлетелся, как куриное яйцо. А ведь я даже не знал этого малого, и ничего плохого он мне не сделал. В тот раз я дольше обычного не мог успокоиться, пока не заглушил совесть этой проклятой присказкой: «Война есть война!» И вот что я тебе скажу теперь: если я не прикончу подлеца, убившего Готфрида, пристрелившего его походя, как собаку, значит, вся та история с англичанином была страшным преступлением. Можешь ты это понять?

— Да, — сказал я.

— А теперь иди домой. Я хочу довести дело до конца. Оно стоит передо мной, как стена. Я не могу идти дальше, пока не свалю ее.

Эрих Мария Ремарк

— Я не пойду домой, Отто. Раз уж так, будем вместе.

— Не мели чушь, — нетерпеливо произнес он. — Ты мне не нужен. — Он оборвал взмахом руки мои возражения. — Я буду начеку, подкараулю его одного, без остальных. Совсем одного! Не беспокойся.

Он вытолкал меня из машины и тут же умчался. Я понимал — нет силы на свете, которая может его удержать. Я понимал и то, почему он не взял меня с собой. Из-за Пат. Готфрида он бы взял.

Я пошел к Альфонсу. С ним единственным я мог говорить. Хотелось посоветоваться, прикинуть наши возможности. Но Альфонса на месте не оказалось. Заспанная девица рассказала, что около часа назад он ушел на собрание. Я сел за столик и стал ждать.

Трактир был пуст. Единственная маленькая лампочка горела над пивной стойкой. Девица снова уселась и опять заснула. Я думал об Отто и Готфриде — смотрел из окна на улицу, освещенную полной луной, которая медленно вставала над крышами, а думал о могиле с черным деревянным крестом и стальным шлемом. Неожиданно я заметил, что плачу, и смахнул слезы.

Некоторое время спустя послышались быстрые негромкие шаги. Дверь, которая вела во двор, отворилась, и вошел Альфонс. Его лицо поблескивало от пота.

— Это я, Альфонс! — сказал я.

— Иди сюда скорее!

Я пошел за ним в комнату справа за стойкой. Альфонс ринулся к шкафу и достал из него два старых санитарных пакета.

— Можешь заняться перевязкой, — сказал он, бережно стягивая брюки.

На бедре у него была рваная рана.

— Похоже, задело по касательной, — сказал я.

— Так точно, — буркнул Альфонс. — Перевязывай же!

— Альфонс, — сказал я, выпрямляясь. — Где Отто?

— Почем я знаю, где Отто, — пробормотал он, выдавливая из раны кровь.

— Ты был не с ним?

— Нет.

— И не видел его?

— Понятия о нем не имею. Разорви второй пакет и наложи его сверху. Вот так, пустяки, царапина.

Что-то бормоча себе под нос, он опять занялся своей раной.

— Альфонс, — сказал я, — мы его видели... ну, этого, который Готфрида... Ты ведь знаешь... Мы видели его сегодня вечером. Отто его ищет.

— Что? — Альфонс сразу же встрепенулся. — А где он? Теперь это некстати! Ему надо уходить.

— Он не уйдет.

Альфонс отбросил ножницы.

— Поезжай к нему! Ты знаешь, где он? Пускай немедленно смоется. Скажи ему, что за Готфрида мы уже квиты. Я узнал обо всем раньше вас. Сам видишь! Он стрелял, но я сбил его руку. А потом стрелял сам. Где Отто?

— Где-то в районе Менкештрассе.

— Слава Богу. Там он давно уже не живет. Но все равно убери его оттуда, Робби!

Я подошел к телефону и вызвал стоянку такси, на которой обычно бывал Густав. Он оказался на месте.

— Густав, — сказал я, — можешь сейчас подъехать на угол Визенштрассе и Бельвюплац? Только поскорее. Жду.

— Ладно. Буду через десять минут.

Я повесил трубку и вернулся к Альфонсу. Он надевал другие брюки.

— А я и не знал, что вы рыскаете по городу, — сказал он. Лицо его оставалось мокрым. — Лучше бы сидели где-нибудь на видном месте. Для алиби. А то вдруг хватятся. Всяко бывает...

— Подумай лучше о себе, — сказал я.

— Мне что! — Он говорил быстрее обычного. — Мы же с ним были одни. Поджидал его в комнате. Что-то вроде садового домика. Кругом никаких соседей. К тому же вынужденная самооборона. Он выстрелил первым, как только вошел. Мне и не надо алиби. А захочу — буду иметь хоть десять. — Он сидел на стуле, обратив ко мне широкое мокрое лицо, его волосы слиплись, крупный рот искривился, в глаза его почти нельзя было смотреть — столько в них было обнаженной и безнадежной муки, любви и тоски. — Теперь Готфрид успокоится, — произнес он тихим хриплым голосом. — А то мне все казалось, что ему неспокойно.

Я молча стоял перед ним.

— Иди же, — сказал он.

Я прошел через зал. Девушка все еще спала. Она шумно дышала. Луна поднялась уже высоко, и на улице было совсем светло. Я направился в сторону площади. Окна домов в лунном свете сверкали, как серебряные зеркала. Ветер утих. Нигде ни звука.

Через несколько минут подъехал Густав.

— Что случилось, Роберт? — спросил он.

— Сегодня вечером угнали нашу машину. Только что мне сказали, что ее видели в районе Менкештрассе. Подбросишь меня туда?

— Само собой! — Густав оживился. — Сколько же теперь угоняют машин! Каждый день по нескольку штук. Но чаще всего на них катаются, пока есть бензин, а потом где-нибудь бросают.

— И с нашей скорее всего будет так же.

Густав сообщил, что скоро у него свадьба. У невесты кое-что наметилось в талии, так что пиши пропало. Мы проехали по Менкештрассе и по прилегающим к ней улицам.

— Вот она! — крикнул вдруг Густав.

Машина стояла в неприметном месте, в темном переулке. Я вылез и подошел к ней, достал свой ключ и включил зажигание.

— Все в порядке, Густав, — сказал я. — Спасибо, что подвез.

— Не пропустить ли нам по этому случаю по рюмочке? — предложил он.

— Нет, сегодня никак не могу. Очень спешу. Завтра. Я полез в карман, чтобы заплатить ему.

— Ты в своем уме? — обиделся он.

— Ну спасибо, Густав. Не задерживайся из-за меня. До свидания.

— Слушай, а что, если нам подкараулить типа, который угнал ее?

— Нет, нет, он наверняка уже смылся. — Меня вдруг стало все это раздражать. — До свидания, Густав.

— А бензин у тебя есть?

— Есть, есть, все в порядке! Я проверил. Ну, бывай.

Наконец он уехал. Выждав немного, я двинулся вслед за ним. Добрался до Менкештрассе и медленно, на третьей скорости, поехал по ней. А когда развернулся и так же медленно поехал обратно, то увидел на углу Кестера.

— Что это значит?

— Садись, — быстро сказал я. — Тебе уже ни к чему торчать здесь. Я только что был у Альфонса. Он уже... уже его встретил.

— И?

— Да, — сказал я.

Кестер молча залез в машину. За руль он не сел, а как-то съежившись, устроился рядом со мной, и я дал газ.

— Заедем ко мне? — спросил я.

Он кивнул. Я увеличил скорость и свернул на набережную канала. Вода тянулась сплошной и широкой серебряной полосой. На противоположном берегу чернели в тени сараи, но мостовая словно излучала тусклый бледноватый свет, по которому шины скользили, как по невидимому снегу. Над рядами крыш возвышались массивные башни собора в стиле барокко. Они переливались серебристо-зелеными бликами на фоне далеко отступавшего фосфоресцирующего неба, в котором яркой осветительной ракетой зависла луна.

Эрих Мария Ремарк

— Отто, я рад, что все случилось именно так, — сказал я.

— А я нет, — ответил он. — Это должен был сделать я.

У фрау Залевски еще горел свет. Когда я открыл входную дверь, она тут же вышла из гостиной.

— Вам телеграмма, — сказала она.

— Телеграмма? — озадаченно переспросил я. В голове у меня еще не улегся прошедший вечер. Но потом до меня дошло, и я побежал в свою комнату.

Телеграмма лежала на середине стола, выделяясь под яркой лампой своей белизной. Я сорвал наклейку. Сердце сдавило, буквы расплылись, разбежались, но вот снова собрались вместе — я облегченно вздохнул, успокоился и показал телеграмму Кестеру.

— Слава Богу. А я уж подумал...

Там было только три слова: «Робби приезжай скорее».

Я снова взял в руки листок. Чувство облегчения исчезло. Вернулся страх.

— Что там могло случиться, Отто? Господи, почему она не позвонила? Значит, что-то случилось!

Кестер положил телеграмму на стол.

— Когда ты в последний раз разговаривал с ней?

— Неделю назад... Нет, больше.

— Закажи разговор по телефону. Если что не так, сразу же едем. На машине. Железнодорожный справочник у тебя есть?

Я заказал разговор с санаторием и, заглянув в гостиную фрау Залевски, отыскал там справочник. Кестер листал его, пока мы ждали звонка.

— Ближайший удобный поезд отправляется только завтра днем, — сказал он. — Лучше проехать, сколько удастся, на машине. А там пересесть на проходящий поезд. Так мы наверняка выгадаем несколько часов. Ты как считаешь?

— Да, пожалуй. — Я не мог себе представить, как смогу просидеть несколько часов в полной бездеятельности в поезде.

Раздался звонок. Кестер, прихватив справочник, отправился в мою комнату. Меня соединили с санаторием. Я попросил позвать Пат. Через минуту дежурная сестра ответила, что Пат сегодня не может подойти к телефону.

— Что с ней?

— У нее было небольшое кровотечение несколько дней назад. И пока еще держится температура.

— Передайте ей, что я еду к ней. Со мной Кестер и «Карл». Мы сейчас выезжаем. Вы меня поняли?

— Да, Карл и Кестер, — повторил голос.

— Верно. Но только сразу же передайте. Мы уже выезжаем.

Я вернулся в свою комнату. Ноги были как ватные. Кестер сидел за столом и делал выписки из расписания.

— Уложи пока чемодан, — сказал он. — А я съезжу домой за своим. Через полчаса буду здесь.

Я снял чемодан со шкафа. Это был все тот же чемодан Ленца с пестрыми наклейками гостиниц. Я быстро собрал вещи и предупредил фрау Залевски и хозяина «Интернационаля» о том, что уезжаю. Потом сел в своей комнате к окну и стал поджидать Кестера. Было очень тихо. Я подумал о том, что завтра вечером увижу Пат, и меня охватило жгучее, дикое нетерпение, перед которым померкло все: и страх, и беспокойство, и печаль, и отчаяние. Завтра вечером я буду с ней. Это было то, во что я уже перестал верить, невозможное, невообразимое счастье. Ведь столько было утрат с тех пор, как мы с ней расстались...

Я взял чемодан и спустился вниз. Все стало вдруг таким близким, родным: лестница, устоявшийся запах подъезда, холодная сероватая матовость асфальта, по которому стремительно подкатил «Карл».

— Я прихватил с собой парочку пледов, — сказал Кестер. — Будет холодно. Укройся получше.

— Вести будем по очереди, ладно? — спросил я.

— Да. Но сначала я. Я-то выспался после обеда.

Через полчаса город остался позади, и нас окутало бездонное молчание ясной лунной ночи. Шоссе белой лентой убегало от нас к горизонту. Было так светло, что можно было ехать без фар. Звук мотора напоминал глухой органный бас, он не разрывал тишину, а делал ее еще более ощутимой.

— Тебе надо бы вздремнуть, — сказал Кестер.

Я покачал головой:

— Я не смогу, Отто.

— Ну так хоть полежи, расслабься, чтобы к утру быть свежим. Нам еще через всю Германию ехать.

— Отдохну и так.

Я сидел рядом с Кестером. Луна медленно скользила по небу. Поля светились перламутровым блеском. Время от времени мимо пролетали деревни, реже — какой-нибудь городишко, заспанный и пустынный. Улицы-ущелья, пролегшие между рядами домов, были залиты призрачным, бесплотным светом луны, превращавшим эту ночь в какой-то фантастический фильм.

Под утро стало холодно. На лугах вдруг заискрился иней, деревья, как стальные пики, уперлись в бледное небо, их раскачивал ветер, а кое-где над крышами уже вился дымок. Я сменил Кестера и вел машину до десяти часов. Потом мы наскоро позавтракали в придорожном трактире, и я снова правил до двенадцати. После этого за рулем оставался только Кестер, дело у нас подвигалось быстрее, когда он правил один. После обеда, в сумерках, мы добрались до гор. Нужно было расспросить местных жителей, как далеко мы могли забраться своим ходом, — цепи для колес и лопата у нас были с собой.

— С цепями-то рискнуть можно, — сказал секретарь местного автомобильного клуба. — В этом году снега очень мало. Только вот каково придется на последних километрах, сказать не могу. Возможно, там и застрянете.

Мы намного обогнали поезд и решили попытаться доехать на машине до самого санатория. Стало холодно, поэтому тумана можно было не опасаться. «Карл» неутомимо наматывал серпантин дороги, как часовой механизм — спираль. Проехав половину пути, мы надели на колеса цепи. Шоссе было очищено от снега, но во многих местах оно заледенело, и машину частенько заносило и подбрасывало. Иногда приходилось вылезать и толкать ее. Дважды мы зарывались в сугроб и должны были откапывать колеса. Достигнув перевала, мы в ближайшей деревне раздобыли ведро песку, так как опасались обледенелых поворотов на спусках. Стемнело, голые отвесные стены гор растаяли в вечернем небе. Дорога сужалась, ревел мотор машины, бравшей на спуске поворот за поворотом. Внезапно свет фар сорвался с каменных склонов, провалившись в пустоту; горы расступились, и внизу под нами мы увидели паутину огней.

Машина прогрохотала между пестрыми витринами магазинов на главной улице. Напуганные небывалым зрелищем пешеходы шарахались, а лошади становились на дыбы; какие-то сами съехали даже в кювет, а наша машина промчалась мимо них и, поднявшись по извилистой дороге к санаторию, остановилась у подъезда. В ту же секунду я выскочил, как в дымке мелькнули какие-то лица, любопытствующие глаза, контора, лифт — и вот я уже бегу по белому коридору, распахиваю дверь, вижу Пат, такой, какой я сотни раз видел ее во сне и в мечтах, а тут она наяву, живая, делает шаг мне навстречу, падает в мои объятия, и я обнимаю ее, обнимаю, как саму жизнь, нет, больше, чем жизнь...

— Слава Богу, — сказал я, когда снова пришел в себя, — а то я думал, что ты в постели.

Она покачала головой, прижимаясь ею к моему плечу. Потом выпрямилась, сжала ладонями мое лицо и посмотрела на меня.

— Приехал! — прошептала она. — Господи, он приехал!

Она поцеловала меня осторожно, серьезно и бережно, словно боясь повредить хрупкую вещь. Я почувствовал ее губы, и меня охватила дрожь. Все произошло настолько быстро, что я еще не мог осознать, где я и что со мной. Я еще не был здесь по-настоящему, во мне еще

Эрих Мария Ремарк

ревел мотор и убегала вдаль лента шоссе. Так чувствует себя человек, когда попадает из ледяного мрака в теплую комнату, — он уже ощущает тепло кожей, глазами, но сам еще не согрелся.

— Мы быстро ехали, — сказал я.

Она не ответила. Она продолжала молча смотреть на меня. Ее лицо было серьезно и вдохновенно, широко распахнутые глаза смотрели на меня в упор, она словно искала, хотела снова найти что-то очень важное. Смутившись, я взял ее за плечи и опустил глаза.

— Теперь ты останешься здесь? — спросила она.

Я кивнул.

— Скажи мне сразу все как есть. Уедешь ли ты — чтобы я знала.

Я хотел ответить, что еще не знаю этого и что через несколько дней мне, по всей вероятности, придется уехать, потому что у меня нет денег, чтобы остаться. Но мне это оказалось не по силам. Я не мог ей это сказать, когда она так смотрела на меня.

— Нет, — сказал я, — не уеду. Я останусь здесь до тех пор, пока мы не сможем уехать вдвоем.

В ее лице ничто не дрогнуло. Но оно сразу просветлело, словно озарилось изнутри.

— О Господи, — пробормотала она, — я бы иначе и не вынесла.

Я попытался разглядеть через ее плечо цифры на температурном листке, который висел над изголовьем постели. Заметив это, она быстро сорвала листок, скомкала его и бросила под кровать.

— Теперь это уже не важно, — сказала она.

Я заприметил место, куда закатился бумажный шарик, и решил как-нибудь незаметно поднять его и припрятать.

— Ты болела? — спросил я.

— Немного. Но уже все прошло.

— А что говорит врач?

Она рассмеялась.

— Лучше не спрашивай о такой ерунде. Вообще ни о чем больше не спрашивай. Ты здесь, и это самое главное!

Вдруг мне пришло в голову, что она изменилась. Может быть, оттого, что я давно не видел ее, но теперь она показалась мне совсем не такой, как раньше. Ее движения стали еще более плавными, кожа — более теплой, и даже то, как она пошла мне навстречу, было каким-то новым, другим. Она была уже не просто красивой девушкой, которую нужно лелеять, в ней появилось что-то такое, чего я раньше не замечал, например, я никогда не мог быть уверенным в том, что она меня любит, а теперь это было так очевидно, теперь в ней было больше жизни и больше тепла, чем когда-либо прежде, больше жизни, тепла и красоты, больше щедро даримого счастья, но странным образом и больше тревоги...

— Пат, — сказал я. — Мне нужно спуститься. Там внизу Кестер. Нам надо подумать о ночлеге.

— Кестер? А где Ленц?

— Ленц, — проговорил я, — Ленц остался дома.

Она ничего не заметила.

— Ты потом спустишься? — спросил я. — Или нам подняться к тебе?

— Спущусь. Теперь мне можно все. Выпьем чего-нибудь в баре. Я буду смотреть, как вы пьете.

— Хорошо. Тогда мы подождем тебя внизу, в холле.

Она подошла к шкафу, чтобы достать платье. Я воспользовался моментом и, вытащив из-под кровати бумажный шарик, сунул его в карман.

— Значит, пока, Пат?

— Робби! — Она подошла и обняла меня. — Я так много хотела тебе сказать.

— И я тебе, Пат. И теперь у нас есть время на это. Целый день будем что-нибудь рассказывать друг другу. Завтра. Сразу оно как-то не получается.

Она кивнула:

— Да, будем все-все рассказывать. И тогда то время, что мы не виделись, уже не будет для нас разлукой. Мы

430   *Эрих Мария Ремарк*

узнаем все друг о друге, и тогда получится, как будто мы были вместе.

— Да так все и было, — сказал я.

Она улыбнулась:

— Ко мне это не относится. У меня сил меньше. Мне тяжелее. Я не умею утешаться мечтами, когда остаюсь одна. Я тогда просто одна, и все. А одной быть легко, только когда не любишь.

Она все еще улыбалась, но какой-то стеклянной улыбкой — она держала ее на губах, но сквозь нее можно было видеть то, что за ней.

— Пат, — сказал я. — Старый, храбрый дружище!

— Давно я этого не слышала, — сказала она, и глаза ее наполнились слезами.

Я спустился вниз к Кестеру. Он уже выгрузил чемоданы. Нам отвели две смежные комнаты во флигеле.

— Взгляни, — показал я ему кривой график температуры. — Так и скачет вверх и вниз.

Мы шли, скрипя снегом, по лестнице, что вела к флигелю.

— Спроси завтра врача, — сказал Кестер. — Сама по себе кривая еще ни о чем не говорит.

— Мне она говорит достаточно, — сказал я, складывая листок и снова пряча его в карман.

Мы умылись. Потом Кестер зашел ко мне в комнату. Он выглядел так, будто только что встал после сна.

— Тебе надо одеться, Робби, — сказал он.

— Да, да. — Я очнулся от своих раздумий и распаковал чемодан.

Мы пошли обратно в санаторий. «Карл» еще стоял у подъезда. Кестер набросил одеяло на радиатор.

— Когда поедем обратно, Отто? — спросил я.

Он остановился.

— Я думаю выехать завтра вечером или послезавтра утром. А тебе нужно остаться.

— Но каким образом? — спросил я с отчаянием. — Денег у меня дней на десять, не больше. И за Пат оплачено только до пятнадцатого. Я должен вернуться, чтобы зарабатывать. Здесь-то вряд ли кому понадобится такой неважный тапер.

Склонившись над радиатором «Карла», Кестер приподнял одеяло.

— Я достану тебе денег, — сказал он, выпрямляясь. — Так что можешь спокойно оставаться здесь.

— Отто, — сказал я, — я-то знаю, сколько у тебя осталось от аукциона. Меньше трех сотен.

— Не о них речь. Я добуду еще. Не беспокойся. Через неделю ты их получишь.

— Ждешь наследства? — родил я мрачную шутку.

— Что-то вроде этого. Положись на меня. Нельзя тебе сейчас уезжать.

— Что верно, то верно, — сказал я. — Даже не представляю, как бы я ей об этом заикнулся.

Кестер снова накрыл радиатор одеялом и слегка погладил капот. Потом мы вошли в холл санатория и устроились у камина.

— Который, собственно, час? — спросил я.

Кестер посмотрел на часы.

— Половина седьмого.

— Странно, — сказал я. — Мне казалось, что уже гораздо больше.

По лестнице спускалась Пат. На ней была меховая куртка. Увидев Кестера, она быстро прошла через холл и поздоровалась с ним. Только теперь я заметил, как она загорела. Ее кожа приобрела такой красновато-бронзовый оттенок, что ее можно было принять за молодую индианку. Но лицо похудело, и в глазах появился неестественный блеск.

— У тебя температура? — спросил я.

— Небольшая, — поспешно и уклончиво ответила она. — По вечерам здесь у всех поднимается температура, а кроме того, подействовал ваш приезд. Вы очень устали?

— От чего?

— Тогда пойдемте в бар, ладно? Ведь вы мои первые гости здесь, наверху.

— А что, тут есть и бар?

— Да, небольшой. Или скорее уголок, напоминающий бар. Это тоже предусмотрено курсом лечения. Тут избегают всего, что напоминало бы больницу. А если кому что-либо запрещено, то ему этого все равно не дадут.

Бар был переполнен. Пат раскланялась кое с кем. Я приметил среди них одного итальянца. Мы сели за столик, который только что освободился.

— Что ты будешь пить? — спросил я Пат.

— Ромовый коктейль, какой мы всегда пили в баре. Ты знаешь рецепт?

— Это очень просто, — сказал я девушке-официантке. — Портвейн пополам с ямайским ромом.

— Два бокала, — сказала Пат. — И один «Особый».

Девушка принесла два «Порто-Ронко» и розоватый напиток.

— Это для меня, — сказала Пат и пододвинула нам бокалы. — Салют!

Она поставила свой бокал, не пригубив, потом, оглянувшись, быстро схватила мой и выпила.

— Ах, как хорошо! — сказала она.

— А ты что заказала? — спросил я и отведал подозрительную сиропообразную жидкость. На вкус это был малиновый сок с лимоном. И без капли алкоголя. — Вкусная штука, — сказал я.

Пат посмотрела на меня.

— Жажду утоляет, — пояснил я.

Она рассмеялась.

— Закажи-ка лучше еще один «Порто-Ронко». Но для себя. Мне не дадут.

Я подозвал девушку.

— Один «Порто-Ронко» и один «Особый», — сказал я. Я заметил, что кругом за столиками было довольно много «Особых».

— Сегодня мне можно, ведь правда, Робби? — воскликнула Пат. — Только сегодня. Как раньше. Верно, Кестер?

— «Особый» совсем неплох, — проговорил я, выпивая второй бокал розовой дряни.

— Как я его ненавижу! Бедный, Робби, из-за меня ты вынужден пить эту бурду!

— Ну, если мы будем заказывать достаточно часто, то я свое еще наверстаю!

Пат засмеялась.

— За ужином мне можно немного красного.

Мы выпили еще несколько «Порто-Ронко» и перешли в столовую. Пат была необыкновенно красива. Ее лицо сияло. Мы сели за один из небольших столиков, расставленных вдоль окон. Он был покрыт белой скатертью. Было тепло, а внизу, за окном, раскинулся поселок с улицами, посеребренными снегом.

— А где же Хельга Гутман? — спросил я.

— Уехала, — не сразу ответила Пат.

— Уехала? Так рано?

— Да, — сказала Пат таким тоном, что я понял, о чем идет речь.

Девушка принесла вино. Оно было густого темно-красного цвета. Кестер наполнил бокалы до краев. Все столики тем временем уже были заняты. С разных сторон доносился людской говор. Я почувствовал, как Пат коснулась моей руки.

— Милый, — сказала она нежным, тихим голосом. — Я больше не могла это вынести.

XXVI

Я вышел из кабинета главного врача. Кестер дожидался в ресторане. Увидев меня, он встал. Мы вышли и сели на скамейке перед санаторием.

— Неважно обстоят дела, Отто, — сказал я. — Хуже, чем я предполагал.

Мимо нас, шумя и галдя, прошла группа лыжников. Среди них было несколько пышущих здоровьем женщин: широкий белозубый оскал, упитанные загорелые

Эрих Мария Ремарк

лица с размазанным на коже кремом. Они не говорили, а кричали друг другу — в основном о том, как они хотят есть, какой у них волчий аппетит.

Мы подождали, пока они прошли.

— Вот таким, конечно, все нипочем, — сказал я. — Эти живы себе и здоровы и будут здравствовать до скончания века. До чего же все это гнусно.

— Ты поговорил с главным врачом? — спросил Кестер.

— Да. Его объяснения — сплошной туман со множеством оговорок. Но вывод ясен — стало хуже. Впрочем, он утверждает, что стало лучше.

— То есть?

— Он говорит, что если бы она оставалась внизу, то уже давно не было бы никакой надежды. А здесь процесс развивается медленнее. Вот это он и называет улучшением.

Кестер царапал каблуками какие-то руны на плотном снегу. Потом он поднял голову.

— Значит, он говорит, что надежда есть?

— Врач всегда это говорит, это свойство профессии. А вот у меня с этим хуже. Я спрашивал, делал ли он вдувание. Он сказал, что теперь уже поздно. Ей уже делали несколько лет назад. А теперь поражены оба легких. Дело ни к черту, Отто!

Перед нашей скамьей остановилась какая-то старуха в стоптанных ботах. У нее было посиневшее, иссохшее лицо и потухшие мутно-серые глаза, казавшиеся слепыми. На шее болталось старомодное боа из перьев. Она медленно навела на нас лорнет. Разглядев, побрела дальше.

— Сгинь, жуткий призрак! — Я сплюнул.

— Что он еще говорил? — спросил Кестер.

— Объяснил, почему вдруг так распространилась эта болезнь. У него полно пациентов такого же возраста. Все это последствия войны. Недоедание в годы развития организма. Но мне-то какое до этого дело? Она должна выздороветь. — Я посмотрел на Кестера. — Он, конечно, сказал мне, что чудеса при этой болезни случаются часто. Процесс иногда неожиданно прекращается, замораживается, и люди выздоравливают — иной раз те, которых считали безнадежными. То же самое говорил и Жаффе. Но я в чудеса не верю.

Кестер не отвечал. Мы продолжали молча сидеть рядом. О чем было еще говорить? Мы побывали вместе в слишком многих переделках, чтобы пытаться утешать друг друга.

— Она не должна ничего замечать, Робби, — сказал наконец Кестер.

— Само собой, — сказал я.

Так мы сидели, пока не пришла Пат. Я ни о чем не думал, я даже не чувствовал отчаяния, совершенно отупел, почерствел, помертвел.

— Вот и она, — сказал Кестер.

— Да, — сказал я и встал.

— Хэлло! — Пат помахала нам и подошла, слегка пошатываясь. — Я опять немного захмелела, — сказала она со смехом. — От солнца. Каждый раз, как полежу на солнце, качаюсь, точно старый морской волк.

Я взглянул на нее — и внезапно все изменилось. Я не верил больше врачу, я верил в чудеса. Она была здесь, со мной, она была жива, стояла рядом, смеялась, — перед этим отступало все остальное.

— Какие у вас постные физиономии! — сказала Пат.

— Городские физиономии, что поделать, — ответил Кестер. — Здесь они, конечно, мало уместны. Никак не можем привыкнуть к солнцу.

Она рассмеялась.

— У меня сегодня замечательный день. Температуры нет. Мне разрешили выходить. Может, сходим в деревню и чего-нибудь выпьем перед обедом?

— Конечно.

— Ну тогда пошли.

— А не проехаться ли нам на санях? — спросил Кестер.

— Я выдержу и пешком, — сказала Пат.

Эрих Мария Ремарк

— Я знаю, — сказал Кестер. — Но я еще ни разу в жизни не катался на этой штуке. Хочется попробовать.

Мы подозвали извозчика и поехали вниз по змеевидной дороге в деревню. Остановились перед кафе с небольшой, залитой солнцем террасой. Там сидело много людей, и среди них я узнал некоторых постояльцев санатория. Итальянец, которого я видел в баре, тоже был здесь. Он подошел к нашему столу поприветствовать Пат. Его звали Антонио. Он рассказал потешную историю: прошлой ночью несколько шутников перетащили одного крепко спавшего пациента вместе с кроватью из его палаты в палату одной престарелой учительницы.

— Зачем же они это сделали? — спросил я.

— Он уже выздоровел и в ближайшие дни уезжает, — ответил Антонио. — А в таких случаях здесь всегда устраивают что-нибудь в этом роде.

— Это и есть, милый, пресловутый юмор висельников — удел тех, кто остается, — сказала Пат.

— Да, люди здесь часто впадают в детство, — извиняющимся тоном заметил Антонио.

«Выздоровел, — подумал я. — Значит, кто-то ведь выздоровел и вот уезжает обратно».

— Что ты будешь пить, Пат? — спросил я.

— Я бы выпила рюмку мартини. Сухого мартини.

Заиграло радио. Венские вальсы. Они веяли в теплом, прогретом солнцем воздухе, словно легкие белые флаги. Кельнер принес нам мартини. Рюмки были холодными, они искрились в лучах солнца.

— Хорошо ведь вот так посидеть, а? — спросила Пат.

— Чудо, — ответил я.

— Но иногда это бывает невыносимо, — сказала она.

Мы остались внизу обедать. Пат очень хотела этого. Все последнее время она должна была сидеть в санатории и сегодня впервые вышла; вот она и заявила, что почувствует себя вдвойне здоровой, если ей дадут пообедать в деревне. Антонио присоединился к нам.

Потом мы опять поднялись на гору, и Пат ушла к себе в комнату, потому что ей полагалось два часа полежать. Мы с Кестером выкатили из гаража «Карла» и осмотрели его. Нужно было починить поломанную рессору. У владельца гаража нашлись инструменты, и мы принялись за дело. Кроме того, подлили масла и смазали шасси. Покончив с этим, мы вывезли «Карла» на улицу. Он стоял на снегу, забрызганный грязью, с обвисшими, как ослиные уши, крыльями.

— А не помыть ли нам его? — спросил я.

— Нет, в дороге не стоит — он этого не любит, — сказал Кестер.

Подошла Пат. Она была еще теплой после крепкого сна. В ногах у нее вертелась собака.

— Билли! — позвал я.

Пес насторожился и замер, но смотрел не слишком приветливо. Он не узнал меня и явно смутился, когда Пат стала его за это корить.

— Ладно уж, — сказал я. — Спасибо хоть у людей память получше. Где же это он пропадал вчера?

Пат рассмеялась.

— Лежал под кроватью. Он очень ревнует и сердится, когда ко мне кто-нибудь приходит. И всегда прячется в знак протеста.

— Ты выглядишь великолепно, — сказал я.

Она посмотрела на меня счастливыми глазами. Потом подошла к «Карлу».

— Ах, как бы мне хотелось снова посидеть в машине и немножечко покататься.

— Нет ничего проще, — сказал я. — Что ты думаешь, Отто?

— Конечно, конечно. Ведь пальто на вас теплое. Да и у нас здесь достаточно всяких шарфов и одеял.

Пат села впереди, рядом с Кестером, спрятавшись за лобовое стекло. «Карл» взревел. Выхлопные газы заклубились в морозном воздухе голубовато-белыми облачками. Мотор еще не прогрелся. Цепи начали медленно и со скрежетом перемалывать снег. «Карл», фыркая, отстреливаясь и ворча, пополз вниз в деревню и крадучись, словно волк, прижавший уши от конского топота и звона бубенцов, потрусил по главной улице.

Но вот мы выбрались из поселка. День клонился к вечеру, долина была залита багровым сиянием закатывающегося светила. Немногочисленные сараи на откосе почти утонули в снегу. Со склонов крошечными запятыми скатывались последние лыжники. Они скользили прямо по красному диску солнца, которое напоследок окидывало долину тяжелым и мутным взором.

— Вы здесь вчера ехали? — спросила Пат.

— Да.

Машина взяла гребень первого подъема. Кестер остановился, вид отсюда был потрясающий. Вчера, когда мы с грохотом пробивались сквозь синий стеклянный вечер, мы следили только за дорогой и ничего этого не видели.

За откосом открывалась многоярусная долина. Дальние вершины остро и четко вырисовывались на бледнозеленом небе. Они были в золотых парящих нимбах. Золотые пятна, словно напыление, испещряли снежные склоны пониже вершин. Но с каждой секундой их все сильнее заливал роскошный сиренево-розовый цвет, а на теневых сторонах все больше сгущалась синева. Солнце стояло ровно посередине между двумя мерцающими вершинами, расположенными по обе стороны уходящей вдаль долины, а перед ним, властелином, тянулись словно бы выстроившиеся для прощального парада могучие безмолвные холмы и откосы. Среди холмов петляла лиловая лента дороги — она то пропадала, то, обогнув деревеньки, выныривала вновь, пока наконец не устремилась прямой стрелой с перевала на горизонте.

— Так далеко от поселка я еще никогда не забиралась, — сказала Пат. — Эта дорога ведет и к нам домой?

— Да.

Она молча смотрела вниз. Потом вышла из машины и, прикрыв глаза, как щитком, ладонью, стала вглядываться в даль так, будто различала там башни города.

— Это далеко отсюда? — спросила она.

— Что-нибудь около тысячи километров. Мы отправимся туда в мае. Отто приедет за нами.

— В мае, — повторила она. — Господи, в мае!

Солнце медленно опускалось. Долина оживилась; тени, доселе неподвижно лежавшие в горных складках, стали бесшумно расползаться и карабкаться вверх, как огромные синие пауки. Становилось прохладно.

— Пора возвращаться, Пат, — сказал я.

Она взглянула в мою сторону, и внезапно лицо ее сжалось как от удара. Я сразу понял, что она знает все. Знает, что никогда больше не переедет через этот не ведающий пощады горный хребет на горизонте, знает и хочет скрыть от нас свое знание, так же как мы от нее; и вот на один только миг она потеряла контроль над собой — и из глаз ее хлынула вся боль и скорбь мира.

— Давайте проедем еще немного, — сказала она. — Спустимся еще чуть-чуть вниз.

— Что ж, едем, — сказал я, переглянувшись с Кестером.

Она села ко мне на заднее сиденье, я обнял ее и натянул плед нам обоим до самого подбородка. Машина, медленно погружаясь в тень, начала съезжать в долину.

— Робби, милый, — прошептала Пат мне на ухо. — Вот теперь все выглядит так, будто мы едем домой, обратно в нашу жизнь.

— Да, — сказал я, укрывая пледом ее с головой.

Чем ниже мы спускались, тем резче надвигалась на нас темнота. И тем глубже зарывалась Пат под пледы. Она просунула руку мне на грудь, под рубашку, я кожей почувствовал сначала тепло ее ладони, потом ее дыхание, потом ее губы, а потом ее слезы.

Осторожно, чтобы она не заметила, что мы поворачиваем, Кестер по большой дуге развернулся на рыночной площади следующей деревни и медленно поехал обратно.

Солнце уже совсем скрылось, когда мы снова добрались до вершины, а на востоке между клубящимися облаками блестела луна. Мы возвращались, цепи монотонно скребли снег, было очень тихо. Я сидел неподвижно, не шевелясь, чувствуя слезы Пат на своем, словно разверстом, сердце.

Час спустя я сидел в холле. Пат была у себя в комнате, а Кестер пошел на метеостанцию узнать, ожидается ли снегопад. Наступили мутные потемки, луну заволокло, вечер стоял под окном серый и мягкий, как бархат. Немного погодя пришел Антонио и подсел ко мне.

В нескольких столиках от нас сидел этакий пушечный снаряд в твидовом пиджаке и брюках-гольф. Младенческое личико, пухлые губки, холодные глаза и круглая красная, совершенно лысая голова, сверкавшая как бильярдный шар. Рядом с ним сидела тощая женщина с глубокими впадинами под глазами, полными мольбы и печали. Пушечный снаряд был этакий живчик, так и крутил головой в разные стороны, плавно поводя розовыми ладошками.

— Ах, как чудесно здесь, наверху, просто великолепно! Эти виды, этот воздух, эта кормежка! Нет, тебе в самом деле повезло...

— Бернхард, — тихо взмолилась женщина.

— Нет, ей-богу, я бы и сам не прочь так пожить, побарствовать тут на всем готовом. — Он жирно хохотнул. — Ну, да тебе я, так и быть, не завидую — пользуйся...

— Боже мой, Бернхард, — сказала женщина с отчаянием.

— А что? Разве я не прав? — радостно тарахтел пушечный снаряд. — Живешь тут как в раю, понимаешь. Лучше просто не бывает. А каково там, внизу! Завтра опять впрягаться в эту лямку. Радуйся, что тебя это не касается. А я рад был убедиться, что тебе здесь хорошо.

— Бернхард, мне вовсе не хорошо, — сказала женщина.

— Ну-ну, не надо кукситься, детка! — громыхал Бернхард. — Что ж тогда говорить нашему брату? Крутишься как белка в колесе посреди этих банкротств да налогов — я-то, впрочем, это дело люблю.

Женщина молчала.

— Ну и пень! — сказал я Антонио.

— Еще какой! — откликнулся он. — Он тут уже третий день и знай долдонит одно — «тебе тут чудесно живется», о чем бы она ни заикнулась. Он, видите ли, ничего не хочет замечать — ни ее страха, ни ее болезни, ни ее одиночества. Надо полагать, он давно уже подыскал себе в Берлине подходящее пушечное ядрышко, а тут раз в полгода отбывает повинность, потирает ручки, похохатывает и в ус не дует. Только бы ни на что не обращать внимания! Такое здесь встречается часто.

— А его жена давно уже здесь?

— Года два.

Через зал с хохотом прошествовала группа молодежи. Антонио засмеялся.

— Они возвращаются с почты. Отбили телеграмму Роту.

— Кто это — Рот?

— Тот, который на днях уезжает. Они телеграфировали ему, что ввиду эпидемии гриппа в его родных местах он не имеет права отсюда уезжать и должен еще на какое-то время остаться. Все это обычные шуточки. Ведь им-то приходится оставаться, понимаете?

Я посмотрел в окно на горы, окутанные серым бархатом. «Все это неправда, — думал я, — всего этого нет, потому что быть не может. Все это только сцена, на которой слегка, для забавы ставят пьеску о смерти. Ведь настоящая смерть — это так серьезно и страшно». Мне хотелось подойти к этим ребятам, потрепать их по плечу и сказать: «Не правда ли, ваша смерть лишь милая салонная шутка, а вы сами любители веселой игры в умирание? А в конце все встанут и раскланяются, верно? Не умирают же всерьез от повышенной температуры и затрудненного дыхания, для этого нужно стрелять, нужно ранить, я-то ведь знаю...»

— А вы тоже больны? — спросил я Антонио.

— Ну конечно, — ответил он с улыбкой.

— Нет, ей-богу, и кофе превосходный, — шумел рядом пушечный снаряд. — У нас теперь такого не сыщешь. Ну просто страна Шлараффия!

Вернулся с метеостанции Кестер.

— Я должен ехать, Робби, — сказал он. — Барометр падает, ночью, по всей вероятности, пойдет снег. Тогда мне завтра уже не пробиться. Сегодня вечером я еще должен проскочить.

— Ничего не поделаешь. Но мы еще поужинаем вместе?

— Да. Я только быстро упакую вещи.

— Я с тобой, — сказал я.

Мы собрали вещи Кестера и отнесли их вниз к гаражу. Потом мы вернулись за Пат.

— В случае чего сразу звони мне, Робби, — сказал Отто.

Я кивнул.

— Деньги получишь через несколько дней. На какое-то время хватит. Ни в чем себе не отказывай.

— Ладно, Отто. — Я немного помедлил. — Послушай, у нас там еще оставалась парочка ампул морфия. Может, ты мне их перешлешь?

Он посмотрел на меня:

— Зачем они тебе?

— Не знаю, как здесь пойдут дела. Может, и не понадобятся. Я все еще надеюсь, что все обойдется, несмотря ни на что. Особенно когда вижу ее. Когда же один, не надеюсь. Но я не хочу, чтобы она мучилась, Отто. Чтобы лежала пластом и не испытывала ничего, кроме боли. Может, они и сами ей дадут, если понадобится. Но мне было бы спокойнее знать, что я могу ей помочь.

— Только для этого, Робби? — спросил Кестер.

— Только для этого, Отто. Не сомневайся. Иначе я бы тебе не сказал.

Он кивнул.

— Ведь нас теперь только двое, — медленно произнес он.

— Да.

— Ладно, Робби.

Мы пошли в зал, и я сбегал за Пат. Поели мы второпях, так как небо стремительно заволакивало тучами. Кестер выехал на «Карле» из гаража и остановился у главного подъезда.

— Ну, будь здоров, Робби, — сказал он.

— И ты, Отто.

— До свидания, Пат. — Он протянул ей руку и посмотрел в глаза. — Весной приеду за вами.

— Прощайте, Кестер. — Пат крепко держала его руку. — Я так рада, что еще повидала вас. Передайте от меня привет Готфриду Ленцу.

— Хорошо, — сказал Кестер.

Она все еще держала его руку. Ее губы дрожали. И вдруг она шагнула к нему и поцеловала.

— Прощайте! — пробормотала она просевшим голосом.

Лицо Кестера вспыхнуло, будто факел. Он еще хотел что-то сказать, но только круто повернулся, прыгнул в машину, одним рывком бросил ее вперед и не оглядываясь помчался вниз по серпантину. Мы смотрели ему вслед. Прогрохотав по главной улице поселка, машина, как одинокий светлячок, стала карабкаться на подъемы, выхватывая мутными фарами клочья серого снега. На вершине она остановилась, и Кестер помахал нам, выйдя из машины на свет фар. Потом он исчез, а мы еще долго слышали постепенно затихавшее жужжание мотора.

Пат стояла, вся подавшись вперед и прислушиваясь до тех пор, пока еще улавливала что-то. Потом повернулась ко мне.

— Ну вот и ушел последний корабль, Робби.

— Предпоследний, — возразил я. — Последний — это я. И знаешь, что я надумал? Хочу бросить якорь в другом месте. Комната во флигеле мне больше не нравится. Не понимаю, почему бы нам не жить вместе? Я попытаюсь перебраться к тебе поближе.

444

Она улыбнулась:

— Исключено. Это тебе не удастся! Что ты собираешься делать?

— А ты будешь рада, если я это устрою?

— Что за вопрос! Это было бы чудесно, милый. Почти как у матушки Залевски!

— Вот и прекрасно. Тогда я на полчасика оставлю тебя одну и займусь этим делом.

— Хорошо. А я пока поиграю с Антонио в шахматы. Я здесь научилась.

Я отправился в контору и заявил, что остаюсь здесь на длительное время и хочу получить комнату на одном этаже с Пат. Пожилая дама без бюста посмотрела на меня уничтожающим взглядом и отклонила мою просьбу, сославшись на заведенный порядок.

— А кто завел его? — спросил я.

— Дирекция, — парировала дама, тщательно разглаживая складки своего платья.

В конце концов она раздраженно бросила мне, что исключение может сделать только главный врач.

— Но он уже ушел, — добавила она. — А тревожить его вечером дома можно только по служебным делам.

— Прекрасно, — сказал я. — Как раз по служебному делу я и хочу его побеспокоить. По делу, касающемуся заведенного распорядка.

Главный врач жил в небольшом доме рядом с санаторием. Он сразу же принял меня и немедленно дал разрешение.

— Вот уж не думал, что все окажется так просто, — признался я.

Он рассмеялся.

— А, так вы имели дело со старухой Рексрот? Я ей сейчас позвоню.

Я вернулся в контору. Старуха Рексрот сочла за благо с достоинством удалиться, увидев вызывающую мину на моем лице. Я уладил формальности с секретаршей и поручил швейцару перенести мои вещи и раздобыть для меня пару бутылок. Потом я пошел к Пат.

— Ну как, удалось? — спросила она.

— Пока нет, но через несколько дней я добьюсь этого.

— Как жаль. — Она опрокинула шахматные фигуры и встала.

— Что будем делать? — спросил я. — Пойдем в бар?

— По вечерам мы часто играем в карты, — сказал Антонио: — Здесь порой дует фен, и это чувствительно. А за картами все забываешь.

— Ты играешь в карты, Пат? — удивился я. — Во что же ты умеешь играть? В подкидного да раскладывать пасьянс?

— В покер, милый, — заявила Пат.

Я засмеялся.

— Она действительно умеет, — подтвердил Антонио. — Только очень уж безрассудна. Блефует отчаянно.

— Я тоже, — заметил я. — Что ж, в таком случае надо попробовать.

Мы устроились в углу и приступили к игре. Пат совсем неплохо освоила покер. Блефовала она действительно так, что чертям становилось тошно. Час спустя Антонио показал на окно. Там шел снег. Большие хлопья медленно, будто раздумывая, падали почти вертикально.

— Ветра нет ни малейшего, — сказал Антонио. — Значит, будет много снега.

— Где сейчас может быть Кестер? — спросила Пат.

— Он уже миновал перевал, — ответил я. На мгновение я отчетливо представил себе, как Кестер с «Карлом» пробираются сквозь снежную ночь, и все вдруг показалось мне нереальным — что я сижу здесь, что Кестер где-то в пути и что Пат рядом со мной. Она улыбалась мне счастливой улыбкой, упершись в стол рукой, в которой держала карты.

— Ну что же ты, Робби, ходи!

Пробравшись через весь зал, за нашими спинами остановился пушечный снаряд и стал благодушно комментировать ход игры. Вероятно, его жена уснула, а он томился от скуки. Я положил карты на стол и ядовито сверлил его глазами до тех пор, пока он не ушел.

— Не очень-то ты любезен, — удовлетворенно произнесла Пат.

— Чего нет, того нет, — сказал я. — И не желаю быть любезным.

Потом мы пошли в бар и выпили несколько «Особых» коктейлей. Потом Пат должна была отправляться спать. Я простился с ней в ресторане. Она медленно поднялась по лестнице, остановилась и оглянулась, перед тем как свернуть в коридор. Выждав немного, я взял в приемной ключ от своей комнаты. Маленькая секретарша улыбнулась мне.

— Семьдесят восьмой номер, — сказала она.

Это была комната рядом с Пат.

— Неужто так распорядилась фройляйн Рексрот? — спросил я.

— Нет, фройляйн Рексрот сейчас в молитвенном доме.

— Да будут благословенны его стены, — проговорил я и быстро поднялся наверх. Мои вещи были уже распакованы.

Через полчаса я постучал в боковую дверь, соединявшую обе комнаты.

— Кто там? — спросила Пат.

— Полиция нравов, — ответил я.

Ключ звякнул, и дверь распахнулась.

— Робби, ты? — произнесла опешившая Пат.

— Победитель фройляйн Рексрот собственной персоной! А также обладатель коньяка и «Порто-Ронко». — Я вытащил бутылки из карманов халата. — А теперь отвечай мне немедля: сколько мужчин здесь уже побывало?

— Ну, на футбольную команду с филармоническим оркестром наберется! — рассмеялась Пат. — Ах, милый, теперь опять наступили прежние времена.

Она заснула на моем плече. Я долго не мог сомкнуть глаза. В углу комнаты горел ночник. Снежные хлопья тихонько стучались в окно, и казалось, что время остановилось в этом зыбком золотисто-коричневом полумраке. В комнате было очень тепло. Иногда потрескивали трубы центрального отопления. Пат пошевелилась во сне, и одеяло, шурша, медленно сползло на пол. Какая отливающая бронзой кожа! Какой чудесный изгиб этих тонких коленей! Какой тайной негой дышит эта грудь! Ее волосы касались моего плеча, под моими губами бился пульс ее руки. И ты должна умереть?! Нет, ты не можешь умереть. Ведь ты — это счастье.

Осторожным движением я снова натянул одеяло. Пат что-то пробормотала во сне и, умолкнув, медленно нашарила рукой мою голову и обняла за шею.

XXVII

Все последующие дни непрерывно шел снег. У Пат повысилась температура, и она должна была оставаться в постели. В санатории температурили многие.

— Это из-за погоды, — объяснял Антонио. — Оттепель, фен. Самая подходящая погода для лихорадки.

— Милый, ты бы прогулялся, — сказала мне Пат. — Ты катаешься на лыжах?

— Нет. Где бы я мог научиться? Ведь я впервые в горах.

— Антонио тебя научит. Ему это доставит удовольствие. Он к тебе привязался.

— Здесь мне нравится больше.

Она приподнялась на постели. Ночная сорочка соскользнула с плеч. Черт возьми, до чего же они стали худы! И до чего же худенькой стала шея!

— Робби, — сказала она, — ну сделай это ради меня. Мне не нравится, что ты все время сидишь здесь, у больничной постели. И вчера весь день просидел, и позавчера. Это уж слишком.

— А мне нравится здесь сидеть, — ответил я. — И меня совсем не тянет слоняться по снегу.

Она громко вздохнула, и я услышал прерывистый хрип.

— Поверь мне, — сказала она, — так будет лучше для нас обоих. Ты сам потом убедишься. Поверь моему опыту. — Она с трудом улыбнулась. — Насидишься еще после обеда и вечером. А по утрам, милый, мне не по себе из-за того, что ты здесь сидишь. По утрам я так ужасно выгляжу из-за лихорадки. Вот вечером дело другое. Я, наверное, набитая дура, но я не хочу выглядеть некрасиво, когда ты на меня смотришь.

— Бог мой, Пат... — Я встал. — Ну так и быть, пойду прогуляюсь с Антонио. Вернусь к обеду. Если, конечно, не поломаю себе кости на этих штуковинах.

— Ты быстро научишься, милый. — Ее лицо утратило выражение напряженности и тревоги. — И скоро будешь замечательно кататься.

— А ты находишь замечательные способы от меня избавиться, — сказал я и поцеловал ее. Ее руки были влажные и горячие, губы сухие и потрескавшиеся.

Антонио жил на третьем этаже. Он одолжил мне пару ботинок и лыжи. Рост и размер у нас совпадали, и ботинки его оказались мне впору. Мы отправились на учебную поляну, что была за поселком. По дороге Антонио испытующе посмотрел на меня.

— Лихорадка страшно действует на нервы, — сказал он. — В такие дни что здесь только не вытворяют. — Он опустил лыжи на снег и занялся креплениями. — Нет ничего хуже, когда вынужден ждать и не можешь ничего поделать. Это совершенно выбивает из седла, иной раз просто сводит с ума.

— Здоровым тоже приходится тяжко, — сказал я. — Когда находишься рядом, а сделать ничего не можешь.

Он кивнул.

— Кое-кто из нас работает, — продолжал он, — кое-кто перелопатил горы литературы. Но большинство снова превращается в школьников и сачкует лечебные про-

цедуры, как сачковало в свое время уроки физкульту-
ры. А завидев где-нибудь в поселке врача, они так же
с визгом бросаются врассыпную, прячутся в магазинах
и кондитерских. Тайком покуривают, тайком выпива-
ют, предаются запрещенным игрищам, сплетням, ша-
лостям — и как-то спасаются от пустоты. И от правды.
Этакое ребячливое, шалопайское, но по-своему, пожалуй, и героическое пренебрежение к смерти. Да и что
им в конце концов еще остается?

«Вот именно, — думал я, — что нам всем в конце концов еще остается?»

— Ну что, попробуем? — сказал Антонио и вонзил
палки в снег.

— Попробуем.

Он показал мне, как нужно крепить лыжи и как держать равновесие. Штука, в общем, нехитрая. Поначалу
я, правда, часто падал, но потом освоился, и дело по-
шло. Катались мы около часа.

— Хватит, пожалуй, — сказал Антонио. — Вечером
вы почувствуете, как болят мышцы.

Я отстегнул лыжи, ощутив, с какой силой бьется во
мне кровь.

— А хорошо, что мы выбрались на воздух, Антонио, — сказал я.

Он кивнул:

— Можем кататься каждое утро. Здорово проветри-
вает мозги.

— Не зайти ли нам куда-нибудь выпить? — спросил я.

— Это можно. По рюмке «Дюбонне» у Форстера.

Мы выпили по рюмке «Дюбонне» и поднялись наверх к санаторию. В конторе секретарша сказала мне,
что меня искал почтальон; он передал, чтобы я заглянул
на почту. На мое имя пришли деньги. Я посмотрел на
часы. Время еще оставалось, и я вернулся в поселок. На
почте мне выдали две тысячи марок, а с ними письмо от
Кестера. «Ни о чем не беспокойся, деньги есть и еще,
напиши, если понадобятся».

Эрих Мария Ремарк

Я уставился на банкноты. Где он их взял? Да еще так быстро. Я-то ведь знаю все наши источники. И вдруг я все понял. Вспомнил, как охаживал «Карла» гонщик и владелец магазина модной одежды Больвиз, как он говорил тогда у бара в день, когда проиграл пари: «Эту машину я всегда готов взять за любые деньги». Разрази меня гром, Кестер продал «Карла»! Вот и деньги. «Карла», о котором он говорил, что согласится скорее отдать руку, чем эту машину. И вот «Карл» ушел! Уплыл в жирные руки этого фабриканта костюмов, а Отто, который за километры на слух различал рокот его мотора, будет слышать его теперь на улицах, словно вой брошенного пса.

Я сунул в карман письмо Кестера и маленький пакет с ампулами морфия. И продолжал бессмысленно стоять перед почтовым окошком. Всего бы лучше отправить деньги обратно, но это невозможно, они нам нужны. Я разгладил бумажки и спрятал их. Потом вышел на улицу. Вот проклятие-то! Теперь я буду за версту обходить любую машину. Мы всегда водили дружбу с автомобилями, но «Карл» был для нас чем-то большим, чем друг. Он был надежный товарищ! «Карл», призрак дорог. Как мы подходили друг другу! «Карл» и Кестер, «Карл» и Ленц, «Карл» и Пат. Я раздраженно и беспомощно обивал снег с ботинок. Ленц мертв. «Карла» нет. А Пат? Я невидящими глазами смотрел в небо, в это бескрайнее серое небо сумасшедшего бога, придумавшего жизнь и смерть, видимо, себе на потеху.

К вечеру ветер переменился, прояснилось и похолодало. Пат почувствовала себя лучше. На следующее утро ей можно было вставать, а еще через несколько дней, когда уезжал Рот, человек, который вылечился, она даже смогла пойти на вокзал вместе со всеми.

Его провожали целой толпой. Так здесь было принято, когда кто-нибудь уезжал. Но сам Рот был не очень-то весел. По-своему ему крепко не повезло. Два года назад какое-то медицинское светило в ответ на его приставания прямо заявило, что ему осталось жить не больше двух лет, и то в случае тщательного ухода. Чтобы подстраховаться, он пристал с ножом к горлу к другому врачу и принудил того сказать правду. Вторая правда оказалась еще более горькой. Тогда Рот распределил на два года все свое состояние и пустился во все тяжкие, не обращая ни малейшего внимания на болезнь. В конце концов его с тяжелейшим кровохарканьем доставили в санаторий. Но здесь, вместо того чтобы помереть, он стал неуклонно поправляться. Когда он прибыл сюда, он весил всего девяносто фунтов. Теперь в нем было полторы сотни, и он настолько поздоровел, что мог отправляться восвояси. Да только денег теперь не было и в помине.

— Что ж мне теперь делать-то там, внизу? — спрашивал он меня, почесывая рыжий затылок. — Вы ведь недавно оттуда, как там, а?

— Там многое изменилось, — ответил я, разглядывая его круглое, набрякшее лицо с бесцветными ресницами. Он был безнадежен, но выздоровел, — вот все, что меня в нем интересовало.

— Придется поискать какое-то место, — сказал он. — Как там теперь с этим делом?

Я пожал плечами. Зачем ему объяснять, что скорее всего он не найдет никакой работы? Скоро сам во всем убедится.

— А у вас есть связи, друзья, какая-нибудь протекция?

— Друзья? — хмыкнул он. — Когда пускаешь денежки по ветру, друзья отскакивают, как блохи от мертвой собаки.

— Тогда будет трудно.

Он наморщил лоб.

— Ума не приложу, что мне делать. Осталось всего несколько сотен. Я только и умею, что сорить деньгами. Боюсь, профессор-то окажется прав, хотя и совсем по-другому. Получится, что я действительно дам дуба через два года — да только от пули.

Меня вдруг охватила лютая злоба к этому болтливому идиоту. Что он, скотина, не понимает, не чувствует цену жизни? Я смотрел на Пат, идущую впереди рядом с Антонио, смотрел на ее тонкую шею, поникшую от болезни, думал о том, как ей хочется жить, и видит бог, я бы не задумываясь убил Рота, если бы это могло вернуть ей здоровье.

Поезд отошел. Рот махал шляпой. Провожающие кричали ему что попало вслед и смеялись. Какая-то девушка, спотыкаясь, бежала за вагоном и все кричала тонким, срывающимся голосом:

— До свидания! До свидания!

Потом она приплелась обратно и разрыдалась. У всех вокруг стали смущенные лица.

— Прошу внимания! — крикнул Антонио. — Кто плачет на вокзале, должен платить штраф. Это старый санаторный закон. Штраф идет на расходы по следующему празднику.

И он картинным жестом протянул руку для подаяния. Все опять засмеялись. Несчастная остролицая девушка тоже улыбнулась сквозь слезы и вынула из кармана пальто старенькое портмоне.

На душе у меня стало жутко тоскливо. Что за лица кругом, ведь это не улыбки, а вымученные, судорожные гримасы выморочного веселья.

— Пойдем, — сказал я Пат и крепко взял ее под руку.

И мы молча пошли по улице. У ближайшей кондитерской остановились, я заглянул внутрь и вышел с коробкой конфет.

— Жареный миндаль, — сказал я, протягивая ей коробку. — Ты ведь любишь, верно?

— Робби, — только и молвила Пат. Губы ее дрожали.

— Одну минутку, — ответил я и заскочил еще в цветочный магазин. Справившись с волнением, я появился на улице с букетом роз.

— Робби, — повторила Пат.

— Вот, становлюсь кавалером на старости лет. — Я выдавил из себя подобие жалкой улыбки.

Я не мог понять, что с нами внезапно случилось. Вероятно, виной всему был этот проклятый ушедший поезд. Будто нависла свинцовая туча, будто налетел беспокойный ветер и вырвал из рук то, что мы силились удержать. И кто мы теперь, как не заплутавшие дети, которые не знают, куда идти, но изо всех сил храбрятся?

— Надо бы выпить по рюмке сию же минуту, — сказал я.

Она кивнула. Мы зашли в ближайшее кафе и сели за пустой стол у окна.

— Ты чего хочешь, Пат?

— Рому, — сказала она и посмотрела на меня.

— Рому, — повторил я и поискал под столом ее руку. Она порывисто стиснула мою.

Подали ром. Баккарди с лимоном.

— Милый мой, старый возлюбленный! — сказала Пат и подняла бокал.

— Мой старый надежный дружище, — сказал я.

Мы посидели еще немного.

— Каким иногда все кажется странным, правда? — сказала Пат.

— Да, бывает. Но потом это проходит.

Она кивнула. Мы пошли дальше, крепко прижавшись друг к другу. Мимо промчали сани лошади, от которых валил пар. Возвращались с лыжной прогулки усталые загорелые парни из хоккейной команды в красно-белых свитерах, это буйное цветение жизни.

— Как ты себя чувствуешь, Пат? — спросил я.

— Хорошо, Робби.

— Пусть к нам только кто сунется, правда?

— Да, милый. — Она прижала к себе мою руку.

Улица опустела. На заснеженные горы розовым одеялом лег закат.

— Да, Пат, ты ведь еще не знаешь, — сказал я, — у нас теперь куча денег. Кестер прислал.

Она остановилась.

— Вот это чудесно, Робби. Тогда мы можем хоть раз попировать от души.

— Нет проблем, — сказал я. — И не раз.

— Тогда пойдем в субботу в курзал. Там будет последний бал в этом году.

— Но тебе ведь нельзя выходить по вечерам.

— Никому нельзя. Но все выходят.

Я задумался.

— Робби, — сказала Пат, — пока тебя не было, я выполняла здесь все предписания. Не человек, а перепуганный рецепт — вот кто я была. И ничто не помогло. Мне стало только хуже. Не перебивай меня, я ведь заранее знаю, что ты скажешь. И знаю, что поставлено на карту. Но то время, что у меня еще есть, то время, что я с тобой, — позволь мне делать, что я хочу.

Ее лицо в багровых отсветах заката было серьезным, тихим и очень нежным. «О чем это мы? — подумал я, и во рту у меня пересохло. — Может ли это быть, бывает ли такое, чтобы люди вот так стояли и разговаривали о том, что невозможно, что не имеет права случиться? И это Пат, это она произносит эти слова — с таким спокойствием, почти беспечально, будто противостоять этому уже нельзя, будто не осталось у нас ни клочка и самой жалкой, обманной надежды. И это Пат, почти ребенок, которого нужно оберегать, это Пат говорит вдруг со мной словно из дальней дали, словно причастившись, предавшись уже тому потустороннему, чему нет названия».

— Не говори так, — пробормотал я чуть слышно. — Я ведь только имел в виду, что нам, может быть, лучше сначала посоветоваться с врачом.

— Ни с кем нам больше не нужно советоваться, ни с кем! — Она тряхнула своей прекрасной изящной головкой, глядя на меня глазами, которые я так любил. — Я ничего не хочу больше знать. Я хочу теперь быть только счастливой.

* * *

Вечером в коридорах санатория царило оживление, все о чем-то шушукались, бегали взад и вперед. К нам заглянул Антонио. Он принес приглашение на вечеринку, которая должна была состояться в комнате какого-то русского.

— Что же, и я могу так запросто пойти вместе со всеми? — спросил я.

— Здесь? — ответила Пат вопросом на вопрос.

— Здесь можно многое, чего нельзя в других местах, — сказал, улыбаясь, Антонио.

Русский оказался пожилым смуглолицым брюнетом. Он занимал две комнаты, в которых было много ковров. На сундуке стояли бутылки с водкой. В комнатах полумрак. Горели только свечи. Среди гостей находилась молодая, очень красивая испанка. У нее был день рождения, который и отмечался.

Настроение в этих озаренных мерцающим светом комнатах царило своеобразное — все это напоминало таинственное подземелье, приютившее некое братство людей одинаковой судьбы.

— Что вы будете пить? — спросил меня русский. Голос у него был низкий и мягкий.

— Все, что предложите.

Он принес бутылку коньяка и графинчик водки.

— Ведь вы здесь не лечитесь? — спросил он.

— Нет, — ответил я, смутившись.

Он предложил мне папиросы — русские сигареты с длинными бумажными мундштуками. Мы выпили.

— Вам наверняка здесь многое кажется странным, не так ли? — спросил он.

— Не могу сказать, чтобы очень, — ответил я. — Я не привык к нормальной жизни.

— Да, — сказал он, бросив затаенно-пристальный взгляд на испанку, — здесь, наверху, мир особый. И он меняет людей.

Я кивнул.

— Странная эта болезнь, — добавил он задумчиво. — Она заставляет людей жить интенсивнее. А подчас даже делает их лучше. Мистическая болезнь. Она уносит шлаки.

Он поднялся, кивнул мне и направился к испанке, которая ему улыбалась.

— Слюнявый трепач, не правда ли? — спросил кто-то позади меня.

Лицо без подбородка. Шишковатый лоб. Беспокойные лихорадочные глаза.

— Я здесь в гостях, — ответил я. — А вы разве нет?

— Вот на это он женщин и ловит, — продолжал он, не слушая меня, — на это самое. И малышку на это поймал.

Я не ответил.

— Кто это? — спросил я Пат, когда он отошел.

— Музыкант. Скрипач. Безнадежно влюблен в испанку. Так, как влюбляются только здесь, наверху. Но она не желает ничего о нем знать. Она любит русского.

— Ее можно понять.

Пат засмеялась.

— По-моему, это мужчина, в которого нельзя не влюбиться. Ты не находишь?

— Нет, — ответила она.

— Ты ни разу здесь не влюблялась?

— Всерьез нет.

— Мне это было бы безразлично, — сказал я.

— Замечательное признание. — Пат выпрямилась. — А ведь это должно было бы тебе быть далеко не безразлично.

— Я не то хотел сказать. Даже не могу тебе объяснить, что я имел в виду. Это оттого, что я до сих пор не понимаю, что ты во мне находишь.

— Предоставь это мне, — проговорила она.

— А сама-то ты знаешь?

— Не так уж точно, — ответила она с улыбкой. — Иначе это была бы уже не любовь.

Русский оставил бутылки около нас. Я наливал себе рюмку за рюмкой и выпивал залпом. Атмосфера здесь меня угнетала. Я не любил видеть Пат в окружении больных.

— Тебе здесь не нравится? — спросила она.

— Не очень. Я еще должен привыкнуть.

— Бедненький мой... — Она погладила мою руку.

— Я не бедненький, когда ты со мной, — сказал я.

— А какая Рита красавица! Ведь правда?

— Нет, — сказал я, — ты красивее.

На коленях у молодой испанки появилась гитара. Взяв несколько аккордов, она запела, и сразу почудилось, будто в комнату впорхнула большая темная птица. Рита пела испанские песни негромко, хриповатым, ломким голосом, какой бывает у всех больных. И не знаю отчего: то ли от незнакомых меланхолических мелодий, то ли от проникновенного, сумеречного голоса девушки, то ли от теней больных, разбросанных по креслам или просто по полу, то ли от широкого, поникшего, смуглого лица русского, — но мне вдруг показалось, что все это лишь одно рыдающее, жалобное заклинание судьбы, стоявшей, дожидавшейся там, позади занавешенных окон, что все это только мольба, только крик отчаяния и страха, страха от одиночества перед лицом безмолвно перемалывающего людей небытия.

На следующее утро Пат в прекрасном озорном настроении возилась со своими платьями.

— Болтается все как на вешалке, — бормотала она, оглядывая себя в зеркало. Потом обернулась ко мне. — А ты взял с собой смокинг, милый?

— Нет, — сказал я. — Я ведь не думал, что он здесь понадобится.

— Тогда попроси у Антонио. Он одолжит тебе свой. У вас ведь одинаковые фигуры.

— Но ведь ему самому будет нужен.

— Он наденет фрак. — Она заколола булавкой складку. — И потом сходи покатайся на лыжах. Мне тут нужно кое-что соорудить себе. А при тебе я ничего не могу делать.

Эрих Мария Ремарк

— Опять Антонио, — сказал я. — Я его просто граблю. Что бы мы делали без него?

— Славный он парень, правда?

— Да, — согласился я. — Для него это самое подходящее слово. Он именно славный парень.

— Даже не знаю, что бы я делала без него, когда была здесь одна.

— Не будем больше вспоминать, — сказал я. — Что прошло, то прошло.

— Верно. — Она поцеловала меня. — Ну а теперь иди покатайся на лыжах.

Антонио уже поджидал меня.

— Я так и думал, что смокинг вы с собой не захватили, — сказал он. — Попробуйте пиджак.

Пиджак был узковат, но в целом вполне подходил. Антонио, присвистывая от удовольствия, достал и брюки.

— Повеселимся завтра на славу, — заявил он. — Дежурит, к счастью, маленькая секретарша. А то старуха Рексрот никуда бы нас не пустила. Ведь официально все это запрещено. Но неофициально мы все же не дети.

Мы отправились кататься на лыжах. Я уже вполне научился, так что учебная поляна нам была не нужна. По дороге нам встретился мужчина с бриллиантовыми кольцами на руках, в клетчатых брюках и с пышным развевающимся бантом на шее, как у художника...

— Смешные здесь попадаются типы, — заметил я.

Антонио рассмеялся.

— Это важная птица. Сопроводитель покойников.

— Что, что? — удивился я.

— Сопроводитель покойников, — повторил Антонио. — Сюда ведь приезжают лечиться со всего мира. Особенно часто из Южной Америки. Ну а родственники, как правило, хотят, чтобы их домочадцы были похоронены на родине. Такой вот сопроводитель и доставляет им гроб с покойником за весьма приличное вознаграждение. Эти люди и путешествуют по миру, и капиталец себе сколачивают изрядный. Из этого смерть сделала денди, как видите.

Мы поднялись еще немного в гору, потом стали на лыжи и покатили вниз. Белая простыня трассы то бросала нас вниз, то подкидывала на пригорках, а позади, как краснобурый мяч, кубарем катился, по грудь зарываясь в снег, заливисто лающий Билли. Он уже снова привык ко мне, хотя случалось, что посреди дороги вдруг останавливался и, поджав уши, что есть мочи несся назад к санаторию.

Я разучивал спуск «плугом» и всякий раз, когда предстояло особенно крутое место, загадывал: если не упаду, Пат выздоровеет. Ветер свистел мне в лицо, снег был тяжелым и вязким, но я снова и снова взбирался наверх, выискивая все более отвесные, все более трудные склоны, и всякий раз, когда мне удавалось их преодолеть, не упав, я думал: «Спасена!» — и хотя понимал, насколько все это глупо, тем не менее радовался как ребенок.

В субботу вечером состоялась массовая тайная вылазка. Антонио заказал сани, которые ждали несколько ниже по склону и в стороне от санатория. Сам он, испуская веселые тирольские рулады, скатывался по откосу в лакированных ботинках и пальто нараспашку, из-под которого сверкала белая манишка.

— Он с ума сошел, — сказал я.

— Ему это не впервой, — откликнулась Пат. — Он страшно легкомысленный. Только это и помогает ему держаться. Иначе он не был бы всегда в хорошем настроении.

— Зато тем тщательнее мы упакуем тебя.

Я укутал ее всеми пледами и шарфами, которые у нас были. И мы покатили на санях под гору. Образовался довольно длинный поезд. Удрали все, кто только мог. Можно было подумать, что в долину спускается свадебный кортеж — так торжественно покачивались в лунном свете султаны на головах лошадей, так много на санках смеялись и задорно окликали друг друга.

Курзал утопал в роскошном убранстве. Когда мы приехали, уже вовсю танцевали. Для гостей из санатория были резервированы столики в углу, надежно защищенном от сквозняков. В зале было тепло, пахло цветами, вином и духами.

За нашим столом собралась куча народа — русский, Рита, скрипач, какая-то старуха, еще одна дама с лицом, словно размалеванный скелет, и при ней ее неотлучный ферт, Антонио и еще несколько человек.

— Пойдем, Робби, — сказала Пат, — попробуем потанцевать.

Покрытая паркетом площадка медленно закружилась вокруг нас. Скрипка и виолончель вели нежный диалог под приглушенные звуки оркестра. По полу чуть слышно скользили ноги танцующих.

— Милый мой, да ты, оказывается, превосходно танцуешь, — с удивлением заметила Пат.

— Ну уж и превосходно...

— Нет-нет, в самом деле. Где ты научился?

— Это Готфрид меня обучил, — сказал я.

— У вас в мастерской?

— Да, и в кафе «Интернациональ». Нужны ведь были и дамы для этого дела. Так что Роза, Марион и Валли придали мастерству окончательный лоск. Боюсь только, что от этого мастерство не стало особенно элегантным.

— Стало! — Ее глаза сияли. — Ведь мы впервые танцуем, Робби!

Рядом с нами танцевали русский с испанкой. Он улыбнулся нам и кивнул. Испанка была очень бледна. Иссиня-черные блестящие волосы обвили ее лоб, как воронье крыло. Она танцевала с неподвижным, серьезным лицом. На руке у нее был браслет из больших четырехугольных смарагдов. Ей было восемнадцать лет. Скрипач, сидя за столом, следил жадным взором за каждым ее движением.

Мы вернулись к столу.

— А теперь я хочу выкурить сигарету, — сказала Пат.

— Может, лучше не надо? — осторожно возразил я.

— Ну хоть несколько затяжек, Робби. Я так давно не курила. — Она взяла сигарету, но тут же снова ее отложила. — Ты знаешь, что-то совсем невкусно.

Я засмеялся.

— Всегда так бывает, когда долго обходишься без чего-нибудь.

— А ведь ты долго без меня обходился, — сказала Пат.

— Ну, это относится только к ядам, — возразил я. — К табаку или алкоголю.

— Люди, мой милый, еще больший яд, чем алкоголь и табак.

Я засмеялся:

— Ты умная девочка, Пат.

Она облокотилась обеими руками о стол и посмотрела на меня.

— А ведь ты никогда не принимал меня слишком всерьез, признайся, а?

— Я и себя-то никогда не принимал слишком всерьез, — ответил я.

— И меня тоже. Признайся.

— Этого я не знаю. Зато нас вместе я всегда принимал страшно серьезно. Это уж точно.

Она улыбнулась. Антонио пригласил ее на танец. Они направились к площадке. Я не отрываясь смотрел на нее, пока она танцевала. Всякий раз, оказываясь рядом, она мне улыбалась. Ее серебристые туфельки почти не касались пола. Она двигалась как лань.

Русский опять танцевал с испанкой. Оба молчали. Его широкое смуглое лицо было полно грустной нежности. Скрипач попытался было пригласить испанку. Но она только покачала головой и пошла к площадке с русским.

Скрипач раскрошил сигарету длинными костлявыми пальцами. Мне вдруг стало его жалко. Я предложил ему свои сигареты. Он отказался.

— Мне нужно беречь себя, — отрывисто сказал он.

Я кивнул.

Эрих Мария Ремарк

— Этот тип, — продолжал он, хмыкнув и показав на русского, — выкуривает по пятьдесят штук в день.

— Что ж, каждый живет по-своему, — заметил я.

— Пусть она теперь даже не хочет танцевать со мной, но она все равно достанется мне.

— Кто?

— Рита.

Он придвинулся ко мне.

— У нас были прекрасные отношения. Мы играли с ней в карты. А потом явился этот русский и вскружил ей голову своим трепом. Но все равно она достанется мне.

— Ну, для этого вам придется постараться, — сказал я. Он мне не нравился.

Скрипач закатился козлиным смешком.

— Постараться? Святая невинность! Мне надо только подождать.

— Ну, тогда ждите.

— Пятьдесят сигарет в день, — прошептал он. — Вчера я видел его рентгеновский снимок. Каверна на каверне. Он обречен. — Он снова хохотнул. — Поначалу-то мы были на равных. Наши рентгеновские снимки можно было перепутать. А видели бы вы, какая разница теперь! Я-то поправился здесь на два фунта. Нет, голубчик, мне нужно только беречь себя и ждать. Эти снимки — самая большая моя радость. Сестра мне показывает их каждый раз. Только ждать. Когда он скопытится, настанет моя очередь.

— Тоже метод, — сказал я.

— Тоже метод, — собезьянничал он, — единственный метод, чтоб вы знали, сосунок! Если бы я попытался тягаться с ним сейчас, я бы не оставил себе шансов на будущее. Нет, скажу вам как новичку: не портить отношения, спокойно ждать...

Воздух становился спертым, тяжелым. Пат закашлялась. Я заметил, с каким испугом она при этом взглянула на меня, и сделал вид, что ничего не слышу. Старуха, увешанная бриллиантами, сидела тихо, погрузившись в себя. Время от времени вдруг раздавался ее визгливый смех и так же неожиданно смолкал. Скелет бранился с фертом. Русский курил сигарету за сигаретой. Скрипач давал ему прикурить. Какая-то девушка вдруг судорожно закашлялась, поднесла ко рту носовой платок, заглянула в него и побледнела.

Я оглядел зал. Тут вот столики спортсменов, тут — здоровяков, местных жителей, вот сидят французы, а вот англичане, а вот голландцы с их протяжной речью, напоминающей о лугах и море, а между ними всеми маленький островок болезни и смерти, объятый лихорадкой, прекрасный и обреченный. Луга и море — что-то это напоминало. Я посмотрел на Пат. Луга и море — пена, песок и купание. О, этот изящный лоб, как я его люблю! Как я люблю эти руки! Как я люблю эту жизнь, которую можно только любить, но нельзя спасти.

Я встал и вышел на улицу. Мне стало душно от столпотворения и собственного бессилия. Я медленно пошел по дороге. За домами властвовал ветер, обжигавший морозом кожу, стужа пронизывала до костей. Сжав кулаки, я долго и неотрывно смотрел на суровые белые горы, а во мне клокотали отчаяние, ярость и боль.

Внизу по дороге, звеня бубенцами, проехали сани. Я повернул обратно. Навстречу мне шла Пат.

— Где ты был?

— Прошелся немного.

— У тебя плохое настроение?

— Вовсе нет.

— Милый, развеселись! Сегодня ты должен быть веселым! Ради меня! Кто знает, когда я снова смогу пойти на бал.

— Сможешь! И не раз!

Она прильнула головой к моему плечу.

— Раз ты так говоришь, то так и будет. А теперь давай танцевать. Ведь мы танцуем с тобой впервые.

Мы танцевали, и теплый, мягкий свет вел себя милосердно, незаметно стирая тени, которые наступившая ночь рисовала на лицах.

— Как ты себя чувствуешь? — спросил я.

— Хорошо, Робби.

— Как ты красива, Пат.

Ее глаза сияли.

— Как хорошо, что ты это мне говоришь.

Я почувствовал на своей щеке ее теплые сухие губы. Было уже поздно, когда мы вернулись в санаторий.

— Вы только посмотрите, как он выглядит? — хохотнул скрипач, исподтишка показывая на русского.

— Вы выглядите точно так же, — сердито буркнул я.

Он ошалело посмотрел на меня.

— Вот что значит — здоровье так и прет! — ядовито прошипел он.

Я пожал русскому руку. Еще раз кивнув мне на прощание, он с бережной нежностью повел молодую испанку вверх по лестнице. Широкая согбенная спина и рядом узенькие плечики девушки — в тусклом свете ночников казалось, что они поднимают на себе всю тяжесть мира. Дама-скелет тащила за собой по коридору хныкающего компаньона. Антонио пожелал нам спокойной ночи. Было что-то таинственное в этом почти неслышном прощании шепотом.

Пат снимала через голову платье. Нагнувшись, она пыталась стащить его с плеч. Парча не поддавалась и треснула. Сняв платье, Пат стала разглядывать разрыв.

— Наверное, уже было надорвано, — сказал я.

— Пустяки, — сказала Пат, — вряд ли оно мне еще понадобится.

Она медленно сложила платье и не стала вешать его в шкаф. Она положила его в чемодан. Внезапно лицо ее стало совершенно усталым.

— Ты только посмотри, что у меня есть, — поспешно сказал я, вынимая из кармана бутылку шампанского. — Теперь мы устроим наш собственный маленький праздник.

Я достал бокалы и наполнил их. Она опять заулыбалась и выпила.

— За нас с тобой, Пат.

— Да, милый, за нашу прекрасную жизнь.

Как необычно и странно все это было — комната, тишина и наша печаль. Разве не простиралась сразу за дверью жизнь, бесконечная, с лесами, реками, буйным дыханием ветров, цветущая и неугомонная, будто беспокойный март не тряс уже просыпающуюся землю по ту сторону белых гор?

— Ты останешься на ночь со мной, Робби?

— Да, давай ляжем. И будем близки, как только могут быть близкими люди. А бокалы возьмем с собой и будем пить в постели.

Пить. Целовать бронзовую от загара кожу. Ждать. Бодрствовать в тишине. Стеречь дыхание и тихие хрипы в любимой груди.

XXVIII

Погода изменилась, подул фен. В долину ворвалась слякотная, вся в лужах, оттепель. Снег стал рыхлым. С крыш текло. Кривые температурных графиков подскочили. Пат должна была оставаться в постели. Врач приходил по нескольку раз в день. Выражение его лица становилось все озабоченнее.

Как-то днем, когда я обедал, подошел Антонио и подсел ко мне.

— Умерла Рита, — сказал он.

— Рита? Вы хотите сказать — русский?

— Нет, Рита, испанка.

— Этого не может быть, — произнес я, чувствуя, как в жилах у меня стынет кровь. У Риты была не такая тяжелая форма, как у Пат.

— Здесь все может быть, — меланхолическим тоном возразил Антонио. — Умерла. Сегодня утром. Ко всему прочему добавилось воспаление легких.

— Ах, воспаление легких, — сказал я облегченно. — Ну, это дело другое.

— Восемнадцать лет. Ужас. И так тяжело умирала.

Эрих Мария Ремарк

— А русский?

— Лучше не спрашивайте. Он не хочет верить, что она умерла. Уверяет, что это летаргический сон. Сидит у ее кровати и никого к ней не подпускает.

Антонио ушел. Я уставился в окно. Рита умерла. Но я сидел и думал только об одном: не Пат, не Пат.

Сквозь застекленную дверь я увидел в коридоре скрипача. И не успел я подняться, как он уже был около моего стола. Выглядел он ужасно.

— Вы курите? — спросил я, чтобы хоть что-то сказать.

Он расхохотался.

— Конечно! Почему бы нет! Теперь-то? Теперь уж все равно.

Я пожал плечами.

— Вам-то небось любо глядеть на наши корчи? — спросил он с издевкой. — Да еще кроить добродетельную физиономию.

— Вы сошли с ума, — сказал я.

— Сошел с ума? Как бы не так! Но я попал впросак. — Он навалился на стол, дыша мне в лицо коньячным перегаром. — Впросак. Это они меня провели. Эти свиньи. Все свиньи, все. И вы тоже свинья с вашей постной рожей.

— Если бы вы не были больны, я бы выбросил вас в окно, — сказал я.

— Болен? Кто болен? — зашипел он. — Я здоров! Почти здоров! Я только что был у врачей! Редкий случай полной остановки процесса! Ну не фокус, а?

— Ну и радуйтесь, — сказал я. — Теперь уедете отсюда и забудете здешние горести.

— Вы так думаете? — возразил он. — Какой, однако, практический у вас умишко! Здоровье всех делает дураками! Сохрани же Господь вашу сдобную душу! — Он, пошатываясь, отошел, но тут же снова вернулся. — Пойдемте со мной! Не бросайте меня, давайте выпьем. Я плачу за все. Я не могу быть один.

— Мне некогда, — сказал я. — Поищите себе кого-нибудь другого.

* * *

Я снова поднялся к Пат. Она лежала, тяжело дыша, опираясь на многочисленные подушки.

— Ты не пойдешь кататься на лыжах? — спросила она.

Я покачал головой.

— Снег слишком плохой. Всюду тает.

— Ну так, может, поиграешь с Антонио в шахматы?

— Нет, — сказал я. — Я хочу побыть здесь, с тобой.

— Бедный Робби! — Она попыталась приподняться. — Ты хоть принеси себе чего-нибудь выпить.

— Это я могу.

Я сходил к себе в комнату и принес бутылку коньяка и стакан.

— А ты не выпьешь немного? — спросил я. — Ты ведь знаешь, тебе можно немного.

Она отпила небольшой глоток, потом, помедлив, еще один. И вернула стакан мне. Я наполнил его до краев и выпил.

— Ты не должен пить из того же стакана, что я, — сказала Пат.

— Ну вот еще новости! — Я снова наполнил стакан и выпил.

Она покачала головой:

— Не делай этого, Робби. И не целуй меня больше. И не проводи так много времени у меня. Ты можешь заболеть.

— Я буду тебя целовать, и пусть все катится к черту, — сказал я.

— Нет, этого больше нельзя. И нельзя тебе больше спать в моей постели.

— Хорошо, тогда ты спи в моей.

Она покачала одним подбородком.

— Перестань, Робби. Ты должен жить долго-долго. Я хочу, чтобы ты был здоров и чтобы у тебя были дети, жена.

Эрих Мария Ремарк

— Не хочу я никаких детей. И никакой жены, кроме тебя. Ты и ребенок мой, и моя жена.

Некоторое время она лежала молча. А потом сказала:

— Знаешь, Робби, я бы хотела иметь от тебя ребенка. Раньше я никогда этого не хотела. Даже мысли такой не допускала. А теперь я часто думаю об этом. Как это прекрасно, когда от человека что-нибудь остается. Ты бы тогда смотрел на ребенка и вспоминал обо мне. И я бы продолжала жить в вас.

— У нас еще будет ребенок, — сказал я. — Когда ты выздоровеешь. Я бы очень хотел иметь от тебя ребенка, Пат. Но пусть это будет девочка, которую тоже будут звать Пат.

Она взяла из моих рук стакан и отпила немного.

— А может, это и к лучшему, милый, что у нас нет ребенка. Не надо тебе ничего брать с собой из нашего прошлого. Ты должен забыть меня. И иногда вспоминать о том, как нам было прекрасно вдвоем. И ничего больше. Все равно нам не понять того, что уходит. Не надо только печалиться.

— Меня печалит, когда ты так говоришь.

Она словно изучала меня глазами.

— Знаешь, когда лежишь так целый день, то успеваешь о многом подумать. И невероятно странными начинают казаться многие обычные вещи. Вот хоть и то, что не умещается сейчас у меня в голове. Что двое могут так любить друг друга, как мы, и все-таки это не спасает от смерти.

— Не говори так, — сказал я. — И потом всегда кто-нибудь умирает первым. Так всегда бывает в жизни. Но нам с тобой до этого еще далеко.

— Нужно умирать, когда ты один. Или когда живешь с человеком, которого ненавидишь. Но не тогда, когда любишь.

Я заставил себя улыбнуться.

— И то правда, Пат, — сказал я и сжал ее горячие руки, — если бы мир был нашим с тобой творением, мы бы устроили его получше.

Она кивнула:

— Да, милый. Мы бы такого не допустили. Знать бы только, что будет потом. Ты веришь, что этим все не кончается, что есть и «потом»?

— Да, — ответил я. — Все сделано так плохо, что конца быть не может.

Она улыбнулась:

— Тоже довод. Но они-то сделаны неплохо, как по-твоему? — Она показала на корзину желтых роз, стоявшую у ее кровати.

— В том-то все и дело, — сказал я. — Отдельные детали чудесны, но все в целом не имеет смысла. Точно мир создавал безумец, который, поразившись бесконечному разнообразию созданного, не придумал ничего лучше, как все опять уничтожить.

— Чтобы все создавать сначала, — сказала Пат.

— В этом я тоже не вижу смысла, — возразил я. — Лучше от этого не стало.

— Не совсем так, милый. С нами-то у него хорошо получилось. Лучше просто не бывает. Только очень уж все быстро прошло. Слишком быстро.

Несколько дней спустя я почувствовал покалывания в груди и стал кашлять. Главный врач шел по коридору, услыхал кашель и просунул голову в мою комнату.

— Зайдите-ка ко мне в кабинет.

— Пустяки, уже прошло. Нет у меня ничего.

— Не имеет значения, — сказал он. — С таким кашлем вам нельзя сидеть у фройляйн Хольман. Пойдемте со мной.

В его кабинете я с особым удовольствием стянул с себя рубашку. Здесь, наверху, быть здоровым значило все равно что пользоваться незаконными преимуществами, и я чувствовал себя не то спекулянтом, не то дезертиром.

Главный врач смотрел на меня с удивлением.

— Да вы никак еще и довольны, — проговорил он, морща лоб.

Потом он меня тщательно осмотрел. Разглядывая какие-то блестящие штуковины на стене, я вдыхал и выдыхал, дышал глубоко и не дышал вовсе — все как он требовал. При этом я снова почувствовал покалывания и был доволен, что хоть чуть-чуть похожу на Пат.

— Вы простужены, — сказал главный врач. — Полежите денек-другой в постели или посидите по крайней мере у себя в комнате. Входить к фройляйн Хольман вам нельзя. Это опасно не вам, а фройляйн Хольман.

— А через открытую дверь мне можно с ней разговаривать? — спросил я. — Или через балкон?

— Через балкон можно, но не больше нескольких минут. Да и через открытую дверь, пожалуй, тоже, но только если вы будете тщательно полоскать горло. У вас, кроме простуды, еще и катар, как у всякого курильщика.

— А что с легкими? — Я почти надеялся, что с ними хоть что-нибудь не в порядке. Тогда мне было бы не так совестно перед Пат.

— Ваших легких хватило бы на троих, — заявил главный врач. — Давно уже я не видел такого здорового человека. Разве что печень слегка увеличена. Вероятно, вы много пьете.

Он выписал мне рецепт, и я ушел.

— Робби, что он сказал? — спросила Пат из своей комнаты.

— Говорит, мне нельзя к тебе на какое-то время, — ответил я через дверь. — Строжайший запрет. Ввиду опасности заражения.

— Вот видишь, — испуганно сказала она, — я ведь давно тебе говорила.

— Ввиду опасности для тебя, Пат. Не для меня.

— Оставь эти глупости, — сказала она. — Расскажи мне подробнее, что с тобой.

— Это не глупости. Сестра, — обратился я к дежурной сестре, которая принесла мне лекарства, — скажите фройляйн Хольман, кто из нас двоих представляет большую опасность.

— Господин Локамп, — заявила сестра. — Ему нельзя выходить из комнаты, потому что он может вас заразить.

Пат с недоверием смотрела то на сестру, то на меня. Сквозь щель в двери я показал ей лекарства. Она поняла, что это правда, и принялась смеяться все больше и больше, пока не выступили слезы и не разразился мучительный кашель. Сестра метнулась к постели, чтобы ее поддержать.

— Боже мой, милый, — шептала Пат, — до чего же это смешно. У тебя такой гордый вид!

Она была в хорошем настроении весь вечер. Я, конечно, не оставил ее одну, но, закутавшись в шубу и замотав горло шарфом, просидел до полуночи на балконе, с сигарой в одной руке, с бокалом в другой и с бутылкой коньяка в ногах. Я рассказывал ей всякие смешные истории из своей жизни, прерываемый и поощряемый ее тихим птичьим смехом, я привирал напропалую, лишь бы почаще видеть, как улыбка скользит по ее лицу; я был счастлив оттого, что могу так заливисто кашлять, и осушил всю бутылку до дна и наутро был снова здоров.

Снова дул фен. Ветер скребся в окна, давили низкие тучи, снег начал сдвигаться, по ночам грохотали обвалы, и больные, взвинченные, возбужденные, не могли заснуть и лежали, прислушиваясь. На укрытых от ветра склонах зацвели крокусы, а на дороге наряду с санями появились первые повозки на высоких колесах.

Пат заметно слабела. Она уже не могла вставать. По ночам у нее часто бывали приступы удушья. Тогда она вся серела от смертельного страха. Я сжимал ее влажные бессильные руки.

— Только бы продержаться этот час, — хрипела она, — только этот час, Робби. В это время они чаще всего умирают...

Она боялась последнего часа перед рассветом. Она полагала, что на исходе ночи сила жизни ослабевает, почти исчезает, и страшно боялась этого часа и не хотела быть в это время одна. В остальное же время она

Эрих Мария Ремарк

держалась так храбро, что я невольно стискивал зубы, глядя на нее.

Я попросил перенести свою кровать в ее комнату и подсаживался к ней, как только она просыпалась и в глазах ее зажигалась отчаянная мольба. Я не раз вспоминал и об ампулах с морфием, лежавших в моем чемодане, и, конечно, давно пустил бы их в ход, если б не видел, как она благодарна судьбе за каждый прожитый день.

Я просиживал целые дни у нее на постели и молол языком всякую всячину. Ей нельзя было много разговаривать, и она любила слушать о том, что я повидал в своей жизни. Больше всего ей нравились рассказы о моих школьных годах, и не раз бывало, что, едва оправившись от очередного приступа, бледная, обессиленная, откинувшись на подушки, она уже требовала, чтобы я изобразил ей кого-нибудь из своих учителей. Отчаянно жестикулируя и сопя, разглаживая воображаемую рыжую бороду, я тогда принимался расхаживать по комнате и скрипучим голосом проповедовать какую-нибудь казенную премудрость. Каждый день я приплетал что-нибудь новое, и мало-помалу Пат освоила всех сорвиголов и забияк нашего класса, от которых так тошно делалось нашим учителям. Однажды к нам заглянула дежурившая ночью сестра, привлеченная раскатистым басом директора школы, и мне понадобилось немало времени, чтобы, доставив величайшее удовольствие Пат, убедить ее в том, что я не свихнулся, хотя и скачу среди ночи по комнате, нахлобучив на лоб шляпу и напялив на себя пелерину Пат: в этом образе я жестоко распекал некоего Карла Оссеге, коварно подпилившего учительскую кафедру.

А потом в окна начинал просачиваться рассвет. Заострялись черные силуэты горных вершин. А за ними все дальше раздвигалось холодное бледное небо. Лампочка ночника тускнела, покрываясь желтеющей ржавчиной, а Пат зарывалась влажным лицом в мои ладони.

— Миновало, Робби. Теперь у меня есть еще один день.

Антонио принес мне свой радиоприемник. Я подключил его к сети освещения и, заземлив за батарею центрального отопления, попробовал вечером поймать что-нибудь для Пат. После долгого хрипа и кваканья прорезалась вдруг нежная, чистая музыка.

— Что это, милый? — спросила Пат.

Антонио приложил к приемнику и программку. Я полистал ее.

— Кажется, Рим.

Тут и впрямь зазвучал глубокий металлический голос дикторши:

— Радио Рома, Наполи, Фиренце...

Я стал вращать тумблер дальше. Зазвучало фортепьяно.

— Ну, тут мне и смотреть не надо, — сказал я. — Это Вальдштейновская соната Бетховена. Я и сам ее когда-то играл, в те времена, когда еще надеялся стать педагогом, профессором или композитором. Теперь-то я давно все забыл. Покрутим-ка дальше. Не слишком это приятные воспоминания.

Теплый альт — тихо и вкрадчиво: «Parlez-moi d'amour»*.

— Это Париж, Пат.

Доклад о средствах истребления виноградной тли. Дальше. Рекламные сообщения. Струнный квартет.

— Что это? — спросила Пат.

— Прага. Струнный квартет, сочинение пятьдесят девять, два. Бетховен, — прочел я вслух.

Я подождал, пока закончилась часть квартета, повернул тумблер, и вдруг зазвучала скрипка, чудесная скрипка.

— Это, наверное, Будапешт, Пат. Цыганская мелодия.

---

* Говори мне о любви (*фр.*). — *Примеч. пер.*

　　　　　　　　　　　　　Эрих Мария Ремарк

Я настроил приемник почетче на волну. И полилась полнозвучная нежная музыка, рожденная согласным дыханием скрипок, цимбал и пастушьих рожков.

— Великолепно, Пат, а?

Она не ответила. Я обернулся к ней. Она плакала с широко открытыми глазами. Я одним щелчком выключил приемник.

— Что с тобой, Пат? — Я обнял ее острые плечи.

— Ничего, Робби. Глупо, конечно. Но когда вот так слышишь: Париж, Рим, Будапешт... Господи, а я бы мечтала спуститься хотя бы в поселок.

— Ну что ты, Пат.

Я стал говорить ей все, что мог сказать, чтобы отвлечь ее. Но она только качала головой.

— Да я вовсе не убиваюсь, милый, не думай. Не потому я плачу. То есть это бывает, но быстро проходит. Зато я так много думаю теперь...

— О чем же ты думаешь? — спросил я, целуя ее волосы.

— О том единственном, о чем я еще могу думать, — о жизни и смерти. И когда мне становится совсем уж тяжко и голова идет кругом, я говорю себе, что все же лучше умереть, когда еще хочется жить, чем тогда, когда уже хочется умереть. А ты как считаешь?

— Не знаю.

— Так и есть. — Она прильнула головой к моему плечу. — Если еще хочется жить, значит, есть что-то, что любишь. Так тяжелее, но так и легче. Ты подумай, ведь я все равно бы умерла. А теперь я благодарна жизни за то, что у меня был ты. А ведь я могла бы быть одинокой и несчастной. Тогда я рада была бы умереть. Теперь мне тяжело, но зато я полна любви, как бывает полна меда пчела, когда вечером возвращается в улей. Если бы я могла выбирать, я бы все равно выбрала из этих двух состояний теперешнее.

Она смотрела на меня.

— Пат, — сказал я, — но ведь есть еще и третье состояние. Вот кончится фен, тебе станет лучше, и мы уедем с тобой отсюда.

Она по-прежнему испытующе смотрела на меня.

— За тебя мне страшно, Робби. Тебе гораздо тяжелее, чем мне.

— Не будем больше об этом говорить, — предложил я.

— Я заговорила об этом, только чтоб ты не думал, что я убиваюсь, — сказала она.

— Да я и не думаю так, — сказал я.

Она положила ладонь на мою руку.

— Может, пусть цыгане поиграют еще?

— Ты хочешь их послушать?

— Да, милый.

Я снова включил приемник, и вот сперва тихо, а потом все громче и полнее зазвучали в комнате нежные скрипки и флейты на фоне приглушенных цимбал.

— Замечательно, — сказала Пат. — Как ветер. Как ветер, который куда-то уносит.

Передавали вечерний концерт из ресторана в одном из парков Будапешта. Иногда сквозь шум музыки прорывались реплики посетителей, раздавались ликующие, радостные восклицания. Каштаны на острове Маргит, надо полагать, уже покрылись первой листвой, она бледно мерцает в лунном свете и колышется, словно от дуновения скрипок. Там, должно быть, уже тепло, и люди сидят на воздухе, перед ними на столиках желтое венгерское вино, снуют кельнеры в белых тужурках, играют цыгане; а потом в зеленых весенних предрассветных сумерках все разбредаются, утомленные, по домам; а тут лежит, улыбаясь, Пат, и ей никогда не выйти уже из этой комнаты и не подняться с постели.

Потом события стали вдруг развиваться стремительно. Лицо, которое я так любил, таяло на глазах. Заострились скулы, на висках проступили кости. Руки сделались тонкими, как у ребенка, ребра выпирали под кожей, а лихорадка все чаще трепала исхудавшее тело.

Эрих Мария Ремарк

Сестра меняла кислородные подушки, а врач заходил каждый час.

Однажды под вечер температура необъяснимым образом вдруг упала. Пат пришла в себя и долго смотрела на меня.

— Дай мне зеркало, — прошептала она наконец.

— Зачем тебе зеркало? — спросил я. — Старайся отдохнуть, Пат. По-моему, кризис миновал. У тебя почти нет больше температуры.

— Нет, — снова прошептала она измученным, словно перегоревшим голосом, — дай мне зеркало.

Я обошел кровать, взял с тумбочки зеркало и вдруг уронил его. Зеркало разбилось.

— Прости, — сказал я. — Вечно я как слон. Видишь — выскользнуло из рук и вдребезги.

— У меня в сумочке есть еще одно, Робби.

Это было маленькое зеркальце из хромированного никеля. Я постарался заляпать его рукой и протянул Пат. Она с усилием протерла его и с напряжением вгляделась.

— Ты должен уехать, милый, — прошептала она потом.

— Почему же? Разве ты меня больше не любишь?

— Ты не должен больше смотреть на меня. Это больше не я.

Я отнял у нее зеркальце.

— Эти металлические штуки никуда не годятся, Пат. Ты только посмотри, на кого я в нем похож. Бледный тощий скелет. Когда на самом деле я загорелый и толстый. Не зеркало, а сплошная рябь.

— Ты должен запомнить меня другой, — прошептала она. — Уезжай, милый. Я справлюсь с этим сама.

Я стал ее успокаивать. Она снова потребовала зеркальце и свою сумочку. Потом начала пудриться, водя пальцами по несчастному изможденному лицу, потрескавшимся губам, глубоким темным впадинам под глазами.

— Я только немного, милый, — сказала она и попыталась улыбнуться. — Ты не должен видеть меня такой уродиной.

— Делай что хочешь, — сказал я. — Но стать уродиной тебе не удастся. Для меня ты самая красивая женщина, которую я когда-либо видел.

Я взял у нее зеркальце и пудреницу, отложил их в сторону и осторожно взял ее голову в обе руки. Вдруг она беспокойно задвигалась.

— Что случилось, Пат? — спросил я.

— Они так громко тикают, — прошептала она.

— Часы?

Она кивнула:

— Просто грохочут...

Я снял часы с руки.

Она испуганно посмотрела на секундную стрелку.

— Убери их.

Я размахнулся и швырнул часы об стену.

— Ну вот, теперь они тикать не будут. Теперь время остановилось. Мы его разорвали пополам, как бумагу. И остались только вдвоем на всем свете. Ты и я и никого больше.

Она посмотрела на меня. Глаза ее были огромны.

— Милый... — прошептала она.

Я не мог вынести этот взгляд. Он шел откуда-то издалека и уходил вдаль сквозь меня.

— Дружище ты мой, — бормотал я. — Милый мой, старый отважный дружище...

Она умерла в последний час ночи, перед рассветом. Умерла тяжелой, мучительной смертью, и никто не мог облегчить ее муки. Она крепко сжимала мою руку, но уже не понимала, кто с ней.

Вдруг кто-то сказал:

— Она умерла.

— Нет, — возразил я, — не умерла. Она еще крепко держит мою руку...

Эрих Мария Ремарк

Свет. Невыносимый, резкий. Люди. Врач. Я медленно разжал пальцы. И рука Пат упала. Кровь. Искаженное удушьем лицо. Застывшие в муках глаза. Каштановые шелковистые волосы.

— Пат, — проговорил я. — Пат.

И впервые мне никто не ответил.

— Я хочу остаться один, — сказал я.

— Может быть, сначала... — послышался чей-то голос.

— Нет, нет, — сказал я. — Выйдите все. Не трогайте.

Потом я смыл с нее кровь. Я был как из дерева. Причесал ее. Она остывала. Я перенес ее в мою постель и накрыл одеялами. Сидел около и не мог ни о чем думать. Только сидел на стуле и смотрел на нее. Вошел наш пес и сел рядом. Я видел, как изменялось ее лицо. А я все сидел и смотрел и не мог ничего с собой поделать. Потом наступило утро, и ее больше не было.

Литературно-художественное издание

Ремарк Эрих Мария
ТРИ ТОВАРИЩА

Ответственный редактор *И. Горяева*
Технический редактор *Н. Духанина*
Компьютерная верстка *И. Ковалевой*
Корректор *Е. Савинова*

Общероссийский классификатор продукции
ОК-034-2014 (КПЕС 2008); 58.11.1 – книги, брошюры печатные

Произведено в Российской Федерации
Изготовлено в 2020 г.
Изготовитель: ООО «Издательство АСТ»
129085, г. Москва, Звёздный бульвар, дом 21, строение 1, комната 705, пом. I, 7 этаж.
Наш электронный адрес: **www.ast.ru**
E-mail: neoclassic@ast.ru
ВКонтакте: vk.com/ast_neoclassic

«Баспа Аста» деген ООО
129085, Мәскеу қ., Звёздный бульвары, 21-үй, 1-құрылыс, 705-бөлме, I жай, 7-қабат.
Біздің электрондық мекенжайымыз: www.ast.ru
E-mail: neoclassic@ast.ru

Интернет-магазин: www.book24.kz
Интернет-дүкен: www.book24.kz
Импортёр в Республику Казахстан ТОО «РДЦ-Алматы».
Қазақстан Республикасындағы импорттаушы «РДЦ-Алматы» ЖШС.
Дистрибьютор и представитель по приему претензий на продукцию в Республике Казахстан:
ТОО «РДЦ-Алматы»

Қазақстан Республикасында дистрибьютор
және өнім бойынша арыз-талаптарды қабылдаушының
өкілі «РДЦ-Алматы» ЖШС, Алматы қ., Домбровский көш., 3«а», литер Б, офис 1.
Тел.: 8(727) 2 51 59 89,90,91,92, факс: 8 (727) 251 58 12 вн. 107;
E-mail: RDC-Almaty@eksmo.kz
Өнімнің жарамдылық мерзімі шектелмеген.

Өндірген мемлекет: Ресей
Сертификация қарастырылмаған

Подписано в печать 19.12.2019. Формат 76x100$^1/_{32}$.
Гарнитура «Newton». Печать офсетная. Усл. печ. л. 21,11.
Доп. тираж 30 000 экз. Заказ № 12907.

Отпечатано с готовых файлов заказчика
в АО «Первая Образцовая типография»,
филиал «УЛЬЯНОВСКИЙ ДОМ ПЕЧАТИ»
432980, Россия, г. Ульяновск, ул. Гончарова, 14

ISBN 978-5-17-111569-2

12+